DE MOORDKAMER

Jeffery Deaver

De moordkamer

VAN HOLKEMA & WARENDORF
Uitgeverij Unieboek | Het Spectrum bv, Houten – Antwerpen

Oorspronkelijke titel: *The Kill Room*
Vertaling: Jan Mellema en Yolande Ligterink
Omslagontwerp: Johannes Wiebel | punchdesign, München
Omslagfoto: Gregory Johnston en Fotonium | Shutterstock
Opmaak: ZetSpiegel, Best

ISBN 978 90 00 31843 8 | NUR 332

Eerste druk 2013
Oorspronkelijke uitgave: Grand Central Publishing,
a division of Hachette Book Group, Inc.

www.jefferydeaver.com
www.unieboekspectrum.nl

Van Holkema & Warendorf maakt deel uit van
Uitgeverij Unieboek | Het Spectrum bv
Postbus 97, 3990 DB Houten

Voor Judy, Fred en Dax

Ik ben het niet eens met wat u zegt, maar ik zal uw recht om voor uw mening uit te komen tot de dood toe verdedigen.

– Evelyn Beatrice Hall, *The Friends of Voltaire*, 1906

Dinsdag 9 mei

I

De gifhoutboom

1

De lichtflits baarde hem zorgen.

Een kortstondige schittering, wit of lichtgeel, in de verte.

Van het water? Van de overkant van de vredige blauwgroene baai?

Hier had hij echter geen gevaar te duchten. Hier zat hij in een prachtig en afgelegen vakantieresort. Hier was hij buiten het bereik van de opdringerige media, uit het zicht van vijanden.

Roberto Moreno tuurde naar buiten. Hij was pas achter in de dertig, maar had slechte ogen. Hij duwde zijn bril hoger op zijn neus en keek door het raam naar de tuin die bij de suite hoorde, het smalle witte strandje, de kabbelende zee. Oogstrelend, afgelegen... en beschermd. Geen bootje te zien. Zelfs als een vijand met een geweer erachter was gekomen dat hij hier zat en ongezien tussen de gebouwen van het industriële complex door was geslopen op dat stukje land twee kilometer verderop aan de overzijde van het water, was de luchtvervuiling zo erg dat je van die afstand niets kon raken.

Geen schittering meer, geen lichtflits.

Je bent hier veilig. Natuurlijk ben je hier veilig.

Toch bleef Moreno op zijn hoede. Net als Martin Luther King en Gandhi liep hij altijd gevaar. Dat hoorde nu eenmaal bij het leven dat hij leidde. Hij was niet bang voor de dood. Maar hij was wel bang om dood te gaan voordat zijn taak was volbracht. En op zijn leeftijd stond hem nog heel wat te doen. Een voorbeeld: een uurtje geleden had hij de laatste voorbereidingen getroffen voor een actie – een belangrijk gebeuren dat heel wat stof zou doen opwaaien – waarvan er het komende jaar nog een stuk of tien op stapel stonden.

En daarachter lag een rijke toekomst in het verschiet.

De gedrongen man in zijn onopvallende lichtbruine pak, witte overhemd en koningsblauwe stropdas, op en top Caraïbisch, schonk twee koppen koffie uit een kan die net door de roomservice gebracht was en liep terug naar de bank. Hij gaf een van de kopjes aan de journalist, die bezig was een cassetterecorder klaar te zetten.

'Señor De la Rua. Suiker en melk?'

'Nee, dank u.'

Ze spraken Spaans met elkaar, een taal die Moreno uitstekend beheerste. Hij had een grondige hekel aan Engels en sprak het alleen als hij niet anders kon. Als hij zijn moedertaal sprak, was altijd zijn New Jersey-accent te horen, hoezeer hij zijn best ook deed. Zijn eigen tongval deed hem steeds denken aan zijn jonge jaren in de States – zijn vader die zich uit de naad werkte en een sober leven leidde, zijn moeder die haar uiterste best deed om het geld dat hij verdiende zo snel mogelijk uit te geven. Grauwe omgeving, pestkoppen van een nabijgelegen middelbare school. Tot de redding kwam en het gezin verhuisde naar een veel fijnere plek dan South Hills, waar zelfs de taal zachtaardiger en eleganter was.

De journalist zei: 'Noemt u me toch Eduardo, alstublieft.'

'Dan ben ik Roberto.'

Eigenlijk heette hij Robert, maar die naam associeerde hij met advocaten in Wall Street, politici in Washington en Amerikaanse generaals die buitenlandse slagvelden bestrooiden met lijken van inlanders alsof het om goedkoop zaaigoed ging.

Vandaar *Roberto*.

'Je woont in Argentinië,' zei Moreno tegen de journalist, een tengere kalende man, gekleed in een blauw shirt zonder stropdas en een afgedragen zwart pak. 'Buenos Aires?'

'Dat klopt.'

'Weet je waar die stad zijn naam aan te danken heeft?'

De la Rua schudde zijn hoofd; hij was er niet geboren.

'Buenos Aires betekent natuurlijk "goede luchten",' zei Moreno. Hij las veel, verscheidene boeken per week, met name Zuid-Amerikaanse literatuur en geschiedenis. 'Maar dat was een verwijzing naar de lucht van Sardinië, niet die van Argentinië. De stad is genoemd naar een nederzetting op een heuvel in Cagliari, op een plek die verheven was boven de, laten we zeggen, penetrante geuren van de oude stad, en daarom werd die plek *Buen Ayre* genoemd. De Spaanse ontdekkingsreiziger die de plek ontdekte die uiteindelijk Buenos Aires zou gaan heten, gebruikte de naam van die nederzetting. Ik heb het uiteraard over de eerste kolonisten. Ze zijn door de plaatselijke bevolking verdreven, want die moest niets van de Europese overheersers hebben.'

De la Rua zei: 'Ook uit uw anekdotes spreekt overduidelijk een antikoloniale houding.'

Moreno moest lachen. Maar al snel gleed de lach van zijn gezicht. Hij wierp een vluchtige blik naar buiten.

Die stomme schittering. Toch zag hij alleen maar bomen en planten in de tuin, en die nevelige strook land aan de overkant van het water.

Het hotel stond aan de grotendeels verlaten zuidwestkust van New Providence, het eiland in de Bahama's waarop Nassau ligt. Het hele terrein was door een hek omsloten en werd bewaakt. De tuin hoorde exclusief bij deze suite; aan de noord- en zuidkant stond een hoog hek en aan de westkant was het strand.

Er was niemand. Er kon gewoon niemand zijn.

Een vogeltje misschien. Of wat boomblaadjes die trilden in de wind.

Nog niet zo lang geleden had Simon een ronde over het terrein gemaakt. Moreno keek nu naar hem, een forse, zwijgzame Braziliaan met een donkere huid in een mooi pak. De lijfwacht van Moreno kleedde zich beter dan hij, maar niet opzichtig. Simon was in de dertig en zag er gevaarlijk uit, zoals logisch en ook wenselijk was voor iemand in zijn functie, maar hij was geen crimineel. Hij had als officier in het leger gezeten en was daarna in de persoonsbeveiliging gegaan.

Hij was erg goed in zijn werk. Simon keek opzij; hij had gemerkt dat zijn baas naar hem keek. Onmiddellijk liep hij naar het raam om een blik naar buiten te werpen.

'Alleen maar een schittering, volgens mij,' zei Moreno.

De bodyguard stelde voor de gordijnen dicht te doen.

'Doe maar niet.'

Moreno vond dat Eduardo de la Rua, die vanuit de stad van de goede luchten op eigen kosten hiernaartoe was gevlogen, er recht op had van het prachtige uitzicht te genieten. De man kon zich waarschijnlijk weinig luxe veroorloven, aangezien hij een hardwerkende journalist was die erom bekendstond de waarheid hoog in het vaandel te hebben en die zich niet door bobo's uit het bedrijfsleven en de politiek liet inhuren om lovende stukjes over hen te schrijven. Moreno wilde de man na het interview meenemen naar het restaurant van de South Cove Inn om hem op een heerlijke lunch te trakteren.

Simon keek nog even naar buiten, liep vervolgens terug naar zijn stoel en pakte een tijdschrift.

De la Rua zette de cassetterecorder aan. 'Kunnen we beginnen?'

'Ga je gang.' Moreno concentreerde zich op het interview.

'Meneer Moreno, uw Local Empowerment Movement heeft net een vestiging in Argentinië geopend, de eerste in dat land. Kunt u vertellen hoe u op dat idee kwam, en wat uw organisatie precies doet?'

Moreno had dit praatje al tientallen malen afgestoken. De strekking varieerde, afhankelijk van de journalist of het gehoor in kwestie, maar het idee erachter was simpel: de plaatselijke bevolking aanmoedigen om zich tegen de invloed van de Amerikaanse regering en Amerikaanse bedrijven te verzetten en op eigen benen te gaan staan, met name door middel van microkredieten en het opzetten van kleinschalige landbouwprojecten en bedrijven.

'We zijn tegen de inmenging van grote Amerikaanse ondernemingen,' zei hij tegen de journalist, 'én tegen de steun en sociale projecten van overheidsorganisaties, want per slot van rekening zijn die er alleen maar op uit ons afhankelijk te maken. Ze zien ons niet als mensen, maar als goedkope arbeidskrachten en als afzetgebied voor Amerikaanse goederen. En dan ontstaat er een vicieuze cirkel. Ons volk wordt in fabrieken uitgebuit die in Amerikaanse handen zijn, en vervolgens wordt het ertoe aangezet producten van diezelfde bedrijven te kopen.'

'Ik heb heel wat artikelen geschreven over investeringen die de zakenwereld in Argentinië en andere Zuid-Amerikaanse landen heeft gedaan,' vertelde de journalist. 'En ik weet dat uw beweging ook dergelijke investeringen doet. Men zou kunnen stellen dat u tegen het kapitalisme bent en datzelfde kapitalisme tegelijkertijd omarmt.'

Moreno streek door zijn lange zwarte haar, dat voortijdig begon te grijzen. 'Nee, ik ben tegen het verkeerd gebruik van kapitalisme, en met name tegen de rol van Amerika daarin. Ik gebruik de zakenwereld als een wapen. Je moet wel volslagen naïef zijn om te denken dat je de maatschappij kunt veranderen door enkel een bepaalde ideologie uit te dragen. Die ideologie is het roer, geld de propeller.'

De verslaggever glimlachte. 'Dat zal ik als kop gebruiken. Maar ik heb gelezen dat sommigen u een revolutionair noemen.'

'Ha, ik heb alleen maar een grote bek, meer niet!' De glimlach betrok. 'Maar let op mijn woorden: omdat de ogen van de hele wereld op het Midden-Oosten gericht zijn, ontgaat het iedereen dat er een wereldspeler van formaat opstaat: Zuid-Amerika. Dat is wat ik vertegenwoordig. De nieuwe orde. De wereld kan niet langer om ons heen.'

Roberto Moreno stond op en liep naar het raam.

De tuin werd gedomineerd door een grote gifhoutboom, een *metopium toxiferum* van meer dan tien meter hoog. Moreno verbleef vaak in deze suite en dan genoot hij van het uitzicht op de boom. Je zou kunnen zeggen dat hij er een zekere verwantschap mee voelde. Toxifera zijn imposant, bevatten een rijkdom aan voedingsstoffen en zijn prachtig om te zien. Ook zijn ze giftig, zoals de naam al aangeeft. Als je het stuifmeel binnenkrijgt, of de rook die vrijkomt als je het hout en de bladeren verbrandt, heeft dat vreselijke pijn tot gevolg. En toch levert de boom voeding aan de prachtige zwaluwstaartvlinder en eet de witkopduif van zijn vruchten.

Ik ben als deze boom, dacht Moreno. Misschien is dat een mooie vergelijking voor in het artikel. Ik zal dit ook aan…

Weer die schittering.

In een fractie van een seconde: iets bewoog in het dunne bladerdek van de boom, en het hoge raam voor hem spatte uit elkaar. Glas veranderde in miljoenen ziedende sneeuwkristallen; in zijn borst laaiden vlammen op.

Van het ene moment op het andere lag Moreno op de bank, die net nog anderhalve meter achter hem had gestaan.

Maar… wat was er gebeurd?

Wat is dit? Ik val weg, ik val weg.

Ik krijg geen lucht meer.

Hij keek naar de boom, die hij scherper zag, veel scherper nu het glas er niet meer tussen zat. De takken wiegden in het zeebriesje heen en weer. Het lover veerde op, zakte weer terug. De boom ademde voor hem. Want hem lukte het niet meer, nu zijn borst in brand stond. Hij had te veel pijn.

Geschreeuw, mensen riepen om hulp.

Bloed, overal bloed.

De zon ging onder, de lucht werd steeds donkerder. Maar het was toch ochtend? Moreno zag zijn vrouw voor zich, zijn zoon en dochter, tieners nog. Zijn gedachten verdampten tot hij zich nog maar van één ding bewust was: de boom.

Vergif en kracht, vergif en kracht.

De vlammen in hem verflauwden, kwijnden weg. Tranen van opluchting.

Het donker verdiepte zich steeds meer.

De gifhoutboom.

Gifhout…

Gif…

Maandag 15 mei

II
De lijst

2

'Komt hij nou nog of niet?' Lincoln Rhyme deed geen enkele poging zijn irritatie te verbergen.

'Er is iets in het ziekenhuis.' Thoms stem kwam uit de gang of de keuken, of waar hij zich ook maar mocht bevinden. 'Het wordt wat later. Hij belt zo snel mogelijk.'

'"Iets." Lekker precies. "Iets in het ziekenhuis."'

'Dat zei hij.'

'Hij is dokter. Hij zou zich preciezer moeten uitdrukken. En hij zou op tijd moeten zijn.'

'Hij is dokter,' antwoordde Thom, 'en dat betekent dat hij wel eens een spoedgeval heeft.'

'Maar hij heeft niets gezegd over een spoedgeval. Hij had het over "iets". De operatie staat gepland op 26 mei. Ik wil niet dat hij uitgesteld wordt. Het duurt toch al veel te lang. Ik snap niet dat het niet eerder kan.'

Rhyme stuurde zijn rode Storm Arrow-rolstoel naar een beeldscherm en parkeerde hem naast de rotanstoel waarop Amelia Sachs zat in een zwarte spijkerbroek en een mouwloze zwarte top. Aan een dunne ketting om haar hals hing een hanger met een diamant en een parel. Het was nog vroeg en de lentezon stuurde felle stralen door de ramen op het oosten. Het licht viel betoverend op haar rode haar, dat met een paar haarspelden zorgvuldig in een knotje was opgestoken. Rhyme richtte zijn aandacht weer op het scherm en keek naar het rapport over het sporenonderzoek met betrekking tot een moord die hij de politie onlangs had helpen oplossen.

'Bijna klaar,' zei ze.

Ze zaten in de salon van zijn huis aan Central Park West in Manhattan. Wat in de dagen van Boss Tweed waarschijnlijk een rustige, sfeervolle kamer was geweest voor bezoekers en huwelijkskandidaten was nu een volledig functionerend forensisch laboratorium. De ruimte stond vol onderzoeksapparatuur, instrumenten en computers, en overal liepen snoeren waar Rhyme in zijn rolstoel overheen moest hobbelen. Dat voelde hij echter alleen in zijn hoofd en schouders.

'De dokter komt later,' mompelde Rhyme tegen Sachs. Een volkomen overbodige opmerking, omdat ze op een afstand van drie meter zijn gesprek met Thom had kunnen volgen. Maar hij was nog steeds geïrriteerd en het deed hem goed dat nog een keer te uiten. Behoedzaam bracht hij zijn rechterarm naar voren om met behulp van het touchpad de laatste paragrafen van het rapport op het scherm te krijgen. 'Prima.'

'Zal ik het versturen?'

Hij knikte en ze drukte op een knop. De gecodeerde vijfenzestig pagina's gingen de ether in om uiteindelijk tien kilometer verderop bij de forensische dienst van de politie in Queens te arriveren, waar ze de ruggengraat van de zaak-Williams zouden vormen.

'Klaar.'

Klaar... Alleen moesten ze nog getuigen in het proces tegen de drugshandelaar, die in oostelijk New York en Harlem kinderen van twaalf en dertien moorden had laten plegen. Rhyme en Sachs hadden piepkleine spoortjes gevonden en geanalyseerd, zoals afdrukken van de schoenen van een van de tieners die naar de vloer van een winkel in Manhattan hadden geleid en van daar naar de vloerbedekking van een Lexus sedan, een restaurant in Brooklyn, en uiteindelijk naar het huis van Tye Williams zelf.

De bendeleider was niet aanwezig geweest bij de moord op de getuige, hij had het vuurwapen niet aangeraakt, er was geen enkel bewijs dat hij opdracht had gegeven voor de moord en de jonge schutter was te bang om tegen hem te getuigen. Maar de hindernissen die het openbaar ministerie moest nemen deden er eigenlijk niet toe; Rhyme en Sachs hadden een fijne bewijsdraad gesponnen die van de plaats delict recht naar Williams' thuishaven liep.

Hij zou voor de rest van zijn leven achter de tralies verdwijnen.

Sachs legde haar hand op Rhymes onbeweeglijke linkerarm, die aan de rolstoel was vastgegespt. Hij zag aan de net zichtbare pezen onder haar bleke huid dat ze erin kneep. De lange vrouw stond op en rekte zich uit. Ze waren al vanaf de vroege ochtend aan het werk om het rapport af te maken. Zij was om vijf uur opgestaan. Hij iets later.

Rhyme zag dat haar gezicht vertrok toen ze naar de tafel liep om haar koffie te pakken. Ze had de laatste tijd veel last van artrose in haar heup en haar knie. Rhymes rugletsel, waardoor hij vanaf zijn nek verlamd was, was wel beschreven als 'verwoestend'. Maar hij had nooit pijn.

Wie we ook zijn, ons lichaam laat ons altijd in enige mate in de steek, bedacht hij. Zelfs mensen die min of meer tevreden waren maakten zich zorgen om de toekomst. Hij had medelijden met sportmensen, mooie mensen, jonge mensen die nu al bang waren voor het verval dat nog moest komen. Voor Lincoln Rhyme gold ironisch genoeg het tegendeel.

Vanuit de diepste diepten van zijn verwonding was hij dankzij nieuwe chirurgische technieken en zijn eigen radicale houding ten opzichte van oefeningen en riskante experimentele ingrepen toch weer wat omhooggeklommen.

Dat deed hem weer denken aan zijn ergernis omdat de dokter te laat was voor hun afspraak van die dag, waarbij ze de stand van zaken zouden bespreken in afwachting van de geplande ingreep.

De tweetonige deurbel klonk.

'Ik ga wel!' riep Thom.

Het huis was uiteraard aangepast aan de gehandicapte bewoner, en Rhyme had op zijn computer kunnen zien wie er aan de deur was, met diegene kunnen spreken en hem of haar binnen kunnen laten. Of niet. (Hij hield er niet van dat mensen zomaar voor de deur stonden en was geneigd ze weg te sturen – soms nogal bot – als Thom er niet snel bij was.)

'Wie is dat? Eerst kijken.'

Het kon niet dokter Barrington zijn, want die zou bellen als hij dat 'iets' wat hem in het ziekenhuis bezighield had afgehandeld. Rhyme was niet in de stemming voor ander bezoek.

Maar kennelijk maakte het niet uit of zijn verzorger eerst keek of niet. Lon Sellitto maakte zijn opwachting in de salon.

'Linc, je bent thuis.'

Niet zo verwonderlijk.

De gedrongen rechercheur liep meteen naar een blad met koffie en lekkernijen.

'Wil je verse koffie?' vroeg Thom. De slanke verzorger was gekleed in een donkere broek en een kraakhelder wit overhemd met een blauwe, gebloemde das erop. Vandaag droeg hij manchetknopen die zo te zien van ebbenhout of onyx waren.

'Nee, dank je, Thom. Hallo, Amelia.'

'Hoi, Lon. Hoe is het met Rachel?'

'Prima. Ze doet tegenwoordig aan pilates. Wat een vreemd woord is dat. Het is een soort training of zo.' Sellitto was gekleed in zijn gebruikelijke gekreukte pak, bruin, en zijn gebruikelijke gekreukte lichtblauwe overhemd. Hij had een vuurrode gestreepte das om die vreemd genoeg zo glad was als geschaafd hout. Pas gekregen, vermoedde Rhyme. Van zijn vriendin Rachel? Het was mei; geen feestdagen. Een verjaardagscadeau misschien. Rhyme wist de geboortedatum van Sellitto niet. Ook niet die van de meeste anderen met wie hij omging, trouwens.

Sellitto nam een slokje koffie en twee kleine hapjes van een koffiekoek. Hij was constant op dieet.

Rhyme en de rechercheur waren jaren geleden partners geweest en het was voornamelijk door toedoen van Lon Sellitto dat Rhyme na het ongeluk weer aan het werk was gegaan. Dat had hij niet bereikt door hem te vertroetelen of op hem in te praten, maar door hem te dwingen uit zijn luie stoel te komen en weer misdaden te gaan oplossen. (In het geval van Rhyme kwam het er eigenlijk juist op neer hem ín zijn stoel te houden en weer aan het werk te zetten.) Maar ondanks hun voorgeschiedenis kwam Sellitto nooit zomaar langs. De rechercheur werkte op de afdeling Zware Delicten vanuit het grote gebouw op Police Plaza en had meestal de leiding in de zaken waarbij Rhyme als adviseur werd ingehuurd. Zijn aanwezigheid was een voorteken.

'Zo.' Rhyme bekeek hem van top tot teen. 'Heb je iets leuks voor me, Lon? Een spannend misdrijf? Iets intrigerends?'

Sellitto dronk en knabbelde. 'Ik werd van hogerhand gebeld met de vraag of je vrij was, meer weet ik er niet van. Ik heb verteld dat je klaar was met Williams. Daarop werd me gezegd dat ik moest maken dat ik hier kwam om iemand te ontmoeten. Ze zijn onderweg.'

'"Iemand? Ze?"' vroeg Rhyme scherp. 'Dat is net zo precies uitgedrukt als het "iets" waardoor mijn dokter wordt opgehouden. Het lijkt wel besmettelijk. Een soort griep.'

'Hé, Linc. Meer weet ik echt niet.'

Rhyme wierp een grimmige blik op Sachs. 'Het is wel opvallend dat niemand mij hierover gebeld heeft. Ben jij gebeld, Sachs?'

'Niets gehoord.'

Sellitto zei: 'O, dat is vanwege dat andere.'

'"Dat andere"?'

'Wat er ook aan de hand is, het is geheim. En dat moet het blijven ook.'

Dat klonk tenminste al een beetje intrigerend, besloot Rhyme.

3

Rhyme keek op toen de twee bezoekers binnenkwamen. Het duo verschilde onderling enorm.

De een was een man van in de vijftig met een militair voorkomen. Hij droeg een marineblauw pak, zo donker dat het bijna zwart leek. Geen maatkostuum, dat kon je duidelijk zien bij de schouders. Hij was gladgeschoren en had een forse onderkin, een gebruinde huid en verzorgd, gemillimeterd haar. Die werkt ongetwijfeld voor de politie, dacht Rhyme.

De ander was een vrouw van begin dertig. Ze had een stevig postuur, al was ze niet te dik, nog niet. Ze droeg haar blonde, futloze haar in een ouderwetse coupe, met haarlak gefixeerd, en Rhyme zag dat haar bleekheid te wijten was aan een flinke laag make-up. Hij zag geen puistjes of andere oneffenheden en nam aan dat de plamuurlaag een bewuste keuze was. Hoewel ze geen oogschaduw of eyeliner op had, leken haar donkere ogen twee geweerlopen, die des te meer afstaken tegen de lichte tint van haar gezicht. Haar dunne lippen waren kleurloos en droog. Rhyme vermoedde dat er zelden een glimlach om haar mond gleed.

Ze nam steeds een bepaald punt op de korrel – apparatuur, het raam, Rhyme – en bleef het met haar doordringende blik fixeren tot ze het kon plaatsen of het als irrelevant had afgedaan. Ze droeg een donkergrijs pakje, ook niet erg duur, dat zedig met drie plastic knoopjes dichtzat. De donkere rondjes leken niet helemaal recht onder elkaar te zitten, en hij vroeg zich af of ze een heerlijk zittend mantelpakje had gekocht en de lelijke koperen knopen zelf had vervangen. De platte zwarte schoenen vertoonden ongelijkmatige slijtageplekken en waren onlangs nog met lak bijgewerkt.

Rhyme dacht al te weten wie haar opdrachtgever was. En dat maakte hem alleen nog maar nieuwsgieriger.

Sellitto stelde de man aan hem voor. 'Linc, dit is Bill Myers.'

De bezoeker knikte. 'Commandant, het is een eer kennis met u te mogen maken.' Hij sprak Rhyme aan met de titel die hij bij de politie had gehad voordat hij invalide raakte en zich uit het korps moest terugtrekken. Dit bevestigde zijn vermoedens: Myers zat inderdaad bij de politie. Een oudgediende met veel ervaring.

Rhyme reed in zijn elektrische rolstoel naar voren en stak abrupt zijn hand uit. Het ontging de politieman niet hoe houterig de beweging verliep en hij aarzelde even voor hij hem de hand schudde. Ook Rhyme viel iets op: Sachs verstijfde enigszins. Ze vond het maar niks als hij zijn arm en vingers voor dit soort sociale niksigheden leende. Maar Lincoln Rhyme kon niet anders. In het afgelopen decennium had hij geprobeerd teniet te doen wat hem was overkomen. Hij was trots op de minieme vorderingen die hij boekte en maakte er graag gebruik van.

Bovendien: wat voor nut had een speeltje als je er niets mee deed?

Myers stelde de andere mysterieuze 'iemand' voor. Ze bleek Nance Laurel te heten.

'Lincoln,' zei hij. Weer een handdruk, ogenschijnlijk krachtiger dan die van Myers, al kon Rhyme dat natuurlijk niet voelen. Het feit dat hij zijn arm kon bewegen, betekende niet automatisch dat hij er ook gevoel in had.

Laurel liet haar scherpe blik over Rhymes dikke bruine haardos, zijn vlezige neus en zijn levendige donkere ogen gaan. Ze zei alleen maar: 'Dag.'

'Jij bent zeker hulpofficier van justitie,' veronderstelde hij.

Ze vertoonde geen fysieke reactie op zijn constatering, die ten dele een gok was. Een lichte aarzeling, en dan: 'Ja, dat klopt.' Kordaat, met een heldere stem.

Vervolgens stelde Sellitto Myers en Laurel voor aan Sachs. De politieman nam haar op alsof hij ook van haar reputatie op de hoogte was. Rhyme zag dat Sachs' gezicht vertrok toen ze naar voren kwam om een hand te geven. Toen ze naar haar stoel terugging, probeerde ze soepeler te lopen. Hij dacht dat hij als enige zag dat ze onopvallend een paar tabletten Advil innam en die zonder water doorslikte. Ze nam nooit iets sterkers, ook al had ze nog zoveel pijn.

Ook Myers bleek commandant te zijn en hij stond aan het hoofd van een afdeling waar Rhyme nog nooit van gehoord had, blijkbaar nieuw dus: de Special Services Division. Uit zijn zelfverzekerde manier van doen en zijn argwanende blik maakte Rhyme op dat hij en zijn team heel wat macht hadden binnen de politie. Hij zou een slimme manipulator kunnen zijn die aasde op een functie in de plaatselijke politiek.

Zelf had Rhyme nooit enige interesse gehad in de spelletjes die binnen organisaties als het politiekorps gespeeld werden, laat staan in wat er hogerop allemaal gebeurde, in Albany of Washington. Het enige wat hem op dit moment intrigeerde, was de aanwezigheid van de man. Dat een bobo die aan het hoofd stond van een mysterieuze club zich liet vergezellen van een buitengewoon kiene hulpofficier van justitie deed vermoeden dat het om een opdracht ging waarmee hij de verveling op afstand kon houden. Die was sinds het ongeluk zijn meest gevreesde vijand geworden.

Zijn hart bonsde vol verwachting, maar hij was het gewaar in zijn slapen, niet in zijn gevoelloze borst.

Bill Myers maakte een gebaar naar Nance Laurel. 'Zij zal een plaatje van de situatie geven.'

Met een wrange glimlach probeerde Rhyme de aandacht van Sellitto te vangen, maar die negeerde hem. 'Een plaatje.' Rhyme had een hekel aan zulke nieuwerwetse, opgeklopte termen, waarvan bureaucraten en journalisten zich altijd gretig bedienen. Zo was 'verdienmodel' tegenwoordig erg populair, net als het inmiddels bijna ingeburgerde 'een stukje verantwoordelijkheid'. Het waren net felrode strepen in het kapsel van middelbare vrouwen, of tatoeages in het gezicht.

Weer een aarzeling. 'Commandant...' zei Laurel.

'Lincoln. Ik ben niet meer in functie. En laten we je en jou zeggen.'

Stilte. 'Lincoln, oké. Er is me een zaak onder de aandacht gebracht, en vanwege bepaalde ongebruikelijke aspecten ervan is me verteld dat jij dé persoon bent om het onderzoek te leiden. Jij en rechercheur Sachs. Ik heb begrepen dat jullie vaak samenwerken.'

'Dat klopt.' Hij vroeg zich af of Laurel zich ooit ontspande. Hij betwijfelde het ten zeerste.

'Ik zal even het een en ander uitleggen,' ging ze verder. 'Afgelopen dinsdag, op 9 mei, is in een luxe hotel op de Bahama's een Amerikaanse staatsburger vermoord. De politie aldaar heeft de zaak in onderzoek, maar er zijn redenen om aan te nemen dat de schutter een Amerikaan is die inmiddels weer is teruggekeerd naar de Verenigde Staten. Waarschijnlijk zit hij in New York of omstreken.'

Voor bijna elke zin pauzeerde ze even. Zocht ze naar de juiste woorden? Of probeerde ze in te schatten welke schade een verkeerd woord zou aanrichten?

'Ik ben niet van plan de dader hiervoor te vervolgen, want het is lastig om een misdrijf in behandeling te nemen dat in een ander land heeft plaatsgevonden. Het is niet geheel onmogelijk, maar het zou erg veel tijd kosten.' Nu iets minder aarzeling. 'En het is van belang om zo snel mogelijk te handelen.'

Waarom? vroeg Rhyme zich af.

Intrigerend...

'Ik zoek iets waarvoor ik hem in New York kan aanklagen, iets wat hier ogenschijnlijk los van staat,' vervolgde Laurel.

'Een complot,' concludeerde Rhyme ogenblikkelijk. 'Goed, heel goed. Dat staat me wel aan. Ervan uitgaand dat de moord hier beraamd is.'

'Precies,' zei Laurel. 'De moord is uitgevoerd in opdracht van een inwoner van de stad New York. Daarom ben ik met deze zaak belast.'

Net als iedereen bij de politie, of iedereen die bij de politie had gezeten, kende Rhyme de wet even goed als de meeste advocaten. Hij wist uit zijn hoofd wat hierover in het wetboek stond: iemand is schuldig aan samenzwering – het beramen van plannen met het oogmerk een misdrijf te begaan – als de persoon in kwestie met een of meer anderen uitvoering geeft aan of de uitvoering faciliteert van desbetreffend misdrijf. Hij voegde eraan toe: 'En ondanks het feit dat de moord zelf in het buitenland plaatsvond, heeft de zaak kans van slagen omdat de handeling waar het om draait – moord – in New York strafbaar is.'

'Precies,' viel Laurel hem bij. Misschien vond ze het leuk dat hij de situatie correct had samengevat, maar dat was niet met zekerheid te zeggen.

'Je zei dat de moord in opdracht was gepleegd. Zit de georganiseerde misdaad erachter?' wilde Sachs weten.

Er waren maar weinig kopstukken uit de georganiseerde misdaad die werden opgepakt en veroordeeld nadat ze mensen hadden afgeperst, ontvoerd of vermoord. Dat kwam doordat ze nooit in verband konden worden gebracht met een plaats delict. Wel belandden ze vaak achter de tralies op grond van het feit dat ze dergelijke misdrijven hadden beraamd.

Maar Laurel zei: 'Nee. Het gaat hier om iets anders.'

Rhymes hoofd tolde. 'Maar als we de samenzweerders identificeren en oppakken, zullen de autoriteiten op de Bahama's om uitlevering vragen. In elk geval zullen ze de moordenaar willen hebben.'

Zwijgend wierp Laurel hem een blik toe. Haar stiltes begonnen hem op de zenuwen te werken. Uiteindelijk zei ze: 'Ik zal een verzoek om uitlevering aanvechten. En ik schat mijn kansen op succes in op meer dan negentig procent.'

Voor een vrouw van in de dertig zag Laurel er nog jong uit. Ze bezat iets van de onschuld van een scholiere. Of nee, 'onschuld' was niet het juiste woord, vond Rhyme. Vastberadenheid. Koppigheid was ook een cliché dat paste.

Sellitto vroeg aan Laurel en Myers: 'Zijn er al verdachten?'

'Ja. Ik ben nog niet achter de identiteit van de moordenaar, maar ik weet welke twee mensen opdracht tot de moord hebben gegeven.'

Rhyme moest glimlachen. Zijn nieuwsgierigheid was gewekt en hij voelde de sensatie die een wolf moest kennen van het moment waarop hij de geur van zijn prooi gewaarwerd. Hij was er zeker van dat Nance Laurel hetzelfde voelde, ook al wist ze haar ongeduld goed achter die L'Oréal-façade verborgen te houden. Hij dacht te weten welke kant dit op ging.

Dit was meer dan intrigerend.

Laurel zei: 'De moord was een doelbewuste aanslag, en misschien zou je zelfs van een executie kunnen spreken, in opdracht van een Amerikaanse regeringsfunctionaris – het hoofd van NIOS, de National Intelligence and Operations Service, die hier in Manhattan gestationeerd is.'

Dat was min of meer wat Rhyme inmiddels vermoedde, al had hij zelf meer in de richting van de CIA of het Pentagon gedacht.

'Jezus,' fluisterde Sellitto. 'Wil je een federaal agent oppakken?' Hij keek naar Myers, die geen enkele reactie vertoonde, en daarna weer naar Laurel. 'Kan dat?'

Haar stilte duurde twee in- en uitademingen. 'Hoe bedoel je dat, inspecteur?' Perplex.

Sellitto had het waarschijnlijk precies zo bedoeld als hij het gezegd had. 'Ik bedoel: staat hij niet boven de wet?'

'De juristen van NIOS zullen voor onschendbaarheid gaan, maar op dat terrein voel ik me helemaal thuis. Voor een vakblad heb ik een artikel geschreven over de onschendbaarheid van regeringsfunctionarissen. Ik schat mijn kans op succes in op negentig procent bij de gewone rechtbank en tachtig procent bij het hof van beroep. Als we naar het hooggerechtshof moeten, winnen we sowieso.'

'Wat zegt de wet over onschendbaarheid?' vroeg Sachs.

'Dat is vastgelegd in de grondwet,' legde Laurel uit. 'In geval van tegenstrijdige uitspraken heeft de federale rechtspraak voorrang boven de rechtspraak in afzonderlijke staten. New York mag een federale werknemer niet aanklagen voor misdrijven die binnen de staat gepleegd zijn als die persoon handelde binnen de grenzen van zijn bevoegdheden. In onze situatie ben ik ervan overtuigd dat het hoofd van NIOS buiten zijn boekje is gegaan en de grenzen van zijn bevoegdheden heeft overschreden.'

Laurel keek naar Myers, die zei: 'We hebben alle feiten op een rijtje gezet, en we denken aanknopingspunten gevonden te hebben die erop wijzen dat deze man zich schuldig heeft gemaakt aan het manipuleren van de inlichtingen die de basis vormden voor de moord voor zijn eigen geheime agenda.'

Feiten op een rijtje gezet... geheime agenda...

'En wat is dan die geheime agenda?' vroeg Rhyme.

'Dat weten we niet precies,' zei Myers. 'Hij lijkt obsessief bezig te zijn met het beschermen van het land en wil iedereen uitschakelen die daar een mogelijke bedreiging voor vormt – ook mensen die misschien geen bedreiging vormen, maar in zijn ogen niet vaderlandslievend zijn. De man die hij in Nassau heeft laten doodschieten was geen terrorist. Hij had alleen maar...'

'... een uitgesproken mening,' vulde Laurel aan.

'Een vraagje,' zei Sachs. 'Heeft de minister van Justitie deze zaak gefiatteerd?'

Laurels aarzeling zou er deze keer op kunnen wijzen dat ze er moeite mee had dat haar baas erbij werd gesleept en dat eraan getwijfeld werd of hij wel toestemming had gegeven om deze zaak op te pakken. Moeilijk te zeggen. Op vlakke toon antwoordde ze: 'De informatie over de moord is op ons kantoor in Manhattan binnengekomen, in het district waar ook NIOS is gevestigd. De officier van justitie en ik hebben de zaak besproken. Ik wilde de zaak graag behandelen vanwege mijn kennis op het gebied van onschendbaarheid en omdat dit soort misdrijven me mateloos irriteren. Zelf vind ik dat executies in opdracht van een overheidsinstantie in strijd zijn met de grondwet, vanwege procedurele hiaten. De officier van justitie vroeg me of ik me ervan bewust was dat deze zaak een soort landmijn is. Ik heb bevestigend geantwoord. Hij is naar de minister van Justitie in Albany gegaan, die besliste dat ik met de zaak door mocht gaan. Dus ja, zijn zegen heb ik.' Een strakke blik in de richting van Sachs, die net zo onverschrokken terugkeek.

Zowel de officier van justitie van Manhattan als de minister van Justitie behoorden tot de politieke partij die momenteel in Washington niet aan de macht was, wist Rhyme. Was die constatering fair? Hij besloot dat een observatie niet cynisch is als die door de feiten ondersteund wordt.

'Welkom in het wespennest,' zei Sellitto. Laurel was de enige die daar niet om moest lachen.

Myers zei tegen Rhyme: 'Daarom heb ik u aanbevolen toen Nance bij ons aanklopte. U, Sellitto en Sachs opereren iets onafhankelijker dan de anderen. U ligt niet zo aan de ketting als de meeste andere rechercheurs.'

Lincoln Rhyme was tegenwoordig adviseur van de politie, de FBI en elke andere organisatie die bereid was de aanzienlijke bedragen neer te tellen die hij voor zijn forensische diensten vroeg, vooropgesteld dat de desbetreffende zaak een echte uitdaging vormde.

Hij vroeg: 'En wie is de hoofdverdachte in dit complot, deze baas van NIOS?'

'Hij heet Shreve Metzger.'

'Al enig idee wie de schutter zou kunnen zijn?' vroeg Sachs.

'Nee. Hij – of zij – zou in het leger kunnen zitten, en in dat geval hebben we een probleem. Als we geluk hebben, gaat het om iemand buiten het leger.'

'Geluk?' Het was Sachs die dat vroeg.

Rhyme nam aan dat Laurel bedoelde dat het militaire juridische systeem de zaak alleen maar gecompliceerder zou maken. Maar ze legde uit: 'Iemand uit het leger wekt vaak meer sympathie op bij een jury dan een huurmoordenaar zonder militaire banden.'

Sellitto zei: 'Je had het over twee mensen die bij het complot betrokken zouden zijn, naast de schutter. Wie nog meer behalve Metzger?'

'O,' zei Laurel tamelijk achteloos, 'de president.'

'De president waarvan?' vroeg Sellitto.

Weer gaf Laurel niet onmiddellijk antwoord, hoewel niet duidelijk was of ze echt over deze vraag moest nadenken. 'De president van de Verenigde Staten, natuurlijk. Voor elke executie die van overheidswege wordt uitgevoerd, is het fiat van de president nodig. Maar tegen hem ga ik geen aanklacht indienen.'

'Jezus, ik hoop inderdaad van niet,' zei Lon Sellitto met een lachje dat klonk als een onderdrukte nies. 'Dat is geen politieke landmijn meer, dat is verdomme haast een kernbom.'

Laurel fronste haar wenkbrauwen, alsof ze zijn opmerking uit het IJslands moest vertalen. 'Het gaat hier niet om politiek, inspecteur. Als de president opdracht tot een executie heeft gegeven en daarbij buiten zijn bevoegdheden is getreden, zou dat tot impeachment moeten leiden. Maar dat valt duidelijk buiten mijn jurisdictie.'

4

Hij werd even afgeleid door de geur van gegrilde vis – met limoen en bakbanaan, dacht hij. En nog iets anders, een kruid. Hij kon het niet goed thuisbrengen.

Hij snoof nog eens. Wat kon het toch zijn?

De man met het compacte lichaam en korte bruine haar hervatte zijn wandelingetje over het kapotte trottoir – en over de kale aarde op plekken waar de betonplaten helemaal weg waren. Ter verkoeling wapperde hij met zijn donkere colbert, blij dat hij geen das had omgedaan. Voor een met onkruid overwoekerd stuk grond bleef hij staan. De straat met zijn lage winkels en pastelkleurige huizen, die dringend wat meer verf nodig hadden, lag er op die late morgen verlaten bij. Geen mens te zien, alleen twee slome straathonden in de schaduw.

Toen zag hij haar.

Ze kwam uit duikwinkel Deep Fun en liep in de richting van West Bay.

De gebruinde jonge vrouw had een wilde bos zongebleekt haar met een smalle, met kralen versierde lok van haar slaap tot aan haar borst. Haar figuur was dat van een zandloper, een heel slanke. Ze droeg een geel met rode bikini en een uitdagende, doorzichtige oranje wikkelrok, die tot haar enkels reikte. Ze was lenig en energiek en haar glimlach kon heel ondeugend zijn.

Zoals nu.

'Kijk wie we daar hebben.' Ze bleef bij hem staan.

Dit was een rustige buurt, een eindje uit het centrum van Nassau. Een slaperig bedrijfsterrein. De honden keken lui toe, met omgeklapte oren als ezelsoren in een boek.

'Hoi.' Jacob Swann zette zijn Maui Jim-zonnebril af en streek over zijn gezicht. Toen zette hij de zonnebril weer op. Had hij nu maar zonnebrandolie meegenomen. Dit reisje naar de Bahama's had niet in de planning gestaan.

'Hm. Misschien doet mijn telefoon het niet,' zei Annette droog.

'Waarschijnlijk wel.' Swann trok een berouwvol gezicht. 'Ik weet het. Ik had gezegd dat ik zou bellen. Schuldig.'

Maar het was op zijn ergst een nalatigheid; hij had betaald voor het gezelschap van Annette, dus haar kokette opmerking was niet zo scherp als die onder andere omstandigheden geweest zou zijn.

Aan de andere kant was er vorige week toch echt meer geweest dan betaalde seks. Ze had hem maar twee uur in rekening gebracht, maar was de hele nacht gebleven. Het was natuurlijk geen *Pretty Woman* geweest, maar ze hadden er allebei van genoten.

De overeengekomen uren waren snel voorbijgegaan, en het zachte, vochtige briesje was door het raam naar binnen en naar buiten gewaaid, terwijl het ritmische geluid van de zee de stilte had doorbroken. Hij had gevraagd of ze wilde blijven en Annette had toegestemd. Zijn motelkamer beschikte over een keukentje; Jacob Swann had een laat avondmaal bereid. Toen hij in Nassau was aangekomen, had hij geitenvlees, uien, kokosmelk, olie, rijst, pittige saus en lokale kruiden ingeslagen. Hij had het vlees vakkundig uitgebeend, het in hapklare stukken gesneden en gemarineerd in karnemelk. Tegen elf uur had het stoofpotje zes uur op een laag vuurtje staan sudderen. Ze hadden alles opgegeten en er een stevige rode rhônewijn bij gedronken.

Daarna waren ze weer naar bed gegaan.

'Hoe staat het met de zaken?' vroeg hij met een knikje naar de winkel om duidelijk te maken welke zaken hij bedoelde, hoewel de parttime baan bij Deep Fun een lokkertje was voor cliënten die haar heel wat meer betaalden dan de huur voor een snorkel. (De ironie van de naam van de winkel ging aan geen van hen voorbij.)

Annette haalde haar welgevormde schouders op. 'Niet slecht. De economie werkt natuurlijk niet mee. Maar rijke mensen voelen zich nog steeds verbonden met koraal en vissen.'

Het braakliggende stukje grond werd verfraaid door autobanden, afgedankte blokken beton en een paar gebutste en roestige apparaten die allang van hun ingewanden waren ontdaan. Het was een en al zonovergoten stof, lege blikjes, struiken die nodig gesnoeid moesten worden en woekerend gras. De geuren: gegrilde vis, limoen, bakbananen en rook van verbrand afval.

En dat kruid. Wat was het toch?

'Ik herinner me helemaal niet dat ik je verteld heb waar ik werk.' Een knikje naar de winkel.

'Jawel, hoor.' Hij wreef over zijn haar. Het zweet stond op zijn ronde schedel. Nogmaals wapperde hij met zijn jasje. De bewegende lucht voelde goed.

'Heb je het niet warm?'

'Een ontbijtbespreking waarvoor ik er representatief uit moest zien.

Morgen ben ik weer weg. Ik weet niet wat jij allemaal op het programma hebt staan…'

'Vanavond?' stelde Annette voor. Hoopvol.

'Eh, dan heb ik nog een vergadering.' Jacob Swann had geen expressief gezicht. Hij keek haar alleen maar recht in de ogen toen hij dit zei. Geen spijtig trekje, geen jongensachtig geflirt. 'Ik hoopte op nu meteen.' Hij stelde zich voor dat zijn ogen hongerig stonden; zo voelde hij zich.

'Wat was dat ook weer voor wijn?'

'Die ik bij het diner serveerde? Châteauneuf-du-Pape. Ik weet niet meer uit welke wijngaard precies.'

'Zalig was die.'

Geen woord dat Jacob Swann vaak gebruikte – eigenlijk nooit – maar de wijn was inderdaad zalig, besloot hij. Net als zij. De touwtjes van haar bikinibroekje bungelden langs haar benen, klaar om losgetrokken te worden. In haar slippers waren blauwgelakte nagels en om beide grote tenen zat een gouden ring die bij haar oorringen paste. Ze had ook een flinke hoeveelheid gouden armbanden om.

Annette bekeek hem op haar beurt en zou zich zijn naakte lijf herinneren: gespierd, met smalle heupen en krachtige borst en armen. En een wasbordje. Daar werkte hij hard aan.

Ze zei: 'Ik had plannen, maar…'

De zin eindigde met een nieuwe glimlach.

Ze nam zijn arm toen ze naar zijn auto liepen. Hij begeleidde haar naar de passagierskant. Toen ze waren ingestapt, legde ze hem uit hoe hij naar haar appartement moest rijden. Hij startte de motor, maar schakelde nog niet. 'O, bijna vergeten. Ik heb weliswaar niet gebeld, maar ik heb wel een cadeautje voor je.'

'Nee!' Ze kirde van plezier. 'Wat dan?'

Hij draaide zich om naar zijn rugzak, die op de achterbank stond, en haalde er een doosje uit. 'Je houdt van sieraden, toch?'

'Welk meisje houdt daar nou niet van?' vroeg Annette.

Toen ze het doosje open wilde doen, zei hij: 'Dit komt niet in plaats van je honorarium, hoor. Het is een extraatje.'

'Toe, zeg,' zei ze met een afwijzende glimlach. Toen concentreerde ze zich op het smalle doosje. Swann keek de straat in. Nog steeds niemand te zien. Hij schatte de hoek in, trok zijn linkerhand naar achteren – open en met gespreide en stijve duim en wijsvinger – en sloeg hard tegen haar keel.

Ze hapte naar adem en haar ogen werden groot. Haar handen gingen naar haar pijnlijke hals terwijl ze rechtop schoot.

'Uhn, uhn, uhn…'

Het was een aanval die heel precies moest worden uitgevoerd. De klap mocht niet te hard aankomen om de luchtpijp niet totaal te verpletteren – ze moest nog kunnen praten – maar wel zo hard dat ze niet meer kon gillen.

Ze staarde hem met opengesperde ogen aan. Misschien probeerde ze zijn naam te zeggen; nou ja, de schuilnaam die hij haar vorige week had gegeven. Swann had drie Amerikaanse en twee Canadese paspoorten en creditcards op vijf verschillende namen. Hij kon zich eerlijk gezegd niet herinneren wanneer hij 'Jacob Swann' het laatst gebruikt had bij iemand die hij niet goed kende.

Hij keek haar uitdrukkingsloos aan en draaide zich om om het ducttape uit zijn rugzak te halen.

Swann trok vleeskleurige latex handschoenen aan en scheurde een stuk ducttape van de rol. Toen schoot het hem te binnen. Dát was het. Het kruid dat de kok aan de vis had toegevoegd.

Koriander.

Hoe had hij dat kunnen missen?

5

'Het slachtoffer heette Robert Moreno,' zei Laurel tegen hen. 'Achtendertig jaar.'

'Moreno – komt me bekend voor,' zei Sachs.

'Is in het nieuws geweest, inspecteur,' hielp Myers. 'Voorpaginanieuws.'

Sellitto vroeg: 'Wacht, die anti-Amerikaanse Amerikaan? Zo werd hij volgens mij in krantenkoppen genoemd.'

'Klopt,' zei Myers. En toen voegde hij er verbitterd aan toe: 'De lul.'

Het nieuwerwetse jargon bleef achterwege.

Rhyme merkte dat Laurel niet zo gecharmeerd was van de opmerking van Myers. Ook leek ze weinig geduld meer te kunnen opbrengen, alsof ze geen tijd had voor dit soort geklets. Hij wist dat ze zo snel mogelijk in actie wilde komen, en de reden daarvoor was nu duidelijk. Als ze bij NIOS lucht kregen van het onderzoek, zouden ze hoogstwaarschijnlijk stappen ondernemen om de zaak te dwarsbomen – juridisch, en misschien ook op andere wijze.

Nou, Rhyme wilde ook zo snel mogelijk aan de slag. Hij was dol op intriges.

Laurel liet een foto zien van een knappe man met een wit overhemd aan, die voor een radiomicrofoon zat. Hij had ronde gelaatstrekken en dunnend haar. Ze zei: 'Een recente foto van hem in zijn radiostudio in Caracas. Hij had een Amerikaans paspoort, maar woonde als expat in Venezuela. Op 9 mei zat hij voor zaken op de Bahama's toen hij in zijn hotelkamer door de sluipschutter werd doodgeschoten. Bij die aanslag kwamen ook twee anderen om het leven – zijn bodyguard en een journalist die hem interviewde. De bodyguard was een Braziliaan die in Venezuela woonde. De journalist kwam uit Puerto Rico en woonde in Argentinië.'

Rhyme zei: 'De pers heeft er betrekkelijk weinig aandacht aan geschonken. Als de regering op heterdaad betrapt was, bij wijze van spreken met de vinger aan de trekker, zou de zaak veel breder zijn uitgemeten. Wie zeggen ze dat het gedaan heeft?'

'Drugskartels,' zei Laurel. 'Moreno had een organisatie opgericht, de Local Empowerment Movement, die zich het lot aantrok van de verpauperde inheemse bevolking in Zuid-Amerika. Hij had zich kritisch uitgelaten over de drugshandel. Dat viel niet goed in Bogotá en in een paar landen in Zuid-Amerika. Maar ik heb nergens concrete aanwijzingen gevonden dat hij door een kartel op de dodenlijst was geplaatst. Ik ben ervan overtuigd dat Metzger en NIOS verhalen over drugskartels hebben verspreid om de aandacht af te leiden. En nog iets: ik weet zeker dat Moreno door een sluipschutter van NIOS is omgelegd. Dat kan ik bewijzen.'

'Bewijzen?' vroeg Sellitto.

Haar lichaamstaal maakte duidelijk dat ze hun dat maar al te graag wilde uitleggen, al was dat van haar gezicht niet af te lezen. 'We hebben een klokkenluider – iemand die bij NIOS werkt of er connecties mee heeft. Via hem is het bevel naar buiten gekomen dat Moreno uit de weg geruimd moest worden.'

'Een soort WikiLeaks?' vroeg Sellitto. Meteen schudde hij zijn hoofd. 'Nee, dat lijkt me niet.'

'Precies,' zei Rhyme. 'Anders zou het verhaal allang door de media zijn opgepikt. Het is rechtstreeks aan het kantoor van de officier van justitie doorgegeven. Met stille trom.'

'Dat klopt,' zei Myers. 'De klokkenluider heeft het bevel voor de moord doorgesluisd.'

Rhyme negeerde de commandant en diens populistische taalgebruik. Hij richtte zich tot Laurel: 'Vertel eens wat meer over Moreno.'

Dat deed ze, uit haar hoofd. Zijn ouders kwamen uit New Jersey. Toen hij twaalf was, emigreerde het gezin naar Midden-Amerika, omdat zijn vader geoloog was en voor een Amerikaans olieconcern werkte. Aanvankelijk werd Moreno naar Amerikaanse scholen aldaar gestuurd, maar nadat zijn moeder zelfmoord had gepleegd, ging hij naar plaatselijke scholen, waar hij het goed deed.

'Zelfmoord?' vroeg Sachs.

'Kennelijk had ze het moeilijk met de verhuizing… en haar echtgenoot was constant op pad om boorlokaties te bezoeken en proefboringen te begeleiden. Hij was veel van huis.'

Laurel ging door met het schetsen van een portret van het slachtoffer. Al jong vond hij het heel erg dat de inlandse bevolking in Midden- en Zuid-Amerika door de Amerikaanse regering en Amerikaanse bedrijven werd uitgebuit. Nadat Moreno in Mexico-Stad had gestudeerd, werd hij radiopresentator en activist. Hij schreef felle pamfletten tegen Amerika en tegen wat hij noemde 'het Amerikaanse eenentwintigste-eeuwse imperialisme'. Daar besteedde hij in zijn radioprogramma's veel aandacht aan.

'Hij ging in Caracas wonen en richtte de Local Empowerment Movement op, als een alternatief voor arbeiders om zelfstandiger te worden en niet afhankelijk te zijn van werk in Amerikaanse en Europese bedrijven en van Amerikaanse overheidssteun. Er zijn zo'n zes vestigingen in Midden- en Zuid-Amerika en het Caraïbisch gebied.'

Rhyme stond perplex. 'Dat klinkt niet onmiddellijk als het cv van een terrorist.'

'Precies,' zei Laurel. 'Maar ik moet er wel bij vermelden dat Moreno zich lovend over bepaalde terreurorganisaties heeft uitgelaten: al-Qaida, al-Shabaab, de Islamitische Beweging van oostelijk Turkestan in Xinjiang, China. En met verschillende extremistische groeperingen in Zuid-Amerika heeft hij allianties gesloten: in Colombia zowel met de ELN en de FARC als met de Autodefensas Unidas. En hij sympathiseert met het Sendero Luminoso in Peru.'

'Lichtend Pad?' vroeg Sachs.

'Inderdaad.'

De vijand van mijn vijand is mijn vriend, dacht Rhyme. Ook als hij kinderen overhoop knalt. 'Maar toch,' zei hij. 'Een executie? Alleen op basis daarvan?'

'De laatste tijd keerde Moreno zich op zijn blogs en in zijn radioprogramma's steeds feller tegen de Verenigde Staten,' legde Laurel uit. 'Hij noemde zichzelf "de Boodschapper van de Waarheid". En hij zei heel extreme dingen. Hij had een grondige hekel aan dit land. Er gingen geruchten dat mensen zich door hem lieten inspireren en Amerikaanse toeristen of militairen doodschoten of Amerikaanse ambassades of bedrijven met zelfgemaakte bommen bestookten. Maar ik heb geen enkel bericht van hem kunnen vinden waarin hij opriep tot het uitvoeren van een dergelijke aanval, ook niet impliciet. Anderen inspireren is niet hetzelfde als plannen beramen.'

Rhyme kende Nance Laurel nog maar een paar minuten, maar hij had het sterke vermoeden dat ze heel hard haar best had gedaan om dergelijke berichten te vinden.

'NIOS beweerde dat er signalen waren die erop wezen dat Moreno een concrete aanval aan het plannen was: een bomaanslag op de hoofdvestiging van een olieconcern in Miami. Ze hebben een telefoongesprek onderschept, in het Spaans, en de stem is geïdentificeerd als zijnde van Moreno.'

Ze zocht nu in haar versleten aktetas naar haar aantekeningen. 'Moreno zei tijdens dat telefoongesprek: "Ik wil in Florida de American Petroleum Drilling and Refining aanpakken. Woensdag." De andere persoon, niet geïdentificeerd, zegt: "De tiende. Tien mei?" Moreno: "Ja, tussen de middag, wanneer iedereen weggaat om te lunchen." Die andere persoon: "Hoe wil je, nou ja, ze daar krijgen?" Moreno: "Vrachtwagens." Dan volgt er een onverstaanbaar stukje. En dan Moreno weer: "En dit is nog maar het begin. Ik heb nog veel meer van dit soort boodschappen op mijn lijstje.""

Ze stopte de uitgeschreven tekst terug in haar tas. 'Het bedrijf in kwestie – APDR – heeft twee vestigingen in of bij Florida. Het hoofdkantoor zit in Miami, en er ligt een booreiland voor de kust. Het kan niet om dat booreiland gaan, omdat Moreno het over vrachtwagens had. Daarom waren ze er bij NIOS zeker van dat de aanslag gericht was op het hoofdkantoor aan Brickell Avenue. Tegelijkertijd zijn analisten van de inlichtingendienst erachter gekomen dat bepaalde bedrijven die een band met Moreno hadden de afgelopen maand diesel, kunstmest en nitromethaan naar de Bahama's hebben vervoerd.'

Drie populaire bestanddelen voor het maken van bermbommen, stoffen die ook waren gebruikt om het overheidsgebouw in Oklahoma op te blazen. En ook daarbij waren de bommen met een vrachtwagen naar de plek van bestemming gebracht.

Laurel ging verder: 'Als Moreno uit de weg zou worden geruimd voordat de bom de Verenigde Staten was binnengesmokkeld, zo dacht Metzger, zouden zijn volgelingen het plan niet tot uitvoer brengen. Een dag voor de geplande aanslag in Miami werd hij neergeschoten. Op 9 mei.'

Tot dusverre ontstond de indruk dat Metzger een aantal levens had gered, of je de moord nu goedkeurde of niet.

Rhyme wilde dit net ter sprake brengen toen Laurel het woord weer nam: 'Maar Moreno bleek het niet over een "aanslag" te hebben gehad, maar over een "vreedzaam protest". Op 10 mei, tussen de middag, kwamen er zes trucks bij het hoofdkantoor van APDR aan. Ze vervoerden geen bommen, maar demonstranten.

En die bombestanddelen? Die waren voor Moreno's Local Empowerment Movement, voor de vestiging op de Bahama's. De diesel zou naar een transportbedrijf gaan. De kunstmest was voor landbouwcoöperaties, en het nitromethaan was bedoeld voor de productie van pesticide. Allemaal legaal. Dat waren de enige stoffen die genoemd werden om een moordaanslag op Moreno goedgekeurd te krijgen, maar bij hetzelfde transport zaten ook duizenden kilo's zaaigoed, rijst, vrachtwagenonderdelen, gebotteld drinkwater en andere onschuldige artikelen. Dat hadden ze bij NIOS gemakshalve maar onvermeld gelaten.'

'Waren er niet gewoon te weinig gegevens bekend?' vroeg Rhyme.

Laurel zweeg lang voor haar doen en uiteindelijk zei ze: 'Nee. Volgens mij zijn de gegevens gemanipuleerd. Metzger vond Moreno maar niks; hij moest niets van zijn retorische praatjes hebben. Hij heeft hem eens "een verachtelijke verrader" genoemd. Volgens mij heeft hij zijn superieuren maar ten dele van de feiten op de hoogte gehouden. De bobo's in Washington keurden de missie goed omdat ze dachten dat er anders een bomaanslag zou worden gepleegd, terwijl Metzger wel beter wist.'

Sellitto zei: 'Dus NIOS heeft een onschuldige man vermoord.'

'Ja,' zei Laurel krachtig. 'Maar dat is een goede zaak.'

'Hè?' brieste Sachs met gefronste wenkbrauwen.

Een geladen stilte. Het was duidelijk dat Laurel niet snapte waarom Sachs zo ontstemd reageerde, een echo van de reactie van de rechercheur op Laurels eerdere opmerking dat ze van geluk mochten spreken als de schutter geen militair was.

Rhyme hervatte het gesprek: 'Weer vanwege de jury, Sachs. Ze zullen eerder geneigd zijn iemand te veroordelen die een activist heeft vermoord die alleen maar gebruik maakte van zijn recht op vrije meningsuiting dan iemand die een hardcore terrorist heeft omgelegd.'

Laurel voegde eraan toe: 'Zelf vind ik dat er geen moreel verschil tussen die twee bestaat. Niemand mag zonder enige vorm van proces worden geëxecuteerd, wie dan ook. Maar Lincoln heeft gelijk. Ik moet rekening houden met de jury.'

'Als de zaak gaat lopen,' zei Myers tegen Rhyme, 'hebben we dus iemand nodig zoals u, iemand die met beide benen op de grond staat.'

Ongelukkige woordkeuze, gezien de wijze waarop de criminalist zich over het algemeen verplaatste.

Rhyme was geneigd zich onmiddellijk te laten strikken voor de zaak, die in alle opzichten intrigerend was en een uitdaging zou vormen. Maar hij zag dat Sachs naar de grond keek en met een vinger over haar kruin streek, een gewoonte van haar. Hij vroeg zich af wat haar dwarszat.

Ze zei tegen de hulpofficier van justitie: 'Toen het om al-Awlaki ging, hebben jullie de CIA ongemoeid gelaten.'

Anwar al-Awlaki, een Amerikaans staatsburger, was een radicale imam en een pleitbezorger voor de jihad, en werd beschouwd als een van de kopstukken van al-Qaida in Jemen. Net als Moreno was hij een expat. Zijn bijnaam luidde 'de Bin Laden van het internet' en hij riep op zijn blog vurig op tot het vermoorden van Amerikanen. Hij inspireerde onder andere de schutter in Fort Hood, de ondergoedterrorist, beide in

2009, en de terrorist die in 2010 een autobom op Times Square had geplaatst.

Al-Awlaki en een Amerikaanse staatsburger, zijn online-redacteur, kwamen bij een aanval van een drone om het leven, een actie waar de CIA achter zat.

Laurel voelde zich blijkbaar geroepen zich te verdedigen. 'Hoe had ik die zaak in hemelsnaam kunnen aanpakken? Ik ben officier van justitie in de regio New York. De moord op al-Awlaki viel totaal buiten mijn jurisdictie. Maar als je me vraagt of ik juist die zaken uitkies waarvan ik denk dat ik ze kan winnen, inspecteur Sachs, kan ik daar alleen maar bevestigend op antwoorden. Metzger aanklagen voor moord op een bekende en gevaarlijke terrorist heeft waarschijnlijk geen enkele kans van slagen. En dat geldt ook voor de moord op iemand die geen Amerikaans staatsburger is. Maar de moord op Moreno kan ik wel aan een jury verkopen. Als het me lukt Metzger en zijn scherpschutter te laten veroordelen, kan ik ook andere zaken aanpakken die meer in het grijze gebied liggen.' Ze zweeg even. 'Of misschien zal de regering zelfs haar beleid aanpassen en zich in het vervolg strikt aan de grondwet houden... en zich niet meer met huurmoordenaars inlaten.'

Sachs keek even naar Rhyme en zei toen tegen Laurel en Myers: 'Ik weet het niet. Op de een of andere manier voelt het niet goed.'

'"Voelt het niet goed"?' vroeg Laurel, alsof ze de zegswijze niet begreep.

Laurel wreef krachtig twee vingers met ongelakte nagels over elkaar toen Sachs zei: 'Ik weet het niet, ik twijfel of het wel onze zaak is.'

'Die van jou en Lincoln?' vroeg Laurel.

'Of van wie van ons dan ook. Dit heeft niet met criminaliteit, maar met politiek te maken. Als je wilt voorkomen dat NIOS nog meer mensen vermoordt, is dat prima. Maar dat is toch meer een kwestie voor het Congres dan voor de politie?'

Laurel keek steels naar Rhyme. Sachs had zeker een punt – een punt waaraan hij nog niet had gedacht. Wat de wet betrof, zat hij niet zo met algemene kwesties van goed en fout. Voor hem volstond het als Albany of Washington of het stadsbestuur bij hem aanklopte met een misdrijf dat opgelost moest worden. Zijn taak was dan overzichtelijk: de dader opsporen en bewijsmateriaal leveren.

Net als bij schaken. Maakte het wat uit dat de bedenkers van dat ondoorgrondelijke spel hadden besloten dat de dame oppermachtig was en dat het paard alleen maar één schuin en één recht mocht? Nee. Als de regels eenmaal waren vastgesteld, hield je je eraan.

Hij negeerde Laurel en keek naar Sachs.

Ineens veranderde de houding van de hulpofficier van justitie, subtiel maar onmiskenbaar. Eerst dacht Rhyme dat ze zich wilde verdedigen, maar dat was het niet, realiseerde hij zich. Ze schakelde over op de advocatenmodus. Alsof ze in de rechtszaal was opgestaan en naar de jury toe liep, een jury die er nog niet van overtuigd was dat de verdachte schuldig was.

'Amelia, ik denk dat gerechtigheid in details besloten ligt,' begon Laurel. 'In kleine dingen. Als ik een verkrachter voor de rechter sleep, doe ik dat niet omdat ik bang ben dat de stabiliteit van de maatschappij in gevaar komt als seksueel geweld tegen vrouwen onbestraft blijft. Ik doe dat dan omdat iemand een van de misdrijven heeft begaan die beschreven staan in het wetboek van strafrecht van de staat New York onder artikel 130.35. Zo doe ik dat, en zo doen we dat allemaal.'

Na een korte stilte zei ze: 'Alsjeblieft, Amelia. Ik ken je cv. Ik zou je dolgraag aan boord hebben.'

Ambitie of ideologie? vroeg Rhyme zich af. Hij keek naar Nance Laurel, haar compacte postuur, haar strakke kapsel, haar weinig elegante vingers, de ongelakte nagels, de kleine voeten in praktische schoenen, waarop de lak net zo zorgvuldig was aangebracht als de make-up op haar gezicht. Eén ding viel hem in het bijzonder op: in haar zwarte ogen ontbrak elke vorm van passie, zo opvallend dat hij er koud van werd. En er waren maar weinig dingen waar Lincoln Rhyme het koud van kreeg.

In de daaropvolgende stilte keken Sachs en Rhyme elkaar aan. Ze leek te voelen hoe graag hij de zaak wilde. En daardoor werd ze over de streep getrokken. Ze knikte. 'Ik doe mee,' zei ze.

'Ik ook.' Rhyme keek niet naar Myers of Laurel, maar naar Sachs. Bedankt, straalde hij uit.

'Mij wordt weliswaar niets gevraagd,' zei Sellitto brommend, 'maar ook ik ben gaarne bereid om mijn carrière op het spel te zetten door achter een hooggeplaatste federale functionaris aan te gaan.'

'Ik neem aan dat discretie geboden is,' zei Rhyme toen.

'We moeten dit onder ons houden,' stemde Laurel in. 'Anders zal er bewijsmateriaal verdwijnen. Maar ik denk dat we ons op dat punt geen zorgen hoeven te maken. Op mijn kantoor hebben we er alles aan gedaan om deze zaak geheim te houden. Het zou me ten zeerste verbazen als NIOS van dit onderzoek op de hoogte is.'

6

Toen Jacob Swann in de geleende auto naar een kade aan de zuidwestkust van New Providence reed, vlak bij het enorme Clifton Heritage Park, hoorde hij het tingeltje van een inkomende sms op zijn telefoon. Het bericht betrof een update over het onderzoek dat de politie van New York had ingesteld naar de dood van Robert Moreno in de hoop bewijzen voor een samenzwering te vinden. Swann zou er binnen een paar uur nadere details over ontvangen, waaronder de namen van de betrokken partijen.

Ze werkten snel. Veel sneller dan hij had verwacht.

Hij hoorde een bons in de kofferbak, waar hij Annette Bodel, de ongelukkige hoer, in had gepropt. Het was een zacht geluidje en er was niemand in de buurt die het kon horen, geen groepjes nietsnutten of straatschuimers zoals je die vaak zag op de Bahama's, van die lui die met hun eeuwige flesje Sands of Kalik stonden te geinen en te roddelen en altijd klaagden over vrouwen en bazen.

Er was verder geen verkeer op de weg en ook geen bootjes in het blauwgroene water.

Wat was het Caraïbisch gebied toch een toonbeeld van tegenstrijdigheid, bedacht Swann, terwijl hij om zich heen keek: een schreeuwerige speeltuin voor toeristen en een vervallen zootje voor de plaatselijke bevolking. Alle aandacht ging uit naar de locaties waar dollars en euro's werden betaald voor service en entertainment, en de rest van het land was gewoon uitgeput. Net als dit hete, overwoekerde en met afval bezaaide stukje zanderige aarde bij het strand.

Hij stapte uit en blies in zijn handschoenen om zijn zweterige handen af te koelen. Verdomme, wat was het heet. Hij was hier eerder geweest, vorige week. Nadat een bijzonder moeilijk maar accuraat geweerschot het hart van de verraderlijke Robert Moreno had uiteengereten was Swann hierheen gereden om wat kleren en andere bewijsstukken te begraven. Het was de bedoeling geweest om ze hier voor altijd te laten liggen. Maar nadat hij het opmerkelijke en verontrustende bericht had ontvangen dat het openbaar ministerie in New York een onderzoek instelde naar de dood van Moreno had hij besloten dat hij alles het beste kon ophalen om het definitiever te laten verdwijnen.

Maar eerst moest hij nog iets anders doen, een andere taak verrichten.

Swann liep naar de kofferbak, maakte hem open en keek neer op de bezwete en betraande Annette, die duidelijk pijn leed.

En naar adem snakte.

Hij ging bij de achterbank staan, deed zijn koffer open en haalde er een van zijn meest geliefde bezittingen uit: zijn favoriete keukenmes, een Kai Shun Premier-vleesmes. Het was ongeveer vierentwintig centimeter lang en vertoonde het opvallende Tsuchime-oppervlak, met de hand gehamerd door messenmakers in het Japanse stadje Seki. Het lemmet had een kern van VG-10-staal, bedekt met tweeëndertig lagen damaststaal. De greep was van walnotenhout. Hij had messen van dezelfde fabrikant met verschillende vormen en afmetingen voor verschillende snijtechnieken, maar dit was zijn favoriete mes. Hij hield ervan als van een kind. Hij gebruikte het om vis te fileren, om doorzichtige plakjes carpaccio te snijden en om mensen te motiveren.

Swann vervoerde dit mes en zijn andere messen in een veelgebruikt messenfoedraal van Messermeister, samen met twee gehavende kookboeken, een van James Beard en een van de Franse chef-kok Michel Guérard, de goeroe van de *cuisine minceur*. Douanebeambten keken nooit op van een set professionele messen, hoe dodelijk ook, als die samen met een kookboek in de ingecheckte bagage zat. Bovendien gebruikte hij de messen vaak als hij van huis was; Jacob Swann kookte liever voor zichzelf dan dat hij in zijn eentje in een bar zat of naar een film ging.

Hij had er vorige week nog het geitenvlees voor de stoofpot mee van de botten gehaald en in stukjes gesneden.

Mijn slagertje, mijn lieve slagertje...

Hij hoorde weer iets, een klap. Annette begon te schoppen.

Swann liep terug naar de kofferbak en sleepte de vrouw er aan haar haren uit.

'Uhn, uhn, uhn...'

Dat was waarschijnlijk haar versie van 'nee, nee, nee'.

Hij vond een kuil in het zand, omringd door rietplanten en verfraaid met platgeknepen Kalik-blikjes, Red Stripe-flesjes, gebruikte condooms en oude peuken. Hij rolde zijn slachtoffer op haar rug en ging op haar borst zitten.

Een blik om zich heen. Niemand te bekennen. Door de klap tegen haar keel kon ze niet zo hard gillen, maar helemaal stil zou deze operatie niet verlopen.

'Nou. Ik ga je een paar vragen stellen en jij zult het een en ander moeten zeggen. Ik heb antwoorden nodig, en snel ook. Kun je praten?'

'Uhn.'

'Zeg "ja".'

'J... j... jaaa.'

'Mooi.' Hij haalde een tissue uit zijn zak en kneep met zijn andere hand haar neus dicht. Toen ze haar mond opendeed, greep hij met de tissue haar tong en trok de punt een paar centimeter naar buiten. Ze schudde heftig met haar hoofd, tot ze besefte dat dat meer pijn deed dan zijn knijpende vingers.

Ze dwong zichzelf rustig te blijven.

Jacob Swann bracht de Kai Shun langzaam naar voren en bewonderde het lemmet en de greep. Kookgerei is mooier ontworpen dan menig ander voorwerp. Het zonlicht glansde op de bovenste helft van het lemmet, waar kuiltjes in waren geslagen, zodat het leek of het licht over golfjes speelde. Hij streelde voorzichtig het uiteinde van haar tong met de punt van het mes, zodat het dieper roze werd. Er kwam nog geen bloed tevoorschijn.

Een geluid. 'Alsjeblieft', misschien.

Slagertje...

Hij herinnerde zich dat hij een paar weken geleden met hetzelfde mes inkepingen had gemaakt in een eendenborst, drie smalle sneetjes om het vet beter te laten uitsmelten onder de grill. Hij boog zich over haar heen. 'Luister goed,' fluisterde hij. Swanns mond bevond zich dicht bij haar oor en hij voelde haar warme huid tegen zijn wang.

Net als vorige week.

Nou ja, een beetje als vorige week.

7

De breedsprakige Bill Myers was vertrokken en had het onderzoek overgedragen aan Rhyme en zijn team.

De zaak-Moreno had onmiskenbaar gewicht, maar uiteindelijk was het slechts één van de duizenden misdrijven die in New York werden gepleegd, en Myers en zijn mysterieuze Special Services Division hadden ongetwijfeld nog meer zaken die om hun aandacht vroegen.

Rhyme vermoedde ook dat de man afstand wilde nemen. Myers had de officier van justitie gesteund – dat lag natuurlijk voor de hand, want de politie en het OM waren twee handen op een buik – maar nu vond Myers blijkbaar dat het de hoogste tijd was dat hij naar een niet nader omschreven locatie moest. Rhyme dacht aan de politieke ambitie die hij bij Myers bespeurd had, en als die inderdaad een rol speelde, zou de man ongetwijfeld een stapje terug doen om te kijken hoe het onderzoek zich zou ontwikkelen. Hij zou het juiste moment afwachten om ten tonele te verschijnen en de dader op te pakken. En als de zaak escaleerde tot een pr-nachtmerrie, zou hij zijn handen ervanaf trekken.

Dat was zeer goed mogelijk.

Het maakte Rhyme niets uit. Eigenlijk was hij blij dat Myers vertrokken was. Hij had er altijd moeite mee als er twee kapiteins op het schip waren.

Natuurlijk was Lon Sellitto gebleven. Officieel leidde hij het onderzoek. Hij zat nu in een krakend rotan stoeltje en keek peinzend naar een muffin op een dienblad, hoewel hij al een paar hapjes van een koffiekoek had genomen. Toen klopte hij twee keer op zijn buik, alsof hij hoopte dat hij door het laatste modedieet zo veel was afgevallen dat hij met een gerust hart zijn tanden in de muffin kon zetten. Blijkbaar niet.

'Wat weet je van die vent die NIOS runt?' vroeg Sellitto aan Laurel. 'Metzger?'

Weer stak ze van wal zonder haar aantekeningen te hoeven raadplegen. 'Drieënveertig. Gescheiden. Zijn ex heeft een particuliere advocatenpraktijk, Wall Street. Hij heeft op Harvard gezeten, ROTC, de opleiding tot reserveofficier. Is daarna in het leger gegaan, Irak. Ging er als luitenant heen, was kapitein toen hij afzwaaide. Er was sprake van dat hij nog langer in het leger kon blijven, maar dat liep mis. Ik zal jullie daar later meer over vertellen. Vanuit het leger ging hij naar Yale, haalde een master in bestuurskunde en deed een rechtenstudie. Is bij Buitenlandse Zaken terechtgekomen en vijf jaar geleden overgestapt naar NIOS als hoofd Operations. Toen de zittende directeur van NIOS vorig jaar met pensioen ging, kreeg Metzger die positie, ondanks het feit dat hij een van de jongsten in het management was. Er wordt gefluisterd dat hij alles op alles zette om aan de top te komen.'

'Kinderen?' vroeg Sachs.

'Wat?' zei Laurel.

'Heeft Metzger kinderen?'

'O, denk je dat iemand hem onder druk heeft gezet en zijn kinderen heeft bedreigd om hem te dwingen bepaalde missies op touw te zetten?'

'Nee,' zei Sachs. 'Ik vroeg me alleen af of hij kinderen had.'

Laurel knipperde met haar ogen. Nu keek ze wel in haar aantekeningen. 'Een zoon en een dochter. Basisschool. Hij mocht ze een jaar lang niet zien. Inmiddels is er een bezoekregeling getroffen, maar meestal zijn ze bij hun moeder. Metzger is een echte havik. Zo zou hij gezegd hebben dat hij Afghanistan meteen op 12 september 2001 had platgegooid als het aan hem had gelegen. Hij uit zich tamelijk stellig als het gaat om ons recht om vijandelijke staten preventief aan te pakken. Hij heeft het vooral voorzien op Amerikaanse burgers die naar het buitenland zijn gegaan en zich bezighouden met wat hij anti-Amerikaanse activiteiten vindt, zoals meevechten bij opstanden of openlijk sympathiseren met terroristische groeperingen. Maar dat zijn zijn politieke overtuigingen, en die vind ik niet relevant.' Een stilte. 'Belangrijker is dat hij labiel is.'

'Hoezo?' vroeg Sellitto.

Rhyme begon zijn geduld te verliezen. Hij wilde liever de forensische kant van de zaak onder de loep nemen.

Maar omdat Sachs en Sellitto altijd eerst 'het hele plaatje' wilden bekijken, om met Myers te spreken, onderbrak hij Laurel niet en probeerde hij enige aandacht op te brengen.

Ze zei: 'Hij kan zijn emoties niet onder controle houden, en dan met name zijn woede. Die lijkt zijn voornaamste drijfveer te zijn. Hij is eervol uit het leger ontslagen, maar er waren incidenten die zijn verdere militaire carrière in de weg stonden. Woedeaanvallen, driftbuien, hoe je het ook maar wilt noemen. Raakte totaal buiten zinnen. Op een gegeven moment werd hij zelfs opgenomen in een kliniek. Ik heb hem nagetrokken. Hij loopt nog steeds bij een psychiater en gebruikt medicijnen. Een paar keer is hij opgepakt voor geweldpleging. Nooit in staat van beschuldiging gesteld. Zelf denk ik dat hij een borderliner met paranoïde trekjes is. Niet psychotisch, maar wel iemand met last van wanen en een neiging tot verslaving, verslaving aan de woede. Of om precies te zijn aan de reactie op die woede. Ik heb me verdiept in het onderwerp, en het blijkt dat je verslaafd kunt raken aan de opluchting die je voelt als je je woede op iets of iemand hebt gekoeld. Het werkt als een soort drug. Ik denk dat hij een kick krijgt als hij iemand laat vermoorden aan wie hij een hekel heeft.'

Ik heb me verdiept in het onderwerp. Zeg dat wel. Ze klonk als een psychiater die college gaf.

'Hoe is hij dan op die post beland?' vroeg Sachs.

Die vraag was ook al bij Rhyme opgekomen.

'Doordat hij uitzonderlijk goed is in het vermoorden van mensen. Dat blijkt althans uit zijn dossier.' Laurel ging verder: 'Het zal lastig zijn om zijn persoonlijkheid tegen hem te gebruiken, maar dat wil ik wel gaan proberen. En ik hoop dat hij in de getuigenbank plaatsneemt. Dat zou echt geweldig zijn. Als hij in het bijzijn van de jury een woedeaanval krijgt, zitten we natuurlijk gebeiteld.' Ze keek van Rhyme naar Sachs. 'Ik zou graag willen dat jullie bij het onderzoek letten op aanwijzingen voor Metzgers labiele geestesgesteldheid, zijn driftbuien en zijn neiging om geweld te gebruiken.'

Nu zweeg Sachs even voordat ze reageerde. 'Dat is tamelijk vaag, vind je niet?'

Een wedstrijdje wie het langst kon zwijgen. 'Ik snap niet goed wat je daarmee bedoelt.'

'Ik heb geen idee op welke manier forensisch bewijsmateriaal zou kunnen aantonen dat die vent last van driftbuien heeft.'

'Ik dacht niet aan forensische bewijzen. Ik dacht meer aan een algemeen onderzoek.' De hulpofficier keek omhoog naar Sachs – de rechercheur was een kop groter. 'In je dossier staat dat je goed bent in het opstellen van psychologische profielen en in het verhoren van getuigen. Dan kun je vast wel wat vinden als je je best doet.'

Sachs hield haar hoofd een beetje schuin en kneep haar ogen halfdicht. Ook Rhyme verbaasde het dat de hulpofficier haar had nagetrokken. Waarschijnlijk hem ook.

Ik heb me verdiept in het onderwerp…

'Dus.' Laurel verbrak de stilte abrupt. De zaak was beklonken; ze zouden op zoek gaan naar aanwijzingen dat Metzger labiel was. Begrepen.

Rhymes verzorger kwam binnen met een verse kan koffie. Rhyme stelde hem voor en merkte dat Nance Laurel iets verstrakte. Ze keek hem met een doordringende blik aan.

Nu was Thom Reston weliswaar een knappe, charmante vent, maar geen romantische optie voor haar, en zij droeg geen ringen die erop wezen dat ze een relatie had. Rhyme concludeerde dat ze zich waarschijnlijk niet tot hem aangetrokken voelde, maar dat hij haar deed denken aan iemand die ze kende of had gekend.

Laurel keek uiteindelijk een andere kant op en zei dat ze geen koffie hoefde, op een toon alsof het onethisch was om onder het werk koffie te gaan zitten drinken. Ze rommelde in haar keurig geordende aktetas. De dossiers waren met kleur gemarkeerd, en Rhyme zag dat ze twee laptops bij zich had, waarvan de lichtjes in de slaapstand oranje knipperden. Ze haalde een document tevoorschijn.

'Willen jullie de moordopdracht zien?' vroeg ze, terwijl ze de anderen aankeek.

Wie kon zo'n aanbod weigeren?

8

'Dat is uiteraard niet de officiële term, een "moordopdracht",' verzekerde Nance Laurel hun. 'Zo noemen ze het alleen maar in de wandelgangen. Het heet eigenlijk een STO, een Special Task Order.'

'Dat klinkt bijna nog erger,' zei Lon Sellitto. 'Sterieler, weet je wel. Eng.'

Rhyme was het met hem eens.

Laurel gaf Sachs drie vellen papier. 'Als je die even kunt ophangen, zodat we ze allemaal kunnen zien?'

Sachs aarzelde even, maar deed toen wat de hulpofficier vroeg.

Laurel tikte op het eerste vel. 'Dit is de e-mail die afgelopen donderdag, de elfde, bij ons op kantoor is binnengekomen.'

Nieuws gezien over Robert Moreno? Dit is de opdracht ervoor. Niveau 2 is het huidige hoofd van NIOS. Zijn idee om tot actie over te gaan. Moreno was Amerikaans staatsburger. CD betekent: collateral damage. *Don Bruns is de codenaam van de agent die hem vermoord heeft.*

– Iemand met een geweten.

'We zullen kijken of we de e-mail kunnen traceren,' zei Rhyme. 'Rodney.' Een blik op Sachs, die knikte.

Ze legde uit dat ze vaak samenwerkten met de eenheid Computercriminaliteit van de politie. 'Ik zal hem een verzoek sturen. Heb je de e-mail in digitale vorm?'

Laurel haalde een zakje met een USB-stick uit haar koffertje. Tot zijn genoegen zag Rhyme dat er een registratiekaart aan vastzat. Ze overhandigde het zakje aan Sachs met de woorden: 'Als je even…'

Maar de rechercheur zette haar naam al op de kaart.

Sachs stak de drive in haar computer en begon te typen.

'Je laat ze toch wel weten dat er absolute geheimhouding geboden is?'

'Dat heb ik in de allereerste alinea gezet,' zei Sachs zonder op te kijken. Een tel later stuurde ze het verzoek naar de eenheid Computercriminaliteit.

'Die codenaam klinkt me bekend in de oren,' merkte Sellitto op. 'Bruns, Bruns…'

'Misschien houdt de sluipschutter van countrymuziek,' zei Sachs.

'Er bestaat een singer-songwriter die Don Bruns heet. Folk- en country-muziek. Best goed.'

Laurel hield haar hoofd scheef alsof ze nog nooit naar muziek had geluisterd, laat staan naar zoiets levendigs als country.

'Doe navraag bij de Informatiedienst,' zei Rhyme. 'Zoek op "Bruns". Het kan zijn dat hij onder een niet-officiële dekmantel werkt, maar dat wil niet zeggen dat hij in de echte wereld helemaal niet bestaat.'

Ook agenten die onder een schuilnaam werken, maken gebruik van creditcards en paspoorten. Aan de hand daarvan zou het eventueel mogelijk zijn om hun gangen na te gaan en hun ware identiteit te achterhalen. De Informatiedienst was een nieuwe afdeling binnen het politiekorps van New York die zich bezighield met geavanceerde datamining. Het was een van de beste in het land.

Terwijl Sachs de aanvraag deed, draaide Laurel zich om naar het bord en tikte tegen een tweede vel. 'En hier is de opdracht zelf.'

HEIM – TOPGEHEIM – TOPGEHEIM – TOPGEHEIM – TOPG

Special Task Orders
Lijst

8/27	9/27
Taak: Robert A. Moreno	Taak: Al-Barani Rashid
(NIOS ID: ram278e4w5)	(NIOS ID: abr942pd5t)
Geboren: 4/75, New Jersey	Geboren: 2/73, Michigan
Voltooien: 5/8-5/9	Voltooien: 5/19
Goedkeuring:	Goedkeuring:
Niveau 2: ja	Niveau 2: ja
Niveau 1: ja	Niveau 1: ja
Extra documentatie: zie 'A'	Extra documentatie: N/R
Bevestiging vereist: ja	Bevestiging vereist: nee
PIN vereist: ja	PIN vereist: ja
CD: goedgekeurd, maar minimaliseren	CD: goedgekeurd, maar minimaliseren
Details:	Details: volgen
Specialist: Don Bruns, moordkamer, South Cove Inn, Bahama's, Suite 1200	Status: in behandeling
Status: gesloten	

Het andere document op het bord was getiteld 'A'. Hierop stond de informatie waarover Nance Laurel het eerder had gehad, gegevens over de verscheping van kunstmest, dieselolie en chemicaliën naar de Bahama's. De ladingen waren afkomstig uit Corinto in Nicaragua en uit Caracas.

Laurel knikte naar de USB-stick, die nog in de computer zat. 'Hij heeft ook een .wav-bestand meegestuurd, een opname van een telefoontje of radiobericht aan de sluipschutter, kennelijk van zijn opdrachtgever.' Ze keek afwachtend naar Sachs, die na een lichte aarzeling weer achter de computer ging zitten en iets intypte. Een paar tellen later klonk er een kort gesprek uit de blikkerige luidsprekers.

'Zo te zien zijn er twee, nee, drie mensen in de kamer.'

'Kun je Moreno met zekerheid identificeren?'

'Dat is... ik heb wat last van de zon. Oké, dat is beter. Ja. Ik kan de taak identificeren. Ik zie hem.'

Daarmee eindigde de opname. Rhyme wilde Sachs vragen om een stemafdruk te maken, maar dat bleek ze al gedaan te hebben. Hij zei: 'Het bewijst niet dat hij daadwerkelijk de trekker heeft overgehaald, maar wel dat hij ter plekke was. Nu moeten we alleen nog de persoon zien te vinden die bij de stem past.'

'Specialisten,' merkte Laurel op. 'Zo worden moordenaars officieel kennelijk genoemd.'

'Hoe zit het met die NIOS ID-code?' vroeg Sellitto.

'Die is waarschijnlijk bedoeld om er zeker van te zijn dat ze de juiste R.A. Moreno te pakken hebben. Het zou wel heel gênant zijn om daar fouten mee te maken.' Rhyme las verder. 'Interessant dat de klokkenluider niet de echte naam van de schutter geeft.'

'Misschien weet hij die niet,' zei Sellitto.

'Zo te zien weet hij verder alles,' antwoordde Sachs. 'Zijn gewetensbezwaren gaan maar tot een bepaald punt. Hij geeft ons het hoofd van de organisatie, maar hij staat sympathiek tegenover de man die de trekker heeft overgehaald.'

Laurel knikte. 'Daar ben ik het mee eens. Het gaat er bij mij niet in dat de klokkenluider dat niet weet. Ik wil hem ook opsporen. Niet dat ik hem wil vervolgen, maar de informatie is belangrijk. Als we de sluipschutter willen vinden, zal dat via hem moeten. Zonder de sluipschutter is er geen samenzwering en hebben we geen zaak.'

'Ook als we hem vinden gaat hij ons dat niet uit vrije wil vertellen. Anders zou hij het al gedaan hebben,' zei Sachs.

Laurel reageerde afwezig: 'Bezorg mij de klokkenluider en ik krijg hem aan het praten. Gegarandeerd.'

'Is het nog een optie om Metzger aan te pakken vanwege de andere slachtoffers, de bewaker en die journalist, De la Rua?' vroeg Sachs.

'Nee. In de moordopdracht wordt alleen Moreno genoemd. De anderen zijn collateral damage, en we willen de zaak niet nodeloos ingewikkeld maken.'

Sachs' zure gezicht leek te willen zeggen: *Ze zijn anders net zo dood als het doelwit. Maar we mogen onze geliefde jury niet in de war brengen, zeker?*

'Geef me de details over de moord zelf,' zei Rhyme.

'We weten er niet veel van. De politie op de Bahama's heeft ons een voorlopig rapport gegeven, maar daarna was het voor hen afgelopen. Ze bellen niet terug. Wat we weten, is dat Moreno zich in zijn suite bevond toen hij werd neergeschoten.' Ze wees op de STO. 'Suite 1200. De "moordkamer", zoals ze het noemen. De sluipschutter heeft geschoten vanaf een landtong op ongeveer tweeduizend meter van het hotel.'

'Dat is wel een heel fantastisch schot.' Sachs' wenkbrauwen gingen omhoog. Ze was zelf een uitmuntende schutter, deed vaak mee aan schietwedstrijden en was recordhouder in competities van de politie en van particuliere organisaties, hoewel ze liever met handwapens schoot dan met geweren. 'Echt een gulden schot. Het record voor een sluipschutter staat op ongeveer vijfentwintighonderd meter. Wie hij ook was, die schutter is bijzonder goed.'

'Nou, dat is fijn nieuws voor ons,' zei Laurel. 'Het beperkt het aantal verdachten.'

Dat was waar, bedacht Rhyme. 'Wat hebben we verder nog?'

'Niets.'

Dus dit was alles? Een paar e-mails, een uitgelekt overheidsdocument, de naam van een van de samenzweerders.

Wat Rhyme het meest nodig had, was totaal afwezig: bewijsmateriaal. Dat bevond zich ergens op honderden kilometers afstand, in een andere jurisdictie – verdomme, in een ander land zelfs.

Hij was er mooi klaar mee, een forensisch expert zonder bewijsmateriaal om te onderzoeken.

9

In Lower Manhattan zat Shreve Metzger roerloos achter zijn bureau. De ochtendzon scheen via een nabijgelegen wolkenkrabber op zijn arm en borst.

Hij staarde naar de Hudson en dacht terug aan het afschuwelijke bericht dat hij gisteren had binnengekregen, een gecodeerde tekst van de afdeling Beveiliging van NIOS. Die club was niet slimmer dan tegenhanger CIA of NSA, maar wat minder zichtbaar. Daardoor was de afhankelijkheid van officiële toestemming van de FISA en dergelijke instellingen ook minder groot. En dat betekende weer dat de informatie buitengewoon betrouwbaar was.

Gisteren, op de vroege zondagavond, was Metzger bij de voetbalwedstrijd van zijn dochter geweest, een belangrijke match tegen de Wolverines, een geduchte tegenstander. Hij zat ter hoogte van de middenlijn en zou voor geen goud zijn plek op de tribune hebben verlaten.

Hij was tegenwoordig heel voorzichtig in het bijzijn van zijn kinderen. Dat had hij wel geleerd.

Maar toen hij zijn brilletje had opgezet – nadat hij de glazen had schoongemaakt – en op de display van zijn mobieltje de verwarrende en vervolgens verontrustende en schokkende woorden had gelezen, was de Rook verschenen, snel en genadeloos, eerder een gel dan damp, en de Rook had hem ingesloten. Verstikkend. Hij was gaan trillen, met verkrampte kaken, verkrampte handen, een verkrampt hart.

Metzger had zichzelf toegesproken: *Ik kan dit aan. Dit hoort bij het werk. Ik wist dat de kans bestond dat ze erachter zouden komen.* Hij had zich voorgehouden: *Jij bent de Rook niet, hij maakt geen deel van jou uit. Als je wilt, kun je ervoor zorgen dat de Rook in het niets oplost. Maar dan moet je het wel echt willen. Laat het maar los.*

Hij was een beetje tot rust gekomen. Met zijn vingers – niet meer verkrampt – had hij op zijn knokige benen zitten trommelen. Hij had een nette broek aan gehad (andere voetbalvaders droegen een spijkerbroek, maar hij was rechtstreeks van zijn werk naar het veld gekomen en had geen tijd gehad zich om te kleden). Metzger was 1,80 meter lang en woog zo'n 68 kilo. Als kind was hij altijd dik geweest, maar op een gegeven moment had hij de overtollige kilo's weggewerkt en sindsdien was hij op gewicht gebleven. Zijn dunnende bruine haardos was iets aan de lange kant voor iemand in overheidsdienst, maar hij vond dat prettig en was niet van plan er iets aan te veranderen.

Gisteren, toen hij zijn mobieltje had weggeborgen, had de twaalf jaar oude middenvelder glimlachend zijn kant op gekeken. Metzger had teruggegrijnsd. Het was een neplachje geweest, en misschien had Katie dat gemerkt. Hij had behoefte aan whisky gekregen, maar hij zat op de tribune bij een voetbalwedstrijd van basisschoolleerlingen in Bronxville, New York, waar ze niets sterkers hadden dan cafeïne, hoewel je van de koekjes die ze verkochten en van de blondjes die er rondliepen ook in een soort van roes kon raken.

Maar goed, drank was sowieso niet de manier om de Rook te verdrijven.

Dr. Fischer, u hebt helemaal gelijk. Denk ik.

Hij was gisteravond naar zijn kantoor gegaan en was de hele nacht gebleven om greep te krijgen op het bericht: een of andere hulpofficier van justitie in Manhattan was op oorlogspad en had de dood van Moreno aangegrepen om achter hem aan te gaan. Omdat Metzger zelf advocaat was, had hij de verschillende mogelijkheden bekeken, en hij wist dat de dikste stok waarmee ze hem konden slaan een beschuldiging van samenzwering was.

En hij was nog erger geschrokken toen hij erachter kwam dat de hulpofficier lucht had gekregen van Moreno's dood doordat iemand de Special Task Order naar buiten had gebracht.

Een klokkenluider, verdomme!

Een verrader. Iemand die hem, NIOS, en – het allerergst – het land had verlinkt. O, op dat moment was de Rook teruggekomen. In gedachten had hij die hulpofficier, wie hij of zij ook maar mocht zijn, met een schep doodgeslagen – hij kon nooit voorspellen welke vorm zijn woede zou aannemen. En deze fantasie, buitengewoon bloederig en met een afgrijselijke soundtrack, was in zijn levendigheid en intensiteit zowel verbijsterend als diep bevredigend.

Ietwat gekalmeerd was Metzger aan het werk gegaan. Hij had telefoontjes gepleegd en sms'jes gestuurd, onfeilbaar versleuteld, om het probleem zo snel mogelijk op te lossen.

Nu, maandagochtend, wendde hij zijn blik van de rivier af en rekte zich uit. Hij functioneerde min of meer na niet meer dan vier uur slaap (slechte zaak, want vermoeidheid voedt de Rook alleen maar) en een douche in de fitnessruimte van NIOS. Metzger zat in zijn kantoor van zes bij zes met alleen maar kluizen, kasten, computers, een paar foto's, boeken en dossiers, en nipte aan zijn caffé latte. Hij had ook een beker voor zijn persoonlijke assistente meegenomen; in die van Ruth zat sojamelk. Hij vroeg zich af of hij dat ook eens moest proberen. Ze beweerde dat het spul rustgevend was.

Hij keek naar de ingelijste foto van hem en zijn kinderen op vakantie in Boone, North Carolina. Hij dacht terug aan het ritje te paard in de toeristenmanege. Na afloop had een van de manegemedewerkers een foto van hen drieën genomen. Metzger had gezien dat de in cowboytenue gestoken man een Nikon had, hetzelfde bedrijf dat de kijkers vervaardigde die zijn sluipschutters in Irak gebruikten. Hij dacht er met name aan hoe een van zijn manschappen op een afstand van 1860 meter een Lapuakogel kaliber 338 in de schouder van een Irakees had geschoten die op het punt stond een bermbom tot ontploffing te brengen. Het ging niet zoals in films; een dergelijke kogel is dodelijk, ongeacht waar het slachtoffer geraakt wordt. Schouder, been, de plek maakt niet uit. Die oproerkraaier was als een zak zand uit elkaar gespat. Shreve Metzger zuchtte en er ging een warm gevoel van vrede en vreugde door hem heen.

Even lachen, meneer Metzger. Wat hebt u lieve kinderen. Wilt u drie foto's van 20 bij 30 en twaalf kleine foto's voor in de portemonnee?

Er verscheen geen Rook als hij de moord op een verrader plande en liet uitvoeren. Totaal niet. Dat had hij tegen dr. Fisher gezegd. De psychiater leek zich er wat ongemakkelijk onder te voelen, waarna ze het onderwerp hadden laten rusten.

Metzger keek op zijn computer en zijn magische mobieltje.

Zijn vaalgetinte ogen – een mengkleur die hij niet zo mooi vond, geelachtig groen, futloos – gleden weer naar het raam, en hij keek naar de Hudson. Het uitzicht was te danken aan een handjevol psychotische idioten die op een heldere septemberdag de gebouwen hadden opgeblazen die dat uitzicht belemmerden en die er onbedoeld voor hadden gezorgd dat Metzger zijn huidige functie kreeg, tot verdriet van de nabestaanden van die idioten.

Nu loste de Rook op, wat vaak het geval was als hij aan 9/11 terugdacht. In het verleden hadden de herinneringen aan die dag hem alleen maar verlamd. Nu veroorzaakten ze een vlammende pijn vanbinnen.

Laat het maar los...

De telefoon ging. Hij keek naar de nummermelder en zag daarop het equivalent van: *Je bent er geweest.*

'Met Metzger.'

'Shreve!' blaatte de beller opgewekt. 'Hoe is-t-ie? Het is een eeuwigheid geleden dat we een babbeltje gemaakt hebben.'

Metzger had altijd een hekel gehad aan de Tovenaar van Oz. Dat wil zeggen: aan de tovenaar zelf, aan zijn personage (hij had de film heel leuk gevonden). De Tovenaar had het achter de ellebogen. Hij was een manipulatief type, deed altijd zijn eigen zin en was onder valse voorwendsels op de troon gekomen... en toch had hij de absolute macht in het land.

Net als de man die hij nu aan de lijn had.

Zijn eigen Tovenaar sloeg een verwijtende toon aan. 'Je hebt me niet gebeld, Shreve.'

'Ik ben de feiten nog aan het verzamelen,' zei hij tegen de man, die tweehonderdvijftig kilometer verderop zat, in het zuiden, in Washington D.C. 'Er zijn een hoop dingen die we niet weten.'

Dat betekende niets. Maar hij had geen idee hoeveel de Tovenaar wist. Daarom drukte hij zich zo vaag mogelijk uit.

'Ik neem aan dat je valse info over Moreno had binnengekregen, toch, Shreve?'

'Blijkbaar.'

De Tovenaar: 'Zulke dingen gebeuren. Absoluut. Wat zitten we toch in een krankzinnige business. Dus. Jouw info klopte ongetwijfeld precies, was tot drie keer toe nagetrokken.'

Jouw... Opvallend gebruik van het persoonlijk voornaamwoord.

'Natuurlijk.'

De Tovenaar wreef Metzger niet onder zijn neus dat hij hem had verzekerd dat Moreno's dood noodzakelijk was om levens te redden, omdat de expat op het punt stond het hoofdkantoor van American Petroleum in Miami op te blazen. En het ergste wat er was gebeurd, was dat een demonstrante een tomaat naar een agent had gegooid, niet eens raak.

Maar in gesprekken met de Tovenaar ging het vooral om wat er niet gezegd werd, en zijn woorden – of die achterwege gelaten werden – kwamen des te harder aan.

Metzger werkte al jaren met hem samen. Ze ontmoetten elkaar zelden in levenden lijve, maar bij die schaarse gelegenheden droeg de gedrongen, glimlachende man altijd een pak van blauwe serge, wat dat ook maar precies mocht zijn, en sokken met indrukwekkende dessins; op zijn revers prijkte een speldje met de Amerikaanse vlag. Hij leek nooit last te hebben van het probleem dat Metzger parten speelde, het Rook-probleem, en wanneer hij iets zei, was hij altijd de rust zelve.

'We moesten snel handelen,' zei Metzger. Hij vond het niet leuk dat hij in de verdediging gedrongen werd. 'Maar het staat vast dat Moreno een bedreiging vormt. Hij financiert terroristen, hij ondersteunt wapenaankopen, via zijn bedrijven wordt geld witgewassen, en ga zo maar door.'

Metzger corrigeerde zichzelf: Moreno vormde een bedreiging. Hij was doodgeschoten. Moreno was voltooid verleden tijd.

De Tovenaar van Washington ging op dezelfde minzame toon door: 'Soms moet je gewoon snel handelen, Shreve, absoluut waar. Wat een krankzinnige business.'

Metzger haalde een nagelknippertje tevoorschijn en ging ermee aan het werk. Hij knipte langzaam. Op die manier kon hij de Rook enigszins op afstand houden. Je nagels knippen was een beetje raar, maar het was beter dan jezelf volproppen met patat en koekjes. En schreeuwen tegen je vrouw of kinderen.

De Tovenaar legde een hand op zijn telefoon en voerde een gedempt gesprek.

Wie was daar verdomme bij hem? vroeg Metzger zich af. De minister van Justitie? Iemand van Pennsylvania Avenue?

Toen de Tovenaar weer aan de lijn kwam, zei hij: 'En klopt het dat er een onderzoek wordt ingesteld?'

Potverdomme. Hij wist het. Hoe was dat nou weer naar buiten gekomen? Lekken vormden net zo'n grote bedreiging voor waar hij mee bezig was als terroristen.

Rook, in hevige mate.

'Blijkbaar.'

Een stilte, waarin de boodschap van de man aan de andere kant van de lijn duidelijk doorklonk: *Wanneer was je van plan dat ons te melden, Shreve?*

Maar wat de Tovenaar zei, was: 'Politie?'

'NYPD, inderdaad. Geen FBI. Maar we kunnen ons op onschendbaarheid beroepen.' Metzgers rechtenkennis had jarenlang op de plank stof liggen vergaren, maar voordat hij zijn huidige functie aannam, had hij *In re Neagle* en soortgelijke zaken bestudeerd. Hij kon de conclusie van die zaak slapend opdreunen: federale functionarissen konden niet voor staatsmisdrijven worden vervolgd, vooropgesteld dat ze hun boekje niet te buiten waren gegaan.

'Ah, ja, onschendbaarheid,' zei de Tovenaar. 'Daar hebben we natuurlijk al naar gekeken.'

Nu al? Eigenlijk verbaasde dat Metzger niets.

Een ongemakkelijke stilte. 'Kun je met een gerust hart zeggen dat niemand buiten zijn boekje is gegaan, Shreve?'

'Ja.'

Alstublieft, Heer, laat de Rook wegblijven.

'Uitstekend. Zeg, de specialist in kwestie was toch Bruns, hè?'

Tijdens telefoongesprekken nooit namen of codenamen noemen, ook al is de lijn nog zo goed beveiligd.

'Ja.'

'Heeft de politie al met hem gesproken?'

'Nee. Hij is veilig ondergedoken. Die is met geen mogelijkheid op te sporen.'

'Ik hoef natuurlijk niet te zeggen dat hij… voorzichtig moet zijn.'

'Hij heeft zijn voorzorgsmaatregelen getroffen. Iedereen.'

Een stilte. 'Nou, genoeg gezegd over de kwestie. Ik zal de zaak geheel aan jou overlaten.'

'Prima.'

'Mooi. Want nu blijkt een of andere commissie bezig te zijn het budget van de inlichtingendiensten onder de loep te nemen. Ineens. Ik snap er niets van. Er was niets van bekend, maar je weet hoe het gaat met dat soort commissies. Die gaan na waar het geld zoal naartoe gaat. En ik wil je alleen maar zeggen – en dit gaat me echt aan het hart – dat ze om de een of andere reden NIOS in het vizier hebben.'

Geen Rook nu, maar Metzger was totaal overdonderd. Hij kon geen woord uitbrengen.

De Tovenaar ging als een stoomwals door. 'Wat een flauwekul, niet? Je weet zelf hoe hard we ervoor geknokt hebben om jouw toko van de grond te krijgen. Er waren lieden die er zo hun twijfels over hadden.' Een lachje waar totaal geen vreugde in te bespeuren viel. 'Onze liberale vriendjes zagen jouw plannen absoluut niet zitten. En een paar vriendjes aan de andere kant van het gangpad vonden het maar niks dat je opdrachten van Langley en het Pentagon afsnoepte. Tussen de wal en het schip. Maar goed, er zal wel geen bloed uit voortvloeien. Ach ja, geld. Waarom komt het altijd weer op het geld aan? Dus. Hoe is het met Katie en Seth?'

'Prima. Leuk dat u dat vraagt.'

'Fijn om te horen. Ik moet gaan, Shreve.'

Ze verbraken de verbinding.

O, jezus.

Dit was foute boel.

Wat de opgewekte Tovenaar met zijn serge tovenaarspak, gewaagde sokken en donkere priemende ogen in feite had gezegd, was: *Je hebt een Amerikaans staatsburger omgelegd op basis van foute informatie, en als de zaak in de staat New York aanhangig wordt gemaakt, zal dat tot in Oz repercussies hebben.* Vanuit de hoofdstad zouden heel wat mensen de gang van zaken in New York en de uitkomst in de kwestie-Moreno volgen. Ze waren volledig bereid om zelf een schutter op NIOS af te sturen – in figuurlijke zin natuurlijk, in de vorm van een ingrijpende verlaging van het budget. De Service zou dan binnen een halfjaar opgedoekt zijn.

En de hele affaire zou totaal geen aandacht hebben getrokken als de klokkenluider er niet was geweest.

De verrader.

Metzger riep, verblind door de Rook, zijn assistente via de intercom en pakte zijn koffie weer.

Jouw info klopte ongetwijfeld precies, was tot drie keer toe nagetrokken...

Nou, wat dat betrof...

Metzger dacht bij zichzelf: Zet de zaken op een rijtje. Je hebt wat telefoontjes gepleegd, een paar sms'jes verstuurd.

De grote schoonmaak was in gang gezet.

'Alles goed met je, Shreve?' Ruth keek naar het kartonnen bekertje in zijn verkrampte hand. Metzger realiseerde zich dat hij op het punt stond het ding fijn te knijpen, waarna de lauwe koffie over zijn mouw en over dossiers zou stromen, documenten waar niet meer dan een stuk of tien mensen in Amerika inzage in hadden.

Hij ontspande zijn hand en glimlachte moeizaam. 'Ja, natuurlijk. Lange nacht achter de rug.'

Zijn persoonlijke assistente was begin zestig en had een lang, aantrekkelijk gezicht, waar nog steeds wat vage sproeten op zaten, die haar een jongere uitstraling gaven. Hij had vernomen dat ze in het verleden een hippie was geweest. De Summer of Love in San Francisco. Daar had ze in de Haight gewoond. Nu had ze haar grijze haar zoals zo vaak in een streng knotje naar achteren gebonden, en ze droeg gekleurde rubberen polsbandjes als teken dat ze diverse goede doelen steunde. Borstkanker, hoop, verzoening, onduidelijk waar het allemaal voor was. Hij had liever dat ze die thuisliet, want dergelijke zaken, ook al was niet meteen duidelijk waar ze voor stonden, leken niet op hun plaats in een overheidsorganisatie met een missie als die van NIOS.

'Is Spencer er al?' vroeg hij.

'Over een halfuurtje, zei hij.'

'Stuur hem meteen maar door als hij binnenkomt.'

'Goed. Kan ik verder nog iets doen?'

'Nee, dank je.'

Ruth verliet het vertrek, deed de deur achter zich dicht en liet een geur van patchoeli achter. Metzger stuurde nog wat sms'jes en kreeg er een paar binnen.

Een ervan was bemoedigend.

De Rook trok enigszins op.

10

Rhyme zag dat Nance Laurel haar gezicht bestudeerde in het spiegelende metalen omhulsel van de gaschromatograaf. Ze reageerde echter helemaal niet op wat ze zag. Blijkbaar had ze nooit de behoefte haar uiterlijk bij te werken.

Ze draaide zich om en vroeg aan Sellitto en Rhyme: 'Hoe willen jullie dit aanpakken?'

Voor Rhyme was de zaak helemaal duidelijk. Hij zei: 'Ik doe wat ik kan met de plaats delict. Sachs en Lon winnen zoveel mogelijk informatie in over NIOS, Metzger en de andere samenzweerder, de sluipschutter. Sachs, schrijf de gegevens op. Zet de personages erbij, ook al weten we nog niet veel.'

Ze pakte een stift, liep naar een leeg whiteboard en noteerde de spaarzame gegevens.

Sellitto zei: ' Ik wil ook proberen de klokkenluider op te sporen. Dat zou nog wel eens lastig kunnen zijn. Hij weet dat hij risico loopt. Dit is wel iets anders dan de media vertellen dat een bedrijf bedorven granen in een ontbijtproduct stopt; hij beschuldigt de regering van moord. Wat ga jij doen, Amelia?'

Sachs antwoordde: 'Ik heb Rodney de informatie over de e-mail en de STO gestuurd. Ik hou contact met hem en met Computercriminaliteit. Als iemand een anonieme upload kan traceren, is hij het wel.' Ze dacht even na en zei toen: 'Laten we Fred ook bellen.'

Rhyme dacht even na en zei: 'Prima.'

'Wie is dat?' vroeg Laurel.

'Fred Dellray van de FBI.'

'Nee,' zei Laurel kortaf. 'Geen federale instanties.'

'Waarom niet?' De vraag kwam van Sellitto.

'Het zou kunnen uitlekken naar NIOS. Ik geloof niet dat we dat risico kunnen nemen.'

Sachs wierp tegen: 'Fred is gespecialiseerd in undercoveroperaties. Als we zeggen dat hij discreet moet zijn, is hij dat ook. We hebben hulp nodig, en hij heeft toegang tot veel meer informatie dan NCIC en de criminele databases van de overheid.'

Laurel stond in tweestrijd. Haar ronde, bleke gezicht – in sommige opzichten knap als dat van een boerenmeisje – vertoonde subtiele veranderingen. Bezorgdheid? Wrevel? Opstandigheid? Haar verschillende gezichtsuitdrukkingen waren net Hebreeuwse of Arabische letters, waarin piepkleine diakritische tekentjes tegenovergestelde betekenissen konden aanduiden.

Sachs wierp een blik op de hulpofficier en drong aan: 'We zullen hem vertellen hoe gevoelig dit ligt. Hij houdt er wel rekening mee.'

Ze zette een telefoon op de luidsprekerstand voor Laurel nog iets kon zeggen. Rhyme zag haar verstarren en vroeg zich af of ze een stap naar voren zou doen en met een druk op de knop de verbinding zou verbreken.

In de kamer weerklonk het holle geluid van een rinkelende telefoon.

'Dellray,' zei de agent toen hij opnam. Zijn gedempte stem deed vermoeden dat hij ergens in Trenton of Harlem aan een undercoveroperatie bezig was en de aandacht niet op zich wilde vestigen.

'Fred. Amelia.'

'Asjemenou. Hoe is het? Da's een tijd geleden. Hoeveel gevaar loop ik? Want ik praat via een telefoon die aan mijn kant fijn privé is, maar die aan jouw kant in heel Madison Square Garden te horen is. Ik heb een bloedhekel aan luidsprekers.'

'Je bent volkomen veilig, Fred. Je praat tegen mij, Lon, Lincoln...'

'Hé, Lincoln. Je hebt die weddenschap over Heidegger verloren, hoor. Ik loer iedere dag in mijn mailbox, maar een cheque, ho maar. Uit te schrijven op naam van Fred Geen-Tegenspraak-Over-Filosofie Dellray.'

'Ik weet het, ik weet het,' mopperde Rhyme. 'Ik zal wel betalen.'

'Ik krijg vijftig dollar van je.'

'Eigenlijk moet Lon een deel voor zijn rekening nemen,' zei Rhyme. 'Hij heeft me ertoe aangezet.'

'Dat had je verdomme gedacht.' Zo'n beetje uitgesproken als één woord.

Nance Laurel hoorde de hele uitwisseling met een verbijsterd gezicht aan. Op de lijst van wat ze allemaal niet deed, stond plagerige gesprekken voeren ergens bovenaan.

Of misschien was ze alleen maar boos omdat Sachs tegen haar in was gegaan en de FBI-agent had gebeld.

'En een hulpofficier van justitie, Nance Laurel,' vervolgde Sachs.

'Zo, dit is echt een bijzondere dag. Hallo, mevrouw Laurel. Fijn gefikst, die dokwerkerveroordeling. Dat was u toch?'

Een korte stilte. 'Ja, meneer Dellray.'

'Ik had echt van mijn levensdagen niet verwacht dat u ermee weg zou komen. Ken je die kwestie, Lincoln? De zaak-Joey Barone, in het Southern District? Wij konden die knaap wat federale aanklachten in zijn schoenen schuiven, maar de jury koos ervoor hem alleen maar een tikje op zijn vingers te geven. Mevrouw Laurel haalde in het staatsgerechtshof alles uit de kast en wist die jongen met minimaal twintig jaar op te zadelen. Ik heb gehoord dat de minister van Justitie een foto van u in zijn kantoor heeft opgehangen... op een dartboard.'

'Dat zou ik niet weten,' luidde haar stijve antwoord. 'Ik was blij met de uitkomst.'

'Nou, ga verder.'

'Fred, we hebben een probleem. Een gevoelig probleem.'

'Ik moet zeggen, je stem klinkt verbijsterend samenzweerderig. Vertel.'

Rhyme zag even een glimlach op Sachs' gezicht. Fred Dellray was een van de beste agenten van de FBI. Hij stond erom bekend dat hij heel goed was met vertrouwelijke informanten en was een uitstekende echtgenoot en vader... en amateurfilosoof. Maar zijn jaren als undercoveragent hadden hem een unieke spreektrant gegeven, die net zo eigenaardig was als zijn kledingstijl.

'De dader is je baas, de federale regering.'

Een stilte. 'Hmmm.'

Sachs wierp een blik op Laurel, die even nadacht, vervolgens het woord nam en vertelde wat er tot dusver over de moord op Moreno bekend was.

Fred Dellray wachtte kalm en vol vertrouwen af, maar Rhyme hoorde een ongebruikelijke bezorgdheid in zijn stem doorklinken toen hij reageerde. 'NIOS? Die lui horen niet echt bij ons. Ze vormen een heel eigen dimensie. En niet noodzakelijk in goede zin, als je snapt wat ik bedoel.'

Hij weidde er niet over uit, maar Rhyme had het gevoel dat dat ook niet nodig was.

'Ik zal meteen een paar dingen controleren. Blijf effe hangen.' Uit de luidspreker kwam het geluid van getyp, alsof er notendoppen op een tafel vielen.

'Agent Dellray,' begon Laurel.

'Zeg maar Fred. En het blijft onder de pet. Ik ben zo versleuteld als wat.'

Ze knipperde even met haar ogen. 'Dank je.'

'Oké, ik kijk even naar onze dossiers, onze dossiers...' Een langdurige pauze. 'Robert Moreno, ook bekend als Roberto. Er staan inderdaad wat aantekeningen over APDR, American Petroleum Drilling and Refining... Zo te zien was ons kantoor in Miami gewaarschuwd voor een potentiële terroristische aanslag, maar het bleek vals alarm te zijn. Moet ik doorsturen wat ik hier over Moreno heb?'

'Heel graag, Fred. Ga door.' Sachs ging achter een computer zitten en maakte een dossier aan.

'Oké dan. Onze vriend is meer dan twintig jaar geleden uit het land vertrokken en komt hier nog maar één keer per jaar of zo. Kwam, moet ik zeggen. Even kijken... Werd in de gaten gehouden, maar vormde nooit een acuut gevaar. Het bleef zo'n beetje bij woorden, dus stond hij niet hoog op onze lijst. Hij was goede maatjes met al-Qaida, Lichtend Pad en dat soort lui, maar hij heeft nooit daadwerkelijk opgeroepen tot het plegen van aanslagen.' De agent fluisterde iets in zichzelf. Toen zei hij: 'Hier staat een aantekening dat van officiële zijde beweerd wordt dat er een of ander kartel achter de moord zit. Maar dat kon niet geverifieerd worden... Aha, hier zie ik het.'

Een stilte.

'Fred, ben je er nog?' vroeg Rhyme ongeduldig.

'Hmmm.'

Rhyme zuchtte.

Toen zei Dellray: 'Dit is misschien nuttig. Een rapport van Buitenlandse Zaken. Moreno is hier geweest, in New York City. Hij is op 30 april gearriveerd, laat op de dag, en op 2 mei weer vertrokken.'

'Is er nog iets bekend over wat hij hier gedaan heeft en wie hij gesproken heeft?' vroeg Lon Sellitto.

'Nee. Dat moeten jullie maar uitzoeken, luitjes. Nou, ik houd het aan mijn kant in de gaten. Ik zal eens wat mensen bellen in het Caraïbisch gebied en in Zuid-Amerika. O, ik heb een foto. Willen jullie die hebben?'

'Nee,' zei Laurel abrupt. 'We moeten het contact zoveel mogelijk beperken. Ik geef de voorkeur aan telefoontjes naar mij, de rechercheurs Sellitto en Sachs of naar Lincoln Rhyme. Discretie is...'

'... de moeder der wijsheid,' reciteerde Dellray cryptisch. 'Daar heb ik totaal geen probleem mee. Maar nu we het daar toch over hebben: weten jullie zeker dat onze vrienden nog van niets weten? Bij NIOS?'

'Ja,' zei de hulpofficier van justitie.

'Aha.'

'Je lijkt je twijfels te hebben,' merkte Rhyme op.

Hij grinnikte. 'Veel succes, jullie daar.'

Sachs verbrak de verbinding.

'Nou, waar kan ik werken?' vroeg Laurel.

'Hoezo?' vroeg Sachs.

De openbare aanklager keek om zich heen. 'Ik moet een bureau hebben. Of een tafel. Het hoeft niet per se een bureau te zijn. Maar wel iets groots.'

'Waarom moet je hier werken?'

'Ik kan niet vanuit mijn kantoor werken, toch?' Alsof dat volkomen duidelijk was. 'Mogelijke lekken. NIOS zal er uiteindelijk wel achter komen dat we met dit onderzoek bezig zijn, maar dat moet ik zo lang mogelijk zien uit te stellen. Aha, dat ziet er goed uit. Daarzo. Is dat oké?'

Laurel wees naar een werktafel in de hoek.

Rhyme riep Thom en liet zijn assistent boeken en wat dozen met oude forensische apparatuur weghalen.

'Computers heb ik zelf, maar ik heb een eigen aansluiting en wifi-router nodig. Daar wil ik mijn eigen account op aanmaken, gecodeerd. En ik deel het netwerk liever niet.' Een blik op Rhyme. 'Als dat geregeld kan worden.'

Sachs vond het duidelijk niets dat het team met een nieuw lid zou worden uitgebreid. Lincoln Rhyme was van nature een eenling, maar hij had geleerd de aanwezigheid van anderen te tolereren als er aan een zaak gewerkt werd, hoewel hij daar niet bepaald van genoot. In dit geval maakte hij geen bezwaar.

Nance Laurel tilde haar koffertje en de zware tas met processtukken op de tafel en begon er dossiers uit te halen, die ze over verschillende stapels verdeelde. Ze leek wel een studente die op de eerste dag van het eerste semester een krap kamertje in een studentenhuis had gevonden en haar schaarse bezittingen zo handig mogelijk over het bureau en het tafeltje naast het bed verdeelde.

Toen keek Laurel op naar de anderen. 'O, nog één ding: ik wil dat jullie bij het onderzoek vooral letten op dingen die hem in een goed daglicht stellen.'

'Pardon?' Dat was Sachs.

'Robert Moreno moet een heilige lijken. Hij heeft een heleboel controversiële dingen gezegd. Hij heeft zich ten opzichte van dit land erg kritisch uitgelaten. Dus moeten jullie uitzoeken wat hij allemaal voor goede dingen heeft gedaan. Die Local Empowerment Movement, bijvoorbeeld. Die heeft ervoor gezorgd dat er scholen werden gebouwd en dat kinderen in de Derde Wereld te eten kregen, dat soort dingen. En het feit dat hij een liefhebbende vader en echtgenoot is.'

'Je wilt dat wij dat soort feiten aandragen?' vroeg Sachs. Ze zei het alsof ze haar oren amper kon geloven en klonk behoorlijk scherp.

'Precies.'

62

'Waarom?'

'Het is gewoon beter.' Alsof dat duidelijk was.

'O.' Een stilte. 'Dat is niet echt een antwoord,' zei Sachs. Ze keek niet naar Rhyme en dat wilde hij ook niet. Zonder hem liep de spanning tussen haar en de hulpofficier ook al heel aardig op.

'De jury weer.' Met een blik op Rhyme, die haar argument eerder had lijken te ondersteunen. 'Ik moet aantonen dat hij een integere, goede, gewetensvolle man was. De verdediging zal Moreno afschilderen als een gevaarlijk sujet, zoals advocaten een verkrachte vrouw altijd proberen neer te zetten als iemand die zich uitdagend kleedt en met iedereen flirt.'

'Er is een groot verschil tussen beide zaken,' zei Sachs.

'O, ja? Daar ben ik niet zo zeker van.'

'Is elk onderzoek niet bedoeld om de waarheid te achterhalen?'

Een pauze om deze woorden te verwerken. 'Wat heb je aan de waarheid als je niet wint in de rechtszaal?'

Daarmee was het onderwerp voor haar afgedaan. Laurel zei tegen niemand in het bijzonder: 'En we moeten snel werken. Heel snel.'

'Precies,' beaamde Sellitto. 'NIOS kan hier elk moment lucht van krijgen. En dan beginnen de bewijzen meteen te verdwijnen.'

'Dat is duidelijk,' zei Laurel, 'maar daar heb ik het niet over. Kijk naar de moordopdracht op het bord.'

Dat deed iedereen, Rhyme niet uitgezonderd. Maar hij kon er niet meteen conclusies aan verbinden. Toen begreep hij het opeens. 'De lijst.'

'Precies,' zei de hulpofficier.

HEIM – TOPGEHEIM – TOPGEHEIM – TOPGEHEIM – TOPG

Special Task Orders
Lijst

8/27	9/27
Taak: Robert A. Moreno	Taak: Al-Barani Rashid
(NIOS ID: ram278e4w5)	(NIOS ID: abr942pd5t)
Geboren: 4/75, New Jersey	Geboren: 2/73, Michigan
Voltooien: 5/8-5/9	Voltooien: 5/19
Goedkeuring:	Goedkeuring:
Niveau 2: ja	Niveau 2: ja
Niveau 1: ja	Niveau 1: ja
Extra documentatie: zie 'A'	Extra documentatie: N/R

Bevestiging vereist: ja	Bevestiging vereist: nee
PIN vereist: ja	PIN vereist: ja
CD: goedgekeurd, maar minimaliseren	CD: goedgekeurd, maar minimaliseren
Details: Status: in behandeling	Details: volgen
Specialist: Don Bruns, moordkamer, South Cove Inn, Bahama's, Suite 1200	
Status: gesloten	

Ze ging verder: 'Nou, ik kan helemaal niets te weten komen over die Rashid of waar hij zich bevindt. Misschien is zijn moordkamer wel een hut in Jemen, waar hij onderdelen voor kernbommen verkoopt. Maar gezien het enthousiasme van Metzger kan het net zo goed een gezinswoning zijn in Ridgefield, Connecticut, van waaruit Rashid blogt en zich uitspreekt tegen Guantánamo en de president beledigt. Maar we weten wel dat NIOS hem vóór vrijdag gaat vermoorden. En waaruit zal dan de collateral damage bestaan? Zijn vrouw en kinderen? Een toevallige voorbijganger? Ik wil dat Metzger voor die tijd wordt opgepakt.'

'Het is niet zeker dat de moordaanslag daarmee wordt voorkomen,' zei Rhyme.

'Nee, maar het is wel een duidelijk signaal naar NIOS en Washington dat ze in de gaten gehouden worden. Ze zouden de aanslag kunnen uitstellen en de STO door een onafhankelijk iemand kunnen laten beoordelen om te zien of die juridisch waterdicht is. Dat gaat niet gebeuren zolang Metzger aan de macht is.'

Als een advocaat die zijn pleidooi houdt beende Laurel naar voren en tikte theatraal tegen het whiteboard. 'En dan die getallen bovenaan. 8/27, 9/27. Dat zijn geen data. Het zijn taken op de lijst. Dat wil zeggen: slachtoffers. Moreno was de achtste persoon die door de NIOS is vermoord. Rashid wordt de negende.'

'Zevenentwintig in totaal,' zei Sellitto.

'Dat was een week geleden,' zei Laurel kordaat. 'Wie weet hoeveel het er vandaag inmiddels zijn?'

11

Een menselijke gedaante verscheen als een onverstoorbare, geduldige geestverschijning in de deuropening van het kantoor van Shreve Metzger.

'Spencer.'

Het hoofd van de afdeling Administratie – zijn rechterhand binnen het hoofdkantoor – had in Maine aan een rustig meer gezeten om daar van de koele blauwe luchten te genieten toen een versleuteld sms'je van Metzger de rust had verstoord. Boston had zijn vakantie onmiddellijk onderbroken. Het zou kunnen dat hij flink baalde, maar hij liet er niets van merken.

Want dat zou niet correct zijn geweest.

Dat zou onbetamelijk zijn geweest.

Spencer Boston was een toonbeeld van de verjaarde élégance van een vorige generatie. Hij had een grootvaderlijk gezicht met plooien aan weerszijden van zijn strakke lippen en een dikke bos golvend wit haar. Hij was tien jaar ouder dan Metzger en straalde een en al rust en redelijkheid uit. Net als de Tovenaar werd Boston niet geplaagd door de Rook. De man kwam nu het kantoor binnen, deed de deur intuïtief achter zich dicht om luistervinken geen kans te geven en ging tegenover zijn baas zitten. Hij zweeg en zijn blik gleed naar het mobieltje dat zijn baas vasthield. Het apparaatje werd zelden gebruikt, moest te allen tijde in het gebouw blijven en was donkerrood, al had dat niets te maken met het feit dat het enkel voor zeer geheime zaken werd gebruikt. Donkerrood was de tint die destijds à la minute geleverd kon worden. Metzger noemde het ding zijn 'magische mobieltje'.

Het hoofd van NIOS merkte dat zijn hand verkrampte. Hij legde het toestel weg en knikte even naar de man met wie hij al verscheidene jaren samenwerkte, vanaf het moment dat Metzger zijn voorganger had opgevolgd, die in de maalstroom van de politiek was verdwenen. Geen succesvolle verdwijning.

'Bedankt dat je er bent,' zei de directeur snel en stijfjes, alsof hij vond dat hij zich enigszins moest verontschuldigen voor het feit dat de man zijn vakantie overhaast had moeten afbreken. De Rook beïnvloedde hem op diverse manieren. Hij raakte er bijvoorbeeld zo door van slag dat hij soms vergat hoe hij zich normaal moest gedragen, ook als hij niet boos was. Als je leven door zo'n afwijking wordt bepaald, ben je constant op je hoede.

Pappie... is er iets?

Ik lach toch?

Ja, dat is wel zo. Maar je lacht zo... nou ja, zo raar.

Het hoofd van de administratie liet zijn forse lijf in een stoel tegenover Metzgers bureau zakken. De stoel kraakte. Spencer Boston was geen iel mannetje. Hij nipte ijsthee uit een hoge plastic beker en trok zijn borstelige wenkbrauwen op.

Metzger zei: 'We hebben een klokkenluider.'

'Hè? Dat kan niet.'

'Is al bevestigd.' Metzger legde uit wat er gebeurd was.

'Ongelofelijk,' zei de oudere man. 'Wat ga je eraan doen?'

Hij boog die gevaarlijke vraag om en zei: 'Ik wil dat jij hem opspoort. Het maakt me niet uit wat je daarvoor moet doen.'

Voorzichtig, dacht hij bij zichzelf. Dit is de Rook die aan het woord is.

'Wie weet het al?' vroeg Boston.

'Nou, hij wel.' Een eerbiedige blik naar het magische mobieltje.

Meer woorden waren niet nodig.

De Tovenaar.

Boston trok een grimas en maakte zich ook zorgen. Hij had eerst voor een andere inlichtingendienst gewerkt en had in Midden-Amerika – zijn favoriete regio – met succes de zaken behartigd in brandhaarden als Panama. En zijn specialiteit? De schone kunst van het omverwerpen van regimes. Dat was waar Boston goed in was, niet in politiek, al wist hij wel dat je zonder steun van Washington op elk willekeurig moment met je boeltje aan de hoogste boom geknoopt kon worden. Meer dan eens was hij gevangengenomen door revolutionairen, oproerkraaiers of drugsbaronnen. Hij was ondervraagd, waarschijnlijk ook gemarteld, al had hij het daar nooit over.

En hij had overleefd.

Boston ging met zijn hand door zijn benijdenswaardige bos wit haar en wachtte.

Metzger zei: 'Hij...' Met nadruk, de Tovenaar. '... is ervan op de hoogte dat er een onderzoek wordt ingesteld, maar heeft met geen woord gerept over een mogelijk lek. Volgens mij heeft hij er geen weet van. We moeten de verrader zien op te sporen voordat Washington er lucht van krijgt.'

Boston nipte van de lichte thee en er verschenen nog meer rimpels in zijn gefronste voorhoofd. Verdomme, die vent kon Donald Sutherland het nakijken geven in de rol van gedistingeerde invloedrijke manipulator. Metzger was aanzienlijk jonger, had een minder volle haardos en was schriel en mager. Naast deze man voelde hij zich een onderkruiper.

'Wat denk je, Spencer? Hoe kan iemand een STO naar buiten hebben gebracht?'

Een blik uit het raam. Vanuit zijn stoel had Boston geen zicht op de Hudson. Hij zag alleen maar ramen waarin het ochtendlicht weerspiegeld werd. 'Ik heb zo'n idee dat het iemand in Florida geweest moet zijn. Of anders zou ik Washington zeggen.'

'Texas en Californië?'

'Dat lijkt me sterk,' zei Boston. 'Ze krijgen wel een kopie van de STO, maar daar kijken ze alleen maar naar als een van hun eigen specialisten wordt ingeschakeld... Bovendien, en dat is niet leuk om te zeggen, kunnen we dit kantoor niet geheel buiten beschouwing laten.' Met een knikje van zijn imposante hoofd doelde hij op het hoofdkantoor van NIOS.

Daar kon hij inkomen. Een collega zou ze voor geld verlinkt kunnen hebben, ook al was het idee alleen al uiterst pijnlijk.

Boston zei: 'Ik zal het met de IT-beveiliging hebben over de servers, kopieerapparaten en scanners, en ik zal de leidinggevende mensen met downloadbevoegdheden aan de leugendetector zetten. Daarnaast zal ik Facebook met een zoekprogramma uitkammen. Of nee, niet alleen Facebook, maar ook blogs en alle andere sociale media die ik kan bedenken. Om te zien of iemand die toegang had tot de STO zich kritisch heeft uitgelaten over de regering en onze missie hier.'

Missie. Het vermoorden van vijandelijke elementen.

Dat klonk goed. Metzger was onder de indruk. 'Mooi. Een hele klus.' Zijn blik gleed naar het raam. Hij zag een glazenwasser op een steiger aan het werk, zo'n honderd meter boven de grond. Zoals zo vaak dacht hij aan degenen die op 9/11 uit het raam waren gesprongen.

De Rook vulde zijn longen.

Ademen...

Stuur de Rook weg.

Maar dat lukte hem niet. Want zij, degenen die op die verschrikkelijke dag waren gesprongen, hadden geen lucht kunnen krijgen. Hun longen zaten vol vettige rook, verspreid door de vlammen die hen dreigden te verslinden, vlammen die hun kantoortjes van vier bij vier binnenkolkten, zodat ze nog maar één kant op konden, door het raam naar het genadeloze beton.

Zijn handen begonnen weer te trillen.

Metzger merkte dat Boston aandachtig naar hem keek. Het hoofd van NIOS verschoof achteloos de foto van hem, Seth en Katie en een briesend paard, genomen met een eersteklas camera die op dat moment toevallig een geliefde herinnering vastlegde, een toestel dat niet veel verschilde van het vizier dat je in staat stelde op efficiënte wijze een kogel door iemands hart te jagen.

'Hebben ze bewijzen dat de zaak met succes is afgerond?'

'Nee, volgens mij niet. De zaak is gewoon gesloten, verder niet.'

Meer was een moordopdracht ook niet: instructies om een taak uit te voeren. Nergens werd vastgelegd dat een moord daadwerkelijk was voltrokken. Als er vragen kwamen, was de standaardprocedure om alles categorisch te ontkennen.

Boston vroeg aarzelend: 'Doen we al iets...?'

'Ik heb wat telefoontjes gepleegd. Don Bruns weet ervan, uiteraard. Nog een paar anderen. We zijn... met dingen bezig.'

Een vaag zinnetje. Zou de Tovenaar gebezigd kunnen hebben. Boston had het over mensen die net zo gevaarlijk waren als de verrader: de hulpofficier en de rechercheurs.

We zijn met dingen bezig...

Spencer Boston, met zijn imposante witte haardos en zijn nog imposantere spionnen-cv, nipte weer van zijn ijsthee. Het rietje schoof verder door het plastic dekseltje en trilde licht, als een vioolsnaar die bespeeld wordt. 'Maak je geen zorgen, Shreve. Ik krijg hem wel te pakken. Of haar.'

'Bedankt, Spencer. Bel me als je iets gevonden hebt. Maakt niet uit hoe laat. Dag of nacht.'

De man kwam overeind en knoopte zijn slechtzittende colbertje dicht.

Toen hij weg was, hoorde Metzger dat zijn rode magische mobieltje begon te trillen. Hij kreeg een sms'je van de club in de kelder die zich bezighield met surveillance en datamining.

NANCE LAUREL IS HOOFDAANKLAGER. ID'S VAN RECHERCHEURS VOLGEN NOG.

De Rook trok aanzienlijk op toen hij het bericht las.

Eindelijk. Een aanknopingspunt.

12

Jacob Swann liep naar zijn auto op de parkeerplaats van de Marine Air Terminal op luchthaven LaGuardia.

Hij zette zijn koffer voorzichtig in de kofferbak van zijn Nissan; zijn messen zaten erin. Die kon hij uiteraard nooit in zijn handbagage meenemen. Vermoeid ging hij achter het stuur zitten, rekte zich uit en haalde diep adem.

Swann was moe. Hij was bijna vierentwintig uur eerder uit zijn appartement in Brooklyn vertrokken om naar de Bahama's te gaan en sinds die tijd had hij maar een uur of drie geslapen, grotendeels onderweg.

Zijn sessie met Annette was sneller verlopen dan hij had verwacht. Maar nadat hij het lijk had weggewerkt, had het hem nog aardig wat tijd gekost een verlaten afvalvuurtje te vinden om de bewijsstukken van zijn bezoek van vorige week te verbranden. En daarna had hij nog een paar dingen moeten afhandelen, zoals een bezoek aan Annettes appartement en een riskante maar succesvolle terugkeer naar de plek waar Moreno was neergeschoten, de South Cove Inn.

Daarna was hij via dezelfde weg als vorige week van het eiland vertrokken: vanaf een kade bij Millars Sounds, waar hij wat mannen kende die daar dagelijks bijeenkwamen om op de schepen te werken of om Camels of marihuana te roken en Sands, Kalik of vooral Triple B-bier te drinken. Ze deden ook wel eens karweitjes. Efficiënt en discreet. Met een kleine boot hadden ze hem op een van de vele eilandjes bij Freeport afgezet, en daarna was hij per helikopter naar een vliegveld ten zuiden van Miami gebracht.

Dat was het mooie van het Caraïbisch gebied. Op sommige gewoonten kreeg de douane geen grip. Uitermate handig voor mensen als Jacob Swann, die geld tot hun beschikking hadden – zijn werkgever bulkte ervan – en die onopgemerkt wilden komen waar ze moesten zijn.

Toen hij haar met het mes had bewerkt en er genoeg bloed was gevloeid, was hij ervan overtuigd dat ze niemand iets had verteld over hem of over de vragen die hij haar een week eerder terloops had gesteld over de South Cove Inn, suite 1200, Moreno's lijfwacht en Moreno zelf. Als iemand erachter kwam dat hij al die vragen had gesteld, zou dat tot heel vervelende conclusies kunnen leiden.

Hij had de Kai Shun maar een paar keer gebruikt, sneetje voor snee-tje... Het was waarschijnlijk niet nodig geweest, zo bang was ze. Maar Jacob Swann ging altijd heel nauwgezet te werk. Je kon een fijne saus volkomen bederven als je te snel warme vloeistof aan de borrelende roux van boter en bloem toevoegde. En als ze eenmaal ging klonteren, was de saus niet meer te redden. Een verschil van een paar graden en een paar seconden. Bovendien moest je elke gelegenheid aangrijpen om je vaardigheden aan te scherpen. Om het zo maar eens te zeggen.

Hij ging naar de kassa van de parkeerplaats, betaalde contant en reed anderhalve kilometer over de Grand Central voordat hij stopte en zijn kentekenplaten verwisselde. Daarna vervolgde hij zijn weg naar zijn huis in Brooklyn.

Annette...

Pech voor die arme prostituee dat ze elkaar waren tegengekomen toen hij voorbereidingen trof voor het karwei bij South Cove. Hij had het hotel in het oog gehouden en had Moreno's lijfwacht, Simon Flores, met de vrouw zien praten en flirten. Ze waren kennelijk net samen uit een kamer gekomen en hij had aan hun lichaamstaal kunnen zien wat ze daar gedaan hadden.

Aha, die meid zit in het leven. Perfect.

Hij had een uurtje gewacht en toen was hij zo nonchalant mogelijk over het terrein geslenterd tot hij haar in de bar had zien zitten, waar ze zichzelf trakteerde op aangelengde drankjes en een nieuwe klant pro-beerde te lokken.

Swann, met duizend dollar niet te traceren contanten op zak, was er blijmoedig op afgestapt.

Na de goede seks en bij de nog betere stoofpot had hij een heleboel gedegen informatie opgedaan voor het karwei. Maar hij had nooit ver-wacht dat er een onderzoek zou volgen, dus had hij niet zo grondig op-geruimd als hij waarschijnlijk had moeten doen. Vandaar deze tweede tocht naar het eiland.

Succesvol. En bevredigend.

Nu keerde hij terug naar zijn huis in de Heights, vlak bij Henry Street. Hij zette zijn auto in de garage in de steeg. Zijn tas liet hij in de hal staan en hij trok zijn kleren uit en nam een douche.

De woonkamer en de twee slaapkamers waren bescheiden gemeubi-leerd, voornamelijk met niet al te duur antiek en een paar spullen van Ikea. Het geheel zag eruit als het onderkomen van een willekeurige vrij-gezel in New York City, op twee dingen na: de enorme groene wapen-kluis in een van de kasten, waarin hij zijn geweren en pistolen bewaarde, en de keuken. Daar zou een professionele chef-kok jaloers op zijn geweest.

Dat was de ruimte waar hij naartoe liep toen hij zich had afgedroogd en een badjas en slippers had aangetrokken. Viking, Miele, KitchenAid, Sub-Zero, een aparte vriezer, een wijnkoelkast, een glaskeramische kookplaat naar eigen ontwerp. Roestvrijstaal en eiken. De pannen en andere benodigdheden stonden in kastjes met glazen deuren die een hele wand besloegen. (Die rekken aan het plafond zien er mooi uit, maar je moet alles eerst afwassen voordat je kunt gaan koken.)

Swann maakte koffie in een cafetière. Terwijl hij slokjes nam van de sterke zwarte vloeistof dacht hij na over wat hij voor het ontbijt zou maken.

Hij koos voor vlees met gebakken aardappels.

Swann hield wel van een uitdaging in de keuken en had gerechten klaargemaakt die bedacht hadden kunnen zijn door grote namen als Heston Blumenthal of Gordon Ramsey. Maar hij wist ook dat al die toeters en bellen niet per se noodzakelijk waren. Toen hij nog in het leger zat, kookte hij na een missie vaak voor zijn legermaats in zijn woonruimte buiten Bagdad, en dan gebruikte hij militaire rantsoenen en combineerde die met producten die hij op een Arabische markt kocht. Niemand maakte daar grappen over. Ten eerste waren de maaltijden altijd tongstrelend. En ten tweede wisten ze dat het heel goed mogelijk was dat Swann die morgen zijn vuisten had gebruikt op een gillende opstandeling om de verblijfplaats van een vermiste lading wapens te achterhalen.

Het was gevaarlijk om de draak te steken met mensen zoals hij.

Hij pakte een stuk ribeye van een pond uit de koelkast en haalde de biefstuk uit het dikke witte waspapier. Hij was zelf verantwoordelijk voor dit volmaakt geportioneerde en uitgesneden stuk vlees. Ongeveer eens per maand kocht Swann een halve koe, die bij een slachterij in de koeling werd bewaard voor amateurslagers zoals hij. Hij trok er een hele dag voor uit om het vlees van de botten te snijden en er entrecotes, ribstukken, biefstukken, borststukken en lendestukken uit te halen.

Sommige mensen die halve koeien kochten, aten ook graag de hersenen, de ingewanden, de maag en ander orgaanvlees. Maar hem sprak dat niet aan en hij gooide ze weg. Niet dat hij er moreel of emotioneel iets tegen had die delen van het rund te eten; vlees was vlees voor Swann. Het was slechts een kwestie van smaak. Wie hield er niet van knapperig gebakken zwezerik? Maar het meeste orgaanvlees was nogal bitter van smaak en vergde meer moeite dan het waard was. Van nieren bleef de stank dagenlang in je keuken hangen en hersenen waren hem wat al te machtig; die smaakten eigenlijk nergens naar (en bovendien zaten ze propvol cholesterol). Nee, als Swann in een groot schort achter het honderd kilo zware slagersblok stond en in de weer was met zaag en mes, sneed hij de klassieke stukken uit en ging hij te werk als een beeldhouwer. Hij streefde ernaar om perfect gevormde lapjes vlees te verkrijgen en zo weinig mogelijk aan de botten te laten zitten. Het was een kunst, een sport. Hij vond er troost bij.

Mijn slagertje...

Hij legde de ribeye op een snijplank – altijd van hout, om de snede van zijn messen te sparen – en liet zijn vingers over het vlees gaan om de structuur te voelen en de draad en de vetaderen te bestuderen.

Maar voor hij ging snijden waste hij de Kai Shun af en sleep hem op de Black Hard Arkansas-slijpsteen van Dan's Whetstone Company, de beste slijpsteen ter wereld, die bijna net zo veel kostte als het mes zelf. Toen hij boven op Annette had gezeten, was hij van de tong overgegaan op een vinger en had het mes ongelukkig genoeg het bot geraakt. Daarom moest het nu weer volmaakt scherp worden geslepen.

Eindelijk was het mes klaar. Hij richtte zijn aandacht weer op de ribeye. Langzaam sneed hij het stuk vlees in blokjes van ruim een halve centimeter.

Hij had de blokjes groter kunnen maken en sneller kunnen werken.

Maar waarom zou je haast maken met iets waar je zo intens van geniet?

Toen hij klaar was, bestoof hij de blokjes met een mengsel van bloem en salie (zijn eigen variatie op een klassiek recept), braadde ze in een gietijzeren koekenpan even aan en haalde ze eruit toen ze vanbinnen nog roze waren. Vervolgens sneed hij twee rode aardappelen en een halve Vidalia-ui in kleine stukjes. Hij bakte de groente in wat olie in de koekenpan en deed het vlees er weer bij. Vervolgens goot hij er een beetje kalfsfond bij, sneed wat bladpeterselie en zette de pan onder de grill.

Een minuut of twee later was het gerecht klaar. Hij voegde er zout en peper aan toe en ging aan een heel dure teakhouten tafel in de erker van zijn keuken zitten om het geheel samen met een rozemarijnscone te ver-orberen. De scone had hij een paar dagen geleden al gebakken. Na een tijdje waren ze nog lekkerder, vond hij, omdat de kruiden dan goed in het ambachtelijk gemalen meel waren getrokken.

Swann at langzaam, zoals altijd. Voor mensen die snel aten, die hun eten naar binnen schrokten, voelde hij slechts een medelijden dat grensde aan minachting.

Hij was net klaar toen hij een e-mail kreeg. Shreve Metzgers prachtige inlichtingenapparaat werkte kennelijk zo efficiënt als altijd.

Bericht ontvangen. Vandaag succes: goed om te horen.
Problemen die geminimaliseerd/geëlimineerd moeten worden:
1. Getuigen en aanverwante personen beschikkend over informatie met betrekking tot de STO-operatie.
   – Stel voor onderzoek te doen naar Moreno's reis naar NY 30 april – 2 mei.
2. Betrokken openbare aanklager geïdentificeerd: Nance Laurel. Identiteit politierechercheurs volgt binnenkort.
3. Klokkenluider die STO heeft gelekt. Geprobeerd wordt zijn identiteit te achterhalen. Misschien heb je daar nog ideeën over. Handel naar eigen inzicht.

Swann belde de technische dienst en gaf opdracht tot wat datamining. Toen trok hij dikke, gele rubberhandschoenen aan. Hij schrobde de koekenpan met zout, borstelde hem schoon en behandelde het oppervlak met warme olie; gietijzer mocht uiteraard nooit of te nimmer in contact komen met zeep en water. Toen maakte hij de borden en het bestek schoon in heel heet water. Hij vond het leuk om te doen en merkte dat hij zijn beste ideeën kreeg als hij naar de onverwoestbare ginkgo stond te kijken die in het tuintje voor zijn huis stond. Die plant had heel eigenaardige zaden. Ze werden gebruikt in de Aziatische keuken, als hoofdingrediënt van de verrukkelijke Japanse custard, chawanmushi. Maar ze kunnen giftig zijn als ze in grote hoeveelheden geconsumeerd worden. Eten kan natuurlijk altijd gevaarlijk zijn; wie vraagt zich af en toe niet af of hij met salmonella of E. coli besmet wordt als hij aan tafel zit? Jacob Swann had in Japan wel eens fugu gegeten, de beruchte kogelvis met giftige organen. De reden waarom het gerecht hem niet aanstond, was niet omdat het dodelijk kon zijn (de koks waren over het algemeen zo goed opgeleid dat het praktisch onmogelijk was dat je vergiftigd werd), maar omdat de smaak hem te flauw was.

Hij schrobde en schrobde en verwijderde elk spoortje voedsel van het metaal, glas en porselein.

En ondertussen dacht hij na.

Als de getuigen werden geëlimineerd, zouden NIOS en aanverwante diensten uiteraard verdacht worden omdat de moordopdracht inmiddels openbaar was. Dat was ongelukkig en onder andere omstandigheden zou hij geprobeerd hebben ongelukken te regelen of wat fictieve boosdoeners te verzinnen die de schuld voor de te plegen moorden in de schoenen geschoven konden krijgen: de kartels die volgens Metzger verantwoordelijk waren geweest voor Moreno's dood, of misdadigers die door toedoen van politie en aanklager achter de tralies waren beland en op wraak zinden.

Maar dat zou hier niet werken. Jacob Swann zou gewoon moeten doen waar hij goed in was; terwijl Shreve Metzger zou ontkennen dat er zoiets bestond als een moordopdracht, zou Swann ervoor zorgen dat de moord niet meer terug te voeren zou zijn op NIOS of op iemand die daarmee geassocieerd was. Hij zou alle sporen uitwissen en eventuele getuigen van zijn schoonmaakoperatie uit de weg ruimen.

Hij was ertoe in staat. Jacob Swann ging altijd heel nauwgezet te werk.

Bovendien moest hij deze bedreigingen wel elimineren. Niemand mocht zijn organisatie in gevaar brengen; daar deed die te belangrijk werk voor.

Swann gebruikte een dikke linnen theedoek om het vaatwerk, het zilver en de koffiekop af te drogen, met de toewijding van een chirurg die na een succesvolle operatie de wond hecht.

13

De moord op Robert Moreno

Plaats delict 1
- Suite 1200, South Cove Inn, New Providence, Bahama's (de 'moordkamer').
- 9 mei.
- Slachtoffer 1: Robert Moreno.
- Oorzaak van overlijden: schotwond, bijzonderheden volgen.
- Aanvullende informatie: Moreno, 38, Amerikaans staatsburger, expat, woont in Venezuela. Extreem anti-Amerikaans. Bijnaam: 'de Boodschapper van de Waarheid'.
- Is drie dagen in New York geweest, van 30 april tot 2 mei. Doel?

- Slachtoffer 2: Eduardo de la Rua.
- Oorzaak van overlijden: schotwond, bijzonderheden volgen.
- Aanvullende informatie: journalist, was bezig Moreno te interviewen. Geboren in Puerto Rico, woont in Argentinië.

- Slachtoffer 3: Simon Flores.
- Oorzaak van overlijden: schotwond, bijzonderheden volgen.
- Aanvullende informatie: bodyguard van Moreno. Braziliaanse nationaliteit, woont in Venezuela.

- Verdachte 1: Shreve Metzger.
- Directeur van National Intelligence and Operations Service.
- Geestelijk labiel? Woede-uitbarstingen.
- Heeft bewijsmateriaal gemanipuleerd om illegaal Special Task Order goedgekeurd te krijgen?
- Gescheiden. Rechten gestudeerd, Yale.

- Verdachte 2: sluipschutter.
- Codenaam: Don Bruns.
- Informatiediensten trekken Bruns na.
- Stemafdruk bemachtigd.

- Verslag plaats delict, sectieverslag, andere bijzonderheden volgen.
- Geruchten dat drugskartels achter de moorden zitten. Wordt niet waarschijnlijk geacht.

- Plaats delict 2.
  - Schuilplaats van de scherpschutter, 2000 meter van moordkamer, New Providence, Bahama's.
  - 9 mei.
  - Verslag plaats delict volgt.

- Aanvullende informatie.
  - Vaststellen identiteit klokkenluider.
    - Onbekende die de Special Task Order naar buiten heeft gebracht.
  - Verzonden vanaf anoniem e-mailadres.
  - Contact opgenomen met de eenheid Computercriminaliteit om verzendadres te traceren; resultaten volgen.

Met haar handen op haar heupen tuurde Amelia Sachs naar het whiteboard.

Ze merkte dat Rhyme zonder veel enthousiasme naar haar vloeiende handschrift keek. Hij zou pas geïnteresseerd raken als er harde feiten aan het licht kwamen, wat in zijn geval voornamelijk neerkwam op bewijsmateriaal.

Ze waren op dit moment met z'n drieën, Sachs, Laurel en Rhyme. Lon Sellitto was naar de stad gegaan om bij Bill Myers en diens Special Services een speciale selectie van surveillanten en onderzoekers te recruteren, want nu geheimhouding van het allerhoogste belang was, wilde Laurel geen beroep doen op de reguliere patrouilledienst.

Sachs liep terug naar haar bureau. Ze kon niet goed stilzitten, terwijl ze dat de afgelopen twee uur gedwongen had moeten doen. Nu ze hier opgesloten zat, kwamen haar slechte gewoontes terug. Ze drukte dan twee nagels tegen elkaar aan en begon haar hoofdhuid tot bloedens toe te krabben. Omdat ze van nature onrustig was, voelde ze de aandrang te gaan lopen, naar buiten te gaan, in de auto te stappen en een eind te gaan rijden. Haar vader had een uitdrukking bedacht die haar op het lijf geschreven was:

Zolang je maar in beweging blijft, krijgen ze je nooit te pakken...

Dat zinnetje had meer dan één betekenis voor Herman Sachs gehad. Het sloeg zeker op zijn baan, hún baan – ook hij had bij de politie gezeten, had altijd op straat gewerkt, in de Deuce en op Times Square, in een tijd dat er in de stad een recordaantal moorden werd gepleegd. Snel lopen, snel denken, snel kijken, dan vergrootte je de kans dat je in leven bleef.

En het gold ook voor het leven in het algemeen. In beweging blijven... Hoe minder tijd het kwaad kreeg om je op de korrel te nemen, hoe beter, of de dreiging nu van de kant van geliefden, bazen of rivalen kwam. Hij had dat zinnetje te pas en te onpas gebruikt, tot aan zijn dood (sommige dingen, zoals je eigen lichamelijke achteruitgang, kun je niet voor blijven).

Maar bij alle zaken moest je je in de achtergrond verdiepen, en bij alle zaken kwam veel papierwerk kijken, en dat gold met name voor dit onderzoek, waarbij feiten schaars waren en de plaats delict niet toegankelijk was. Sachs was dus veroordeeld tot bureauwerk. Ze worstelde documenten door en trok discreet per telefoon gegevens na. Zonder erbij na te denken drukte ze een nagel in een vinger. Pijn verspreidde zich. Ze negeerde het. Er verscheen een lichte rode veeg op een document dat ze aan het lezen was; ook daar besteedde ze geen aandacht aan.

Een deel van de spanning was te wijten aan de Opzichter, de naam die ze stiekem aan Nance Laurel had gegeven. Ze was het niet gewend dat iemand over haar schouder meekeek, ook niet van haar superieuren, en als inspecteur derde klasse had ze heel wat mensen boven zich staan. Laurel had zich nu helemaal geïnstalleerd – met twee indrukwekkende laptops die ze allebei geopend waren – en ze had nog meer dikke dossiers laten komen.

Wat was het volgende dat ze zou laten aanrukken? Een stretcher?

De nooit glimlachende, altijd geconcentreerde Laurel leek daarentegen nooit onrustig. Ze zat over documenten gebogen, hamerde luid en irritant op haar toetsenborden en maakte aantekeningen in een buitengewoon petieterig maar duidelijk leesbaar handschrift. Pagina na pagina werd doorgenomen, van commentaar voorzien en systematisch opgeborgen. Teksten op het computerscherm werden zorgvuldig gelezen en vervolgens weggeklikt of kregen een nieuw leven via de laserprinter, om vervolgens opgeborgen te worden in de dossiers van *De staat tegen Metzger e.a.*

Sachs kwam overeind, ging weer naar de whiteboards en liep terug naar de gevreesde zitplaats om te proberen iets te weten te komen over Moreno's verblijf in New York van 30 april tot 2 mei. Ze had hotels en autoverhuurbedrijven gebeld. Twee derde van de tijd kreeg ze iemand aan de lijn, en in de andere gevallen sprak ze een boodschap in.

Ze keek naar Rhyme. Hij zat te telefoneren en probeerde de medewerking van de Bahamaanse politie te krijgen. Uit zijn gelaatsuitdrukking maakte ze op dat hij net zo weinig geluk had als zij.

Toen ging Sachs' mobieltje. Ze werd gebeld door Rodney Szarnek, die bij de eenheid Computercriminaliteit zat, een eliteclubje van zo'n dertig rechercheurs plus ondersteunend personeel. Hoewel Rhyme een traditionele forensisch expert was, hadden hij en Sachs de afgelopen jaren steeds nauwer samengewerkt met deze afdeling. Computers en mobieltjes – en het prachtige bewijsmateriaal dat erin opgeslagen werd, klaarblijkelijk voor altijd – waren tegenwoordig niet meer weg te denken uit het recherchewerk. Szarnek was een veertiger, schatte Sachs, maar het was moeilijk om dat met enige zekerheid te zeggen. Hij straalde een en al jeugdigheid uit, van zijn warrige bos haar en zijn eeuwige verkreukelde jeans en T-shirt tot aan zijn hartstocht voor 'kastjes', zoals hij computers noemde.

Om nog maar te zwijgen van zijn voorliefde voor harde en meestal middelmatige rock.

Die nu op de achtergrond stond te dreunen.

'Zeg, Rodney,' zei Sachs, 'vind je het erg om die muziek iets zachter te zetten?'

'Sorry.'

Szarnek had een sleutelfunctie bij het opsporen van de klokkenluider. Hij probeerde het anonieme mailtje te traceren waarin de bijlage met de moordopdracht had gestaan en werkte terug vanaf de ontvanger, het kantoor van de officier van justitie in Manhattan, om erachter te komen waar de verrader zich bevond toen het bericht werd verstuurd.

'Het duurt even,' vertelde de man, met op de achtergrond een dreunende bas en drums. 'Het mailtje was via proxies de halve wereld over gestuurd. Of eigenlijk de héle wereld. Tot nu toe heb ik het bericht kunnen traceren vanaf het kantoor van de officier van justitie naar een remailer in Taiwan, en daarvandaan naar Roemenië. En ik kan je wel vertellen dat de Roemenen zich bepaald niet coöperatief opstellen. Ondanks dat heb ik wat gegevens kunnen lospeuteren over de kast die hij gebruikte. Hij probeerde slim te zijn, maar op een gegeven moment ging hij toch de fout in.'

'Bedoel je dat je achter het merk van zijn computer bent gekomen?'

'Mogelijk. Zijn *agent user string*... Eh, weet je wat dat is?'

Sachs moest toegeven dat ze dat niet wist.

'Dat is informatie die je computer naar routers en servers en andere computers stuurt als je online bent. Iedereen kan die informatie zien en vaststellen met wat voor besturingssysteem en browser je werkt. Op de kast van jullie klokkenluider draaide Apple OS 9.2.2 en Internet Explorer 5 voor de Mac. Dat is oud spul, en dat beperkt de mogelijkheden enorm. Ik gok erop dat hij een iBook-laptop had. Dat was de eerste draagbare Mac met ingebouwde antenne, zodat hij op het wifi-netwerk kon inloggen om te uploaden zonder dat hij een aparte modem of server nodig had.'

Een iBook? Daar had Sachs nog nooit van gehoord. 'Hoe oud, Rodney?'

'Meer dan tien jaar oud. Waarschijnlijk eentje die hij tweedehands op de kop heeft getikt en contant heeft betaald, zodat de transactie niet op hem kon worden teruggevoerd. Zo probeerde hij slim te zijn. Maar hij had vast niet gedacht dat we het merk zouden achterhalen.'

'Hoe zou dat ding eruitzien?'

'Als we geluk hebben, is het een zogeheten 'fruitschaal'. Die maakten ze in combinaties van twee kleuren, wit met een fel accent zoals groen of oranje. Het ziet eruit zoals je met zo'n naam zou verwachten.'

'Een fruitschaal.'

'Nou, in elk geval met ronde hoeken. Er is ook een standaard recht-hoekig model, helemaal grijs, saai. Maar die dingen waren groot. Twee keer zo dik als een moderne laptop. Daar zou je hem aan kunnen her-kennen.'

'Goed, Rodney. Bedankt.'

'Ik blijf zoeken naar de router. De Roemenen zullen hun poot niet stijf kunnen houden. Ik hoef alleen maar te onderhandelen.'

De muziek werd weer hard gezet en de verbinding werd verbroken.

Toen Sachs om zich heen keek, zag ze Nance Laurel naar haar kijken met een gezichtsuitdrukking die vreemd genoeg zowel neutraal als nieuwsgierig was. Hoe kreeg ze dat voor elkaar? Sachs vertelde de vrouw en Rhyme wat ze van de cybercrimebestrijder te weten was gekomen. Rhyme knikte, niet onder de indruk, en bracht zijn telefoon weer naar zijn oor. Hij zweeg. Sachs nam aan dat hij in de wacht stond.

Laurel knikte goedkeurend, leek het. 'Kun je dat uitwerken en naar me toe sturen?'

'Wát?'

Een stilte. 'Wat je me net hebt verteld over het traceren en het computer-type.'

'Ik wilde dat gewoon op het bord gaan schrijven.' Sachs knikte naar het whiteboard.

'Ik vind het altijd prettig als alles zo snel mogelijk wordt gedocumen-teerd.' Ze knikte met haar hoofd in de richting van haar eigen dossiers. 'Áls je het niet erg vindt.'

De vrouw sprak het eerste woord van die zin zeer dwingend uit.

Sachs vond het wel erg, maar had geen zin om in discussie te treden. Ze typte het korte berichtje met onverholen tegenzin in op haar computer.

'Dank je wel,' zei Laurel nog. 'Stuur het maar in een mailtje op, dan print ik het zelf wel uit. Wel via de beveiligde server, natuurlijk.'

'Natuurlijk.' Sachs verstuurde het document. Het viel haar op dat het micromanagement van Laurel blijkbaar niet gold voor Lincoln Rhyme.

Haar telefoon ging en ze trok verbaasd een wenkbrauw op toen ze de nummeridentificatie zag.

Eindelijk. Een concreet spoor. De beller was een secretaresse die bij Elite Limousines werkte, een van de tientallen autoverhuurbedrijven die Sachs had gebeld om te vragen of Robert Moreno op 1 mei van hun diensten gebruik had gemaakt. Dat bleek inderdaad zo te zijn. De vrouw zei dat Moreno een auto met chauffeur had gehuurd, maar dat hij pas had gezegd waar hij zoal heen wilde nadat hij was ingestapt. De plaatsen waar Moreno naartoe was gereden, waren niet geregistreerd, maar de vrouw gaf Sachs de naam en het telefoonnummer van de chauffeur.

Vervolgens belde Sachs de chauffeur op, zei wie ze was en vroeg of ze naar hem toe kon komen in verband met een onderzoek.

Met een zwaar accent, waardoor hij moeilijk te verstaan was, stemde hij in met haar verzoek. Hij vertelde waar hij woonde. Ze verbrak de verbinding, stond op en trok haar jas aan.

'Ik heb de chauffeur te pakken die Moreno op 1 mei heeft rondgereden,' zei ze tegen Rhyme. 'Ik ga naar hem toe.'

Laurel zei snel: 'Zou je de bijzonderheden over het bericht van agent Dellray kunnen opschrijven voordat je weggaat?'

'Doe ik meteen als ik weer terug ben.'

Ze merkte dat Laurel verstijfde, maar blijkbaar was dit een punt waar de hulpofficier van justitie niet over in discussie wilde gaan.

14

In een standaardonderzoek zou Lincoln Rhyme op dit punt de hulp hebben ingeroepen van rechercheur Mel Cooper, waarschijnlijk de beste forensisch laborant van New York.

Maar de aanwezigheid van de tengere, onverstoorbare Cooper was zinloos nu ze geen bewijsmateriaal hadden, dus had hij de man alleen gevraagd beschikbaar te blijven, waarmee Lincoln Rhyme bedoelde dat hij erop voorbereid moest zijn alles uit zijn handen te laten vallen en zonder tegenspraak zo snel mogelijk naar het lab te komen, behalve misschien als hij een openhartoperatie moest ondergaan.

Maar het leek op dit moment niet erg waarschijnlijk dat Cooper hoefde te komen. Rhyme had zich weer gewijd aan de opdracht waar hij al de hele morgen mee bezig was: het in bezit krijgen van de bewijsmaterialen van de zaak-Moreno.

Hij was voor de vierde keer in de wacht gezet door een beambte van de Royal Bahamas Police Force in Nassau. Eindelijk een stem: 'Ja, hallo. Kan ik u helpen?' Een vrouw met een melodieuze alt.

Dat werd tijd. Maar hij beteugelde zijn ongeduld nog even, ook al moest hij alles weer van voren af aan uitleggen. 'U spreekt met commandant Rhyme van de politie van New York.' Hij legde al niet meer uit dat hij als adviseur met de politie samenwerkte. Het was te ingewikkeld en leek argwaan op te wekken. Als iemand navraag deed, liet hij zich wel door Lon Sellitto informeel tot hulpsheriff benoemen. (Eigenlijk zou hij willen dat dat eens gebeurde; iemand die zaken verifieerde, was iemand die dingen voor elkaar kreeg.)

'New York, ja.'

'Ik wil graag spreken met iemand van de technische recherche.'

'De technische recherche, ja.'

'Precies.' Rhyme zag de vrouw aan de andere kant van de lijn al voor zich: een luie, niet bijzonder slimme ambtenaar in een stoffig kantoor zonder airconditioning, onder een langzaam draaiende ventilator.

Dat was waarschijnlijk niet eerlijk.

'Neem me niet kwalijk, met welke afdeling wenst u te spreken?'

Of toch wel.

'Met de technische recherche. Een leidinggevende. Het gaat over de moord op Robert Moreno.'

'Blijft u alstublieft aan de lijn.'

'Nee, alstublieft... Wacht!'

Klik.

Verdomme.

Vijf minuten later had hij de vrouw aan de lijn die hij volgens hem als eerste aan de telefoon had gekregen, hoewel zij zich dat niet leek te kunnen herinneren. Of ze deed alsof. Hij herhaalde zijn verzoek en dit keer voegde hij er in een geïnspireerde opwelling aan toe: 'Het spijt me dat ik zo aandring, maar ik word helemaal platgebeld door journalisten. Ik zal ze rechtstreeks naar u moeten verwijzen als ik ze zelf geen informatie kan verschaffen.'

Hij had geen idee waar hij nu eigenlijk mee wilde dreigen.

'Journalisten?' vroeg ze aarzelend.

'Ja, van CNN, ABC, CBS, Fox. Noem maar op.'

'Ik begrijp het. Ja, meneer.'

Maar de smoes had resultaat, want deze keer werd hij maar een seconde of drie in de wacht gezet.

'Met Poitier.' Een diepe, melodieuze stem met een Brits accent en een Caraïbische tongval; Rhyme herkende het toontje, niet omdat hij zelf op de eilanden was geweest, maar door zijn rol bij het opsluiten van een paar mensen uit dat deel van de wereld. Als het om geweld ging, kon de maffia nog heel wat leren van Jamaicaanse bendes.

'Hallo. U spreekt met Lincoln Rhyme van de politie van New York.'

Hij had er het liefst aan willen toevoegen: *En wat je ook doet, zet me verdomme niet weer in de wacht.* Maar hij hield zich in.

'O, aha,' zei de Bahamaanse agent op zijn hoede.

'Met wie spreek ik? Agent Poitier, heb ik dat goed verstaan?'

'Inspecteur Mychal Poitier.'

'En u bent van de technische recherche?'

'Nee, ik leid het onderzoek naar de dood van Moreno... Wacht, u zei dat u Lincoln Rhyme bent. Commandant Rhyme. Zo zo.'

'U hebt van me gehoord?'

'We hebben een van uw forensische boeken in onze bibliotheek. Ik heb het gelezen.'

Misschien leverde dat hem enige medewerking op. Aan de andere kant had de rechercheur er niet bij gezegd of hij het boek goed of nuttig vond. Bij de auteursgegevens van de laatste editie stond vermeld dat Rhyme met pensioen was, wat Poitier gelukkig niet leek te weten.

Rhyme stak van wal. Zonder iets te zeggen over Metzger of NIOS legde hij uit dat de New Yorkse politie van mening was dat er een verband bestond tussen de Verenigde Staten en de moord op Moreno. 'Ik heb wat vragen over de aanslag, over het bewijsmateriaal. Hebt u nu even tijd? Kunnen we erover praten?'

Een stilte die niet onderdeed voor die van Nance Laurel. 'Ik vrees van niet, meneer. Het onderzoek in de zaak-Moreno is voorlopig stopgezet en er zijn...'

'Neem me niet kwalijk, "stopgezet"?' Het onderzoek naar een onopgeloste moord van een week geleden? Dit was juist het moment waarop het onderzoek in volle gang moest zijn.

'Dat klopt, meneer Rhyme.'

'Maar waarom? Hebt u een verdachte aangehouden?'

'Nee, meneer. Ten eerste weten we niet wat die link met de Verenigde Staten zou kunnen zijn waar u het over heeft; de moord is hoogstwaarschijnlijk gepleegd door leden van een drugskartel uit Venezuela. We wachten bericht af van de autoriteiten daar voordat we verdergaan met de zaak. En ik moet me persoonlijk richten op een urgenter geval. Een Amerikaanse studente is als vermist opgegeven. Tja, zulke dingen komen soms voor in ons land.' Poitier voegde er ter verdediging aan toe: 'Maar dat gebeurt zelden. Heel zelden. U weet hoe het gaat, meneer. Als er een knappe studente verdwijnt, duikt de pers er meteen bovenop. Als aasgieren.'

De pers. Misschien was dat de reden waarom Rhyme eindelijk was doorverbonden. Zijn gebluf had een gevoelige snaar geraakt.

De rechercheur ging verder: 'We hebben hier minder verkrachtingen dan in Newark in New Jersey, veel minder. Maar als er op de eilanden een studente wordt vermist, komt daar meteen een joekel van een telelens op te staan. En ik moet zeggen, met alle respect, dat uw nieuwsprogramma's heel vooringenomen zijn. Net als de Britse pers. Maar nu wordt er een Amerikaanse studente vermist, geen Britse, dus krijgen we CNN en de rest over ons heen. Aasgieren. Met alle respect.'

Hij ratelde maar door – om de aandacht af te leiden, vermoedde Rhyme. 'Inspecteur...'

'Het is zo oneerlijk,' zei Poitier. 'Een studente uit Amerika komt hierheen. Ze is op vakantie, of in dit geval komt ze hier een semester studeren. En het is altijd onze schuld. Ze schrijven verschrikkelijke dingen over ons.'

Rhyme had zijn geduld allang verloren, maar deed zijn uiterste best rustig te blijven. 'Inspecteur, om even terug te komen op de moord op Moreno? Wij weten zeker dat de kartels er niets mee te maken hebben.'

Nu wist de rechercheur even niets uit te brengen. Toen: 'Nou, de zoektocht naar de vermiste studente geef ik toch een hogere prioriteit.'

'Die studente kan me niet schelen,' gooide Rhyme eruit. Niet erg tactvol, maar op dat moment volkomen waar. 'Robert Moreno, alstublieft. Er is een verband met de Verenigde Staten en daar ben ik mee bezig. Het is nogal dringend.'

Taak: Al-Barani Rashid (NIOS ID: abr942d5t)
Geboren: 2/73, Michigan

Rhyme had geen flauw idee wie die Rashid was, de volgende naam op de STO-lijst, maar het zou vast geen onschuldige huisvader uit Connecticut zijn. Toch had Nance Laurel gelijk: de man behoorde niet te sterven op basis van gebrekkige of valse informatie.

Voltooien: 5/19…

Rhyme vervolgde: 'Ik wil graag een kopie hebben van het technische rapport, foto's van de plaats delict en van de plek van waaruit de sluipschutter heeft geschoten, sectieverslagen, labanalyses. Alle documentatie. En wat u aan informatie heeft over ene Don Bruns, die rond de tijd van de aanslag op het eiland was. Het is een valse naam, een schuilnaam van de sluipschutter.'

'Tja, we hebben het eindrapport nog niet. Wel wat aantekeningen, maar die zijn niet compleet.'

'"Niet compleet"?' sputterde Rhyme. 'De moord is gepleegd op 9 mei.'

'Ik geloof dat dat juist is.'

Geloofde hij dat?

Opeens begon Rhyme zich ernstige zorgen te maken. 'De plaats delict is uiteraard onderzocht?'

'Ja, ja, natuurlijk.'

Nou, dat was een hele opluchting.

'Meteen de volgende dag zijn we met het onderzoek begonnen,' zei Poitier.

'De dag erna?'

'Ja.' Poitier aarzelde, alsof hij vermoedde dat dit niet helemaal de juiste procedure was. 'We hadden nog een zaak, diezelfde dag. Een vooraanstaande notaris was in zijn kantoor in het centrum beroofd en vermoord. Dat kwam eerst. Meneer Moreno was geen ingezetene. De notaris wel.'

Er waren twee factoren die een negatieve invloed konden hebben op het nut dat een plaats delict voor de technische recherche had. De eerste was vervuiling doordat mensen er heen en weer hadden gelopen – ook onoplettende politiemensen. De tweede was de tijd die tussen de misdaad en het onderzoek lag. Uiterst belangrijke sporen aan de hand waarvan de identiteit van een verdachte kon worden vastgesteld, belangrijk bewijsmateriaal om hem te kunnen veroordelen, konden letterlijk in een kwestie van uren in rook opgaan.

Een dag vertraging bij het onderzoeken van een plaats delict kon de hoeveelheid sporen halveren.

'Dus de plaats delict is nog steeds verzegeld?'

'Jawel, meneer.'

Dat was tenminste iets. Rhyme hoopte dat zijn stem ernstig genoeg klonk toen hij zei: 'Inspecteur, wij zijn hierbij betrokken omdat we denken dat degene die Moreno heeft vermoord opnieuw zal toeslaan.'

Er viel een korte stilte. 'Is dat waar, denkt u?' Hij klonk oprecht bezorgd. 'Hier?'

'Dat weten we niet.'

Iemand zei iets tegen de rechercheur. Er werd een hand over het mondstuk van de telefoon gelegd en Rhyme hoorde alleen nog maar gemompel. Toen kwam Poitier weer aan de lijn. 'Ik zal uw telefoonnummer noteren, meneer Rhyme, en als ik iets nuttigs vind, zal ik u bellen.'

Rhymes kaken verstrakten. Hij gaf het nummer en vroeg toen snel: 'Kunt u alstublieft de plaats delict nog eens onderzoeken?'

'Met alle respect, meneer Rhyme, u beschikt in New York over veel meer middelen dan wij hier. En om eerlijk te zijn, overdondert dit me allemaal een beetje. Dit is mijn eerste moord. Een buitenlandse activist, een sluipschutter, een luxe vakantieoord en...'

'Uw eerste moord?'

'Inderdaad.'

'Inspecteur, met alle respect...' Hij herhaalde de woorden van de man zelf. '... kan ik dan met uw meerdere spreken?'

Poitier klonk niet beledigd toen hij zei: 'Een moment, alstublieft.' Weer ging de hand over het mondstuk. Rhyme hoorde gedempt praten. Hij dacht dat hij de woorden 'Moreno' en 'New York' kon opvangen.

Even later was Poitier terug. 'Het spijt me, meneer. Mijn meerdere is er niet. Maar ik heb uw telefoonnummer. Ik zal u zeker bellen als we meer weten.'

Rhyme was ervan overtuigd dat dit zijn enige kans was. 'Vertel me één ding: hebt u kogels gevonden?' zei hij snel.

'Eén ja, en...' Hij haperde. 'Ik weet het niet zeker. Neem me alstublieft niet kwalijk. Ik moet gaan.'

'De kogel?' drong Rhyme aan. 'Die is van essentieel belang in deze zaak. Vertel me alleen...'

'Ik geloof dat ik me daarin heb vergist. Ik moet nu ophangen.'

'Inspecteur, op welke afdeling zat u eerst?'

Weer een korte stilte. 'Bedrijfsinspectie en Vergunningen, meneer Rhyme. En daarvoor zat ik bij Verkeer. Ik moet gaan.'

De verbinding werd verbroken.

15

Jacob Swann reed in zijn grijze Nissan Altima langs het huis van de limochauffeur van wiens diensten Robert Moreno gebruik had gemaakt. De technische experts hadden resultaat geboekt. Ze hadden ontdekt dat Moreno het bedrijf Elite Limousines had ingehuurd toen hij op 1 mei in New York was. Ook was hij erachter gekomen dat Moreno altijd dezelfde chauffeur nam, Vlad Nikolov. En omdat hij de vaste chauffeur van de activist was, beschikte Vlad waarschijnlijk over informatie die de onderzoekers dolgraag wilden hebben. Swann moest voorkomen dat ze die in handen kregen.

Hij belde even met zijn prepaid telefoontje – 'Sorry, verkeerd verbonden' – om er zeker van te zijn dat de chauffeur thuis was. Met zijn zware Russische of Georgische tongval had Nikolov een beetje slaperig geklonken, wat waarschijnlijk betekende dat hij nachtdienst had gehad. Mooi. Dan hoefde hij voorlopig nergens naartoe. Maar Swann wist dat hij snel in actie moest komen, want hoewel de politie minder snel gegevens kon natrekken dan zijn technische afdeling omdat ze zich aan bepaalde regels moest houden, was het niet onmogelijk om op de traditionele manier achter de identiteit van de chauffeur te komen.

Swann stapte uit, strekte zijn spieren en keek om zich heen.

Hier in Queens woonden veel chauffeurs. Dat kwam doordat je in Manhattan je auto bijna niet kwijt kon en de huizen er niet te betalen waren. Bovendien moest een chauffeur vaak ritjes van en naar de luchthavens LaGuardia en JFK maken, die allebei in Queens lagen.

Het huis van Nikolov was niet groot, maar wel goed onderhouden, zag Swann. Voor de beige stenen bungalow stond een overvloed aan bloeiende planten, weelderig en kleurrijk dankzij het milde lenteweer en de regen van de laatste tijd. Het gras was keurig gemaaid en de leistenen tuintegels waren een dag of twee geleden nog aangeveegd, mogelijk zelfs geschrobd. Midden op het gazon stonden twee buxusstruiken, netjes gesnoeid.

De energierekening, waaruit onder meer bleek dat Nikolov een zogeheten slimme stroommeter had laten installeren, en de bankafschriften die de technische afdeling had weten te achterhalen, deden vermoeden dat de tweeënveertigjarige Nikolov vrijgezel was. Dit was ongebruikelijk voor Russische of Georgische immigranten, die meestal erg op hun gezin en familie gericht waren. Swann vermoedde dat hij een vrouw en kinderen in zijn vaderland had.

In elk geval werkte het in Swanns voordeel dat de man alleen woonde. Hij liep langs het huis, wierp een snelle blik op een raam en zag dat er vitrage voor hing. Kant. Misschien had Nikolov een vriendin die zo nu en dan langskwam. Uit eigen beweging zou een Russische man geen kanten vitrage ophangen. Als er nog iemand bij Nikolov in huis was, werd het problematisch – niet omdat Jacob Swann ertegen opzag die dame dan te vermoorden, maar omdat twee doden het aantal mensen verdubbelde die als vermist konden worden opgegeven, zodat de politie sneller ter plekke zou kunnen zijn. Ook zou de pers er sneller bovenop zitten. Hij wilde dat de dood van de chauffeur zo lang mogelijk onopgemerkt bleef.

Swann was op de hoek van de straat aangekomen, liep de zijstraat in, zette een zwart honkbalpetje op, deed zijn jas uit, keerde die binnenstebuiten en deed hem weer aan. Getuigen letten meestal alleen maar op de kleding van het bovenlichaam en het hoofd. Als iemand al gekeken had, zou het nu lijken alsof er twee verschillende mensen voor het huis langs waren gelopen, niet één die weer terug was gelopen.

Elk greintje argwaan telt.

Toen hij voor de tweede keer langs het huis kwam, keek hij de andere kant op, naar de auto's die in de buurt geparkeerd stonden. Geen politieauto's of ongemarkeerde wagens die mogelijk van agenten waren, voor zover hij kon nagaan.

Hij liep naar de voordeur, deed zijn rugzak open en haalde er een vijftien centimeter lange afgesloten buis uit, die gevuld was met loden hagelkorrels. Hij klemde het ding in zijn rechtervuist. Het doel van de buis was om zijn hand stevigheid te verlenen voor het geval zijn vuist een bot of een ander hard deel van zijn slachtoffer raakte als hij uithaalde, want anders liep hij de kans zijn middenhandsbeentjes te breken. Daar was hij door schade en schande achtergekomen; toen hij eens iemand op zijn adamsappel wilde slaan, miste hij en raakte hij de man op zijn kin, waardoor hij zijn pink had gebroken. Hij had de situatie wel onder controle gekregen, maar de pijn in zijn rechterhand was bijna niet te harden geweest. Hij had gemerkt dat het heel moeilijk was om iemands huid af te stropen als je je linkerhand moest gebruiken.

Swann haalde ook een onbeschreven, dichtgeplakte envelop tevoorschijn.

Een snelle blik links en rechts. Niemand op straat. Hij drukte met een van zijn knokkels op de bel en trok een vrolijk gezicht.

Geen reactie. Sliep de man nog?

Hij haalde een papieren zakdoekje uit zijn zak en voelde of hij de deur open kon krijgen. Op slot. Zoals overal in New York. Heel anders dan in de buitenwijken van Cleveland of Denver, waar hij een maand geleden nog een privédetective had koudgemaakt. In Highlands Ranch deed niemand de deur op slot, en ook de ramen niet. De man had zelfs zijn BMW niet afgesloten.

Swann stond op het punt om het huis heen te lopen om te kijken of hij door een raam naar binnen kon toen hij een droge klik hoorde.

Weer belde hij aan, om meneer Nikolov duidelijk te maken dat er nog steeds iemand voor zijn deur stond die hem graag wilde spreken. Dat zou elke normale bezoeker gedaan hebben.

Elk greintje argwaan…

Een stem, gedempt door de dikke voordeur. Niet ongeduldig. Alleen maar vermoeid.

De deur ging open en tot Swanns aangename verrassing bleek de chauffeur van Robert Moreno niet langer dan zo'n een meter vijfenzestig te zijn en hooguit zeventig kilo te wegen, ruim tien kilo minder dan Swann zelf.

'Ja?' vroeg hij met een zwaar Slavisch accent. Hij keek naar Swanns linkerhand, naar de witte envelop. Zijn rechterhand was niet zichtbaar.

'Meneer Nikolov?'

'Dat klopt.' Hij droeg een bruine pyjama en pantoffels.

'Ik heb geld van de TLC voor u. Een terugbetaling. U moet ervoor tekenen.'

'Wat?'

'Taxi Limousine Commission. Een terugbetaling.'

'Ja, ja, de TLC. Wat voor terugbetaling?'

'Ze hebben u te veel berekend.'

'Bent u van de TLC?'

'Nee, ik ben een tussenpersoon. Ik breng alleen maar de papieren rond.'

'Nou, het zijn uitzuigers. Ik weet niks van een terugbetaling, maar het zijn uitzuigers als je ziet hoeveel ze rekenen. Trouwens, hoe weet ik dat ze me niet afzetten? Als ik teken, ben ik dan al mijn rechten kwijt? Misschien moet ik een advocaat nemen.'

Swann stak de envelop omhoog. 'Leest u zelf maar. Iedereen accepteert het geld, maar er staat duidelijk bij dat dat niet verplicht is en dat u er een derde persoon bij kunt halen. Mij maakt het niet uit. Ik breng die dingen alleen maar rond. Als u het geld niet wilt hebben, moet u niet tekenen.'

Nikolov deed de hordeur open. 'Kom maar op dan.'

Swann wist dat hij geen gevoel voor humor had, maar de ongelukkige woordkeuze van de man trof hem.

Toen de deur openging, deed Swann snel een stap naar voren. Met zijn rechtervuist, waarin hij de buis hield, beukte hij tegen de plexus solaris van de man. Hij mikte niet op de lelijke bruine stof van de pyjama, maar op een plekje daar zo'n vijf centimeter achter, in het inwendige van de man. Dat was de plek waar je altijd op moest richten voor de grootst mogelijke impact, nooit de buitenkant.

Nikolov hapte naar adem, maakte een kokhalzende beweging en zakte als een zoutzak in elkaar.

Ogenblikkelijk stapte Swann langs hem, pakte hem bij de kraag en sleepte hem naar binnen voordat het slachtoffer begon te kotsen. Swann gaf hem een trap in de buikstreek, hard, en keek door de kanten vitrage naar buiten.

Een stille straat, een prettige straat. Geen honden die uitgelaten werden, geen voetgangers. Geen auto's die langsreden.

Hij trok latex handschoenen aan, deed de deur op de grendel, borg de buis op.

'Hallooooo? Volluuuuuk?' riep Swann.

Niets. Ze waren alleen.

Hij pakte de chauffeur weer bij de kraag, trok hem over de pasgewreven vloer en legde hem in een zijkamertje, uit het zicht.

Het gezicht van de naar adem happende man vertrok van de pijn.

De ossenhaas, de musculus psoas major, die tegen de kogelbiefstuk en de T-bone aan zit, is zo mals dat je het vlees met een vork kunt snijden als het goed is klaargemaakt. Maar dat lange, trapeziumvormige stuk vlees, dat geschikt is om tournedos en beef Wellington van te maken, is van oorsprong veel minder eetlustopwekkend en vereist een zorgvuldige voorbereiding. Het meeste hiervan kan met een mes gedaan worden. Natuurlijk moet je het spierweefsel aan de zijkant verwijderen, maar de echte uitdaging zit hem in het zilverkleurige vliesje, een dun laagje bindweefsel dat het grootste deel van de ossenhaas omhult.

De truc is om het membraan in zijn geheel te verwijderen en daarbij het vlees zo goed mogelijk intact te laten. Hiertoe moet men met het mes een zagende beweging maken en het constant onder een bepaalde hoek houden. Er is veel oefening voor nodig om dit precies goed te doen.

Jacob Swann dacht aan deze techniek toen hij de Kai Shun uit de gladde houten schede trok en bij de man neerhurkte.

16

Amelia Sachs was onderweg naar het huis van Moreno's limousine-
chauffeur, blij dat ze even aan de aanwezigheid van de Opzichter was
ontsnapt.

Oké, dacht ze, dat was inderdaad niet eerlijk.

Nance Laurel was kennelijk een goede openbaar aanklager. Te oordelen
naar wat Dellray zei en naar de wijze waarop ze de zaak voorbereidde.

Maar dat betekent niet dat ik haar aardig moet vinden.

*Ga na welke kerk Moreno bezocht, Amelia, hoeveel hij gaf aan goede doe-
len en hoeveel oude dametjes hij heeft helpen oversteken.*

Als je wilt...

Ik dacht het niet.

In elk geval was Sachs weer op weg. En met een flink vaartje. Ze reed
in haar kastanjebruine Ford Torino Cobra uit 1970, de opvolger van de
Fairlane. De auto leverde 405 soepele paardenkrachten en kon bogen
op een koppel van ruim 600 Nm. Uiteraard zat er een extra vierde versnelling in. De Hurst-versnellingsbak was hard en temperamentvol, maar
voor Sachs was dit de enige manier om te schakelen – voor haar was de
versnellingsbak een sensueler onderdeel van de auto dan de motor. Het
enige ongerijmde aan het voertuig – behalve zijn anachronistische ver-
schijning in de straten van het hedendaagse New York – was de claxon
uit de Chevrolet Camaro SS, een aandenken aan haar eerste en favoriete
snelle wagen, die een paar jaar eerder het slachtoffer was geworden van
een aanrijding met een crimineel.

Ze stuurde de Cobra over de 59th Street Bridge, de Queensboro
Bridge. Haar vader had haar verteld dat Paul Simon een lied had geschreven over die brug, en ze had het nummer willen opzoeken op
iTunes. Na zijn dood had ze het nummer weer willen opzoeken. Ze
had het sindsdien elk jaar willen opzoeken.

Ze had het nooit gedaan.

Een popsong over een brug. Interessant. Sachs nam zich opnieuw
voor zich erin te verdiepen.

Het verkeer in oostelijke richting reed redelijk door. Ze kon de snelheid wat opvoeren en ramde de versnellingspook naar beneden om de
Cobra in zijn drie te zetten.

Pijn. Haar gezicht vertrok.

Verdomme. Die knie weer. Als het haar knie niet was, was het wel haar heup.

Verdomme.

Ze had al last van haar gewrichten sinds ze volwassen was. Geen reumatoïde artritis, die verraderlijke immuunziekte die in alle gewrichten zijn verwoestende werk doet. Bij haar was het eigenlijk artrose, een vaker voorkomende aandoening die in haar genen kon zitten, maar ook veroorzaakt kon zijn door een motorrace op haar tweeëntwintigste – of eigenlijk een spectaculaire landing nadat de Benelli had besloten op vierhonderd meter van de finish van de onverharde baan af te springen. Maar wat de oorzaak ook was, ze had er behoorlijk veel last van. Ze was erachter gekomen dat aspirine en ibuprofen enigszins hielpen. En ook dat chondroïtine en glucosamine dat helemaal niet deden – niet bij haar, tenminste. Sorry, liefhebbers van haaienkraakbeen. Ze had injecties met hyaluronzuur gehad, maar naderhand lag ze door de zwelling en de pijn altijd verscheidene dagen plat. En hanenkammen boden uiteraard maar een tijdelijke oplossing. Ze had geleerd om haar pillen droog door te slikken en om nooit iets te nemen met de instructie 'niet meer dan 3 herhaalrecepten' op het etiket.

Maar het belangrijkste wat ze geleerd had, was om te glimlachen en te doen alsof ze geen pijn voelde en haar gewrichten even goed waren als die van een gezonde twintigjarige.

Zolang je maar in beweging blijft, krijgen ze je nooit te pakken...

Toch betekenden die pijn en het feit dat haar gewrichten het begaven dat ze lang niet meer zo snel was als vroeger. Ze vergeleek het altijd met een vastzittende handrem, als de remschoen niet meer loskwam.

Dan bleef de rem aanlopen...

Het ergste van alles was nog het schrikbeeld dat ze vanwege deze aandoening op een zijspoor gezet zou worden. Ze vroeg zich voor de zoveelste keer af of Bill Myers die ochtend in het lab haar kant op had gekeken toen ze bijna gestruikeld was. Elke keer dat ze bij de hoge pieten in de buurt kwam, deed ze haar uiterste best om niets van de pijn te laten merken. Was dat die ochtend gelukt? Ze dacht van wel.

Ze liet de brug achter zich, schakelde hard naar zijn twee en nam gas terug om de onstuimige motor te beschermen. Ze deed het vooral om zichzelf te bewijzen dat de pijn helemaal niet zo hevig was. Ze blies de zaak op. Ze kon schakelen wanneer ze maar wilde.

Alleen was er een felle pijnscheut door haar knie gegaan toen ze haar linkervoet omhoogbracht om de koppeling in te drukken.

Als reactie welde er een traan op in een oog. Ze veegde hem woedend weg.

Wat rustiger reed ze naar haar bestemming.

Tien minuten later ging ze stapvoets door een aangename wijk in Queens. Nette, maar piepkleine grasveldjes, goed gesnoeide struiken, bomen met een perfecte cirkel van houtsnippers aan de voet.

Ze keek naar de huisnummers. Halverwege de straat vond ze het huis van Robert Moreno's chauffeur. Een uitstekend onderhouden bungalowtje. Op de oprit, half in de garage en half erbuiten, stond een Lincoln Town Car, zwart en glanzend als het geweer van een rekruut bij de parade.

Sachs parkeerde dubbel en gooide haar politiekaart op het dashboard. Toen ze een blik op het huis wierp, zag ze het dunne gordijn in de woonkamer iets opzij gaan en weer terugvallen.

Dus de chauffeur was thuis. Mooi. Soms herinnerden bewoners zich vlak voor een bezoek van de politie opeens dat ze dringend een bood-schap moesten doen aan de andere kant van de stad. Of ze verstopten zich gewoon in de kelder en deden niet open.

Ze stapte uit en probeerde haar linkerbeen uit.

Het ging, maar het deed nog pijn. Ze zat tussen twee pillen in en weerstond de verleiding om een extra ibuprofen te nemen. Dan liep je weer het risico van leverschade.

Toen ergerde ze zich opeens aan haar eigen gezeur. *Jezus, Rhyme kan maar vijf procent van zijn lichaam gebruiken en hij klaagt nooit. Hou op met dat gemauw en ga aan het werk.* Ze liep naar de voordeur, drukte op de bel en hoorde klanken van de Westminster, een uitgebreid gebeier dat ironisch klonk in dit piepkleine huis.

Wat zou de chauffeur hun kunnen vertellen? Had Moreno gezegd dat hij was gevolgd, dat hij met de dood was bedreigd, dat er in zijn hotel-kamer was ingebroken? Kon de chauffeur een beschrijving geven van iemand die Moreno in de gaten hield?

Voetstappen.

Ze voelde eerder dan ze zag dat iemand door de vitrage voor het raampje in de deur tuurde.

Plichtmatig hield ze haar penning omhoog.

Het slot klikte.

De deur zwaaide open.

17

'Dag, agent. Of nee, inspecteur. Bent u inspecteur? Want dat zei u toen u belde.'

'Inspecteur, inderdaad.'

'En ik ben Tash. Noemt u me maar Tash.' Hij was op zijn hoede, net als eerder tijdens het telefoongesprek, maar nu misschien iets minder doordat ze een vrouw was en bovendien niet onaantrekkelijk. Hij sprak nog steeds met hetzelfde Arabische accent, maar in levenden lijve was hij gemakkelijker te verstaan dan door de telefoon.

Stralend liet hij haar binnen. Aan de muur hing voornamelijk islamitische kunst. Hij had een iel postuur, een donkere huid, dik zwart haar en Semitische gelaatstrekken. Iran, gokte ze. Hij droeg een wit overhemd en een kakibroek. Zijn volledige naam luidde Atash Farada, en hij werkte al tien jaar als chauffeur voor Elite Limousines, legde hij niet zonder trots uit.

Een vrouw van dezelfde leeftijd – Sachs schatte ze allebei halverwege de veertig – begroette haar hartelijk en vroeg of ze zin had in een kop thee of iets anders.

'Nee, dank u.'

'Mijn vrouw, Faye.'

Ze schudden elkaar de hand.

Sachs zei tegen Farada: 'Uw werkgever, Elite, zei dat Robert Moreno meestal een andere chauffeur inhuurde. Klopt dat?'

'Ja. Vlad Nikolov.'

Ze vroeg of hij dat voor haar kon spellen en noteerde de naam.

'Maar hij was op 1 mei ziek, en daarom belden ze mij. Kunt u me misschien zeggen waar dit over gaat?'

'Ik moet u helaas meedelen dat de heer Moreno vermoord is.'

'Nee!' Farada's gezicht betrok. Hij was duidelijk aangeslagen. 'Wat is er precies gebeurd?'

'Daar proberen we juist achter te komen.'

'Wat een afschuwelijk bericht. Hij was een echte gentleman. Is hij beroofd?'

Ze ging niet op de vraag in en zei: 'Ik zou graag van u vernemen waar u meneer Moreno zoal naartoe hebt gebracht.'

'Vermoord?' Hij keek zijn vrouw aan. 'Vermoord. Hoorde je dat? Wat afschuwelijk.'

'Meneer Farada?' vroeg Sachs dringend maar geduldig. 'Kunt u me vertellen waar u hem heen hebt gebracht?'

'Waar ik hem heen heb gebracht, waar ik hem heen heb gebracht.' Hij zag er aangeslagen uit. Eigenlijk te aangeslagen. Gemaakt aangeslagen.

Het verbaasde Sachs niets toen hij zei: 'Helaas weet ik niet of ik me dat nog kan herinneren.'

Ah. Ze snapte het. 'Ik heb een ideetje. Ik zou u kunnen inhuren om de route opnieuw te rijden. Te beginnen bij het punt waar u hem hebt opgehaald. Misschien wordt uw geheugen dan wat opgefrist.'

Zijn ogen draaiden weg. 'O. Ja, dat zou kunnen. Maar misschien moet ik wel rijden voor Elite. Ik...'

'Dan verdubbel ik uw gage,' zei Sachs. Even twijfelde ze eraan of het wel ethisch was om een mogelijke getuige in een moordonderzoek geld te bieden. Maar deze zaak was moreel gezien toch al aan de twijfelachtige kant, ook op hoger niveau.

Farada zei: 'Misschien is het inderdaad een goed idee. Ik vind het zo erg dat hij is vermoord. Ik moet even een paar telefoontjes plegen.'

Hij pakte zijn mobieltje uit het hoesje en verdween in een aangrenzende kamer.

Farada's vrouw vroeg nogmaals: 'Kan ik u echt niets inschenken?'

'Nee, dank u. Echt niet.'

'U bent heel knap,' zei de vrouw vol bewondering en afgunst.

Faye was ook knap, al was ze wat kleiner en ronder. Mensen zijn altijd jaloers op wat ze zelf niet hebben, filosofeerde Sachs. Toen Faye op haar was afgestapt om haar een hand te geven, was haar als eerste opgevallen hoe soepel ze liep.

Farada kwam terug en droeg nu een zwart jasje op zijn broek en overhemd. 'Ik ben vrij. Ik zal u rondrijden. Ik hoop dat ik nog weet waar we allemaal geweest zijn.'

Toen ze hem doordringend aankeek, haastte hij zich te zeggen: 'Als we eenmaal gaan rijden, denk ik dat het allemaal vanzelf terugkomt. Zo werkt het geheugen toch? Het is bijna een levend wezen op zich.'

Hij gaf zijn vrouw een zoen, zei dat hij voor het eten terug zou zijn en keek daarbij ter bevestiging naar Sachs.

Ze zei: 'Het zal niet meer dan een paar uur duren, denk ik.'

Samen met Sachs liep hij naar buiten, waarna ze in de zwarte Lincoln Town Car stapten.

'Wilt u niet achterin zitten?' vroeg hij, van zijn stuk gebracht door haar keuze om voorin plaats te nemen.

'Nee.'

Amelia Sachs was geen type voor een limousine. Eén keer had ze in zo'n wagen gezeten – op de begrafenis van haar vader. Daaraan had ze geen nare associaties met lange zwarte luxe-sedans overgehouden. Het was meer dat ze liever niet had dat er iemand anders achter het stuur zat. Als ze achterin ging zitten, zou ze zich nog veel meer opgelaten voelen.

Ze gingen op pad. De man reed uitstekend, absoluut niet weifelend en toch als een heer in het verkeer, zonder de claxon te gebruiken, hoewel ze verschillende wegpiraten tegenkwamen die Sachs het trottoir op zou hebben getoeterd. De eerste stop was bij het Helmsley bij Central Park South.

'Goed, hier heb ik hem rond half elf 's morgens opgehaald.'

Ze stapte uit en liep het hotel binnen, naar de receptie. Haar actie leverde niets op. De receptionisten waren allervriendelijkst, maar wisten niets wat het onderzoek verder kon helpen. Moreno had verschillende keren van de roomservice gebruikgemaakt – voornamelijk om eten op zijn kamer te laten brengen – maar er waren geen ingaande of uitgaande telefoontjes geweest. Niemand wist of hij bezoek had gehad.

Terug naar de limo.

'Waar nu naartoe?' vroeg ze.

'Naar de bank. Ik weet niet meer welke bank het was, maar ik weet nog wel waar hij stond.'

'Laten we daar dan maar naartoe gaan.'

Farada reed naar een vestiging van de American Independent Bank and Trust in 55th Street. Ze ging naar binnen. Het liep tegen sluitingstijd en een deel van het personeel was al naar huis. De baliemedewerker haalde er een chef bij, een vrouw. Zonder gerechtelijk bevel kon Sachs weinig beginnen. De vrouw, die een van de vier vice-presidenten bleek te zijn, vertelde haar wel dat Robert Moreno op 1 mei langs was geweest om zijn rekeningen op te heffen en zijn spaartegoeden naar een bank in het Caraïbisch gebied over te laten schrijven. Welke bank dat was, wilde ze niet zeggen.

'Om hoeveel geld ging het? Kunt u me dat zeggen?'

Alleen: 'In de zes cijfers.'

Het klonk niet alsof hij enorme bedragen voor de drugskartels witwaste. Toch was het opvallend.

'Heeft hij nog wat geld op zijn oude rekeningen laten staan?'

'Nee. Hij vertelde nog dat hij ook zijn rekeningen bij andere banken wilde opheffen.'

Sachs liep terug naar Tash Farada, plofte naast hem neer en zei: 'En hierna?'

'Een prachtige vrouw,' zei de chauffeur.

Even dacht ze dat Farada het over haar had. Ze moest om zichzelf lachen toen hij uitlegde dat hij Moreno naar East Side had gebracht om daar een vrouw op te pikken die de rest van de dag bij hem was gebleven. Moreno had het adres opgegeven – op de kruising van Lexington en 52nd – en had de chauffeur opdracht gegeven voor het gebouw te blijven wachten.

Daar reden ze nu naartoe. Sachs bekeek de gevel van het pand. Een hoge glazen blokkendoos, een kantoor.

'Wat was ze voor iemand?'

Hij vertelde: 'Donker haar. Ik denk dat ze ongeveer een meter zeventig lang was, in de dertig, maar met een jeugdige uitstraling, en knap, zoals ik net al zei. Voluptueus. En ze had een korte rok aan.'

'Eigenlijk was ik meer geïnteresseerd in haar naam en functie.'

'Ik heb alleen haar voornaam opgevangen. Lydia. En wat die functie betreft... Nou.' Farada schonk haar een schalks lachje.

'Nou wat?'

'Laat ik het zo stellen: ik weet zeker dat ze elkaar niet kenden toen ze instapte.'

'Dat zegt niet veel,' vond Sachs.

'Weet u, inspecteur, in deze branche leer je het een en ander. Onder meer hoe de mens in elkaar steekt. Er zijn zaken waarvan de cliënt liever niet heeft dat we ze te weten komen, en er zijn zaken die we liever niet wíllen weten. We worden geacht onzichtbaar te zijn. Maar we houden onze ogen goed open. We zitten achter het stuur en stellen geen vragen, behalve: "Waar wilt u naartoe, meneer?" En toch zien we het een en ander.'

Het esoterische van de Mystieke Orde der Limochauffeurs verloor enige glans, en Sachs trok ongeduldig een wenkbrauw op.

Zachtjes zei hij, alsof iemand stond mee te luisteren: 'Het was zonneklaar dat ze een u-weet-wel was. Begrijpt u?'

'Een escort?'

'Voluptueus. U weet wel.'

'Het ene impliceert niet noodzakelijkerwijs het andere.'

'Maar dan was er nog de kwestie van het geld.'

'Het geld.'

'In ons vak is het van belang bepaalde dingen niet te zien.'

Mijn god. Ze zuchtte. 'Wat voor geld?'

'Ik zag dat meneer Moreno haar een envelop gaf. Aan de manier waarop dat gebeurde, kon ik zien dat er geld in zat. En hij zei: "Zoals we hadden afgesproken."'

'En wat zei zij toen?'

'"Dank u wel."'

Sachs vroeg zich af wat de keurige Nance Laurel zou zeggen als ze te weten kwam dat haar nobele slachtoffer op klaarlichte dag een hoertje had opgepikt. 'Leek er enig verband te bestaan tussen deze vrouw en het gebouw? Een kantoor waar ze werkte?'

'Ze stond in de hal te wachten toen we voorreden.'

Het leek Sachs sterk dat een escortservice hier een dekmantelfirma gevestigd had. Misschien werkte Lydia parttime als escort en had ze in het gebouw een ander baantje. Sachs belde Lon Sellitto, vertelde wat ze te weten was gekomen en gaf een beschrijving van de vrouw.

'En voluptueus,' vulde Tash Farada aan.

Sachs negeerde hem en gaf het adres door.

Sellitto zei: 'Ik heb een onderzoeksteam samengesteld uit Myers' gelederen. Ik zal ze het gebouw laten natrekken. Kijken of iemand ene Lydia kent.'

Nadat ze de verbinding hadden verbroken, vroeg ze aan Farada: 'Waar zijn ze toen naartoe gegaan?'

'De stad in. Wall Street.'

'Laten wij daar dan ook maar naartoe gaan.'

De man trok op en voegde in tussen het andere verkeer. Met flinke vaart zoefde de grote Lincoln soepel tussen het drukke verkeer door. Nu ze zich moest laten rijden, mocht ze van geluk spreken dat de man naast haar geen weifelende slak was. Ze zat liever naast een bumperklever dan naast een aarzelend type. Bovendien was sneller in haar ogen altijd veiliger.

Zolang je maar in beweging blijft...

Terwijl ze in de richting van het centrum reden, vroeg ze: 'Hebt u opgevangen waar meneer Moreno en Lydia het over hadden?'

'Ja, ja. Maar het was niet wat ik had verwacht, dus niet over haar werk, zogezegd.'

Voluptueus...

'Hij praatte veel over politiek. Het leek wel een lezing. Lydia hoorde hem beleefd aan en stelde zo nu en dan een paar vragen, maar ze waren van het type dat je als buitenstaander ook op een trouwerij of een begrafenis zou stellen. Vragen waarbij het antwoord er eigenlijk niet toe doet. Koetjes en kalfjes.'

Dat was Sachs te vaag. 'Vertelt u me eens wat hij zoal te melden had.'

'Nou, ik weet nog dat hij aardig wat grieven jegens Amerika had. Dat vond ik nogal vervelend om te horen, kwetsend eigenlijk. Misschien dacht hij dat hij zulke dingen in mijn bijzijn kon zeggen vanwege mijn accent, omdat ik uit het Midden-Oosten kom. Alsof we iets gemeenschappelijks hadden. Maar ik heb gehuild toen de Twin Towers instortten. Er zijn toen klanten van me omgekomen, en dat waren ook vrienden van me. Ik hou van dit land als van een broer. Soms kun je woedend op je broer zijn. Hebt u broers?'

Hij slalomde om een bus en twee taxi's heen.

'Nee, ik ben enig kind.' Het kostte haar moeite haar geduld te bewaren.

'Nou, soms ben je pisnijdig op je broer, maar dan leg je het bij en is het weer goed. Dat maakt je liefde sterker. Want per slot van rekening heb je een bloedband met elkaar. Maar meneer Moreno was niet van plan om het land te vergeven voor wat het hem had aangedaan.'

'Aangedaan?'

'Ja. Kent u dat verhaal?'

'Nee,' zei Sachs. Ze draaide zich naar hem om. 'Vertelt u eens.'

18

Bij alles wat je doet kun je fouten maken.

Het is zaak daar geen negatieve gevoelens aan te verbinden.

Je probeert room te kloppen zonder eerst de kom en de gardes te koelen en wat je krijgt is boter.

Jij en de inlichtingenafdeling zoeken de naam van de vaste chauffeur van een cliënt bij een limousinebedrijf op en dan blijkt dat hij net ziek was op de dag waar het om gaat. En zelfs na het zorgvuldig verwijderen van een paar repen vlees geeft hij de naam van de invaller niet prijs. En dat betekent dat hij die niet kende.

Ontvliezen...

Jacob Swann vond dat hij dit had moeten weten, dat hij erop voorbereid had moeten zijn, en dat bracht hem enige nederigheid bij. Je mag nooit arrogant worden. De eerste voorwaarde voor een goede maaltijd is de voorbereiding. Je snijdt van tevoren wat er gesneden moet worden, weegt af wat er afgewogen moet worden, kookt in wat er ingekookt moet worden.

Zo moet dat.

Pas dan breng je alles bij elkaar, kook je het en maak je het af.

Hij maakte de boel snel schoon in het huis van Vlad Nikolov en bedacht dat het afgelopen uur toch niet helemaal zonde van de tijd was geweest – dat is het aanscherpen van je vaardigheden nooit. Bovendien had Nikolov iets kunnen weten waar de politie wat aan had kunnen hebben (hoewel dat niet zo bleek te zijn). Hij moest afrekenen met mensen als die hulpofficier van justitie, Nance Laurel, en de klokkenluider, dus wilde hij niet dat het lijk van Vlad Nikolov te snel ontdekt werd. Hij wikkelde het bloedende lichaam in een stuk of tien handdoeken en toen in vuilniszakken, die hij dichtplakte. Vervolgens sleepte hij het lijk naar de kelder, *bonk bonk bonk* over de trap, en duwde het in een voorraadkamer. Het zou wel een week of zo duren voor de geur buiten te ruiken was.

Daarna pakte hij het mobieltje van de man, toetste het nummer van Elite Limousines in en meldde in aarzelend Engels met een functioneel Slavisch accent dat hij de neef van Vlad Nikolov was. De chauffeur had bericht gekregen dat er iemand van de familie was overleden, in het vaderland (hij zei niets over Moskou of Kiev of Tbilisi, omdat hij niet wist uit welke stad de man kwam). Vlad nam een paar weken vrij. De receptioniste protesteerde – alleen over het rooster, niet omdat ze het verhaal ongeloofwaardig vond – maar hij hing op.

Swann bekeek het toneel van de ondervraging en zag dat hij maar heel weinig sporen had achtergelaten. Hij had het bloed met vuilniszakken en handdoeken opgevangen. Nu schrobde hij de rest met bleek weg en stopte de handdoeken en de telefoon in een vuilniszak, die hij onderweg naar huis in een afvalcontainer zou gooien.

Net toen hij weg wilde gaan, kreeg hij een gecodeerde e-mail. Kennelijk had NIOS wat interessante informatie opgeduikeld. Wie de klokkenluider was, was nog steeds niet bekend, hoewel Metzger dat liet onderzoeken. Maar de inlichtingenafdeling had wat namen achterhaald van mensen die samen met mevrouw Laurel, de hulpofficier, bij de zaak betrokken waren. Er was sprake van twee personen die zich met het onderzoek bezighielden, een politierechercheur die Amelia Sachs heette en een adviseur met de eigenaardige naam Lincoln Rhyme.

Het was tijd voor nog wat meer graafwerk en datamining, bedacht Swann met zijn telefoon nog in de hand. De kracht van het beste kookboek ter wereld, *The Joy of Cooking*, lag tenslotte in het geduldig vergaren en rangschikken van feiten, van kénnis dus, niet in de opzienbarende recepten.

19

'Weet u iets over Panama?' vroeg Tash Farada aan Sachs, die naast hem in de Town Car zat. Hij was opgewekt gezelschap en vond het kennelijk leuk om zo snel mogelijk door het verkeer te slalommen. Ze reden in de richting van Wall Street.

Ze zei: 'Het Panamakanaal. Een of andere invasie daar. Een tijdje terug.'

De chauffeur lachtte en trapte het gaspedaal diep in om het traag rijdende verkeer op de FDR Drive te ontwijken. '"Een of andere invasie." Ja, ja. Ik lees veel boeken over geschiedenis. Dat vind ik leuk. In de jaren tachtig vond er in Panama een machtswisseling plaats. Een revolutie. Net als in ons land.'

'Ja, Iran. In '79 toch?'

Hij keek haar fronsend aan.

'Perzië, bedoel ik,' corrigeerde ze zichzelf.

'Nee, ik heb het over 1776. Ik ben een Amerikaan.'

O. *Ons* land.

'Sorry.'

Een fronsende blik, maar een waarmee hij haar leek te vergeven. 'Panama dus. Noriega was een bondgenoot van Amerika. Hij bestreed het rode gevaar. Hij hielp de CIA en de DEA in hun strijd tegen drugs... Natuurlijk stond hij tegelijkertijd aan de kant van de drugsbaronnen die tegen de CIA en de DEA vochten. Dat spelletje keerde zich tegen hem, en in 1989 hadden de Verenigde Staten er schoon genoeg van. We vielen het land binnen. Het probleem was dat er in Panama een smerige strijd gaande was. Hebt u George Orwell gelezen?'

'Nee.' Misschien had Sachs wel eens wat van Orwell gelezen, in een ver verleden, maar ze blufte nooit, noch probeerde ze anderen te imponeren met kennis die ze niet meer paraat had.

'In *Animal Farm* schreef Orwell dat alle dieren gelijk zijn, maar dat sommige dieren gelijker zijn dan andere. Nou, alle oorlogen zijn slecht. Maar sommige oorlogen zijn slechter dan andere. De president van Panama was corrupt, net als zijn handlangers. Het waren gevaarlijke lieden en ze onderdrukten het volk. Maar de invasie was ook hard. Heel gewelddadig. Roberto Moreno woonde daar op dat moment, in de hoofdstad, bij zijn vader en moeder.'

Sachs dacht terug aan haar gesprek met Fred Dellray, die had verteld dat Robert Moreno ook Roberto genoemd werd. Ze vroeg zich af of hij zijn naam wettelijk had veranderd of dat hij de Spaanse variant als een pseudoniem gebruikte.

'Hij was toen een jonge tiener. Die dag bij mij in de auto vertelde hij Lydia, zijn voluptueuze vriendin, dat hij en zijn ouders destijds niet zo'n gelukkig gezinnetje vormden. Zijn vader was vaak weg van huis, zijn moeder was vaak verdrietig en had weinig aandacht voor hem.'

Sachs wist nog dat de vader voor een aardoliemaatschappij had gewerkt en vaak moest overwerken, en dat de vrouw uiteindelijk zelfmoord had gepleegd.

'Blijkbaar kreeg de jongen contact met een gezin dat ook in Panama-Stad woonde. Tussen Roberto en de twee zoons ontstond een hechte vriendschap. Enrico en José heetten ze, geloof ik. Ongeveer van zijn leeftijd, als ik hem zo hoorde praten.'

Tash Farada begon steeds zachter te praten.

Sachs zag al waar het verhaal naartoe ging.

'De twee broers zijn bij de invasie omgekomen?'

'De ene wel – Roberto's beste vriend. Hij weet niet wie de schoten heeft gelost, maar hij legt de schuld bij de Amerikanen. Hij zei dat de regering de regels veranderde en geen boodschap had aan de bevolking of aan vrijheid, terwijl dat wel beloofd was. De Amerikanen steunden Noriega en gedoogden de drugshandel tot de president labiel werd en ze bang waren dat het kanaal dicht zou gaan, zodat de olietankers er niet meer door konden. Daarom zijn ze Panama toen binnengevallen.' Op fluistertoon: 'Meneer Moreno heeft zijn vriend gevonden. Tegen Lydia zei hij dat hij er nog steeds nachtmerries van had.'

Hoewel het ernaar uitzag dat Moreno absoluut geen heilige was, in tegenstelling tot wat Nance Laurel graag gezien had, werd Sachs toch geraakt door het afschuwelijke verhaal. Ze vroeg zich af of Laurel dat ook zo zou hebben. Ze betwijfelde het.

De chauffeur voegde eraan toe: 'En toen hij dat allemaal vertelde, aan Lydia, brak zijn stem. Maar ineens begon hij te lachen en gebaarde om zich heen. Hij zei dat hij afscheid van Amerika aan het nemen was en dat hij daar blij om was. Dit zou de laatste keer zijn dat hij hier was. Hij wist dat hij niet meer terug kón komen.'

'Niet meer terug kón komen?'

'Inderdaad. Niet meer terug kon komen. "Blij dat ik ervan af ben," zei hij.' Tash Farada voegde er grimmig aan toe: 'Ik dacht: blij dat ik van jou af ben. Ik hou van dit land.' Na een korte stilte zei hij: 'Dat hij dood is, stemt me niet gelukkig, begrijp me goed. Maar hij heeft allerlei nare dingen over mijn land gezegd. En dat land is toevallig wel het mooiste land ter wereld, en dat is altijd al zo geweest.'

Toen ze in de buurt van Wall Street kwamen, knikte Sachs naar de plek waar voor 9/11 de Twin Towers hadden gestaan. 'Wilde hij Ground Zero zien?'

'Nee,' zei de chauffeur. 'Ik dacht eerst van wel. Ik dacht dat hij zich wilde verkneukelen, na alles wat hij had gezegd. Dan zou ik hem ter plekke hebben verzocht de auto te verlaten. Maar dat gebeurde niet. Hij was zwijgzaam geworden.'

'Waar hebt u hem hier dan naartoe gebracht?'

'Ik heb hem hier afgezet.' Hij stopte in Fulton Street, vlak bij Broadway. 'Dat vond ik vreemd. Gewoon op de hoek van een straat. Ze stapten uit en hij zei dat ze een paar uur weg zouden blijven. Als ik hier niet kon blijven wachten, zouden ze me wel weer bellen. Ik heb ze mijn kaartje gegeven.'

'Wat vond u daar zo vreemd aan?'

'In dit deel van de stad kun je als limochauffeur bijna overal komen, tenzij de weg opgebroken is. Maar het was alsof hij liever niet had dat ik zag waar ze naartoe gingen. Ik nam aan naar een van de hotels, het Millennium of een van de andere. Die kant liepen ze namelijk op.'

Voor een wip met zijn voluptueuze vriendin? Maar dan hadden ze toch net zo goed terug kunnen gaan naar zijn hotel?

'Heeft hij u gebeld?' Sachs hoopte dat de chauffeur het telefoonnummer van Moreno in het geheugen van zijn mobieltje had opgeslagen.

Maar de man zei: 'Nee. Ik ben hier blijven wachten. En ze kwamen terug.'

Ze stapte uit, liep de kant op die de chauffeur had aangegeven. Ze deed navraag bij de drie hotels die binnen loopafstand lagen, maar daar had niemand zich op 1 mei onder de naam Moreno ingeschreven. Als ze hadden ingecheckt, zou Lydia haar eigen naam gebruikt kunnen hebben, maar daar schoten ze niets mee op als ze niet eerst meer over haar te weten kwamen. Sachs liet ook een foto van Moreno zien, maar niemand herkende hem.

Had de activist haar betaald om seks met iemand anders te hebben? vroeg ze zich af. Hadden ze hier met iemand in een van de hotels of kantoren afgesproken? Om die persoon om te kopen of om hem te chanteren? Nadat Sachs in het derde hotel navraag had gedaan, liep ze weer naar buiten, de straat op, waar het verkeer vast stond. Ze keek naar de honderden gebouwen om zich heen – kantoren, winkels, appartementen. Een heel team van politiemensen zou hier een maand lang navraag naar Robert Moreno en diens metgezel kunnen doen zonder ook maar een steek op te schieten.

Ze vroeg zich af of Lydia het geld misschien voor iets anders had gekregen. Maakte ze deel uit van een cel, een terroristische organisatie waar Moreno mee samenwerkte? Hadden ze een afspraak met een groepering die een nieuwe bloederige aanslag op het financiële hart van de stad wilde plegen?

Die mogelijkheid kwam Sachs niet onlogisch voor, maar Nance Laurel zou er vast niets van willen weten.

Je bedoelt dat je jezelf niet open kunt stellen...

Sachs draaide zich om en liep terug naar de limo. Ze plofte weer naast de chauffeur neer, rekte zich uit, vertrok haar gezicht toen er een reumatische pijnscheut door haar lijf vlamde en drukte een nagel tegen de andere. Stop, dacht ze. Ze drukte de nagels nog harder tegen elkaar aan en veegde het bloed aan haar zwarte spijkerbroek af.

'En hierna?'

Farada zei: 'Hierna heb ik ze weer naar het hotel teruggebracht. De vrouw stapte samen met hem uit, maar ze gingen elk hun eigen weg. Hij liep naar binnen, en zij ging naar het oosten toe.'

'Omhelsden ze elkaar bij het afscheid?'

'Niet echt. Hun wangen raakten elkaar even. Meer niet. Hij gaf een fooi, een flinke fooi trouwens.'

'Goed. Laten we maar weer naar Queens gaan.'

Hij trok op en reed in oostelijke richting met het drukke spitsverkeer mee. Het was ongeveer zeven uur in de avond. Terwijl ze in de trage stroom auto's vastzaten, vroeg ze: 'Had u het gevoel dat hij gevolgd werd of in de gaten werd gehouden? Deed hij onrustig? Gedroeg hij zich wantrouwend of paranoïde?'

'Hm. Ah. Ik durf zeker te stellen dat hij voorzichtig deed. Hij keek regelmatig om zich heen. Maar hij liet niet blijken dat hij zich ongerust maakte. Niet in de trant van: "Die rode auto volgt ons." Hij leek me meer iemand die probeerde zich bewust te zijn van zijn omgeving. Dat zie ik veel. Zakenlieden doen dat ook vaak. Dat moeten ze vandaag de dag misschien ook wel.'

Sachs was gefrustreerd. Ze was niets concreets te weten gekomen over het verblijf van Moreno in New York. Eigenlijk waren er alleen maar vragen bij gekomen. En toch bleef ze het gevoel houden dat er dringend actie geboden was als ze dacht aan de moordopdracht, met Rashid als het volgende doelwit.

We weten dat NIOS *hem voor vrijdag wil vermoorden. En welke on-schuldigen zullen er dan nog meer om het leven komen? Zijn vrouw en kinderen? Een voorbijganger?*

Ze reden op Williamsburg Bridge toen haar mobieltje ging.

'Fred, hallo.'

'Dag, Amelia. Moet je horen, een paar dingetjes. Onze mensen heb-ben SIGINT in Venezuela onder de loep genomen. Ze hebben een op-name te pakken gekregen met Moreno's stem erop, van ongeveer een maand geleden. Zou relevant kunnen zijn. Hij zei: "Ja, vierentwintig mei, dat klopt... gaan de lucht in. En daarna wordt alles anders."'

De vierentwintigste was over nog geen twee weken. Bedoelde hij dat hij een aanslag aan het plannen was en dat hij dan moest onderduiken, net als Bin Laden?

'Enig idee wat dat zou kunnen betekenen?' vroeg Sachs.

'Nee, maar we zijn er nog mee bezig.'

Ze vertelde de agent wat Farada had gezegd over Moreno's opmerking dat dit zijn laatste bezoek aan New York zou zijn, en over diens geheim-zinnige afspraken in de buurt van Ground Zero.

'Dat zou in het plaatje passen,' zei Dellray. 'Ja, ja, het is best mogelijk dat hij iets smerigs van plan was en daarna moest onderduiken. Dat zou logisch zijn – vooral als je weet wat ik nog meer te vertellen heb.'

'Vertel.' Haar notitieboekje lag klaar op haar schoot, de pen in de aanslag.

De agent zei: 'Nog een andere opname van zijn stem. Tien dagen voor zijn dood. Moreno zei: "Kunnen we iemand vinden die ze op kan blazen?"'

Sachs kreeg acuut buikpijn.

Dellray ging verder: 'De techneuten denken dat hij dertien mei als datum noemde, en Mexico.'

Dat was twee dagen geleden. Ze kon zich geen speciaal incident her-inneren, maar tenslotte was Mexico één groot oorlogsgebied, waar door de drugshandel zoveel afrekeningen en aanvallen plaatsvonden dat ze vaak niet eens de Amerikaanse televisiezenders haalden. 'Ik ben nog aan het checken of er toen iets gebeurd is. Maar er is nog iets. Ik had het over een paar dingetjes. Ik bedoelde eigenlijk drie. We hebben Moreno's reisgegevens. Ben je er klaar voor?'

'Ga je gang.'

De agent stak van wal. 'Op 2 mei is Moreno van New York naar Mexico-Stad gegaan, mogelijk om de bomaanslag voor te bereiden. De volgende dag naar Nicaragua. De dag daarna naar San José, Costa Rica.

Daar is hij een paar dagen gebleven, en vervolgens heeft hij op 7 mei het vliegtuig naar de Bahama's genomen, waar hij een paar dagen later kennismaakte met de scherpschutterskwaliteiten van Don Bruns.'

Dellray voegde eraan toe: 'Hij is in Mexico City en Costa Rica nog wel een beetje in de gaten gehouden. In beide steden werd hij onder meer gesignaleerd in de buurt van de Amerikaanse ambassade. Maar het zag er niet naar uit dat hij hoe dan ook een bedreiging vormde, zodat we onze vriend toen niet hebben aangehouden.'

'Bedankt, Fred. Dat is nuttig om te weten.'

'Ik blijf ermee bezig, Amelia. Maar ik moet wel zeggen dat ik geen zeeën van tijd heb.'

'Hoezo? Komt er een grote klus aan?'

'Ja. Ik neem een andere naam aan en dan vlieg ik naar Canada. Ga ik bij de Mounted Police.'

Klik.

Ze kon er niet om lachen. Zijn opmerking kwam te dichtbij; deze zaak was als een hoop explosieven die elk moment konden ontploffen.

Een halfuur later zette Tash Farada de limo op het garagepad van zijn huis neer, waarna ze uitstapten. Hij nam onmiskenbaar een zekere houding aan.

'Hoeveel ben ik u schuldig?' vroeg Sachs.

'Nou, normaal gesproken rekenen we van garage tot garage, maar dat zou in uw geval niet eerlijk zijn, aangezien de auto hier al stond. Dus dan rekenen we vanaf het tijdstip van vertrek tot nu.' Hij keek op zijn horloge. 'We zijn om twaalf over vier vertrokken, en het is nu achtendertig minuten over zeven.'

Tot op de minuut nauwkeurig.

'Voor u zal ik naar beneden afronden. Kwart over vier tot half acht. Dat is drie uur en vijftien minuten.'

Snel uitgerekend.

'Wat is uw uurtarief?'

'Negentig dollar.'

'Per uur?' vroeg ze, hoewel ze daar zelf ontegenzeglijk naar gevraagd had.

Een glimlach. 'Dat wordt dan tweehonderdtweeënnegentig dollar en vijftig cent.'

Shit, dacht Sachs. Ze had gerekend op ongeveer een kwart van dat bedrag. Weer een reden om geen limo meer te nemen.

Hij voegde eraan toe: 'En natuurlijk...'

'Ik heb gezegd dat ik het dubbele zou betalen.'

'Dan komt het uit op het prachtbedrag van vijfhonderdvijfentachtig dollar.'

Een zucht. 'Kunt u me nog één lift geven?' vroeg Sachs.

'Nou, als het niet te veel tijd kost.' Een knikje richting het huis. 'Het eten, weet u.'

'Ik hoef alleen maar naar de dichtstbijzijnde pinautomaat.'

'Ah, ja, ja... Dan zal ik u voor dat ritje niets in rekening brengen!'

20

Verbeeldde ze zich dat nu of niet?

Nee.

In de Torino Cobra terug naar Manhattan was Sachs er zeker van dat ze werd gevolgd.

Toen ze de Midtown Tunnel uitkwam en zo nu en dan kort in de achteruitkijkspiegel keek, reed er al die tijd een auto achter haar, een lichtgekleurd voertuig waarvan ze het merk en het model niet precies kon vaststellen. Het was een onopvallende wagen: grijs, wit, zilverkleurig. Ze zag hem hier en in de straten rond de woning van Farada.

Maar hoe was dat mogelijk? De Opzichter had hen ervan verzekerd dat NIOS, Metzger en de sluipschutter niets afwisten van het onderzoek.

En zelfs al waren ze erachter gekomen, hoe konden ze dan weten in wat voor auto ze reed en waar die zich bevond?

Maar tijdens een zaak die ze een paar jaar geleden met Rhyme had onderzocht, was ze erachter gekomen dat iedereen met een rudimentair dataminingsysteem vrij gemakkelijk te weten kon komen waar iemand zich bevond. Videobeelden van kentekenplaten, gezichtsherkenning, telefoontjes en creditcards, GPS, de kastjes voor elektronische tolheffing, RFID-chips. En bij NIOS zouden ze zeker veel meer tot hun beschikking hebben dan een rudimentair systeem. Ze was voorzichtig geweest, maar misschien niet voorzichtig genoeg.

Daar was gemakkelijk iets aan te doen.

Met een glimlach begon ze aan ingewikkeld, snel en buitengewoon leuk bochtenwerk, vaak met rokende banden en een snelheid van tegen de honderd kilometer per uur in de tweede versnelling.

Toen ze de laatste bocht had gehad en ze de schitterende Cobra weer rechttrok, met een lieve, verontschuldigende glimlach naar de Sikh om wiens auto ze heen was geschoten, was ze ervan overtuigd dat ze haar achtervolger had afgeschud.

In elk geval tot hij haar met zijn datamining weer had gevonden.

Maar zelfs al werd ze gevolgd, vormde de achtervolger dan een bedreiging?

Misschien wilde NIOS gewoon wat informatie over haar en zouden er pogingen worden ondernomen het onderzoek te vertragen, maar ze kon zich niet echt voorstellen dat een overheidsinstantie een politiebeambte lichamelijke schade zou berokkenen.

Tenzij ze niet door de overheid zelf bedreigd werd, maar door een door woede gedreven psychopaat die toevallig voor de overheid werkte en zijn positie gebruikte om zijn waandenkbeelden te realiseren en mensen te elimineren die hem niet vaderlandslievend genoeg waren.

Aan de andere kant had een eventuele bedreiging misschien niets te maken met Moreno. Amelia Sachs had een heleboel mensen achter de tralies gezet; ze kon ervan uitgaan dat die daar geen van allen erg blij mee waren.

Sachs voelde zowaar een rilling over haar rug gaan.

Ze parkeerde in een zijstraat van Central Park West en gooide het politievignet op het dashboard. Voor ze uitstapte, tikte ze op de greep van haar Glock om zich vertrouwd te maken met de exacte positie van het wapen. Het leek wel of elke auto in de buurt een lichte kleur had, van onopvallende makelij was en een schimmige bestuurder had die haar kant uit keek. Elke antenne, watertoren en pijp op de gebouwen in dit stuk van de Upper West Side was een sluipschutter die het kruis in zijn telescoopvizier op haar rug richtte.

Sachs liep snel naar Rhymes huis en ging naar binnen. Ze passeerde de salon, waar Nance Laurel nog steeds druk zat te typen, precies zoals de rechercheur haar uren geleden voor het laatst had gezien, en liep naar Rhymes revalidatiekamer – een van de slaapkamers op de begane grond – waar hij aan het sporten was.

Terwijl Thom een oogje in het zeil hield, zat Rhyme vastgegespt op een ingewikkelde hometrainer met functionele elektrische stimulatie. Via draadjes werden elektrische impulsen naar zijn benen gestuurd die de signalen van de hersenen nabootsten en ervoor zorgden dat zijn benen de pedalen lieten draaien. Op dat moment zat hij te trappen alsof hij meedeed aan de Tour de France.

Ze glimlachte en gaf hem een zoen.

'Ik ben helemaal bezweet,' verklaarde hij.

Dat was zo.

Ze kuste hem nog eens, dit keer langer.

Hoewel de FES-training zijn verlamming niet zou verhelpen, bleven de spieren en de bloedvaten in vorm en verbeterde de toestand van zijn huid, wat belangrijk was om doorligplekken te voorkomen, die vaak voorkwamen bij mensen met ernstige handicaps. Zoals Rhyme vaak verkondigde, soms louter en alleen om te choqueren: 'Een lamme vent zit veel op zijn gat.'

De training had er ook toe geleid dat zijn zenuwen beter gingen functioneren.

Dit was het aerobics-deel van de training. De andere oefeningen waren bedoeld om de spieren in zijn nek en schouders sterker te maken; het waren voornamelijk die spieren die over een paar weken, na de ingreep, de bewegingen van zijn linkerhand en arm zouden moeten regelen, net zoals ze nu voor die aan de rechterkant zorgden. Als alles goed ging, tenminste.

Sachs wilde er liever niet aan denken.

'Nog iets wijzer geworden?' riep hij hijgend.

Ze deed verslag van haar bezoek aan de chauffeur en legde uit dat een jeugdvriend van Moreno tijdens de Amerikaanse bezetting van Panama om het leven was gekomen.

'Wrok kan diepe sporen nalaten.' Maar hij had niet echt belangstelling voor wat hij 'de zielenroerselen van een crimineel' noemde. Dat had Rhyme nooit echt gehad. Hij was veel meer geïnteresseerd in informatie over Lydia, de opgeheven bankrekeningen, de geheimzinnige bespreking, Moreno's plannen voor een zelfopgelegde verbanning uit de Verenigde Staten – zijn opmerking over 'de lucht in gaan' – en de mogelijke connectie met explosies in Mexico-Stad op 13 mei.

'Fred zal blijven graven. Nog iets wijzer geworden op de Bahama's?'

'Geen moer,' zei hij buiten adem. 'Ik weet niet of het incompetentie is of politiek, waarschijnlijk allebei, maar ik heb drie keer gebeld en word steeds in de wacht gezet, tot ik maar weer ophang. Ik ben vandaag zeven keer in de wacht gezet. Daar ben ik pisnijdig over. Ik wilde onze ambassade of ons consulaat of wat we daar ook hebben bellen om te bemiddelen. Maar dat vond Nance geen goed idee.'

'Waarom niet? Bang dat NIOS ervan zou horen?'

'Ja, en daar ben ik het wel mee eens, geloof ik. Ze is er zeker van dat de bewijzen zullen verdwijnen zodra ze van het onderzoek horen. Het probleem is…' Hij haalde diep adem en draaide de snelheid van de fiets met zijn functionerende rechterhand nog wat hoger, '… dat er verdomme helemaal geen bewijs ís.'

Thom zei: 'Een beetje rustig aan.'

'Wat, met mijn tirade of met de training? Best wel poëtisch, vind je niet?'

'Lincoln.'

Om hem te tarten wachtte de criminalist nog dertig seconden voordat hij de snelheid verminderde. 'Vijf kilometer,' verkondigde hij. 'Een beetje klimmen.'

Sachs pakte een handdoek en veegde op zijn slaap wat zweet weg. 'Ik denk dat iemand al van het onderzoek op de hoogte is.'

Hij richtte zijn donkere, doordringende ogen op haar.

Ze vertelde hem over haar vermoedens dat ze was gevolgd.

'Dus onze onbekende sluipschutter heeft ons nu al door? Heb je gezien wie het was?'

'Nee. Hij was heel goed, of anders maakt mijn verbeelding overuren.'

'Ik geloof niet dat we bij deze zaak te paranoïde kunnen zijn, Sachs. Je moet het onze vriendin in de salon vertellen. En heb je haar er al van op de hoogte gebracht dat Sint Moreno wellicht toch niet zo heilig is?'

'Nog niet.'

Ze zag dat Rhyme haar eigenaardig aankeek.

'Wat nou?' vroeg ze.

'Waarom mag je haar niet?'

'Zogezegd olie en water.'

Rhyme grinnikte. 'De mythe van de hydrofobe stoffen! Ze mengen wel met elkaar, Sachs. Je hoeft alleen maar de gassen uit het water te halen en dan voegt het zich volmaakt samen met de olie.'

'Ik had kunnen weten dat ik geen cliché moet gebruiken in het bijzijn van een wetenschapper.'

'Vooral niet als het geen antwoord is op de vraag.'

Het duurde ruim vijf seconden voor ze antwoord gaf. 'Ik weet niet waarom ik haar niet mag. Ten eerste hou ik er niet van zo op de huid gezeten te worden. Jou laat ze met rust. Misschien is het iets van vrouwen onder elkaar.'

'Daar heb ik geen mening over.'

Ze krabde zich op het hoofd en zuchtte. 'Ik ga het haar nu wel vertellen.'

Ze liep naar de deur en keek nog even achterom naar Rhyme, die weer driftig verder trapte op zijn hometrainer.

Sachs had gemengde gevoelens over de geplande ingreep. Het was een riskante operatie. Verlamde mensen hadden toch al een gebrekkig fysiologisch gestel; bij een operatie konden ernstige complicaties optreden die geen probleem zouden opleveren bij mensen die niet gehandicapt waren.

Uiteraard wilde ze dat haar partner zich goed voelde over zichzelf. Maar kende hij de waarheid dan niet, dat net als bij ieder ander ook bij hem geest en hart voor het lichaam gingen? Dat onze lichamelijke verschijningsvorm altijd in meerdere of mindere mate teleurstelt? Hij werd op straat nagekeken; en wat dan nog? Hij was niet de enige. Als zij kritische blikken kreeg, kwamen die meestal van veel engere mensen.

Ze dacht aan de dagen dat ze model was geweest en niet voor vol werd aangezien vanwege haar knappe uiterlijk, haar lengte en haar golvende rode haar. Ze was boos geweest en zelfs gekwetst omdat ze behandeld werd als een kostbaar verzamelobject en niets meer. Ze had zich de woede van haar moeder op de hals gehaald door die wereld vaarwel te zeggen en in de voetstappen van haar vader te treden. Ze was bij de politie gegaan.

Wat je overtuigingen waren, wat je wist, welke keuzes je maakte, wanneer je op je strepen bleef staan; dat waren eigenschappen die belangrijk waren als je bij de politie zat. Niet hoe je eruitzag.

Lincoln Rhyme was natuurlijk ernstig gehandicapt. Wie zou in zijn toestand niet beter willen worden, beide handen willen gebruiken, willen lopen? Maar soms vroeg ze zich af of hij die riskante ingreep voor zichzelf onderging of voor haar. Het was een onderwerp dat zelden ter sprake kwam, en als dat gebeurde, ketsten hun woorden erop af als kogels op een platte rots. Maar de betekenis was duidelijk: *Wat doe je hier bij een invalide, Sachs? Je kunt wel iets beters krijgen.*

Ten eerste suggereerde 'iets beters' dat ze op zoek was naar de volmaakte man, wat niet het geval was en nooit het geval was geweest. Ze had maar één andere serieuze relatie gehad – met een politieman – en die was desastreus afgelopen (hoewel Nick eindelijk uit de gevangenis was ontslagen). Ze was wel met mannen uit geweest, vooral om de tijd te doden, tot ze had beseft dat het veel erger is je samen met iemand te vervelen dan dat in je eentje te doen.

Ze was tevreden met haar onafhankelijkheid, en als Rhyme niet in beeld zou zijn, zou ze het helemaal niet erg vinden om alleen te zijn – voor altijd, als ze niemand anders tegenkwam.

Doe wat je wilt, dacht ze. Laat je opereren of niet. Maar doe het voor jezelf. Wat je ook besluit, ik zal er voor je zijn.

Ze bleef nog even staan kijken, met een flauwe glimlach op haar gezicht. Toen vervaagde de glimlach en liep ze naar de salon om de Opzichter het nieuws te vertellen.

Sint Moreno is misschien toch niet zo heilig...

21

Toen Sachs naar de whiteboards liep om op te schrijven wat ze van Tash Farada te weten was gekomen, draaide Nance Laurel zich in haar stoel naar haar om.

Ze had zitten nadenken over wat Sachs haar had verteld. 'Een escort?' vroeg ze. 'Weet je het zeker?'

'Nee. Maar het is een mogelijkheid. Ik heb Lon aan de lijn gehad. Hij zet er een paar van Myers' mensen op om te kijken of ze opgespoord kan worden.'

'Een callgirl.' Laurel kon er zo te horen niet over uit.

Sachs had eerder verwacht dat ze teleurgesteld zou zijn. Juryleden zouden niet direct de kant van het getrouwde slachtoffer kiezen als ze hoorden dat hij zich in het gezelschap van een hoertje door New York had laten rijden.

Ze was nog verbaasder toen de hulpofficier de zaak afdeed met: 'Nou ja, mannen raken nou eenmaal wel eens van het rechte pad af. Dat kunnen we met wat tact wel rechtbreien.'

Misschien bedoelde ze met 'tact' dat ze hoopte op een overwegend mannelijke jury, die waarschijnlijk minder kritisch tegenover Moreno's escapades zou staan.

Als je me vraagt of ik juist die zaken uitkies waarvan ik denk dat ik ze kan winnen, inspecteur Sachs, kan ik daar alleen maar bevestigend op antwoorden...

Sachs ging verder: 'Het is gunstig voor ons, want misschien hebben ze niet de hele tijd in bed gelegen. Misschien is hij met haar bij een vriend langs gegaan, misschien zag ze iemand van NIOS die hen schaduwde. En als ze een beroeps is, hebben we een pressiemiddel om haar aan het praten te krijgen. Ze zal het niet leuk vinden als we dreigen haar leven eens onder de loep te nemen.' Ze voegde eraan toe: 'En het zou ook nog kunnen dat ze helemaal geen escort is, maar dat ze bij iets anders betrokken is, mogelijk criminele activiteiten.'

'Vanwege het geld.' Laurel knikte naar het whiteboard.

'Precies. Ik zat zelf te denken in de richting van een terroristische link.'

'Moreno was geen terrorist. Dat hadden we al vastgesteld.'

Sachs dacht: dat heb jíj vastgesteld. Dat blijkt niet uit de feiten. 'Maar toch...' Ook zij knikte nu naar het whiteboard. 'Nooit meer naar Amerika teruggaan, de overboekingen, zijn opmerking over "de lucht in gaan"... Een verwijzing naar "iets opblazen" in Mexico-Stad.'

'Dat kan diverse dingen betekenen. De bouw, sloopwerkzaamheden, bijvoorbeeld voor een van de bedrijven die bij zijn Local Empowerment Movement betrokken zijn.' Toch zaten de implicaties van de ontdekkingen haar blijkbaar dwars. 'Heeft de chauffeur gemerkt dat ze misschien gevolgd werden?'

Sachs legde uit dat Farada had gezegd dat Moreno steeds ongemakkelijk om zich heen had gekeken.

Laurel vroeg: 'Weet hij of Moreno iets bijzonders gezien heeft?'

'Nee.'

Nance Laurel schoof haar stoel dichterbij en tuurde naar het bord. Ze zat er net zo bij als Rhyme als hij zijn Storm Arrow voor de whiteboards zette.

'En niets over Moreno's liefdadigheidswerk? Niets dat hem in een gunstig daglicht stelde?'

'De chauffeur zei dat hij een echte gentleman was. En dat hij flinke fooien gaf.'

Dat was blijkbaar niet helemaal wat Laurel in gedachten had. 'Aha.' Ze keek op haar horloge. Het liep al tegen elven. Ze fronste haar wenkbrauwen, alsof ze had verwacht dat het uren vroeger was. Even geloofde Sachs echt dat de vrouw overwoog te blijven slapen. Maar ze begon de dossiers op haar tafel te ordenen en zei: 'Ik ga naar huis.' Een blik richting Sachs. 'Ik weet dat het al laat is, maar zou je je aantekeningen misschien kunnen uittypen, plus wat agent Dellray heeft ontdekt, en alles vervolgens...'

'... naar jou mailen, via de beveiligde server.'

'Als je dat zou willen doen, heel graag.'

Hij reed voor de whiteboards heen en weer en luisterde naar het aanhoudende staccato getyp van Amelia Sachs op het toetsenbord van haar computer.

Ze leek niet gelukkig.

Lincoln Rhyme was dat in elk geval niet. Weer liet hij zijn blik over de whiteboards gaan. Die verdomde whiteboards...

De hele zaak bestond louter uit gegevens uit de tweede hand, vaag en speculatief.

Totaal geen harde feiten.

Geen bewijsmateriaal dat verzameld en geanalyseerd was, niets waar conclusies uit getrokken konden worden. Rhyme zuchtte gefrustreerd.

Honderd jaar geleden had de Franse criminoloog Edmond Locard gezegd dat er op elke plaats delict een interactie ontstaat tussen de dader en de plek, of tussen de dader en het slachtoffer. Misschien was het nauwelijks zichtbaar, maar het was te vinden… als je maar wist hoe je moest kijken, en als je maar geduld had en je best deed.

Het principe van Locard ging al helemaal op bij zaken als de moord op Moreno. Bij een schietpartij is er altijd een schat aan bewijsmateriaal te vinden: kogels, uitgeworpen hulzen, vingerafdrukken, kruitsporen, voetafdrukken, sporen op de plek waar de schutter zich had verborgen…

Hij wíst dat er materiaal te vinden was – maar het bleef buiten zijn bereik. Om gek van te worden. En met elke dag die voorbijging, verdomme, elk úúr dat voorbijging, verloren de sporen hun waarde doordat ze minder goed zichtbaar werden, vervuild raakten en mogelijk werden ontvreemd.

Rhyme had ernaar uitgekeken het bewijsmateriaal eigenhandig te analyseren, te voelen, te onderzoeken… aan te raken. Een intens genot dat hem nu al vele jaren ontzegd werd.

Maar die mogelijkheid leek steeds kleiner te worden naarmate de tijd verstreek en ze geen bericht van de RBPS kregen.

Een agent van de Informatiedienst belde en vertelde dat de namen 'Don Bruns' en 'Donald Bruns' veel hits in de database opleverden, maar dat geen ervan als significant werd aangemerkt door het Obscure Relationship Algorithm-systeem. ORA neemt losse informatie, zoals namen, adressen, organisaties en activiteiten, en gebruikt supercomputers om verbanden op te sporen die met traditioneel recherchewerk mogelijk niet gevonden zouden worden. Rhyme was niet meer dan licht teleurgesteld over het negatieve resultaat. Hij had geen spectaculaire dingen verwacht; op dat niveau zorgden geheime overheidsagenten – en zeker sluipschutters – er wel voor dat ze veelvuldig van identiteit wisselden, de meeste aankopen contant betaalden en zo onzichtbaar mogelijk bleven.

Nu keek hij naar Sachs, die haar ogen op haar laptop gericht hield terwijl ze een berichtje voor Laurel aan het typen was. Ze werkte snel en accuraat. De aandoening die haar heup en knie had aangetast, had haar vingers ongemoeid gelaten. Ze leek nooit voor correcties op de backspacetoets te hoeven drukken. Toen hij net bij de politie kwam, jaren geleden, kwamen agentes er liever niet voor uit dat ze konden typen, omdat ze bang waren dat ze dan niet voor vol zouden worden aangezien en als administratieve krachten zouden worden behandeld. Dat was nu veranderd; wie sneller kon typen, kon sneller informatie opzoeken en was dus efficiënter als onderzoeker.

Maar de uitdrukking op Sachs' gezicht deed vermoeden dat ze zich een secretaresse tegen wil en dank voelde.

Thoms stem: 'Wil je misschien iets...?'

'Nee,' blafte Rhyme.

'Omdat het een vraag aan Amelia was,' kaatste de verzorger terug, 'is het misschien leuk als ze zelf antwoord geeft. Wil je misschien iets eten of drinken?'

'Nee, dank je wel, Thom.'

Rhyme putte hier een kinderachtige genoegdoening uit. Zelf wees hij Thoms aanbod ook af. En hij begon weer na te denken.

Sachs werd gebeld. Rhyme hoorde een metalig muziekje uit haar mobieltje komen en wist wie er belde. Ze zette het apparaat op de luidsprekerstand.

'Wat heb je voor ons, Rodney?' riep Rhyme.

'Dag, Lincoln. Het gaat allemaal nogal traag, maar we hebben het mailtje van de klokkenluider van Roemenië naar Zweden getraceerd.'

Rhyme keek op de klok. In Stockholm was het nu vroeg in de ochtend. Hij nam aan dat de biologische klokken van nerds hun eigen tijd aanhielden.

De agent van Computercriminaliteit zei: 'Ik ken de jongen die bij de proxyservice zit. Een jaartje geleden hadden we steeds discussie naar aanleiding van *The Girl with the Dragon Tattoo*, en een tijdje hebben we samen zitten hacken. Hij is behoorlijk goed. Natuurlijk niet zo goed als ik. Maar oké, ik heb hem zover gekregen dat hij ons helpt, op voorwaarde dat hij niet hoeft te getuigen.'

Ondanks zijn matige stemming schoot Rhyme in de lach. 'Handig als je een netwerk achter de hand hebt. Letterlijk een nétwerk.'

Szarnek moest misschien ook lachen, maar dat was lastig te zeggen vanwege de harde muziek die zijn woorden bijna overstemde.

'Hij heeft met zekerheid kunnen vaststellen dat het mailtje en de moordopdracht uit de regio New York kwamen en dat er geen overheidsservers als router gebruikt zijn. Ze zijn verzonden vanuit een commerciëel wifi-netwerk. De klokkenluider zou een account gehackt kunnen hebben of hij kan gebruik hebben gemaakt van gratis wifi in een restaurant of hotel.'

'Hoeveel locaties?' vroeg Sachs.

'De regio New York telt zo'n zeven miljoen onbeveiligde accounts. Ruw geschat.'

'Tjonge.'

'O, maar één ervan is het in elk geval niet.'

'Eén niet? Welke?'

'Die van mij.' Hij lachte om zijn eigen grap. 'Maar maak je maar geen zorgen. We kunnen het aantal mogelijkheden vrij snel terugbrengen. Er is een code die we moeten kraken, maar ik leen supercomputertijd in Columbia. Zo gauw ik meer weet, meld ik me bij jullie.'

Ze bedankten de agent. Hij ging terug naar zijn afschuwelijke muziek en zijn geliefde kastjes, Sachs naar haar bozige typewerk, en Rhyme naar de weinig inspirerende whiteboards.

Zijn eigen mobieltje ging. Hij pakte het apparaat en zag dat hij vanuit regio 242 gebeld werd.

Interessant, dacht hij. Hij nam op.

22

'Hallo, bent u dat, inspecteur?'

'Ja, meneer Rhyme, met mij,' antwoordde Mychal Poitier van de politie op de Bahama's. Een zwakke lach. 'U lijkt verbaasd nog iets van me te horen. U had zeker niet verwacht dat ik nog zou terugbellen.'

'Nee, inderdaad.'

'Het is al laat. Bel ik ongelegen?'

'Nee, ik ben blij dat u belt.'

Er klonk gerinkel in de verte. Waar bevond Poitier zich? Het was inderdaad laat, maar Rhyme hoorde toch een menigte op de achtergrond, een grote menigte.

'Toen we elkaar eerder spraken, was ik niet alleen. Mijn antwoorden kunnen vreemd zijn overgekomen.'

'Daar verwonderde ik me al over.'

'U hebt misschien begrepen dat er sprake is van enige onwilligheid om mee te werken,' zei Poitier. Hij zweeg even alsof hij zich afvroeg of 'onwilligheid' wel een bestaand woord was.

'Daar heb ik inderdaad iets van gemerkt.'

Er zwol opeens muziek aan, van een stoomorgel misschien, een klassiek circusthema.

Poitier vervolgde: 'En u hebt zich misschien afgevraagd waarom een jonge politieman als ik, die nooit eerder een moord heeft onderzocht, de leiding kreeg over een kennelijk belangrijke zaak.'

'Wat heet jong?' vroeg Rhyme.

'Ik ben zesentwintig.'

In sommige opzichten jong en in andere niet. Maar voor een moordonderzoek was hij inderdaad nog maar een broekie.

Nu klonk er weer een luid gerinkel bij Poitier.

De inspecteur vervolgde: 'Ik ben niet op het bureau.'

'Dat heb ik ook al begrepen.' Rhyme lachte. 'Staat u buiten?'

'Nee, nee, ik heb een avondbaan. Bij de beveiliging van een casino in een vakantieoord op Paradise Island. Vlak bij het beroemde Atlantis. Kent u dat?'

Rhyme kende het niet. Hij was nog nooit van zijn leven in een vakantieoord geweest.

Poitier vroeg: 'Hebben politiemensen bij u ook een baan ernaast?'
'Ja, sommige wel. Zoveel verdien je niet als je bij de politie zit.'
'Ja, ja, dat is zeker waar. Toch had ik eigenlijk niet willen gaan werken. Ik was liever bezig gebleven met de zaak van de vermiste studente, maar ik heb het geld nodig... Nou, ik heb niet veel tijd. Ik heb een telefoonkaart gekocht, voor tien minuten. Laat me uitleggen hoe het zit met de zaak-Moreno en mijn betrokkenheid daarbij. Ziet u, ik stond al een tijdje op de wachtlijst voor overplaatsing naar onze recherche-eenheid. Het is altijd mijn wens geweest om rechercheur te worden. Nou, vorige week kreeg ik van mijn meerdere te horen dat ik kon beginnen bij de recherche. En dat ik meteen de leiding kreeg bij een onderzoek, de zaak-Moreno. Ik dacht dat het minstens een jaar zou duren voordat ik zelfs maar in aanmerking zou komen voor die functie. En om meteen zelf een zaak toegewezen te krijgen? Dat had ik al helemaal niet verwacht. Maar ik vond het natuurlijk geweldig.

Toen kreeg ik te horen dat de zaak aan mij was toegewezen omdat het op dat moment niet meer dan een administratieve kwestie was. Er zat een kartel achter de moord, zoals ik u al eerder verteld heb, waarschijnlijk uit Venezuela, waar señor Moreno woonde. De sluipschutter was ongetwijfeld allang het land uit en zat weer in Caracas. Ik moest bewijs verzamelen, verklaringen afnemen bij het hotel waar señor Moreno om het leven was gebracht en het dossier naar de Venezolaanse politie sturen. Verder zou ik contactpersoon zijn als ze naar Nassau wilden komen om een nader onderzoek in te stellen. Daarna moest ik de meer ervaren rechercheurs helpen met de moord op de notaris, waar ik het al over gehad heb.'

De vooraanstaande notaris.

Nog meer gekletter en geroep. Wat gebeurde daar, betaalde een van de gokautomaten uit?

Na een korte stilte riep Poitier naar iemand in de buurt: 'Nee, nee, ze zijn dronken. Je hoeft ze alleen maar in de gaten te houden. Ik ben bezig. Ik moet dit telefoontje afhandelen. Begeleid ze naar buiten als ze agressief worden. Roep Big Samuel erbij.'

Terug naar Rhyme. 'U vermoedt samenzwering aan de top, duistere intriges om het onderzoek naar de dood van Moreno de kop in te drukken. In zekere zin is dat ook waar. Het eerste wat we ons moeten afvragen is: waarom zouden de kartels hem willen vermoorden? Señor Moreno was zeer geliefd in Latijns-Amerika. De kartels worden vooral geleid door zakenmensen. Die hebben er geen belang bij om een populaire activist te vermoorden, omdat ze dan vervreemd raken van de mensen die ze als werkkracht nodig hebben. Mijn indruk van het weinige onderzoek dat ik gedaan heb, is dat de kartels en Moreno elkaar tolereerden.'

Rhyme zei: 'Precies wat ik denk, zoals ik u al verteld heb.'

De rechercheur zweeg even. 'Señor Moreno was fel gekant tegen Amerika. En zijn Local Empowerment Movement, met zijn anti-Amerikaanse opvattingen, won steeds meer aan populariteit. Wist u dat?'

'Jawel.'

'En hij had connecties met organisaties die er terroristische ideeën op nahouden. Dat zal ook wel geen verrassing zijn.'

'Ook daar zijn we ons heel goed van bewust.'

'Nu is het bij me opgekomen dat...' Hij dempte zijn stem. '... uw regering die man misschien dood wilde hebben.'

Rhyme besefte dat hij Poitier te laag had ingeschat.

'Dus nu ziet u in wat voor lastig parket mijn meerderen en in feite het hele ministerie van Nationale Veiligheid en ons parlement zich bevinden.' Hij fluisterde nu bijna. 'Stel dat uit ons onderzoek blijkt dat dit waar is? Dat de CIA of het Pentagon een sluipschutter heeft gestuurd om señor Moreno dood te schieten? En stel dat die man na politieonderzoek gevonden wordt en de organisatie noemt waarvoor hij werkt. Dat zou enorme implicaties hebben. Als Amerika door die onthulling in verlegenheid wordt gebracht, zou het land als tegenmaatregel het immigratiebeleid voor de Bahama's kunnen veranderen. Of het douanebeleid. Dat zou een hele klap voor ons zijn. De economie draait hier niet zo goed. We hebben de Amerikanen nodig. We kunnen niet buiten Amerikaanse gezinnen die hier komen om hun kinderen met dolfijnen te laten spelen en oma te laten aquajoggen, zodat man en vrouw samen naar hun kamer kunnen voor hun eerste romantische uurtjes in maanden. De toeristen moeten blijven komen. Absoluut. En dat betekent dat we Washington niet tegen de haren in mogen strijken.'

'Denkt u dat er tegenmaatregelen zouden komen als u een grondiger onderzoek zou instellen?'

'Het is een redelijke verklaring voor het verder onverklaarbare feit dat degene die de leiding heeft in de zaak-Moreno – ikzelf, dus – twee weken geleden nog aan het controleren was of nieuwe gebouwen wel behoorlijke nooduitgangen hebben en of bedrijven die jetski's verhuren wel netjes op tijd hun belastingen betalen.'

Poitier ging harder praten en er sloop een harde klank in zijn stem. 'Maar ik moet u dit zeggen, meneer Rhyme: in al die tijd dat ik bij de afdeling Bedrijfsinspectie en Vergunningen zat, heb ik geen enkele inspectie of vergunningsaanvraag onder handen gehad die niet op tijd, grondig en eerlijk afgehandeld is.'

'Daar twijfel ik niet aan, inspecteur.'

'Dus vind ik het moeilijk dat mij deze zaak is toegewezen terwijl ik er niets aan kan doen, als u begrijpt wat ik bedoel.'

Stilte, onderbroken door het luide gekletter van een gokautomaat.

Toen het lawaai ophield, fluisterde Poitier: 'De zaak-Moreno ligt hier in het droogdok, meneer Rhyme. Maar ik veronderstel dat u nog flink op stoom bent.'

'Inderdaad.'

'En ik neem ook aan dat u erop uit bent om een aanklacht wegens samenzwering in te dienen.'

Hij had de man absoluut te laag ingeschat. 'Dat is juist.'

'Ik heb geïnformeerd naar die Don Bruns. U zei dat het een schuilnaam was.'

'Dat klopt.'

'Hij was hier nergens te vinden. Niet bij de douane, niet bij de paspoortcontrole, niet in de hotelregisters. Het is mogelijk dat hij ongezien het eiland op is geglipt. Dat is niet zo moeilijk. Maar er zijn twee dingen waar u iets aan zou kunnen hebben. Ik wil wel even zeggen dat ik de zaak niet helemaal verwaarloosd heb. Zoals ik al zei, heb ik getuigen verhoord. Een receptionist van de South Cove Inn heeft me verteld dat iemand twee dagen voor de aankomst van Robert Moreno heeft gebeld om navraag te doen naar diens reservering. Een man met een Amerikaans accent. Maar de receptionist vond dat vreemd omdat Moreno's lijfwacht een uur eerder ook al had gebeld om de reservering te bevestigen. Wie was die tweede beller, de man in of afkomstig uit Amerika, en waarom had hij zoveel belangstelling voor de komst van Moreno?'

'Hebt u het nummer?'

'Mij is verteld dat het een nummer uit Amerika was. Maar ik heb het niet kunnen krijgen. Om eerlijk te zijn, is mij verteld dat ik geen moeite hoefde te doen om het nummer te achterhalen. Het tweede feit is dat er een dag voor de moord iemand bij het hotel was die vragen stelde. Deze man sprak met een kamermeisje over de suite waarin señor Moreno verbleef. Hij vroeg of er regelmatig tuinlieden buiten bezig waren, of er gordijnen in de suite hingen en waar zijn bodyguard verbleef, en hij wilde alles weten over het komen en gaan van de twee mannen. Ik ga ervan uit dat dit dezelfde man is die gebeld heeft, maar dat weet ik natuurlijk niet zeker.'

'Hebt u een signalement?'

'Blanke man van halverwege de dertig, kortgeknipt haar, lichtbruin. Een Amerikaans accent. Mager maar gespierd, zei het kamermeisje. Ze zei ook dat hij eruitzag alsof hij in het leger had gezeten.'

'Dat is de man die we moeten hebben. Eerst heeft hij gebeld om te informeren of Moreno nog steeds zou komen. Vervolgens is hij de dag voor de moord komen opdagen om het terrein te verkennen. Had hij een auto? Weet u andere details?'

'Nee, ik ben bang van niet.'

Biep.

Rhyme hoorde het geluid op de lijn en dacht: verdomme, NIOS luistert ons af.

Maar Poitier zei: 'Ik heb nog maar een paar minuten. Dat biepje is een waarschuwing dat ik bijna geen beltegoed meer heb.'

'Ik zal u terugbellen…'

'Ik moet echt gaan. Ik hoop dat dit…'

Rhyme zei haastig: 'Wacht alstublieft. Vertel me iets over de plaats delict. Ik heb u eerder gevraagd naar de kogel.'

Die is de sleutel tot deze zaak…

Een stilte. 'De sluipschutter heeft drie keer van grote afstand geschoten – van meer dan twee kilometer. Twee kogels troffen geen doel en zijn tegen de betonnen buitenmuur uit elkaar gespat. De kogel die Moreno heeft gedood, is grotendeels intact teruggevonden.'

'Eén kogel maar?' Rhyme begreep het niet. 'En de andere slachtoffers dan?'

'O, die waren niet neergeschoten. Het was een kogel van een groot kaliber. Hij heeft de ramen geraakt en de scherven zijn in het rond gevlogen. De bewaker en de verslaggever die Moreno een interview afnam zijn door het glas geraakt en doodgebloed voor ze naar het ziekenhuis gebracht konden worden.'

Drie vliegen in één klap.

'En het koper? De hulzen?'

'Ik heb een forensisch team naar de plek gestuurd waarvandaan de sluipschutter geschoten moet hebben. Maar…' Zijn stem werd zachter. 'Ik doe dit werk natuurlijk nog maar net en ze zeiden dat ze de moeite niet wilden nemen.'

'Ze wilden de moeite niet nemen?'

'Het ging om onherbergzaam terrein, zeiden ze, een rotsachtige kust die moeilijk af te zoeken zou zijn. Ik protesteerde, maar tegen die tijd was het besluit al genomen om de zaak niet verder te onderzoeken.'

'U kunt zelf gaan kijken, inspecteur. Ik zal u vertellen hoe u de plek kunt vinden waarvandaan hij geschoten heeft,' zei Rhyme.

'Nou, de zaak is opgeschort, zoals ik al zei.'

Biep.

'Het is heel eenvoudig. Sluipschutters laten altijd veel sporen achter, hoe voorzichtig ze ook zijn. Het zal niet veel tijd vergen.'

Biep, biep...

'Dat zal niet gaan, meneer Rhyme. De vermiste studente is nog steeds niet gevonden...'

Rhyme zei snel: 'Goed, inspecteur, maar alstublieft, stuur me op zijn minst het verslag, de foto's, het sectierapport. En de kleren van de slachtoffers, als dat kan. Vooral de schoenen. En... de kogel. Ik wil echt die kogel hebben. We zullen alles heel zorgvuldig documenteren.'

Een stilte. 'Ah, meneer Rhyme, nee, het spijt me. Ik moet gaan.'

Biep, biep, biep...

Het laatste wat Rhyme hoorde voordat de verbinding verbroken werd, was het drukke getoeter van een gokautomaat en een stomdronken toerist die mompelde: 'Mooi, hoor. Je beseft verdomme toch wel dat het je tweehonderd dollar gekost heeft om er negenendertig te winnen?'

23

Die avond lagen Rhyme en Sachs languit in zijn SunTec-bed.

Ze had hem verzekerd dat het bed onbeschrijfelijk lekker lag, en hij moest haar op haar woord geloven, omdat hij zelf alleen de gladde kussensloop voelde. Die was trouwens heerlijk zacht.

'Kijk,' fluisterde ze.

Voor het raam van Rhymes slaapkamer, op de eerste verdieping, bewoog iets, nauwelijks te zien in het schemerdonker.

Een vogelveertje dwarrelde omhoog en zweefde uit het zicht. En nog een.

Etenstijd.

Sinds Rhyme hier was komen wonen, zaten er slechtvalken op dit raamkozijn, ook wel op de andere kozijnen. Hij was zeer vereerd dat ze zijn woning hadden uitgekozen om te nestelen. Als wetenschapper geloofde hij nadrukkelijk niet in voortekens of in het bovennatuurlijke, maar in symboliek zag hij geen kwaad. Hij beschouwde de vogels als een metafoor en dacht daarbij met name aan iets wat niet algemeen bekend was: als ze aanvallen, bewegen ze zich eigenlijk niet. Het zijn uit de lucht vallende spierbundels met uitgestoken poten, de vleugels ingetrokken, gestroomlijnd. Ze duiken met een snelheid van ruim driehonderd kilometer per uur op hun prooi af, die niet wordt verscheurd of doodgepikt, maar door de klap aan zijn einde komt.

Onbeweeglijk en toch dodelijk.

Weer dwarrelde er een veertje omhoog terwijl het vogelpaar zich aan het hoofdgerecht zette. Het voorgerecht was een dikke, roekeloze duif geweest. Valken jagen meestal overdag, tot aan de schemering, maar in de stad vliegen ze vaak 's nachts.

'Jammie,' zei Sachs.

Rhyme moest lachen.

Ze schoof dichter naar hem toe. Hij rook haar haar, een volle geur. Shampoo, bloemenaroma. Amelia Sachs was geen parfummens. Zijn rechterarm kwam omhoog, zodat ze zich tegen hem aan kon vleien.

'Ga je er nog achteraan?' vroeg ze. 'Poitier, bedoel ik?'

'Ik zal het proberen. Hij leek tamelijk vastbesloten dat hij ons niet meer van dienst wilde zijn. Maar ik weet dat het hem frustreert dat hij niet door mocht gaan.'

'Dit is me het zaakje wel, zeg,' zei ze.

Hij fluisterde: 'Hoe vind je het om gedegradeerd te zijn en weer het ouderwetse ploeterwerk te moeten doen, Sachs? Vind je het wat of niet?'

Ze schoot in de lach. 'Wat is trouwens die Special Services, die club van Myers?'

'Jij bent hier de agent. Ik dacht dat jij dat wel zou weten.'

'Ik had er nog nooit van gehoord.'

Ze zwegen een tijdje. Plotseling voelde hij bij zijn schouder, die net zo normaal functioneerde als bij iedereen, dat ze verstijfde.

'Vertel,' zei hij.

'Weet je, Rhyme, ik krijg een steeds vervelender gevoel bij deze zaak.'

'Heb je het nu over wat je ook al eerder gezegd hebt, tegen Nance? Dat je zo je twijfels hebt of Metzger en die sluipschutter wel mensen zijn tegen wie wij iets moeten ondernemen?'

'Precies.'

Rhyme knikte. 'Ik kan het alleen maar met je eens zijn, Sachs. Ik heb in al die jaren nooit eerder vraagtekens bij een zaak gezet. De vorige onderzoeken waren tamelijk helder. Dit is één grijs gebied. Maar daarbij moet je één ding niet vergeten, Sachs, wat ons betreft.'

'Wij zijn vrijwilligers.'

'Precies. We kunnen er elk moment mee ophouden als we willen. Dan moeten Myers en Laurel maar iemand anders zien te vinden.'

Ze zweeg en lag roerloos naast hem, althans voor zover Rhyme dat kon voelen.

Hij ging verder: 'Je had vanaf het begin al je twijfels.'

'Nee, hoor. Maar ergens zou ik wel met de zaak willen stoppen, ja. Er zijn te veel dingen die we niet weten over de betrokkenen en wat ze denken, welke motieven erachter zitten.'

'Mijn motievenkoninginnetje.'

'En als ik het over betrokkenen heb, bedoel ik net zo goed Nance Laurel en Bill Myers als Metzger en Bruns, of hoe die vent ook maar mag heten. Fred Dellray zei dat we in een moeras terecht zijn gekomen waar we ons zo snel mogelijk uit moeten zien te bevrijden. Daar zit wat in.' Na een korte stilte: 'Ik heb hier een slecht gevoel over, Rhyme. Ik weet wel dat je niet in dat soort dingen gelooft. Maar jij hebt het grootste deel van je loopbaan forensisch onderzoek gedaan. Ik heb in de wijk gewerkt, op straat. Voorgevoelens bestaan.'

Dit bleef een tijdje tussen hen in hangen. Ze keken allebei naar de mannetjesvalk, die zich oprichtte en zijn vleugels zwierig spreidde. Slechtvalken zijn niet groot, maar als je ze zo van dichtbij ziet, zijn het indrukwekkende beesten. Ook was het intrigerend om te zien dat het beest even naar binnen keek met zijn doordringende blik. Hun gezichtsvermogen is verbluffend; ze kunnen een prooi op kilometers afstand zien.

Symbolen…

'Jij wilt hiermee doorgaan, hè?' zei ze.

Hij zei: 'Ik wel, Sachs. Voor mij is het een knoop die ik moet ontrafelen. Ik kan er geen afstand van nemen. Maar jij hoeft er niet mee door te gaan.'

Zonder enige aarzeling fluisterde ze: 'Nee, ik blijf bij jou, Rhyme. Jij en ik. Het is jij en ik.'

'Mooi. Ik was…'

Hij maakte zijn zin niet af, omdat Sachs haar mond op de zijne drukte. Ze zoende hem gretig, bijna wanhopig, en sloeg de dekens terug. Ze kroop op hem en pakte zijn hoofd beet. Hij voelde haar vingers over zijn achterhoofd gaan, zijn oren, zijn wangen, het ene moment krachtig, het volgende moment teder. En dan weer krachtig. Ze streelde zijn hals, zijn slapen. Rhymes lippen gleden van haar mond naar haar haar, naar een plekje achter haar oor, langs haar kin en weer naar haar mond. Langduriger.

Rhyme had zijn nieuwe arm gebruikt om een Bausch + Lomb vergelijkingsmicroscoop te bedienen, mobieltjes, de computer, en een dichtheidsgradiëntapparaat. Maar hier had hij hem nog niet voor gebruikt: om Sachs steeds dichter naar zich toe te trekken, om de bovenkant van haar zijden pyjamajasje te pakken en dat soepel over haar hoofd te trekken.

Misschien had hij ook de knoopjes kunnen losmaken als hij zijn best had gedaan, maar dat zou te veel hebben opgehouden.

Dinsdag 16 mei

III

Kameleons

24

Rhyme reed van de zitkamer aan de voorkant van het huis naar de marmeren hal.

Dokter Vic Barrington, een rugspecialist, liep achter hem aan; Thom deed de deuren van de kamer dicht en kwam bij hen staan. Artsen die huisbezoeken aflegden kwamen uit een voorbije eeuw, zo niet een andere dimensie, maar als het letsel het zoveel gemakkelijker maakte om naar de berg te gaan, deden veel van de betere dokters dat.

Barrington was trouwens in veel opzichten ongewoon. Zijn dokterstas was een Nike-rugzak en hij was komen fietsen.

'Fijn dat je zo vroeg kon komen,' zei Rhyme tegen hem.

Het was halfzeven in de ochtend.

Rhyme mocht de man graag en had besloten niet te vragen naar het 'noodgeval', 'iets' dat gisteren was voorgevallen, de reden dat hij hun afspraak had moeten verzetten. Elke andere arts zou hij aan een derdegraads verhoor hebben onderworpen.

Barrington had net de laatste tests gedaan ter voorbereiding van de operatie die voor 26 mei op het programma stond.

'Ik zal het bloed naar het lab sturen en de resultaten bekijken, maar niets wijst erop dat er de laatste week iets veranderd is. Je bloeddruk is heel goed.'

Dat was de schrik van patiënten met een hoge dwarslaesie: een aanval van autonome dysreflexie, waardoor de bloeddruk binnen een paar minuten sterk opliep, wat kon leiden tot een beroerte en de dood als er niet meteen werd ingegrepen.

'Elke keer dat ik je zie, is je longcapaciteit verbeterd, en ik zou zweren dat je een betere conditie hebt dan ik.'

Barrington draaide nooit om de hete brij heen en Rhyme wist dat hij een eerlijk antwoord zou krijgen op de volgende vraag. 'Wat zijn mijn kansen?'

'Dat je je linkerarm en -hand weer kunt gebruiken? Bijna honderd procent. Peestransplantaties en elektroden geven niet veel complicaties…'

'Nee, dat bedoelde ik niet. Ik heb het over de kans om de operatie te overleven en geen rampzalige terugval te krijgen.'

'Aha, dat ligt een beetje anders. Daar geef ik je negentig procent op.'

Rhyme dacht na. Het had geen zin om zijn benen te laten opereren, want die konden niet meer gerepareerd worden, in ieder geval niet in de komende vijf of tien jaar. Maar hij was ervan overtuigd geraakt dat handen en armen de sleutel waren tot een normaler leven. Niemand besteedt veel aandacht aan mensen in rolstoelen als ze een mes en vork kunnen hanteren en je de hand kunnen schudden. Als iemand hen moet voeren en hun mond moet afvegen, is hun aanwezigheid op zich al ongemakkelijk.

En van de mensen die niet wegkijken krijg je voortdurend van die verdomde meelevende blikken. Arme drommel, arme drommel.

Negentig procent... Dat was redelijk als je een belangrijk deel van je leven terug kon krijgen.

'We doen het,' zei Rhyme.

'Als de uitslagen me om een of andere reden niet bevallen, laat ik het je weten, maar dat verwacht ik niet. We houden 26 mei op de kalender. Een week later kun je dan met de revalidatie beginnen.'

Rhyme schudde de dokter de hand en toen die zich omdraaide naar de voordeur, vroeg de criminalist: 'O, nog een vraag. Mag ik de avond tevoren nog drinken?'

'Lincoln,' zei Thom. 'Je conditie moet zo goed mogelijk zijn voor de ingreep.'

'Ik wil ook in een goede bui zijn,' mompelde hij.

De dokter dacht even na. 'Alcohol wordt achtenveertig uur voor een procedure als deze afgeraden... Maar de vuistregel luidt: niets in de maag na middernacht op de dag voor de operatie. Over wat er daarvoor in gaat, maak ik me niet erg druk.'

'Dank je.'

Toen de man was vertrokken, reed Rhyme naar het lab om op de whiteboards te kijken. Sachs had net opgeschreven wat Mychal Poitier de vorige avond had verteld. Met een dikke marker had ze de informatie bijgewerkt.

Rhyme bleef even naar de borden zitten staren. Toen riep hij: 'Thom!'

'Ik ben hier.'

'Ik dacht dat je in de keuken was.'

'Nee, daar ben ik niet. Ik ben hier. Wat is er?'

'Je moet een paar mensen voor me bellen.'

'Dat wil ik met alle liefde doen,' zei de verzorger. 'Maar ik dacht dat je het liever zelf deed.' Hij wierp een blik op Rhymes werkende arm.

'Ik vind het leuk om te telefoneren. Maar ik vind het niet leuk om in de wacht gezet te worden. En ik heb het gevoel dat dat zal gebeuren.'

'En dus mag ik je waarnemende wachter spelen,' vulde Thom aan. Rhyme dacht even na. 'Dat is een goede manier om het te zeggen, maar geen erg fraaie.'

De moord op Robert Moreno

Vetgedrukt: nieuwe informatie

Plaats delict 1
- Suite 1200, South Cove Inn, New Providence, Bahama's (de 'moordkamer').
- 9 mei.
- Slachtoffer 1: Robert Moreno.
  - Oorzaak van overlijden: **enkele schotwond in de borst**.
  - Aanvullende informatie: Moreno, 38, Amerikaans staatsburger, expat, woont in Venezuela. Extreem anti-Amerikaans. Bijnaam: 'de Boodschapper van de Waarheid'. **Heeft gesproken over 'de lucht in gaan', 24 mei. Mogelijk verband met terroristische aanslag in Mexico op 13 mei, zou gezocht hebben naar iemand die op die dag 'de boel op kon blazen'.**
  - Is drie dagen in New York geweest, van 30 april tot 2 mei. Doel?
    - **Heeft op 1 mei gebruiktgemaakt van Elite Limousines.**
    - **Chauffeur Atash Farada. (Vaste chauffeur Vlad Nikolov was ziek. Proberen hem te vinden.)**
    - **Hief rekeningen op bij American Independent Bank and Trust, waarschijnlijk ook bij andere banken.**
    - **Haalde ene Lydia op bij Lexington en 52nd Street, die hele dag bij hem bleef. Prostituee? Betaalde hij haar? Proberen identiteit te achterhalen.**
    - **Reden voor anti-Amerikaanse gevoelens: beste vriend gedood door Amerikaanse troepen bij invasie van Panama, 1989.**
    - **Moreno's laatste reis naar V.S. Zou nooit meer terugkeren.**
    - **Afspraak in Wall Street. Doel? Locatie?**

  - Slachtoffer 2: Eduardo de la Rua.
    - Oorzaak van overlijden: **bloedverlies. Verwondingen van rondvliegend glas na geweerschot.**
    - Aanvullende informatie: journalist, was bezig Moreno te interviewen. Geboren in Puerto Rico, woont in Argentinië.

- Slachtoffer 3: Simon Flores.
  - Oorzaak van overlijden: **bloedverlies. Verwondingen van rondvliegend glas na geweerschot**.
  - Aanvullende informatie: bodyguard van Moreno. Braziliaanse nationaliteit, woont in Venezuela.

- Verdachte 1: Shreve Metzger.
  - Directeur van National Intelligence and Operations Service.
  - Geestelijk labiel? Woede-uitbarstingen.
  - Heeft bewijsmateriaal gemanipuleerd om illegaal Special Task Order goedgekeurd te krijgen?
  - Gescheiden. Rechten gestudeerd, Yale.

- Verdachte 2: sluipschutter.
  - Codenaam: Don Bruns.
    - Informatiediensten trekken Bruns na. **Nog geen resultaat.**
    - **Mogelijk man bij South Cove Inn op 8 mei. Blank, in de dertig, kort lichtbruin haar, Amerikaans accent, mager maar gespierd. 'Militair' voorkomen. Informeerde naar Moreno.**
    - **Mogelijk man met Amerikaans accent die op 7 mei de South Cove Inn belde om aankomst van Moreno te bevestigen. Telefoontje kwam uit Amerika.**
  - Stemafdruk bemachtigd.

- Verslag plaats delict, sectieverslag, andere bijzonderheden volgen.
- Geruchten dat drugskartels achter de moorden zitten. Wordt niet waarschijnlijk geacht.

- Plaats delict 2.
  - Schuilplaats van de scherpschutter, 2000 meter van moordkamer, New Providence, Bahama's.
  - 9 mei.
  - Verslag plaats delict volgt.

- Aanvullende informatie.
  - Vaststellen identiteit van klokkenluider.
    - Onbekende die de Special Task Order naar buiten heeft gebracht.
    - Verzonden vanaf anoniem e-mailadres.
    - **Getraceerd via Taiwan naar Roemenië en Zweden. Verstuurd vanuit New York via gratis wifi, geen overheidsservers gebruikt.**

– Er is gebruikgemaakt van een oude computer, waarschijnlijk tien jaar oud, iBook, fruitschaalmodel in twee kleuren, waarvan één fel (bijv. groen of oranje). Of traditioneel model in donkergrijs, maar veel dikker dan moderne laptops.
– Inspecteur A. Sachs gevolgd door iemand in lichtgekleurde sedan.
– Onbekend merk en model.

25

Shreve Metzger ging van de kelder, waar de technische afdeling zat – de spionnen – terug naar de bovenste verdieping van het NIOS-gebouw.

Terwijl hij door de gangen liep en een paar werknemers zag die hun blik afwendden en ineens een toilet in schoten, ongetwijfeld zonder dat ze naar de wc hoefden, dacht hij na over wat hij net te weten was gekomen. Zijn team had de beschikking over uiterst geavanceerde technieken om informatie te achterhalen, wat met name zo indrukwekkend was omdat ze officieel niet gebruikt mochten worden. (NIOS had binnen de Verenigde Staten geen bevoegdheden en mocht geen telefoons aftappen, e-mails lezen of computers hacken. Maar Metzger had daar maar één woord voor: achterdeurtje.)

Metzger zag dat zijn werknemers hem ontliepen en merkte dat zijn gedachten alle kanten op gingen. Hij hoorde stemmen in zijn hoofd, nee, niet op die manier, meer herinneringen of fragmenten van gesprekken.

Probeer een beeld bij je boosheid te verzinnen. Een symbool. Een metafoor.

Prima, dokter. Waar denkt u dan aan?

Dat is niet aan mij om te bepalen, Shreve. Dat beeld moet je zelf bedenken. Sommigen kiezen een dier, of een boef uit een of ander televisieprogramma, of hete kolen.

Hete kolen? dacht hij. Dat bracht hem op een idee. Er was een beeld bij hem bovengekomen waaraan hij de woede kon koppelen. Hij had moeten denken aan de tijd toen hij nog op het platteland van de staat New York woonde en een mollige puber was. Een voorval op de middelbare school: het was herfst en hij stond timide bij een vreugdevuur, naast een meisje. Rook kolkte om hen heen. Een prachtige avond. Hij had net gedaan alsof hij last van de rook had en was dichter bij haar gaan staan. Glimlachend had hij dag gezegd. Ze had opgemerkt dat hij niet te dicht bij het vuur moest komen, want met al dat vet zou hij zeker in brand vliegen. En toen was ze weggelopen.

Een perfecte anekdote voor bij de psychiater. Dr. Fischer had het prachtig gevonden, veel mooier dan Metzgers bewering dat zijn woede zakte wanneer hij opdracht gaf iemand te vermoorden.

Dan wordt het Rook, met een hoofdletter R... Goede keuze, Shreve.

Toen hij bij zijn kantoor kwam, zag hij Ruth bij zijn bureau staan.

Normaal gesproken vond hij het maar niks als iemand zonder toestemming in zijn privéruimte kwam. Maar zij vormde een uitzondering. Hij was nog nooit boos op haar geworden, in tegenstelling tot de meeste anderen met wie hij binnen NIOS samenwerkte. Soms deed hij kortaf, soms begon hij zelfs te schreeuwen of met rapporten of adresboeken te gooien, maar meestal niet naar de desbetreffende persoon. Op Ruth was hij echter nog nooit kwaad geweest. Misschien kwam dat doordat ze zo close waren. Toen besloot hij dat die theorie niet klopte, want Lucinda en Katie en Seth hadden hem ook heel na gestaan, en toch had hij zich regelmatig tegenover zijn vrouw en kinderen laten gaan. Hij hoefde maar even aan de scheidingspapieren en de angstige blikken en tranen van toen te denken om daaraan herinnerd te worden.

Misschien vormde Ruth een uitzondering omdat ze hem nooit enige reden had gegeven om zijn geduld te verliezen.

Maar nee, dat was het ook niet. Metzger voelde zijn bloeddruk al stijgen bij het idee dat anderen hem iets flikten of dat in de toekomst mogelijk zouden doen. Er kwamen woorden bij hem boven, een uitval die hij had bedacht voor het geval hij door de politie zou worden aangehouden na Katies voetbalwedstrijd van zondagavond.

Moet je eens goed luisteren, achterlijk dienstkloppertje... Zie je dit? Dit is mijn ID. Ik werk voor de federale overheid, en ik beschouw deze vertoning als obstructie van een zaak van nationaal belang. Je kunt je baantje verder wel vergeten, makker...

Ruth knikte met haar hoofd naar een dossier dat ze blijkbaar net op zijn bureau had gelegd. 'Een paar documenten uit Washington,' zei ze. 'Strikt vertrouwelijk.'

Dat waren natuurlijk vragen over Moreno, en hoe ze de zaak verkloot hadden. Verdomme, die zakkenwassers waren er als de kippen bij. Bureaucratische haaien waren het. Wat was het makkelijk om in Washington in een koud en donker kantoortje te gaan zitten speculeren en pontificeren.

De Tovenaar en zijn kliek hadden er geen idee van hoe het aan het front was.

Ademhalen.

Heel langzaam zakte de boosheid weg.

'Bedankt.' Hij pakte de documenten, die gemarkeerd waren met een felrode streep. Ze deden hem denken aan de envelop met formulieren die hij had moeten invullen om Seth zonder begeleiding op het vliegtuig te zetten naar een kamp in Massachusetts. 'Je krijgt vast geen heimwee,' had Metzger geruststellend tegen zijn tienjarige zoon gezegd, die onrustig om zich heen had gekeken. Maar toen merkte hij dat hij er helemaal naast zat en dat de jongen zo bedrukt was omdat zijn vader nog bij hem was. Toen hij eenmaal aan de stewardess was overgedragen, werd hij levendig en vrolijk.

Als hij maar uit de buurt van die tijdbom van een vader kon blijven.

Metzger scheurde de envelop open en haalde zijn bril uit zijn borstzakje.

Hij lachte. Hij had het bij het verkeerde eind gehad. Het ging alleen maar om informatie over een ingeplande STO. Dat was ook iets wat de Rook met je deed: je haalde je allerlei dingen in je hoofd die nergens op gebaseerd waren.

Hij nam de papieren vluchtig door en was blij dat ze betrekking hadden op de zaak al-Barani Rashid, die na Moreno op de prioriteitenlijst stond.

God, wat zou hij Rashid graag uitschakelen. Ontzettend graag.

Hij legde de rapporten neer, keek naar Ruth en vroeg: 'Je hebt vanmiddag toch die afspraak?'

'Inderdaad.'

'Het gaat vast voorspoedig.'

'Dat denk ik ook.'

Ruth ging achter haar bureau zitten, waarop ze foto's van haar gezin had gezet – haar twee tienerdochters en haar tweede man. Haar eerste echtgenoot was in de eerste Golfoorlog gesneuveld. Haar huidige echtgenoot had ook in het leger gezeten, was gewond geraakt en had maandenlang in een afschuwelijk veteranenhospitaal gelegen.

Mensen offerden zich op voor hun vaderland en kregen er veel te weinig erkenning voor...

De Tovenaar zou eens met haar moeten praten om te horen wat zij zoal voor dit land had opgeofferd – het leven van de ene echtgenoot, de gezondheid van de tweede.

Metzger ging zitten om de rapporten te lezen, maar merkte dat hij zich slecht kon concentreren. De zaak-Moreno speelde hem parten.

Ik heb een paar telefoontjes gepleegd. Don Bruns weet er natuurlijk van. Nog een paar. We... we zijn ermee bezig...

De activiteiten waren natuurlijk volstrekt illegaal, maar het verliep allemaal voorspoedig. De Rook trok een beetje op. Hij vroeg Ruth om Spencer Boston te laten komen. Vervolgens las hij versleutelde berichten betreffende de pogingen om het onderzoek te trainen.

Een paar minuten later meldde Boston zich al. Hij droeg een pak en een stropdas, zoals altijd. Het was net of de inlichtingenkliek van de oude stempel zich aan bepaalde kledingvoorschriften hield. De gedistingeerde man deed uit gewoonte de deur achter zich dicht. Metzger zag Ruth door de deuropening naar binnen turen voordat de zware eiken deur met een klap dichtviel.

'Wat heb je tot nu toe?' vroeg Metzger.

Spencer Boston ging zitten en trok een pluisje van zijn broek, maar toen dat een loszittend draadje bleek te zijn, liet hij het ding zitten om te voorkomen dat hij de stof kapottrok. Hij had kennelijk te weinig slaap gehad; bij iemand van in de zestig kon je dat al snel zien. Hoe zie ík er eigenlijk uit? dacht Metzger. Hij streek langs zijn kin om te voelen of hij zich geschoren had. Blijkbaar wel.

Ondanks Metzgers reputatie deinsde Boston er nooit voor terug om hem minder leuke dingen te vertellen. Als je de zaken in Midden-Amerika runde, liet je je niet door een jong bureaucraatje van de wijs brengen, ook al was het nog zo'n driftkop. Op vlakke toon zei hij: 'Niets, Shreve. Helemaal niets. Ik heb alle bestanden van de moordopdracht gecontroleerd op log-ins. En ook alle uitgaande mailtjes en FTP en uploadservers. Ik heb onze jongens van de ICT-beveiliging gevraagd of ze iets konden vinden. Plus die van de beveiliging in Homestead. Alleen de mensen die op de lijst staan, hebben de opdracht gedownload. Dat betekent dat iemand hem stiekem van een bureau geplukt moet hebben, hier of in Washington of Florida, hem naar buiten heeft gesmokkeld en hem heeft gekopieerd of ingescand, thuis of in een copyshop.'

Bij NIOS en de daarmee gelinkte organisaties werd altijd automatisch geregistreerd wanneer ergens een kopie van werd gemaakt of wanneer iemand inlogde.

'Een copyshop. Jezus.'

Het hoofd van de administratie zei: 'Ik heb de achtergrond van onze medewerkers nog eens bekeken. Niets wijst erop dat iemand binnen onze organisatie problemen heeft met de STO-missies. Sterker nog: de meesten wisten waar we mee bezig waren voordat ze werden aangenomen.'

NIOS was naar aanleiding van 9/11 in het leven geroepen, voornamelijk om gerichte missies en extreme operaties uit te voeren, zoals ontvoering, omkoping en dat soort smerige zaakjes. De meeste specialisten binnen de organisatie kwamen uit het leger en hadden al vuile handen voordat ze bij NIOS werden aangenomen. Het leek onvoorstelbaar dat iemand ineens last van zijn geweten had gekregen en pogingen had ondernomen om deze operatie te laten mislukken. Wat het overige personeel betrof had Boston gelijk: de meeste sollicitanten wisten waar de

139

organisatie zich mee bezighield voordat ze hier een voet over de drempel zetten.

Tenzij dat juist de reden was geweest waarom ze zich hadden aangemeld. Infiltranten. Verachtelijk.

Metzger: 'We moeten uit onze doppen blijven kijken. En er mogen absoluut geen dingen meer uitlekken. Híj weet al te veel.'

De Tovenaar.

Boston fronste zijn witte wenkbrauwen en fluisterde: 'Ze gaan toch niet… We worden toch niet opgedoekt, wel?'

Het was Metzger pijnlijk duidelijk dat hij geen idee had wat ze in Washington van plan waren, aangezien hij na dat eerste telefoontje niets meer van de man gehoord had.

Nu blijkt een of andere commissie bezig te zijn het budget van de inlichtingendiensten onder de loep te nemen. Ineens. Ik snap er niets van…

'Jezus, Shreve. Dat kán toch helemaal niet? We zijn voor dit soort klussen de absolute top.'

Dat was waar. Maar blijkbaar niet de absolute top als het ging om het geheimhouden van dit soort klussen.

Een gedachte die Metzger voor zich hield.

Boston vroeg: 'Wat weet je nog meer over dat onderzoek van de politie?'

Metzger besloot zich op de vlakte te houden. Hij zei: 'Niet veel. Voor de zekerheid proberen we ons zo goed mogelijk in te dekken.' Hij keek naar zijn magische mobieltje, het rode. Er zat een capsule met zuur in waarmee de drive binnen een paar seconden vernietigd kon worden. Op de display stonden geen binnengekomen berichten.

Hij liet de lucht uit zijn longen ontsnappen. 'Punt is dat de zaak niet bepaald van een leien dakje gaat. Ik weet wie er in het onderzoeksteam zitten en heb ze nagetrokken. De politie heeft een klein team geformeerd om zo weinig mogelijk ruchtbaarheid aan het onderzoek te geven en volgt geen standaardprocedure. Die houdt het stil. Het team bestaat alleen uit Nance Laurel, die hulpofficier van justitie is, plus twee anderen en wat ondersteunend personeel. Het onderzoek wordt geleid door een inspecteur, ene Amelia Sachs, en – moet je opletten – de ander is een adviseur, Lincoln Rhyme. Heeft zich een tijdje geleden uit het leger teruggetrokken. Ze werken vanuit zijn appartement in de Upper West Side. Een particulier onderkomen, geen politiebureau.'

'Rhyme? Wacht eens, die naam ken ik,' zei Boston fronsend. 'Die vent is heel bekend. Ik heb eens een programma over hem gezien. Hij is de beste forensisch expert van het land.'

Dat wist Metzger natuurlijk ook. Rhyme was de 'andere' rechercheur die het op hem gemunt had, had hij gisteren in een memo van de inlichtingendienst gelezen. 'Weet ik. Maar die vent heeft een dwarslaesie.'

'Wat heeft dat er nou mee te maken?'

'Spencer, waar is de plaats delict?'

'O, natuurlijk. Op de Bahama's.'

'Wat denk je dat hij gaat doen? Een beetje met zijn rolstoel door het zand ploegen om naar hulzen en bandensporen te zoeken?'

26

'Dit is dus het Caraïbisch gebied.'

Met zijn hand op de joystick van zijn felrode rolstoel reed Lincoln Rhyme door de aankomsthal van het Lynden Pindling Airport in Nassau naar buiten, waar het warmer en vochtiger was dan hij in jaren had meegemaakt.

'Adembenemend,' riep hij. 'Maar wel mooi.'

'Rustig aan, Lincoln,' zei Thom.

Maar Rhyme wilde er niets van horen. Hij was zo uitgelaten als een kind op kerstochtend. Voor het eerst in lange tijd bevond hij zich in het buitenland. De reis op zichzelf was al opwindend voor hem. Maar hij keek ook uit naar wat die kon opleveren: hard bewijsmateriaal in de zaak-Moreno. Hij durfde echter amper toe te geven wat hem had doen besluiten hiernaartoe te gaan: intuïtie, die verdachte eigenschap waar Amelia Sachs het altijd over had. Hij had het gevoel dat hij die kostbare kogel en de rest van het bewijsmateriaal alleen in handen zou krijgen als hij in zijn rolstoel voor inspecteur Poitier ging staan en hem erom vroeg. Persoonlijk.

Rhyme wist dat Poitier zich oprecht zorgen maakte over de dood van Robert Moreno en ook over het feit dat hij een pion was die door zijn meerderen gebruikt werd om de zaak in de doofpot te stoppen.

Ik heb geen enkele inspectie of vergunning onder handen gehad die niet op tijd, grondig en eerlijk afgehandeld is...

Hij geloofde niet dat er veel voor nodig was om de inspecteur over te halen hem te helpen.

En dus was Thom de strijd aangegaan met luchtvaartmaatschappijen en motels en had hij veelvuldig in de wacht gestaan en naar slechte muziek geluisterd – zo had hij verscheidene keren verkondigd – om de vlucht en het motel te boeken, een taak die nogal bemoeilijkt werd door de lichamelijke conditie van Rhyme.

Toch ging het makkelijker dan ze hadden verwacht.

Er moesten natuurlijk wat zaken geregeld worden als iemand met een dwarslaesie op reis ging: begeleiding naar zijn zitplaats, bijzondere kussens, zorgen over de Storm Arrow, die in het ruim mee moest, en praktische zaken met betrekking tot plassen en poepen die zich op de vlucht zouden kunnen voordoen.

Maar uiteindelijk was de reis niet slecht verlopen. In de ogen van de Transportation Security Administration zijn we allemaal gehandicapt en verlamd, voorwerpen of stukken bagage waarmee naar believen geschoven kan worden. Lincoln had zelfs het idee dat hij beter af was dan de meeste van zijn medereizigers, omdat die eraan gewend waren mobiel en onafhankelijk te zijn.

Buiten de bagagehal reed Rhyme naar de rand van een stoep vol toeristen en plaatselijke bewoners, die naarstig op zoek waren naar auto's en taxi's en minibusjes. Hij keek vol interesse naar een tuintje waarin planten stonden die hij nog nooit had gezien. Hij had geen enkele belangstelling voor de esthetische kant van de flora, maar vond planten soms buitengewoon nuttig bij zijn forensisch onderzoek.

Hij had ook gehoord dat ze op de Bahama's bijzonder goede rum hadden.

Toen hij weer naar de plek terugging waar Thom stond te telefoneren, belde Rhyme Sachs en sprak een bericht in. 'Goed aangekomen. Ik...' Hij draaide om toen hij een schelle kreet achter zich hoorde. 'Jezus, ik schrik me rot. Ze hebben hier een papegaai. Een pratende!'

De kooi was daar neergezet door het plaatselijke toeristenbureau. Er zat volgens het bordje een Abaco-papegaai in. De luidruchtige vogel, grijs met een groene vlek op de staart, zei : 'Hello! Hi! ¡Hola!' Rhyme nam het gekrijs op om het aan Sachs te laten horen.

Nog een teug vochtige, zilte lucht, vermengd met een zure geur die hij herkende als rook. Stond er iets in brand? Niemand anders leek zich er druk over te maken.

'Ik heb de koffers,' zei iemand achter hem.

Agent Ron Pulaski – jong, blond en mager – duwde een karretje met de koffers naar hen toe. Het trio verwachtte hier niet lang te blijven, maar door Rhymes toestand moesten ze een aantal spullen meeslepen. Een heleboel, zelfs. Medicijnen, katheters, slangetjes, ontsmettingsmiddelen en luchtkussens ter voorkoming van doorligplekken die konden leiden tot infecties.

'Wat is dat?' vroeg Rhyme toen Thom een kleine rugzak uit een van de koffers haalde en die aan de rolstoel hing.

'Een draagbaar beademingsapparaat,' zei Pulaski.

Thom voegde eraan toe: 'Werkt op een batterij. Dubbele zuurstoftank. Daar kun je een paar uur mee voort.'

'Waarom heb je dat in godsnaam meegenomen?'

'Omdat we in een cabine onder druk zaten op een hoogte van ruim twee kilometer,' antwoordde de assistent alsof het voor de hand lag.

'Stress. Er zijn wel tien redenen waarom het geen kwaad kan er een bij ons te hebben.'

'Zie ik er gestrest uit?' vroeg Rhyme opstandig. Hij was al jaren van het beademingsapparaat af en kon zelf ademen, een van de grootste prestaties die een dwarslaesiepatiënt kon leveren. Maar dat was Thom blijkbaar vergeten, of anders hield hij er geen rekening mee. 'Ik heb het niet nodig.'

'Laten we hopen van niet. Maar het kan geen kwaad, toch?'

Daar had Rhyme geen antwoord op. Hij keek even naar Pulaski. 'En het is trouwens geen beademingsapparaat. Beademen is het toedienen van zuurstof en het afvoeren van kooldioxide. Hiermee wordt alleen zuurstof de longen ingeblazen. Dus is het een zuurstofapparaat.'

Pulaski zuchtte. 'Begrepen, Lincoln.'

De nieuweling was in ieder geval die irritante gewoonte kwijt om Rhyme 'meneer' of 'commandant' te noemen.

Toen vroeg de jonge agent: 'Maakt het uit?'

'Natuurlijk maakt het uit,' snauwde hij. 'Zonder precisie zijn we nergens. Waar blijft het busje?'

Dat was een van Thoms taken: het bemachtigen van een busje voor invalidenvervoer.

Hij was nog steeds aan het bellen en zei met een wrange blik: 'Ik sta weer in de wacht.'

Thom wist blijkbaar toch iemand te spreken te krijgen en een paar minuten later stond het busje bij de halte voor het toeristenvervoer. De gehavende witte Ford stonk naar verschaalde sigarettenrook en de ramen waren smerig. Pulaski zette de bagage achterin terwijl Thom formulieren ondertekende en ze teruggaf aan de magere, donkere man die het voertuig had afgeleverd. Nadat ze creditcards hadden laten zien en contant betaald hadden, verdween de chauffeur te voet. Rhyme vroeg zich af of het busje was gestolen. Maar toen besloot hij dat dit wel erg argwanend van hem was.

Je bevindt je in een andere wereld, niet meer in Manhattan. Laat je vooroordelen varen.

Met Thom aan het stuur reden ze over de hoofdweg, een goed onderhouden tweebaansweg, naar Nassau. Er was veel verkeer vanaf het vliegveld, voor het merendeel oudere Amerikaanse auto's en uit Japan geïmporteerde voertuigen, gehavende vrachtwagens en minibusjes. Amper SUV's, wat niet verrassend was in een land zonder ijs, sneeuw of bergen. Bovendien was de benzine hier duur. Hoewel hier links gereden werd – de Bahama's waren een voormalige Britse kolonie – zat het stuur van de meeste auto's aan de linkerkant, net als in Amerika.

Tijdens de ontspannen rit naar het oosten zag Rhyme allemaal kleine bedrijfjes zonder aanduiding voor wat ze produceerden of welke dienst ze aanboden, veel braakliggende stukjes grond en mensen die fruit en groente verkochten vanuit hun kofferbak, maar die niet erg gespitst leken op klandizie. Het busje reed langs grote, al wat oudere huizen achter hekken. Een aantal kleinere huizen en hutten leek verlaten. Daar hadden slachtoffers van orkanen in gewoond, vermoedde hij. De plaatselijke bevolking had bijna zonder uitzondering een heel donkere huid. De meeste mannen waren gekleed in een T-shirt of overhemd met korte mouwen, dat ze over hun spijkerbroek, sportpantalon of korte broek heen droegen. De vrouwen hadden soortgelijke kleren aan, maar ook vaak eenvoudige jurken in felle kleuren of met bloempatronen.

'Jemig,' riep Thom ademloos uit terwijl hij hard remde en nog net een geit wist te ontwijken zonder dat de wagen over de kop sloeg.

'Kijk nou toch,' zei Pulaski. Hij legde het dier vast met de camera in zijn mobiele telefoon.

Thom volgde de aanwijzingen van de GPS-god en verliet de hoofdweg en het drukke verkeer, waarna ze in het centrum van Nassau zelf belandden. Ze reden langs de kalkstenen muren van een oud fort. Na vijf minuten stuurde de assistent het busje, dat schommelde door een slechte ophanging, de parkeerplaats op van een bescheiden, maar goed onderhouden motel. Hij en Pulaski gaven de bagage aan een piccolo mee en de assistent ging naar de receptie om in te checken en te kijken of het gebouw goed toegankelijk was. Toen hij terugkwam, meldde hij dat het ermee door kon.

'Het is een deel van Fort Charlotte,' las Pulaski voor van een bord langs het pad dat van het motel naar het fort leidde.

'Wat?' vroeg Rhyme.

'Fort Charlotte. Toen dat eenmaal gebouwd was, heeft niemand de Bahama's meer aangevallen. Nou, in elk geval New Providence niet. Daar zijn we.'

'Aha,' zei Rhyme weinig enthousiast.

'Moet je zien.' Pulaski wees naar een hagedis die roerloos tegen de muur naast de ingang van het motel zat.

Rhyme zei: 'Een groene anolis, een Amerikaanse hagedis. Ze is gravida.'

'Wat is ze?'

'Drachtig. Duidelijk.'

'Betekent "gravida" drachtig?' vroeg de jonge agent.

'Eigenlijk zouden we moeten zeggen: "gezwollen van de eieren". Zwanger, dus.'

Pulaski lachte. 'Je maakt een grapje.'

Rhyme gromde: 'Een grapje? Wat is er nou grappig aan een drachtige hagedis?'

'Nee, ik bedoel, hoe weet je dat nou?'

'Ik ging naar een gebied dat ik niet kende, en wat staat er in het eerste hoofdstuk van mijn boek over forensische wetenschap, groentje?'

'Dat je je vertrouwd moet maken met de omgeving als je een plaats delict onderzoekt.'

'Ik wilde dus meer weten over de geologie, de flora en de fauna, want daar zou ik hier iets aan kunnen hebben. Aan het feit dat niemand het eiland meer heeft aangevallen na de bouw van Fort Charlotte heb ik niets, dus heb ik niet de moeite gedaan me daarin te verdiepen. Maar hagedissen, papegaaien, Kalik-bier en mangroves zouden wel relevant kunnen zijn, dus heb ik daar tijdens de vlucht wat over gelezen. Wat heb jij gelezen?'

'Eh, de *People*.'

Rhyme trok een smalend gezicht.

De hagedis knipperde met zijn ogen en draaide zijn kop, maar bleef verder roerloos zitten.

Rhyme haalde zijn mobiel uit de zak van zijn overhemd. De eerdere operatie aan zijn rechterarm en -hand was heel succesvol geweest. De bewegingen waren een beetje onbeholpen in vergelijking met die van een goed functionerende arm, maar een oppervlakkige toeschouwer zou misschien niets opvallen. Hij had een iPhone en na urenlang oefenen kon hij zijn vinger over het schermpje halen en apps activeren. Hij was de stemherkenningssoftware die hij vanwege zijn lichamelijke toestand had moeten gebruiken helemaal zat, dus had hij die afgeschaft. Hij gebruikte nu de mogelijkheid om recente oproepen op het schermpje te brengen en vervolgens met één tik van zijn vinger een nummer te bellen. Een vrouwenstem met een zwaar accent zei: 'Politie, wilt u een noodgeval melden?'

'Nee, geen noodgeval. Zou ik inspecteur Poitier alstublieft even kunnen spreken?'

'Een moment, meneer.'

Gelukkig duurde het maar even. 'Met Poitier.'

'Inspecteur Poitier?'

'Dat klopt. Met wie spreek ik?'

'Met Lincoln Rhyme.'

Het bleef even stil. 'Aha.' Dat klonk buitengewoon onzeker en ongemakkelijk. Een casino was een veel veiliger plek om te telefoneren dan het politiebureau.

Rhyme vervolgde: 'Ik had u best het nummer van mijn creditcard willen geven of u terug willen bellen.'

'Ik kon niet langer aan de telefoon blijven. En ik heb het nu ook heel druk.'

'Met de vermiste studente?'

'Inderdaad,' zei hij met zijn warme, donkere stem.

'Hebt u al aanwijzingen?'

Een korte stilte. 'Nog niet. Ze wordt al vierentwintig uur vermist. Op haar school en haar werk hebben ze niets gehoord. Ze ging de laatste tijd om met een man uit België. Die lijkt helemaal overstuur, maar...'

Hij liet de zin een stille dood sterven. Toen zei hij: 'Ik ben bang dat ik u niet zal kunnen helpen met uw zaak.'

'Inspecteur, ik zou graag ergens met u afspreken.'

De diepste stilte tot nu toe. 'Afspreken?'

'Ja.'

'Hoe kan dat nou?'

'Ik ben in Nassau. Ik stel voor om elkaar niet op het politiebureau te treffen, maar ergens anders. Waar u maar wilt.'

'Maar... ik... U bent hier?'

'Het is misschien beter buiten het bureau af te spreken,' herhaalde Rhyme.

'Nee. Dat is onmogelijk. Ik kan niet met u afspreken.'

'Ik moet echt met u praten,' zei Rhyme.

'Nee. Ik moet gaan.' Er klonk wanhoop door in zijn stem.

Rhyme zei kordaat: 'Dan komen we wel naar het bureau.'

Poitier herhaalde: 'Bent u echt hier?'

'Jazeker. Dit is een belangrijke zaak. We nemen hem heel serieus.'

Rhyme wist dat hij eigenlijk botweg impliceerde dat de politie op de Bahama's dat niet deed. Maar hij was er nog steeds van overtuigd dat Poitier hem zou helpen als hij maar genoeg aandrong.

'Zoals ik al zei, heb ik het erg druk.'

'Wilt u met ons praten?'

'Nee, dat gaat niet.'

Een klik en Poitier had opgehangen.

Rhyme keek naar de hagedis, toen naar Thom, en lachte. 'Hier zitten we nu in het Caraïbische gebied, en warm dat het is. Maar we gaan de boel nog een beetje opstoken.'

27

Vreemd. Zonder meer.

Gekleed in een zwarte spijkerbroek, een marineblauw zijden topje en laarzen liep Amelia Sachs het lab in. Weer viel het haar op hoe bijzonder deze zaak was.

Bij andere moordonderzoeken die al een week liepen, zou het één grote bende zijn in het lab. Mel Cooper, Pulaski, Rhyme en zij zouden het bewijsmateriaal hebben geanalyseerd, ze zouden feiten, gevolgtrekkingen en speculaties op de whiteboards hebben geschreven, dingen hebben uitgeveegd en andere informatie hebben toegevoegd.

Er stond nog steeds veel druk op de ketel – de moordopdracht die op een van de whiteboards was geplakt, herinnerde haar er eens te meer aan dat meneer Rashid en tientallen anderen binnenkort de dood zouden vinden – maar in het vertrek was het zo stil als een mausoleum.

Ongelukkige beeldspraak, vond ze.

Maar het klopte wel. Nance Laurel ontbrak nog en Rhyme was op reis. Het was voor het eerst sinds zijn ongeluk dat hij naar het buitenland was gegaan. Niet veel criminalisten zouden zoveel moeite doen om een plaats delict te onderzoeken, en ze was blij dat hij de knoop had doorgehakt, om tal van redenen.

Maar nu hij er niet was, voelde ze zich enigszins gedesoriënteerd.

Vreemd...

Ze vond het een akelig gevoel, deze kille leegte.

Ik heb hier geen goed gevoel bij, Rhyme...

Ze liep langs een van de lange onderzoekstafels, waarop rekken vol chirurgisch materiaal en instrumenten stonden, veel ervan in steriele verpakking, klaar om bewijsmateriaal te analyseren dat ze niet hadden.

Sachs nam plaats op haar geïmproviseerde werkplek en ging aan de slag. Ze belde de vaste chauffeur van Robert Moreno bij Elite Limousines, Vladimir Nikolov, in de hoop dat hij haar kon vertellen wie de mysterieuze Lydia was, mogelijk een escortgirl of terroriste. Maar bij Elite kreeg ze te horen dat de chauffeur wegens familieomstandigheden de stad uit was. Ze liet een boodschap bij het bedrijf achter, en ook sprak ze een berichtje in op zijn voicemail.

Als ze er verder niets meer van hoorde, zou ze er later wel weer achteraan gaan.

Ze zocht naar verdachte terroristische of criminele activiteiten in de buurt waar Tash Farada Moreno en Lydia op 1 mei had afgezet, en maakte daarbij gebruik van de database voor landelijke en federale organisaties. Ze ontdekte dat er een paar keer een huiszoekingsbevel was afgegeven en dat er in die omgeving gepost was, maar dat waren allemaal zaken die – niet verwonderlijk gezien de buurt – betrekking hadden op onderzoeken naar fraude bij banken en investeringsmaatschappijen. Het waren oude onderzoeken, en ze zag geen link met Robert A. Moreno.

Toen, eindelijk, een doorbraak.

Haar telefoon ging, en nadat ze op de display had gezien wie er belde, nam ze snel op. 'Rodney?' De cybercrime-expert, die op zoek was gegaan naar de klokkenluider.

Boenke-boenke-boenke-boenke...

Rock op de achtergrond. Had hij áltijd muziek aanstaan? En waarom kon dat geen jazz of bigband zijn?

De muziek ging zachter. Een klein beetje.

Szarnek zei: 'Onthoud goed, Amelia, dat supercomputers onze beste vrienden zijn.'

'Ik zal het onthouden. Heb je wat gevonden?' Haar ogen gleden door het verlaten lab, waar stofpluisjes door een binnenvallende straal zonlicht zweefden als heteluchtballonnen in de verte. Weer voelde ze de afwezigheid van Rhyme als een pijnlijk gemis.

'Ik heb ontdekt vanaf welke plek hij het mailtje heeft verzonden. Ik zal je niet lastigvallen met nodes en netwerken, maar het komt erop neer dat die vent het mailtje en de bijlage heeft verstuurd vanuit de Java Hut, die koffietent in de buurt van Mott and Hester. Moet je nagaan: een horecaketen uit Portland, Oregon, die in het hart van Little Italy een vestiging neerzet. Wat zou de Peetvader daar wel niet van denken?'

Ze keek naar het whiteboard, waar een kopie van de berichten hing die de klokkenluider had verstuurd. 'Klopt de datum op dat mailtje? Kan hij die hebben veranderd?'

'Nee, dat is wanneer het mailtje is verstuurd. In het mailtje zelf kan hij elke willekeurige datum hebben gezet, maar routers liegen niet.'

Dus de man die ze zochten, was op 11 mei om 13.02 in die koffietent geweest.

De cybercrime-expert vervolgde zijn relaas: 'Ik heb het even nagetrokken. Je kunt daar op het wifi-netwerk inloggen zonder ID-informatie in te voeren. Het enige wat je moet doen, is akkoord gaan met de gebruiksvoorwaarden, een document van drie pagina's. Iedereen doet dat natuurlijk, en niemand ter wereld leest die dingen ooit.'

Sachs bedankte de techneut en verbrak de verbinding. Ze belde met de Java Hut, kreeg de bedrijfsleider aan de lijn, legde uit dat ze bezig was iemand op te sporen die op 11 mei belangrijke documenten had verstuurd via de wifi, en zei dat ze naar hem toe wilde komen om daarover wat vragen te stellen. Ze voegde eraan toe: 'Maken jullie gebruik van beveiligingscamera's?'

'Jazeker. Die hangen in al onze vestigingen. Voor het geval we beroofd worden, weet u.'

Zonder al te hoge verwachtingen vroeg ze: 'Hoe lang worden de beelden bewaard?' Ze ging ervan uit dat om de paar uur nieuwe beelden over de oude zouden worden opgenomen.

'O, we hebben een schijf van vijf terabyte. Daar passen de videobeelden van drie weken op. De kwaliteit laat nogal te wensen over, en het is zwart-wit. Maar je kunt er wel iemand op herkennen als dat moet.'

Opwinding vlamde door haar heen. 'Ik ben er over een halfuur.'

Sachs trok een zwart linnen jasje aan en bond haar haar met een elastiekje in een staartje. Ze pakte haar holster met de Glock erin, controleerde het wapen zoals altijd, een kwestie van routine, en hing het aan haar riem. Het foedraal met twee reservemagazijnen ging op haar linkerheup. Ze hing net haar grote tas over haar schouder toen haar mobieltje ging. Ze was benieuwd of het Rhyme was. Ze wist dat hij veilig op de Bahama's was aangekomen, maar vroeg zich af of hij nog problemen met zijn gezondheid had gekregen.

Maar nee, het was Lon Sellitto die belde.

'Hoi.'

'Amelia. De jongens van Special Services hebben nu zo'n beetje de helft van het gebouw gedaan waar Lydia door Moreno en zijn chauffeur is opgepikt. Tot nu toe nog niks. Ze zijn al heel wat Lydia's tegengekomen – wie had dat kunnen denken? – maar daar zat de echte niet bij. Ik bedoel: hoe moeilijk is het om je dochter Tiara of Estanzia te noemen? Dat zijn namen die veel sneller zijn na te trekken.'

Ze vertelde hem van de aanwijzing over de Java Hut en dat ze op het punt stond ernaartoe te gaan.

'Mooi. Een beveiligingscamera, hartstikke goed. Zeg, zit Linc echt in het Caraïbisch gebied?'

'Ja, hij is veilig en wel aangekomen. Ik weet niet hoe ze hem zullen behandelen. Buitenstaander, hè?'

'Ik weet zeker dat hij zich wel redt.'

Er viel een stilte.

Er was iets. Als Lon Sellitto ergens mee zat, merkte je dat meteen.

'Wat is er?' vroeg ze.

'Oké, dit heb je niet van mij.'

'Ga verder.'

De inspecteur zei: 'Bill is bij me langsgeweest.'

'Bill Myers, de commandant?'

Hoe vind je het om gedegradeerd te zijn en weer het ouderwetse ploeterwerk te moeten doen...

'Ja.'

'En?'

Sellitto zei: 'Hij vroeg naar jou. Wilde weten of het goed met je ging. Lichamelijk.'

Shit.

'Omdat ik met mijn been trok?'

'Zou kunnen, weet ik niet. Maar goed, dat vroeg hij dus. Moet je horen, een ouwe zak als ik heeft ook wel eens wat mindere dagen waarop ik wat rondhobbel. Maar jij bent nog jong, Amelia. En niet dik. Hij heeft je rapporten en dossiers ingezien. Hij zag dat je je heel vaak als vrijwilliger hebt opgegeven voor strategische klussen en dan soms als eerste naar binnen ging. Hij vroeg of je problemen met het uitvoerende werk had gehad, of iemand commentaar had gehad bij arrestatieklussen of bevrijdingsacties. Ik zei van niet, absoluut niet. Dat je echt top was.'

'Dank je wel, Lon,' fluisterde ze. 'Denk je dat hij wil dat ik me opnieuw laat keuren?'

'Daar hebben we het niet over gehad. Maar dat wil dus niet zeggen dat hij daar niet over nadenkt.'

Iedereen die bij het politiekorps van New York solliciteert, wordt medisch gekeurd, maar anders dan bij de brandweer of ambulancediensten hoef je je nooit meer te laten onderzoeken als je eenmaal bent aangenomen, tenzij een leidinggevende daar in speciale gevallen om vraagt, of tenzij je promotie wilt maken. Afgezien van dat eerste onderzoek, nu jaren geleden, had Sachs zich nooit meer medisch laten keuren. Alleen in de dossiers van haar eigen orthopedisten stond informatie over haar artrose. Myers had daar geen inzage in, maar als hij wilde dat ze zich weer liet keuren, zou aan het licht komen dat ze een gebrekkige lichamelijke conditie had.

Dat zou rampzalig zijn.

'Bedankt, Lon.'

Ze verbraken de verbinding. Sachs bleef roerloos staan en dacht: Hoe kwam het toch dat dit onderzoek zoveel meer behelsde dan het opsporen van de daders? Het leek wel alsof je je tegenwoordig ook tegen je bondgenoten moest verweren.

Sachs controleerde haar pistool nog een keer en liep naar de deur, halsstarrig weigerend om toe te geven aan de bijna overweldigende drang om met haar been te trekken.

28

Amelia Sachs had een 3G-telefoon, had Jacob Swann ontdekt.

En dat was goed nieuws. Bij een 2G-telefoon met GPRS, General Packet Radio Service, was het makkelijker om codes te kraken en gesprekken af te luisteren, maar ook bij een 3G-toestel was dat mogelijk, omdat daarin het ouderwetse A5/1-coderingsprogramma gebruikt werd.

Niet dat de technische afdeling zoiets mocht doen, uiteraard.

Toch moest er ergens iets fout zijn gegaan, want slechts tien minuten nadat hij de kwestie terloops – en uiteraard zuiver hypothetisch – had besproken met de directeur van de technische dienst zat Swann via de ether geboeid naar de melodieuze en behoorlijk sexy stem van Sachs te luisteren.

Hij had al een heleboel interessante feiten opgestoken. Sommige hadden direct te maken met de zaak-Moreno. Andere waren algemener van aard, maar niet minder nuttig, zoals het feit dat Amelia Sachs lichamelijke klachten had. Dat was handig om te weten.

Hij had ook wat verontrustende dingen gehoord, namelijk dat haar partner, Lincoln Rhyme, zich op de Bahama's bevond. Dat kon echt een probleem worden. Onmiddellijk nadat hij het had gehoord, had Swann zijn contactpersonen gebeld – een paar van de Sands- en Kalik-drinkers in de haven – en maatregelen getroffen.

Maar daar kon hij zich nu niet mee bezighouden. Er was werk aan de winkel. Hij zat op zijn hurken in een onaangenaam ruikende steeg en forceerde het slot van de achterdeur van een soort imitatie-Starbucks. Het zaakje heette de Java Hut. Hij droeg dunne latex handschoenen, vleeskleurig, zodat zijn handen op het eerste gezicht normaal leken.

Het was een warme ochtend en door de handschoenen en het dikke windjack kreeg hij het nog warmer. Hij transpireerde. Niet zo erg als toen op de Bahama's, met Annette. Maar toch…

En dan die afschuwelijke stank. De steegjes van New York. Kon iemand daar niet af en toe met bleek aan de slag?

Eindelijk klikte het slot. Swann duwde de deur een klein eindje open en keek naar binnen. Hij zag een kantoor waar niemand was, een keuken waar een magere latino bezig was met de vaat, en daarachter een deel van de horecagelegenheid zelf. Het was er niet erg druk en hij vermoedde dat ze in het weekend de meeste klandizie hadden, want ze zaten in het toeristische gebied, in wat er van Little Italy over was.

Hij glipte naar binnen, deed de deur bijna helemaal dicht en ging het kantoor in, waar hij zijn jas opzij schoof, zodat hij gemakkelijk bij zijn mes kon.

Aha, daar was het beeldscherm waarop te zien was wat de beveiligings-camera op dat moment in de zaak opnam. De camera ging langzaam heen en weer en gaf hypnotiserende zwartwitbeelden door. Als hij terug-ging naar 11 mei, de datum waarop de klokkenluider de STO naar het kantoor van de officier van justitie had gestuurd, zou hij een goed beeld van die klootzak krijgen.

Toen zag hij een schakelaar aan de zijkant van het beeldscherm: *1-2-3-4*. Hij koos de laatste mogelijkheid en het scherm werd in vieren gedeeld. O, verdomme...

Er hingen vier camera's in de zaak. En een daarvan stond op Swann zelf gericht. Hij zag zichzelf op zijn hurken voor de computer zitten. Alleen zijn rug was in beeld, maar dat was al verontrustend genoeg.

Snel bestudeerde hij de computer en zag tot zijn ongenoegen dat het niet mogelijk was hem uit elkaar te halen en de harddrive te stelen, zoals hij van plan was geweest. De grote computer was met metalen strips en grote schroeven op de vloer vastgezet.

Ja hoor, alsof iemand zo'n onding van vijf jaar oud met een Windows XP-besturingssysteem zou stelen. Die computer was in zijn ogen net zoiets als een plastic handmixer naast wat hij in de keuken had staan: een KitchenAid van zeshonderd dollar waarmee je brooddeeg kon kne-den en pasta kon maken.

Swann verstijfde toen hij stemmen hoorde, die van een opgewonden jonge vrouw en een latino-man. Hij bracht zijn hand naar de Kai Shun.

Maar de stemmen vervaagden en de gang bleef leeg. Hij draaide zich weer om naar de computer en voelde aan de schroeven en de metalen strips. Die zaten muurvast. En hij had niet het juiste gereedschap om ze los te maken. Maar dat kon hij zichzelf niet echt kwalijk nemen. Hij had een gereedschapsetje bij zich, maar hier was een elektrische ijzer-zaag voor nodig.

Een diepe zucht.

Het beste wat hij nu kon doen, besloot hij, was ervoor zorgen dat de politie de harddisk ook niet in handen kreeg.

Jammer, het was niet zijn eerste keus, maar er bleef hem niets anders over.

Nu klonken er weer stemmen. Hij geloofde dat hij een vrouw hoorde zeggen: 'Ik ben op zoek naar Jerry.'

Kon het zijn... Ja. Die stem klonk hem bekend in de oren. *Die goede oude A5/1 codering...*

'Ik ben Jerry. Bent u de inspecteur die gebeld had?'

'Dat klopt. Ik ben Amelia Sachs.'

Ze was hier eerder dan Swann had verwacht.

Hij boog voorover om wat hij deed te verbergen voor de camera, pakte een explosief uit zijn rugzak, een brisantbom die niet alleen de computer zou vernietigen, maar zo'n honderd vlijmscherpe scherven door de achterste helft van de zaak zou jagen. Hij twijfelde even. Hij kon de timer op een minuut zetten. Maar Swann besloot dat hij beter wat langer de tijd kon nemen. Dat zou Sachs de gelegenheid geven om het kantoor binnen te komen en een begin te maken met het bekijken van de opnamen voordat de bom afging.

Swann drukte op de knoppen om de bom te activeren en de ontsteking in werking te stellen en legde de doos achter de computer.

Toen kwam hij langzaam overeind en liep achteruit het kantoor uit om te voorkomen dat zijn gezicht op de videobeelden te zien zou zijn.

29

In de Java Hut hing een rijke geur met verschillende componenten: vanille, chocolade, kaneel, bessen, kamille, nootmuskaat... en zelfs koffie.

Jerry, de manager, was een slungelige jongeman met meer tatoeages op zijn armen dan gepast was voor de manager van een vestiging van een nationale franchiseketen. Ook al zat de hoofdvestiging in Portland. Hij gaf haar een stevige handdruk en wierp een steelse blik op haar heupen. Dat deden mannen vaak, niet om haar figuur te bekijken, maar om een glimp op te vangen van haar vuurwapen.

Er waren een stuk of tien mensen in de zaak, die druk zaten te typen of op een of ander elektronisch apparaat keken. Hier en daar werd van papier gelezen. Er was maar één klant, een oudere vrouw, die rustig naar buiten zat te kijken en niets anders deed dan op haar gemak een kop koffie drinken.

Jerry vroeg: 'Wilt u iets gebruiken? Op kosten van de zaak?'

Ze sloeg het aanbod af. Ze wilde zo snel mogelijk de enige aanwijzing natrekken die iets zou kunnen opleveren.

'Ik wil alleen maar de beveiligingsbeelden zien.'

'Prima,' zei hij, terwijl hij nog een keer een blik op haar heupen wierp. Ze was blij dat ze haar jasje dicht had gelaten. Ze wist dat hij zou willen vragen of ze haar pistool onlangs nog gebruikt had. En dat hij over kalibers wilde praten.

Mannen. Seks of wapens.

'Nou, we hebben hier een camera.' Hij wees naar een plek boven de kassa. 'Iedereen die binnenkomt, komt minstens één keer in beeld, van behoorlijk dichtbij. Wat heeft die vent gedaan? Vertrouwelijke informatie geüpload?'

'Zoiets, ja.'

'Bankiers. Man, zijn ze niet walgelijk? Er zijn nog twee andere camera's.' Hij wees ze aan.

Een ervan was aan een zijmuur bevestigd en ging langzaam heen en weer, als een tuinsproeier. De tafels stonden haaks op de camera, en dat betekende dat de gasten niet vol in het gezicht gefilmd werden, maar dat ze waarschijnlijk wel mooie profielopnamen van de klokkenluider zou krijgen.

Mooi.

De andere camera was gericht op een kleine nis aan de linkerkant van de voordeur, waar maar vier tafeltjes stonden. Ook die maakte opnamen van opzij en bevond zich dichter bij de tafeltjes dan de camera in de grote ruimte.

'Laten we naar de beelden gaan kijken,' zei ze.

'Dan moeten we naar het kantoor. Na u.' Hij stak zijn arm uit, die versierd was met een veelkleurige tatoeage in Chinees schrift van honderden karakters lang.

Sachs dacht onwillekeurig: wat kan daar in godsnaam staan dat de pijn waard is?

Om nog maar te zwijgen over hoe hij het aan zijn kleinkinderen zou moeten uitleggen.

30

Tjongejonge, die steeg op een warme middag.

Smerig.

Eén ding kon de stegen van New York niet ontzegd worden: eigenlijk waren ze een stukje bewaard gebleven geschiedenis, als in een museum. De voorgevels van de appartementen en – althans hier in Little Italy – van de winkels veranderden met elke generatie, maar de stegen zagen er bij benadering nog net zo uit als een eeuw geleden. Er hingen verbleekte metalen en houten bordjes met aanwijzingen en waarschuwingen voor mensen die hier iets kwamen afleveren. *Zet je wielen vast!* De muren van baksteen en natuursteen waren niet geschilderd, werden nooit schoongemaakt en zagen er haveloos uit. Ongelijke, geïmproviseerde deuren, laadperrons, buizen die nergens heen leidden en bedrading die je voor geen goud zou willen aanraken.

En het stonk er.

Op warme dagen als deze was het voor de keukenhulp bepaald geen pretje om het afval naar de container te brengen die ze deelden met een paar andere restaurants, omdat het naastgelegen sushi-restaurant altijd 's nachts het afval dumpte. Je hoefde dus niet te raden waar het 's middags naar rook.

Vis.

Toch was er in de steeg ook iets leuks te zien: de woning boven de Java Hut. Het scheen dat daar een beroemd iemand had gewoond. Sanchez, de kelner, had hem verteld dat het om een of andere Amerikaanse schrijver ging, Mark Twin of zo. De keukenhulp kon goed Engels lezen en had Sanchez beloofd dat hij eens iets zou zoeken wat die Twin had geschreven, maar hij was er nooit aan toe gekomen.

Hij gooide het afval weg, met ingehouden adem uiteraard, en draaide zich weer om naar de delicatessenzaak. Er stond een auto in de steeg, dicht bij de Java Hut: een roodoranje Ford Torino Cobra.

Fraai.

Maar die zou weggesleept worden.

De keukenhulp besefte dat hij nog steeds zijn adem inhield. Hij ademde uit en in en trok zijn neus op. De stank prikte gewoon in zijn neus.

Oude vis. Warme vis.

Even was hij bang dat hij moest overgeven. Hij liep naar de auto om hem te bekijken. Hij hield van auto's. Zijn zwager was gearresteerd omdat hij een paar heel mooie BMW M3's had gestolen, nieuwe modellen. Dat was lang niet gemakkelijk. Iedereen kon een Accord jatten. Maar alleen een man met ballen wist een M3 te ontvreemden. Hersenen had je er echter niet per se voor nodig. Ramon was precies twee uur en twintig minuten later gearresteerd. Toch, je moest het hem nageven.

Hé, kijk nou! Deze wagen had een plaatje van de politie op het dashboard. Wat voor politieagent reed in zo'n auto? Misschien...

Op dat moment schoot er een bal van vlammen en rook uit de achterdeur van de Java Hut. De keukenhulp werd omver geblazen en belandde op een stapel kartonnen dozen achter de Hair Cuttery. Hij rolde van de dozen en bleef versuft op de met olie besmeurde, natte keien liggen.

Jezus...

Er stroomden rook en vlammen uit de zaak.

De keukenhulp haalde zijn mobiel voor de dag en kneep zijn ogen dicht tegen de tranen.

Vervolgens tuurde hij naar het toetsenbord. Maar toen drong tot hem door wat er zou gebeuren als hij belde, zelfs al was het anoniem.

Meneer, wat is uw naam, adres, telefoonnummer, en hebt u misschien een rijbewijs of een paspoort waarmee u zich kunt identificeren?

Een geboortebewijs dan? Een werkvergunning?

Meneer, we hebben het nummer van uw telefoon hier...

Hij stopte de telefoon weg.

Het maakte toch niet uit, bedacht hij. Er zouden inmiddels wel andere mensen hebben gebeld. Trouwens, die explosie was zo krachtig geweest, dat iedereen daarbinnen ongetwijfeld dood was en dat het huis van die Mark Twin binnen een paar minuten in een smeulende puinhoop zou veranderen.

31

Ze reden met het busje door Bay Street en daarna door het centrum van Nassau, langs winkels met houten gevels en woonhuizen in gele, roze en groene pasteltinten, kleuren die Lincoln Rhyme deden denken aan de snoepjes die hij vroeger met kerst kreeg.

De stad bestond voornamelijk uit laagbouw; de skyline werd gedomineerd door de oceaanschepen in de dokken of op open zee, links van hen. Rhyme had ze nog nooit van zo dichtbij gezien. Ze waren reusachtig groot en torenden tientallen meters boven hem uit. In het centrum was alles schoon en opgeruimd, veel meer dan in de wijken rond het vliegveld. In tegenstelling tot in New York City stonden overal bomen, volop in bloei, met wortels die het trottoir en het wegdek ontwrichtten. Deze wijk werd enerzijds bevolkt door serieuze zakenlieden – advocaten, accountants en verzekeringsagenten – en anderzijds door kleine middenstanders die alle mogelijke artikelen aanboden om de passagierende toeristen van de cruiseschepen hun portemonnee te laten trekken.

Een van de populairste artikelen was het piratenpak. Bijna de helft van de kinderen op straat had een plastic sabel in de hand en droeg een zwarte piratenhoed met doodshoofd.

Ze kwamen langs een paar regeringsgebouwen. Parliament Square, zag Rhyme. Er stond een standbeeld van koningin Victoria, gezeten met een scepter in haar hand, in de verte turend alsof ze aan koloniën dacht die belangrijker waren, of koloniën die meer problemen opleverden.

Het rolstoelbusje viel hier niet op; er reden veel van dit soort voertuigen rond, alleen hadden die geen elektrische lift. Zoals Rhyme al eerder had opgemerkt, ging het verkeer hier traag, op het irritante af. Hij besloot dat het niet kwam omdat de mensen zo lui waren, maar dat het gewoon een kwestie was van te veel auto's en te weinig wegen en straten.

En scooters. Die zag je overal.

'Is dit wel de beste route?' mompelde hij.

'Jazeker,' antwoordde zijn verzorger. Hij draaide naar rechts, East Street in.

'Het duurt veel langer dan ik had verwacht.'

Thom reageerde niet. De stad werd armoediger naarmate ze naar het zuiden afzakten. Meer stormschade, meer hutjes, meer geiten en kippen.

Ze reden langs een bord:

Bescherm je zaakje!
Gebruik ALTIJD een condoom

Rhyme had verscheidene telefoontjes moeten plegen om erachter te komen waar Mychal Poitier precies zat, uiteraard zonder de man zelf aan de lijn te krijgen. Nassau had een eigen rechercheafdeling, de Central Detective Unit, die echter niet in het hoofdbureau was gevestigd. Poitier had laten doorschemeren dat hij bij de CDU zat, maar de receptioniste zei dat ze weliswaar dacht dat hij inderdaad bij die eenheid zat, maar dat hij niet in hetzelfde gebouw werkte. Ze wist niet waar zijn kantoor dan wel te vinden was.

Uiteindelijk had hij het centrale nummer gebeld en werd hem verteld dat Poitier op het hoofdbureau van politie in East Street zat.

Toen ze aankwamen, keek Rhyme door de smerige ramen van het busje en nam hij het complex in zich op. Het hoofdbureau was een samenraapsel van architectonisch niet goed op elkaar afgestemde gebouwen. Het hoofdgebouw was modern, licht van kleur en had de vorm van een kruis dat plat was neergelegd. Her en der op het terrein stonden bijgebouwen. Een ervan was blijkbaar een cellencomplex (een zijstraat heette Prison Lane). Tussen de gebouwen lagen grasvelden – sommige keurig onderhouden, andere wat minder – en parkeerplaatsen met een ondergrond van zand en keien.

Functionele ordehandhaving.

Ze stapten uit. Weer hing de prikkelende geur van rook in de lucht. Ah, ja. Rhyme keek om zich heen en ontdekte waar de geur vandaan kwam: in de achtertuin van een nabijgelegen woonhuis werd afval verbrand. Dat deden ze hier blijkbaar overal.

'Kijk, Lincoln, zo'n ding hebben wij ook nodig,' zei Pulaski. Hij wees naar de voorkant van het hoofdgebouw.

'Wat?' zei Rhyme nors. 'Een gebouw, een radioantenne, een deurkruk, een gevangenis?'

'Een wapenschild.'

De RBPF had een tamelijk indrukwekkend logo, dat de bewoners van de eilanden moed, integriteit en trouw beloofde. Waar ter wereld vond je die drie in één handzaam pakketje?

'Ik koop wel een T-shirt voor je als souvenir, groentje.' Rhyme reed de stoep op en ging zonder enige bedenking het gebouw binnen. De hal vormde een weinig indrukwekkende entree, sleets en vervuild. Het was er vergeven van de mieren en de vliegen. Er waren geen agenten in burger; iedereen liep in uniform rond. Het meest voorkomende uniform bestond uit een wit jasje en een zwarte broek met onopvallende rode strepen aan de zijkant. De weinige agentes die binnen waren droegen hetzelfde witte jasje op een gestreepte rok. Velen – iedereen had een zwarte huidskleur – droegen een hoofddeksel: een traditionele politiepet of een witte tropenhelm.

Koloniaal...

Zo'n tien toeristen en plaatselijke inwoners zaten op banken te wachten of stonden in de rij om een politiefunctionaris te spreken te krijgen, waarschijnlijk om een misdrijf aan te geven. De meesten leken niet zozeer getraumatiseerd als wel murw. Rhyme vermoedde dat het in veel gevallen ging om zoekgeraakte paspoorten, aanranding en diefstal van camera's, portemonnees en auto's.

Het ontging hem niet dat hij en zijn bescheiden gevolg veel bekijks kregen. Vóór hem in de rij stond een middelbaar stel, Amerikanen of Canadezen. 'Nee, meneer, gaat u maar eerst, hoor.' De vrouw richtte zich tot hem als tot een vijfjarig kind. 'Nee, nee, echt.'

Rhyme ergerde zich mateloos aan hun neerbuigende gedrag. Thom merkte het en verstijfde, waarschijnlijk omdat hij een uitbarsting van Rhyme verwachtte, maar de criminalist keek de vrouw glimlachend aan en bedankte haar beleefd. De stennis die hij van plan was te gaan schoppen, reserveerde hij voor de politie zelf.

Vooraan in de rij stond een man met een glanzende zwarte huid. Zijn shirt hing uit zijn spijkerbroek. Hij deed zijn beklag tegen een aantrekkelijke baliemedewerkster, die hem alle aandacht schonk. Het ging over een geit die gestolen zou zijn.

'Misschien is dat beest er gewoon vandoorgegaan,' zei de vrouw.

'Nee, nee, het touw is doorgesneden. Ik heb foto's gemaakt. Zal ik ze laten zien? Het touw is doorgesneden. Ik heb foto's! Mijn buurman. Ik weet zeker dat mijn buurman dit gedaan heeft.'

De snijsporen op het touw zouden terug te voeren zijn op het mes van de buurman. Hennepvezels blijven overal op zitten; die zouden ze ongetwijfeld nog ergens kunnen terugvinden. Het had onlangs nog geregend; er waren vast nog wel voetafdrukken.

Snel opgelost, dacht Rhyme glimlachend. Hij vond het jammer dat Sachs er niet bij was, anders had hij zijn gedachten met haar gedeeld.

Geiten...

De man kreeg te horen dat hij nog wat langer naar zijn geit moest blijven zoeken.

Toen reed Rhyme naar voren. De baliemedewerkster kwam iets omhoog uit haar stoel, tuurde over de balie en keek hem aan. Hij vroeg naar Mychal Poitier.

'Ik zal hem even bellen. En u bent...?'

'Lincoln Rhyme.'

Ze toetste een nummer in. 'Meneer Poitier, met brigadier Bethel van de balie. Ene Lincoln Rhyme en nog een paar mensen willen u graag spreken.' Ze keek naar haar beige, ouderwetse telefoon en verstrakte terwijl ze luisterde naar wat ze te horen kreeg. 'Ja, zeker, meneer Poitier. Maar hij is er al, zoals ik al zei... Nou, hier voor me aan de balie.'

Had ze van Poitier moeten zeggen dat hij er niet was?

Rhyme zei: 'Als hij het druk heeft, mag u wel zeggen dat ik met alle plezier wil wachten, hoor. Zo lang als het duurt.'

Ze keek weifelend naar Rhyme en zei in de telefoon: 'Hij zei...' Maar blijkbaar had Poitier hem gehoord. 'Ja, meneer Poitier.' Ze legde de hoorn neer. 'Hij komt er over een minuutje aan.'

'Dank u.'

Ze begaven zich naar een onbezet gedeelte van de wachtkamer.

'Gods zegen,' zei de vrouw die haar plaats had afgestaan aan de zielige drommel.

Rhyme voelde dat Thom een hand op zijn schouder legde, maar ook nu glimlachte hij alleen maar.

Thom en Pulaski gingen op een bankje naast Rhyme zitten. Boven hen aan de muur hingen tientallen geschilderde portretten en foto's van commissarissen en hooggeplaatste functionarissen van de Royal Bahamas Police Force. Het geheel bestreek heel wat jaren. Rhyme liet zijn blik langs de galerie gaan. Het verschilde niet van de muren met portretten die je elders zag: gezichten waar niets op af te lezen viel en die net als koningin Victoria in de verte keken, niet rechtstreeks naar de schilder of fotograaf. Zonder enige emotie, en toch: wat zouden die ogen in die collectieve honderden jaren binnen het politiekorps wel niet hebben gezien?

Rhyme vroeg zich af hoe lang Poitier op zich zou laten wachten toen er vanuit een gang een jonge politiefunctionaris verscheen, die naar de balie toe liep. Hij was gekleed in de bekende zwarte broek met rode strepen en een openstaand blauw shirt met korte mouwen. Vanaf het bovenste knoopje liep een kettinkje naar zijn linkerborstzak. Een fluitje?

vroeg Rhyme zich af. De donkergetinte man, die een semiautomatisch pistool droeg, had geen pet op. Hij had kortgeknipt, dik haar. Zijn ronde gezicht stond niet vrolijk.

Brigadier Bethel wees naar Rhyme en zei dat dit de man was die naar hem had gevraagd. De jonge inspecteur draaide zich om en knipperde in opperste verbazing met zijn ogen. Hoewel hij probeerde ergens anders naar te kijken, gleed zijn blik onmiddellijk naar de rolstoel en naar Rhymes benen. Weer knipperde hij met zijn ogen, en hij leek zich uiterst ongemakkelijk te voelen.

Rhyme wist dat het niet alleen zijn komst was waardoor de politieman van zijn stuk was gebracht.

Dit had niets te maken met een moord of geopolitiek. *Wat moet ik met een invalide?*

Poitier bleef nog even staan; misschien hoopte hij dat ze hem nog niet gezien hadden. Kon hij nog wegkomen? Toen vermande hij zich, kwam met zichtbare tegenzin in beweging en liep naar ze toe.

'Ach, meneer Rhyme.' Hij sprak op een terloopse, bijna vrolijke toon. Precies zoals de toeriste die hem even geleden had toegesproken. Poitier stak aarzelend zijn hand uit, alsof hij liever geen hand gaf maar vond dat het moreel verwerpelijk was om althans geen gebaar te maken. Toen Rhyme aanstalten maakte om hem de hand te reiken, pakte de politieman die gehaast, schudde hem vluchtig en trok de zijne snel weer terug.

Een dwarslaesie is niet besmettelijk, hoor, dacht Rhyme verbitterd.

'Meneer Poitier, dit is inspecteur Pulaski van de politie van New York. En dit is mijn verzorger, Thom Reston.'

Handen werden geschud, deze keer minder aarzelend. Maar Poitier nam Thom van top tot teen in zich op. Misschien was hij onbekend met het concept 'verzorger'.

Poitier keek om zich heen en zag dat verschillende collega's verstard toekeken, als kinderen die doen alsof ze een standbeeld zijn.

Hij richtte zijn aandacht meteen weer op de rolstoel en op Rhymes verlamde benen. Maar de trage bewegingen van Rhymes rechterarm leken hem nog het meest te intrigeren. Uiteindelijk kon Poitier zich ertoe zetten om Rhyme recht in de ogen te kijken.

De criminalist ergerde zich aanvankelijk aan de manier waarop Poitier hem tegemoet trad, maar toen maakte zich een gevoel van hem meester dat hij al een tijdje niet meer gehad had: hij schaamde zich. Hij schaamde zich voor zijn lichamelijke toestand. Hij hoopte dat het gevoel zou omslaan in woede, maar dat gebeurde niet. Hij voelde zich nietig en zwak.

Door de verbijsterde blik van Poitier was hij verschrompeld.

Schaamte...

Hij probeerde het vervelende gevoel van zich af te zetten en zei op vlakke toon: 'Ik wil de zaak graag met u bespreken, meneer Poitier.'

Poitier keek weer om zich heen. 'Ik ben bang dat ik u alles al heb verteld.'

'Ik zou graag de forensische rapporten inzien en een kijkje op de plaats delict nemen.'

'Dat zal niet gaan. De plaats delict is verzegeld.'

'Meestal gebeurt dat om de burger de toegang te ontzeggen; dat geldt toch niet voor forensisch medewerkers?'

'Maar u bent...' Een aarzeling; het lukte Poitier zowaar om niet naar Rhymes benen te kijken. 'U bent hier niet in functie, meneer Rhyme. Hier bent u een burger. Het spijt me.'

Pulaski zei: 'We willen u graag helpen met deze zaak.'

'Ik heb het heel druk.' Hij was blij dat hij zich tot Pulaski kon wenden, iemand die op beide benen stond. Iemand die normaal was. 'Heel druk,' zei Poitier nog eens. Hij draaide zich om naar een prikbord, waarop een aanplakbiljet hing met daarop in grote letters het woord VERMIST en een foto van een glimlachende blondine, zo te zien gedownload van Facebook.

Rhyme zei: 'De studente waar u het over had.'

'Ja. Waar u geen...'

Poitier had willen zeggen: *Waar u geen boodschap aan had.* Rhyme wist het zeker.

Maar hij had zich ingehouden.

Dat had hij natuurlijk gedaan omdat Rhyme geen partij voor hem was. Hij was zwak. Eén hatelijke opmerking en Rhyme zou misschien helemaal van slag raken.

Hij bloosde.

Pulaski zei: 'Meneer Poitier, zouden we dan misschien het forensisch rapport mogen inzien, en het sectierapport? Dat zou hier ter plekke kunnen. Dan hoeven we ze niet mee te nemen.'

Goede insteek, dacht Rhyme.

'Ik ben bang dat dat niet mogelijk is, meneer Pulaski.' Hij durfde Rhyme zowaar nog een blik toe te werpen.

'Kunnen we dan de plaats delict zien?'

Poitier kuchte of schraapte zijn keel. 'Ik moet die intact laten tot we iets van de Venezolaanse autoriteiten gehoord hebben.'

Rhyme speelde het spelletje mee. 'Ik zal de plaats delict absoluut niet vervuilen.'

'Toch kan het niet. Het spijt me.'

'De moord op Moreno is voor ons heel anders dan voor u, zoals u laatst hebt uitgelegd. Toch hebben we forensische gegevens nodig.'

Anders hebt u voor niets een risico genomen toen u me die bewuste avond vanuit het casino hebt gebeld. Dat was de impliciete boodschap.

Rhyme zweeg met opzet over Amerikaanse veiligheidsdiensten of sluipschutters. Als ze op de Bahama's op zoek wilden naar Venezolaanse drugskoeriers zou hij zich daar niet mee bemoeien. Maar hij had verdomme wel dat bewijsmateriaal nodig.

Hij keek naar het aanplakbiljet van de vermiste studente.

Ze had een aantrekkelijk gezicht en een brede, ontwapenende lach.

De beloning die was uitgeloofd, bedroeg slechts vijfhonderd dollar.

Hij fluisterde tegen Poitier: 'Uw korps heeft een afdeling Vuurwapens. Dat zag ik op uw website. Mag ik dan tenminste hun rapport over de kogel inzien?'

'Die afdeling is nog niet aan de zaak toegekomen.'

'Omdat ze wachten op de Venezolaanse autoriteiten.'

'Inderdaad.'

Rhyme haalde diep adem en probeerde zich te beheersen. 'Ik vraag u vriendelijk…'

'Meneer Poitier.' Een stem galmde door het vertrek.

Een man in een kaki uniform stond in een deuropening, met achter hem een schemerige gang. Met een donker gezicht – zowel qua huidskleur als uitstraling – keek hij naar de vier mannen bij de balie.

'Meneer Poitier,' herhaalde hij streng.

De politiefunctionaris draaide zich om en knipperde met zijn ogen. 'Ja, commissaris.'

Een korte stilte. 'Als je daar klaar bent, wil ik je in mijn kantoor zien.'

Rhyme gokte dat de strenge man de Bahama-versie van Bill Myers was. 'Zeker, commissaris.'

De jonge politieman draaide zich weer om en leek danig onder de indruk. 'Dat is commissaris McPherson. Hij staat aan het hoofd van heel New Providence. U moet nu echt gaan. Ik zal met u meelopen naar uw auto.'

Toen Poitier met hen naar buiten liep, hield hij ongemakkelijk de deur voor Rhyme open, en ook nu wendde hij zijn blik af van de invalide man.

Rhyme reed in zijn elektrisch aangedreven rolstoel naar buiten. Thom en Pulaski sloten de rij. Ze gingen terug naar het busje.

Poitier fluisterde: 'Meneer Rhyme, ik heb heel wat op het spel gezet door u die informatie toe te spelen – over dat telefoontje, over de man in de South Cove Inn. Ik had gehoopt dat u uw onderzoek in de Verenigde Staten zou voortzetten. Niet hier.'

'Ik stel het zeer op prijs dat u me die informatie gegeven hebt. Maar dat was niet voldoende. We hebben bewijsmateriaal nodig.'

'Dat is helaas niet mogelijk. Ik had u uitdrukkelijk gevraagd niet hiernaartoe te komen. Het spijt me. Meer kan ik niet voor u doen.' De slanke jonge inspecteur tuurde naar de hoofdingang, alsof hij bang was dat zijn baas hem nog steeds in de gaten hield. Poitier kookte van woede, zag Rhyme. Hij zou het liefst flink tekeergaan. Maar zijn enige reactie was een kleinerende afwijzing.

Gods zegen...

'Hier hebt u niets meer te zoeken, meneer Rhyme. Neem het er een paar dagen van, ga lekker eten. U zult wel niet veel uitgaan...' Hij brak zijn zin abrupt af en besloot het anders te verwoorden. 'U hebt waarschijnlijk zo'n drukke baan dat u weinig aan uzelf toekomt. Bij de haven zijn een paar goede restaurants. Voor toeristen.'

Rolstoeltoegankelijk vanwege de talloze oude en invalide passagiers die hier met cruiseschepen worden aangevoerd.

Rhyme liet het er niet bij zitten. 'Ik had aangeboden u ergens anders te treffen. Maar dat wilde u niet.'

'Ik had niet gedacht dat u echt hiernaartoe zou komen.'

Rhyme zweeg even. Toen zei hij tegen Thom en Pulaski: 'Ik zou meneer Poitier graag even onder vier ogen spreken.'

De twee mannen liepen alvast naar het busje.

Weer liet Poitier zijn blik over de benen en het verlamde lichaam van de criminalist gaan. Hij begon: 'Ik wou dat ik...'

'Meneer Poitier,' beet Rhyme hem toe, 'hou toch op met die spelletjes, verdomme.' Eindelijk was de schaamte omgeslagen in kille woede.

De inspecteur knipperde verschrikt met zijn ogen.

'U hebt me aanwijzingen gegeven waar ik zonder de forensische gegevens helemaal niets mee kan. Compleet waardeloos zijn ze. U had zich de kosten voor het telefoongesprek verdomme kunnen besparen.'

'Ik wilde u alleen maar helpen,' zei hij op vlakke toon.

'U wilde alleen maar uw geweten zuiveren.'

'Mijn...?'

'U belde me niet vanwege het onderzoek. U belde me om er niet zo'n last van te hebben dat u uw werk niet goed doet. U hebt me waardeloze informatie gegeven, en vervolgens zegt u dat u op de Venezolaanse autoriteiten moet wachten, zoals u te verstaan hebt gekregen.'

'U begrijpt het niet,' verweerde Poitier zich. De man verloor zelf ook zijn geduld. Zweet parelde op zijn voorhoofd, en zijn ogen spuwden vuur. 'U verdient uw geld in Amerika – tien keer zo veel als wat we hier krijgen – en als dat niet bevalt, neemt u een andere baan, en dan verdient u net zo veel of misschien wel meer. Dat soort dingen kunnen we hier niet doen, meneer Rhyme. Ik heb al te veel op het spel gezet. Ik heb u in alle vertrouwen dingen verteld, en nu…' Hij begon te stamelen van opwinding. '… nu bent u hier. Zodat de commissaris het weet! Ik heb een vrouw en twee kinderen, die van mij afhankelijk zijn. Ik hou ontzettend veel van ze. Wat geeft u het recht om mijn baan op het spel te zetten?'

Rhyme beet van zich af. 'Uw baan? Uw baan is om erachter te komen wat er op 9 mei in de South Cove Inn gebeurd is, wie er heeft geschoten, wie binnen uw district een moord heeft gepleegd. Dát is uw baan. U moet zich niet achter de praatjes van uw superieuren verschuilen.'

'U begrijpt het niet! Ik…'

'Als u een inspecteur wilt zijn, moet u daar ook naar handelen. Zo niet, dan kunt u maar beter teruggaan naar de afdeling Bedrijfsinspectie en Vergunningen, meneer Poitier.'

Rhyme draaide zich om en reed in de richting van het busje, waar Pulaski en Thom bezorgd en ontsteld zijn kant op keken. Achter een van de ramen zag Rhyme iemand staan die naar hen keek. Hij wist bijna zeker dat het de commissaris was.

32

Nadat ze bij het politiebureau waren weggegaan, reed Thom door de smalle, slecht geplaveide straten van Nassau naar het noordwesten.

'Oké groentje, er is werk aan de winkel. Ik wil dat jij eens gaat rondvragen in de South Cove Inn.'

'Gaan we dan niet weg?'

'Natuurlijk gaan we niet weg. Wil je aan het werk of wil je me in de rede blijven vallen?' Zonder een antwoord af te wachten, herinnerde Rhyme de jonge agent aan de informatie die inspecteur Poitier hun laatst telefonisch had verschaft, over de Amerikaan die had geïnformeerd naar Moreno's reservering en over de man die de dag voor de aanslag bij het hotel was geweest en een kamermeisje naar Moreno had gevraagd – Don Bruns, de getalenteerde sluipschutter.

'In de dertig, Amerikaan, sportief, normaal postuur, kort bruin haar.' Pulaski herinnerde zich wat er op het whiteboard stond.

'Precies. Nou, ik kan niet zelf gaan,' zei de criminalist. 'Dat zou veel te veel opvallen. Wij blijven op het parkeerterrein op je wachten. Loop naar de receptie, laat je penning zien en vraag wat het nummer was van degene die uit Amerika belde. Informeer ook of er verder nog iets bekend is over de man die naar Moreno heeft gevraagd. Leg niet te veel uit. Je zegt gewoon dat je van de politie bent en dat je onderzoek doet.'

'Ik zal zeggen dat ik net van het politiebureau kom.'

'Hm. Goed gevonden. Gezaghebbend en tegelijkertijd vaag. Als je het nummer krijgt – en natuurlijk krijg je dat – bellen we Rodney Szarnek, dan kan hij contact opnemen met de betreffende telefoonmaatschappij. Is het je helemaal duidelijk?'

'Zeker weten, Lincoln.'

'Wat wil je daarmee zeggen, "zeker weten"?'

'Ik zal doen wat je gevraagd hebt.'

'Pure taalvervuiling, zulke uitdrukkingen.' Hij was nog steeds gekwetst en geïrriteerd over wat hij zag als het verraad van Poitier – en dat ging verder dan diens weigering om te helpen.

Toen ze door de straten van Nassau manoeuvreerden, kreeg Rhyme een idee. 'Als je toch bij het hotel bent, vraag dan of Eduardo de la Rua, die journalist die bij de aanslag is omgekomen, daar iets heeft achtergelaten: bagage, een aantekenboekje, een computer. En doe alles wat in je macht ligt om het in handen te krijgen.'

'Hoe dan?'

'Dat weet ik niet. Het kan me niet schelen ook. Ik wil alle aantekeningen of opnamen hebben die De la Rua heeft gemaakt. De politie heeft niet veel werk gemaakt van het vergaren van bewijsmateriaal. Misschien is er in het hotel nog iets.'

'Straks heeft hij opgenomen dat Moreno vertelt dat iemand hem surveilleert.'

'Of anders dat iemand hem in de gaten houdt, aangezien je het woord "surveilleren" zo niet kunt gebruiken,' zei Rhyme scherp.

Pulaski zuchtte. Thom glimlachte.

De jonge agent dacht even na. 'De la Rua was journalist. Had hij geen camera bij zich? Misschien heeft hij foto's gemaakt in de kamer of op het terrein.'

'Daar heb ik niet aan gedacht. Goed. Ja. Misschien heeft hij foto's genomen van een surveillant.' Toen werd hij weer boos. 'De Venezolaanse autoriteiten. Wat een gelul.'

Rhymes mobieltje zoemde. Hij keek op het schermpje.

Wat krijgen we nou?

Hij nam op. 'Meneer Poitier?'

Was de man soms ontslagen? Belde hij om zich te verontschuldigen voor het feit dat hij uit zijn slof was geschoten en om te nog eens te benadrukken dat hij niets kon doen om hen te helpen?

De stem van de politieman was een zacht, boos gefluister. 'Ik lunch altijd vrij laat.'

'Pardon?'

'Vanwege mijn dienst,' ging Poitier scherp verder, 'lunch ik pas om drie uur. En wilt u soms nog weten wáár ik ga lunchen?'

'Wil ik dat?'

'Het is een eenvoudige vraag, meneer Rhyme!' bitste de inspecteur. 'Wilt u weten waar ik elke dag ga lunchen?'

'Ja, dat wil ik wel.' Meer kon de volkomen overrompelde Rhyme niet uitbrengen.

'Ik lunch altijd bij Hurricane's op de Baillou Hill Road. Vlak bij West Street. Daar lunch ik altijd!'

Het werd stil aan de andere kant. Rhyme hoorde niet meer dan een zachte klik, maar hij vermoedde dat de inspecteur woedend zijn duim op de knop had geramd.

'Nou.' Hij vertelde de anderen over het gesprek. 'Dat klinkt alsof hij ons toch nog wil helpen.'

Pulaski zei: 'Of hij gaat ons arresteren.'

Rhyme wilde daartegen ingaan, maar besloot dat de jonge agent een punt had. Hij zei: 'Voor het geval je gelijk hebt, groentje, veranderen we onze plannen. Thom en ik gaan lunchen of laten ons arresteren. Mogelijk allebei. Jij gaat vragen stellen in de South Cove Inn. We zullen een auto voor je huren. Thom, zijn we niet ergens langs een autoverhuurbedrijf gekomen?'

'Een Avis. Wil je dat ik daarheen rijd?'

'Natuurlijk. Ik vroeg het niet uit nieuwsgierigheid.'

'Word je het niet beu om de hele tijd zo goedgehumeurd te blijven, Lincoln?'

'Huurauto. Alsjeblieft. Nu.'

Rhyme zag dat hij gebeld was door Lon Sellitto. Dat had hij gemist tijdens de woordenwisseling met Poitier. Lon had geen bericht ingesproken. Rhyme belde terug, maar kreeg de voicemail. Hij sprak in dat hij gebeld had en deed het mobieltje weer weg.

Thom vond het Avis-kantoor op de GPS en reed die kant uit. Maar een paar minuten later zei hij onzeker: 'Lincoln.'

'Wat is er?'

'We worden gevolgd. Ik weet het zeker.'

'Niet achterom kijken, groentje!' Rhyme raakte om voor de hand liggende redenen niet vaak meer verzeild in gevaarlijke situaties, maar vroeger had hij niet zelden op plaatsen delict gewerkt waar de dader nog kon rondhangen om erachter te komen welke inspecteurs het onderzoek deden en wat voor aanwijzingen ze vonden. Soms probeerden dergelijke figuren je zelfs ter plekke te vermoorden. De instincten die hij in die jaren had ontwikkeld, stonden nog steeds op scherp. En regel nummer één was dat je nooit mocht laten merken dat je wist dat je in de gaten gehouden werd.

Thom vervolgde: 'Er kwam ons een auto tegemoet, maar zodra we voorbij waren, draaide hij. Aanvankelijk vond ik dat niet zo vreemd, maar we volgen een behoorlijk zigzaggende route en hij rijdt nog steeds achter ons.'

'Beschrijf hem.'

'Een goudkleurige Mercury met een dak van zwart vinyl. Minstens tien jaar oud, zou ik zo zeggen.'

Zo oud waren veel auto's hier.

De verzorger wierp een blik in de spiegel. 'Twee, nee, drie inzittenden.

Zwarte mannen. Een jaar of twintig, dertig. T-shirts, één grijs, één groen, korte mouwen. Eén geel zonder mouwen. Ik kan hun gezichten niet goed zien.'

'Je klinkt precies als een agent op patrouille, Thom.' Rhyme haalde zijn schouders op. 'Het zal de politie wel zijn, die een oogje in het zeil houdt. Die commissaris McPherson is niet erg gelukkig met vreemden in de stad.'

Thom keek nog eens in de achteruitkijkspiegel. 'Ik denk niet dat ze van de politie zijn, Lincoln.'

'Waarom niet?'

'De chauffeur heeft ringetjes in zijn oor, en de man naast hem heeft dreadlocks.'

'Undercover.'

'En ze geven een joint aan elkaar door.'

'Oké. Misschien niet.'

33

Weinig dingen zijn walgelijker dan de vieze rook die ontstaat nadat er een kneedbom is ontploft.

Amelia Sachs rook het, proefde het. Ze trilde over haar hele lijf. En haar oren tuitten.

Sachs stond voor de restanten van de Java Hut en wachtte – vol ongeduld – tot de bomexperts de zaak hadden onderzocht. Ze wilde de plaats delict zelf onderzoeken, maar de jongens van de explosieven-opruimingsdienst van het zesde district in Greenwich Village voerden altijd eerst een verkennend onderzoek uit om te kijken of er nog meer explosieven lagen, bedoeld om reddingswerkers uit te schakelen. Dat was een bekende tactiek, zeker in landen waar een bomaanslag gewoon een manier was om een politiek statement te maken. Misschien had Don Bruns zijn opleiding in het buitenland genoten.

Sachs knipte met haar vingers bij haar oren. Ze was blij om te merken dat ze ondanks het suizen nog redelijk goed kon horen.

Toen ze bedacht waar ze haar leven en dat van de gasten in de koffietent aan te danken had, moest ze even lachen.

Samen met Jerry, de getatoeëerde manager van de Java Hut-vestiging, was ze een schemerig kantoortje binnengegaan, waar de computer van de zaak stond. Ze hadden allebei een stoel bijgetrokken, hij had zich naar het beeldscherm gebogen en had een wachtwoord voor het oude Windowssysteem ingevoerd.

'Dit is het programma met de bewakingsvideo.' Jerry had het programma aangeklikt en haar uitgelegd hoe ze de MPG-bestanden kon openen, hoe ze kon doorspoelen en terugspoelen, hoe ze het beeld stil kon zetten en hoe ze beelden kon kopiëren om ze door te mailen of op een USB-stick te zetten.

'Ik snap het. Bedankt.'

Ze had haar stoel dichterbijgeschoven en had zich op de vier vlakken geconcentreerd, waarin de beelden van de vier camera's te zien waren: twee in de zaak zelf, een bij de kassa, en een in het kantoortje.

Ze was net begonnen de banden terug te spoelen, van vandaag naar 11 mei – de dag waarop de klokkenluider de STO had verstuurd – toen haar oog viel op de beelden die in het kantoortje waren gemaakt. Een man liep naar voren.

Wacht. Daar klopte iets niet. Ze zette de band stil.

Wat was hier zo vreemd aan?

Ach ja, natuurlijk, dat was het. Ze had gegrinnikt. Doordat ze de beelden terugspoelde, liep iedereen achteruit. Maar de persoon die te zien was op de beelden die in het kantoortje waren gemaakt, liep vooruit, wat betekende dat hij in het echt áchteruit was gelopen, het kantoor uit.

Waarom zou iemand dat doen?

Ze had de manager erbij gehaald, maar die had er niet om kunnen lachen. 'Kijk naar de tijdsaanduiding. Dat is nog geen tien minuten geleden. En ik heb geen idee wie dat is. In elk geval niet iemand die hier werkt.'

Het was een slanke man met kort haar, voor zover ze dat kon zien onder dat honkbalpetje. Hij droeg een windjack en had een rugzakje.

Jerry was van zijn stoel opgestaan en naar de achterdeur gelopen. Hij had gevoeld of die nog op slot zat. 'Deze deur is open. Jezus, iemand heeft hier ingebroken!'

Sachs had de beelden een stukje verder teruggespoeld en had de videoband vervolgens normaal afgespeeld. Ze zagen dat de man het kantoor binnenkwam en een paar keer probeerde op de computer in te loggen. Daarna deed hij een poging het ding op te tillen, maar het zat met stalen strips aan de vloer vast. De man had naar de monitor gekeken en zag waarschijnlijk toen pas dat zijn aanwezigheid op video werd vastgelegd. Hij had zich niet naar de camera omgedraaid maar had achteruitlopend het kantoor verlaten.

Ze wist zeker dat het de sluipschutter was.

Op de een of andere manier was hij erachter gekomen dat er een klokkenluider in het spel was. Hij was hiernaartoe gekomen om te zien of hij achter diens identiteit kon komen. Waarschijnlijk had hij Jerry en haar horen aankomen. Sachs had de band nogmaals afgedraaid, en deze keer zag ze dat hij voor zijn vertrek iets kleins achter de computer leek te leggen. Wat…?

O, verdomme, nee!

Hij had een bom achtergelaten – dát had hij achter de computer neergelegd. Als hij de computer niet kon meenemen, moet de Dell er maar aan geloven. Moest ze proberen het ding onschadelijk te maken? Nee, die bom kon elk moment afgaan. 'Naar buiten, iedereen naar buiten!' schreeuwde ze. 'Een bom. Er ligt hier een bom! De zaak moet ontruimd worden. Iedereen naar buiten!'

'Maar dat is…'

Sachs had Jerry bij diens getatoeëerde arm gepakt en hem meegetrokken naar de uitgang, terwijl ze de barmannen, de bordenwasser en de klanten maande de zaak halsoverkop te verlaten. Ze liet haar badge zien. 'Politie. Iedereen naar buiten! Er is een gaslek!'

Te ingewikkeld om uit te leggen dat er een bom lag.

Het ding was afgegaan toen ze net de laatste klant naar buiten had gewerkt, een onwillige jonge student die klaagde dat hij zijn gratis tweede kop koffie nog niet had gehad.

Sachs was nog binnen toen ze de bom had voelen afgaan, in haar borst, in haar oren, en via de vloer, in haar voeten. Twee grote ramen waren kapotgesprongen en een groot deel van het interieur was verwoest. Ogenblikkelijk was die smerige, vettige rook ontstaan. Ze was door de deur naar buiten gesprongen en het was haar gelukt daarbij rechtop te blijven, want als ze naar buiten was gedoken en tegen het beton was gesmakt – zoals je zo vaak in actiethrillers ziet – wist ze zeker dat haar knie haar dat nooit had vergeven.

De bomexperts kwamen naar buiten. 'Je kunt naar binnen,' hoorde ze, al klonk het alsof de commandant door een muur van watten sprak. Het was echt een heel harde knal geweest. Kneedbommen ontploffen met een snelheid van ongeveer vijfenzeventighonderd meter per seconde.

'Wat was het?' zei ze. Toen hij haar lachend aankeek, wist ze dat ze geschreeuwd had.

'Dat weten we pas zeker als we de rapporten van de FBI en de explosievendienst binnenkrijgen. Maar mijn idee? Militair spul – we hebben brokstukken in camouflagekleuren gevonden. Wordt voornamelijk gebruikt om personen uit te schakelen. Maar het werkt ook heel goed om dingen op te blazen.'

'Zoals computers.'

'Wat?' vroeg de man.

Haar gehoor was duidelijk van slag; deze keer had ze te zacht gepraat. 'En computers.'

'Daar is het uitermate geschikt voor,' zei de commandant. 'De harddrive wordt in duizend stukjes uiteengereten, die voor het grootste deel ook nog eens smelten. Einde verhaal.'

Ze bedankte hem. Er arriveerde een forensisch team uit Queens in een speciaal busje vol spullen om bewijsmateriaal veilig te stellen. Ze kende de twee medewerkers, een Aziatisch-Amerikaanse vrouw en een gezette jongeman uit Georgia. Hij zwaaide naar haar. Ze zouden er vast geen bezwaar tegen hebben om de plaats delict gelijktijdig met haar te onderzoeken, maar ze wilde dat per se in haar eentje doen. Voorschrift van Lincoln Rhyme.

Sachs liet haar blik over de smeulende resten van de Java Hut gaan, met haar handen op haar heupen.

Jeetje...

Een kneedbom veroorzaakt niet alleen een smerige geur, maar vervuilt een plaats delict ook ontzettend.

Ze trok een Tyvek-overall aan, de luxe versie van Evident, die de onderzoeker in kwestie beschermt tegen gevaarlijke stoffen en de plaats delict beschermt tegen de onderzoeker. En vanwege de rook droeg ze een veiligheidsbril en een gasmasker.

Haar eerste gedachte was: hoe moet Lincoln me door dat masker horen?

Maar toen wist ze weer dat ze niet zoals gebruikelijk via een portofoon of videoapparatuur met hem in verbinding stond. Ze moest het in haar eentje klaren.

Weer bekroop haar een kil en leeg gevoel.

Niks van aantrekken, dacht ze geïrriteerd. Aan het werk.

En met opbergzakken en apparatuur in de hand begon ze de ruimte systematisch uit te kammen.

Terwijl Sachs zich een weg door de puinhopen baande, zocht ze geconcentreerd naar restanten van de bom, al had de commandant haar verteld dat er waarschijnlijk weinig meer van te vinden zou zijn. Ze vond het met name jammer dat de verdachte geen gewone bom had gebruikt om de boel te vernietigen, maar een die tegen personen werd ingezet.

Sachs inspecteerde de achterdeur, waar Bruns het slot had geforceerd en waar de bomschade beperkt was gebleven. Ze nam tientallen monsters: sporen uit het steegje en van de deurpost, genoeg om een profiel op te stellen van de stoffen die juist in dit deel van de stad te vinden waren. Alles wat uniek was en mogelijk in het huis of het kantoor van de verdachte werd aangetroffen, kon als bewijsmateriaal dienen.

Ze betwijfelde of dit nuttig was. Net als in elke willekeurige steeg in New York waren hier zoveel sporen dat het nog heel lastig zou worden om de relevante eruit te vissen. Te veel bewijsmateriaal is vaak een even groot probleem als te weinig.

Nadat ze de plaats delict had uitgekamd, trok ze snel de overall uit, niet omdat ze bang was dat ze anders besmet zou raken met gevaarlijke stoffen, maar omdat ze van nature claustrofobisch was aangelegd en het strakke plastic om haar lijf op haar zenuwen werkte.

Ze haalde diep adem, deed haar ogen even dicht en liet het gevoel toe, waarna het afzakte.

De klokkenluider... Hoe moesten ze hem in godsnaam opsporen nu de videobeelden waren verdwenen?

Het leek een hopeloze zaak. Wie een ingewikkelde e-mail-proxy-route gebruikte om te voorkomen dat hij getraceerd kon worden, zou met zorg de plek hebben uitgekozen om de documenten te versturen. Hij zou hier geen vaste klant zijn en zou niet met een creditcard hebben betaald. Maar toen kreeg ze een idee: hoe zat dat met andere klanten? Ze kon er vast wel een paar opsporen die hier op 11 mei rond 13.00 uur waren geweest. Misschien hadden zij de bijzondere laptop van de klokkenluider gezien, de iBook. Of misschien waren er toeristen geweest die met hun mobieltje foto's van elkaar hadden gemaakt, foto's waar de klokkenluider per toeval ook op stond.

Ze liep naar Jerry toe, die totaal van slag was en treurig naar de restanten van zijn zaak zat te kijken, en vroeg hem naar de creditcard-gegevens van de klanten. Toen hij zich er eenmaal toe kon zetten de hoofdvestiging van de Java Hut te bellen, had ze binnen tien minuten een lijst met de namen van een tiental klanten die hier rond het bewuste tijdstip waren geweest. Ze bedankte hem en stuurde het bestand door naar Lon Sellitto. Daarna belde ze de inspecteur op.

Ze vroeg of een paar medewerkers van de Special Services van Bill Myers misschien contact met de klanten konden opnemen om te vragen of iemand op die dag foto's had gemaakt in de Java Hut of zich iemand kon herinneren die een aparte, oude laptop bij zich had.

Sellitto antwoordde: 'Ja, tuurlijk, Amelia, ik zal het doorgeven.' Hij zat wat in zichzelf te brommen. 'Dit brengt schot in de zaak. Een kneedbom? Denk je dat het Bruns was, of hoe die vent in werkelijkheid ook mag heten?'

'Lijkt me wel het meest voor de hand liggen. Op de videobeelden was hij niet goed te zien, maar in grote lijnen voldeed hij aan de beschrijving die het kamermeisje van de South Cove Inn heeft gegeven. Hij wist alle sporen dus uit – waarschijnlijk op bevel van Metzger.' Ze produceerde een zuur lachje. 'In de Java Hut is geen spoortje meer te vinden.'

'Jeetje, Metzger en Bruns gaan wel heel ver, zeg. Blijkbaar vinden ze het zo belangrijk om met die moordlijst door te gaan dat het ze niks uitmaakt of er onschuldigen bij om het leven komen.'

'Hoor eens, Lon. Ik wil dit stilhouden.'

Hij lachte schamper. 'Ja, hoor, natuurlijk. Een kneedbom in Manhattan, verdomme?'

'Kunnen we het zo spelen dat het een gaslek was en de zaak nog onderzocht wordt, gewoon om de boel een paar dagen geheim te houden?'

'Ik zal zien wat ik kan doen. Maar je weet hoe de pers is.'

'Een dag of twee, meer vraag ik niet.'

Hij mompelde: 'Ik doe mijn best.'

'Bedankt.'

'Trouwens, ik ben blij dat ik je aan de lijn heb. De jongens van Myers hebben de vrouw opgespoord met wie Moreno op 1 mei door de stad heeft getoerd. Lydia. Ik krijg haar adres en telefoonnummer over een paar minuten binnen.'

'Dat hoertje.'

Hij grinnikte. 'Als je naar haar toe gaat, zou ik dat niet meteen zeggen.'

34

Lincoln Rhyme bracht zijn rechterhand langzaam naar zijn mond om er een *conch fritter* met pikante saus van het huis in te stoppen. Conch fritters waren gefrituurde schelpdieren, knapperig vanbuiten en zacht vanbinnen. Daarna pakte hij een blikje Kalik-bier en nam een slok.

Hurricane's – een vreemde naam voor een restaurant gezien het weer in deze contreien – was een sober ingerichte eetgelegenheid in een achterafstraatje in het centrum van Nassau. Helderblauw en rood geverfde muren, een kromgetrokken houten vloer, een paar smoezelige foto's van de lokale stranden – of misschien die van Goa of de kust van Jersey, dat was moeilijk te zien. Een paar ventilators aan het plafond draaiden langzaam, maar zonder iets uit te richten tegen de hitte. Het enige resultaat was dat de vliegen er onrustig van werden.

Maar het eten was misschien wel het lekkerste wat Rhyme ooit had geproefd.

Al vond hij elk gerecht dat je zelf aan een vork kunt prikken en waarbij je niet gevoerd hoeft te worden per definitie fantastisch.

'Schelpdieren,' zei Rhyme peinzend. 'Ik heb nog nooit weefsel van schelpdieren onderzocht. Oesters, een keer. Heel smakelijk. Kun je dit thuis ook klaarmaken?'

Thom, die tegenover Rhyme zat, stond op en vroeg de kok om het recept. De ronde vrouw, die er met de rode bandana om haar hoofd uitzag als een marxistische revolutionair, schreef het voor hem op en drukte hem op het hart vooral verse schelpdieren te kopen. 'Nooit uit blik. Nooit.'

Het was bijna drie uur en Rhyme begon zich af te vragen of Poitier hun de aanlokkelijke uitnodiging soms had gegeven om een arrestatieteam op hen af te sturen, zoals Pulaski had geopperd.

Daar lunch ik altijd!

Rhyme besloot zich er maar geen zorgen over te maken. Hij nam nog een hapje en een slok bier.

Aan hun voeten bedelde een zwart met grijze hond om restjes. Rhyme negeerde het kleine, gespierde dier, maar Thom gaf het wat stukjes conch fritter en brood. De hond was ongeveer een halve meter hoog, had hangoren en een lange snuit.

'Nu laat hij je nooit meer met rust,' mopperde Rhyme. 'Dat weet je.'
'Hij is leuk.'

De serveerster, een slankere en jongere versie van de chef en waarschijnlijk haar dochter, zei: 'Het is een *potcake*-hond. Die zie je alleen hier op de eilanden. De naam komt van wat wij zwerfhonden te eten geven, rijst met groene erwten, oftewel *potcake*.'

'En die mogen hierbinnen vrij rondlopen?' vroeg Rhyme kritisch.

'O, ja hoor. De klanten vinden dat leuk.'

Rhyme gromde iets en keek naar de deur, waar hij elk moment Mychal Poitier of een stel gewapende en geüniformeerde politiemannen met een arrestatiebevel verwachtte.

Zijn telefoon ging, en hij bracht het toestel naar zijn oor. 'Groentje, wat ben je te weten gekomen?'

'Ik ben in de South Cove Inn. En ik heb het. Het nummer van de man die belde over Moreno's reservering. Het is een mobiel nummer en hij belde vanuit Manhattan.'

'Uitstekend. Het zal wel een prepaidtoestel zijn, niet te traceren. Maar Rodney kan vrij nauwkeurig bepalen waarvandaan er gebeld is. Een kantoor misschien, of een sportschool, of een Starbucks waar onze sluipschutter graag zijn latte drinkt. Dat is voor Rodney een fluitje van een cent...'

'Maar...'

'Nee, het is heel eenvoudig. Hij begint bij de centrales en interpoleert dan de signaalgegevens van de masten daar in de buurt. De sluipschutter zal de telefoon inmiddels wel hebben weggegooid, maar Rodney zou de gegevens moeten kunnen achterhalen...'

'Lincoln.'

'Wat is er?'

'Het is geen prepaidtelefoon en hij wordt nog gebruikt.'

Rhyme was sprakeloos. Dit was een ongelooflijke meevaller.

'Ben je er klaar voor?'

Hij kon weer wat uitbrengen. 'Groentje! Kom ter zake!'

'Hij staat op naam van Don Bruns.'

'Onze sluipschutter.'

'Precies. Hij heeft bij het aanmaken van zijn account zijn persoonsnummer en adres opgegeven.'

'Wat is het adres?'

'Een postbusnummer in Brooklyn. Op naam van een lege vennootschap in Delaware. En het persoonsnummer is vals.'

'Maar we hebben de telefoon. Laat Rodney nagaan hoe vaak hij gebruikt wordt en waar hij zich bevindt. We krijgen op dit punt nog geen gerechtelijk bevel om hem af te luisteren, maar kijk of Lon of iemand anders een rechter kan overhalen toestemming te geven om vijf seconden mee te luisteren en een stemafdruk te krijgen.'

Vervolgens zouden ze de stemafdruk kunnen vergelijken met het .wav-bestand dat de klokkenluider naar de politie had gestuurd en konden ze bevestigen dat degene die de telefoon gebruikte inderdaad de sluip-schutter was.

'En laat Fred Dellray uitzoeken wie er achter de lege vennootschap zit.'

'Doe ik. Effe wat anders.'

Éven wat anders. Maar Rhyme hield zich in. Hij had het joch van-daag al genoeg op de huid gezeten.

'Die journalist, De la Rua. Die heeft hier in het hotel niets achter-gelaten. Toen hij kwam voor het interview, had hij een tas of koffer bij zich, maar hier in het hotel weten ze zeker dat de politie die heeft mee-genomen, tegelijk met de lijken.'

Hij vroeg zich af of Poitier – als hij tenminste kwam opdagen en een behulpzame bui had – die spullen aan hen zou willen afgeven.

'Ik wacht nog even op het kamermeisje om haar te vragen naar de Amerikaan die hier de dag voor de aanslag was. Ze komt over een half-uur.'

'Goed werk, Pulaski. Doe je wel voorzichtig? Enig teken van die Mer-cury met blowende inzittenden?'

'Nee, en ik kijk goed uit mijn doppen. En bij jullie? O, wacht. Als jij het aan mij vraagt, hebben jullie ze natuurlijk afgeschud.'

Rhyme glimlachte. De jongen leerde snel.

35

'Dus Lydia is geen prostituee,' zei Amelia Sachs.

'Nee,' zei Lon Sellitto. 'Ze tolkt.'

'Is dat geen dekmantel voor prostitutiepraktijken? Weet je het zeker?'

'Absoluut. Wat ze doet, is volstrekt legaal. Ze werkt al tien jaar als commercieel vertaler voor grote bedrijven en advocatenkantoren. Voor de zekerheid heb ik haar even nagetrokken: geen strafblad, niks te vinden in de gemeentelijke of landelijke databases, niks bij de FBI of NCIC. Moreno had wel vaker van haar diensten gebruikgemaakt.'

Sachs produceerde een kort, cynisch lachje. 'Tjonge, wat zat ik ernaast, zeg. Escortservice, terroriste. Jeetje. Als het gewoon legitiem is wat ze doet, zal hij haar niet bij illegale praktijken hebben betrokken, maar het lijkt me voor de hand liggen dat ze wel iets interessants te vertellen heeft. Waarschijnlijk weet ze heel wat over hem.'

'Dat lijkt me ook,' vond Sellitto.

Wat wíst Lydia eigenlijk precies? vroeg Jacob Swann zich af, die voorovergebogen achter het stuur van zijn in Midtown geparkeerde Nissan meeluisterde omdat hij de 3G van Amelia Sachs had afgetapt, want dat was een koud kunstje bij dat apparaat. Hij was nu blij dat ze bij de aanslag op de Java Hut niet om het leven was gekomen. Dit was goud waard.

'Wat voor talen?' vroeg Sachs. Swann had het mobiele nummer van de andere beller ook te pakken en wist wie het was. Lon Sellitto, ook iemand van de politie, hadden de jongens van de technische dienst hem verteld.

'Russisch, Duits, Arabisch, Spaans en Portugees.'

Interessant. Meer dan ooit wilde Swann nu haar naam en adres weten. Als het kon.

'Ik ga nu naar haar toe.'

Nou, dat zou nog eens makkelijk zijn: inspecteur Sachs en een getuige, samen in één appartement. Met Jacob Swann en de Kai Shun.

'Heb je een pen?'

'Ik ben er klaar voor.'

Ik ook, dacht Jacob Swann.

Sellitto zei: 'Haar volledige naam is Lydia...'

'Wacht!' riep Sachs.

Swann vertrok zijn gezicht bij het harde geluid en hield zijn mobieltje een eindje van zijn oor af.

'Wat?'

'Er klopt iets niet, Lon. Dat bedenk ik me net. Hoe wist Bruns van de Java Hut?'

'Hoe bedoel je?'

'Hij is me niet gevolgd toen ik daarheen ging, want hij was er al voordat ik aankwam. Hoe wist hij waar hij moest zijn?'

'Verdomd. Denk je dat hij je mobieltje afluistert?'

'Zou kunnen.'

O, shit. Swann zuchtte.

Sachs zei: 'Ik zoek wel een andere telefoon, een vaste verbinding, en dan bel ik je via het centrale nummer van het hoofdbureau.'

'Is prima.'

'Ik gooi mijn mobieltje weg. Moet jij ook doen.'

De verbinding werd verbroken. Jacob Swann luisterde naar volstrekte stilte.

36

Aanvankelijk vond Amelia Sachs het voldoende om de batterij uit haar telefoon te halen.

Maar toen sijpelde de paranoia naar binnen als water in de slecht dichtgekitte kelder van haar huis in Brooklyn en gooide ze het toestel bij de rokende puinhopen van de Java Hut in een put.

Ze vroeg een agent om haar kleinste biljet, een tientje, te ruilen voor vier dollar aan kleingeld, belde het politiebureau vanuit een telefooncel in de buurt en werd doorverbonden.

'Sellitto.'

'Lon.'

'Denk je echt dat hij meeluisterde?' vroeg hij.

'Ik neem geen enkel risico.'

'Oké, ik vind het prima. Maar ik ben pisnijdig. Dat was een nieuwe android. De klootzak. Ben je er nu wel klaar voor?'

Ze had een pen in haar hand en een aantekenblok op het vlekkerige plankje onder de telefoon. 'Ga je gang.'

'De tolk heet Lydia Foster.' Hij gaf Sachs haar adres aan Third Avenue. En haar telefoonnummer.

'Hoe hebben ze haar gevonden?'

'Door hard te werken,' zei Sellitto. 'Ze zijn begonnen op de bovenste verdieping van het kantoorgebouw waar Moreno haar heeft opgepikt, de achtentwintigste, en hebben toen naar beneden gewerkt. Natuurlijk hadden ze haar pas op de tweede verdieping te pakken, het heeft hun eeuwen gekost. Ze is freelancer en vertaalde voor een bank.'

'Ik ga haar meteen bellen.' Toen zei ze: 'Hoe heeft hij verdomme onze telefoons kunnen afluisteren, Lon? Er zijn niet veel mensen die dat voor elkaar krijgen.'

De oudere inspecteur zei somber: 'Die vent heeft veel te goede connecties.'

'En nu kent hij ook jouw telefoonnummer,' waarschuwde ze. 'Kijk uit je doppen.'

Hij lachte ruw. 'Dat is een term die Linc beslist niet zou goedkeuren.'

Door zijn woorden miste ze Rhyme nog meer.

'Je hoort van me als ik wat te weten ben gekomen,' zei ze.

Een paar minuten later kreeg Sachs Lydia Foster aan de lijn en legde haar uit waarom ze belde.

'Ach, meneer Moreno. Ja, het speet me erg om dat te horen. Ik heb het afgelopen jaar drie keer voor hem getolkt.'

'Elke keer in New York?'

'Inderdaad. De mensen met wie hij ging praten, spraken vrij goed Engels, maar hij wilde ze via mij in hun eigen taal toespreken. Hij dacht dat hij ze dan beter zou aanvoelen. Ik moest hem niet alleen vertellen wat ze zeiden, maar ook hoe ze er volgens mij tegenover stonden.'

'Ik heb de chauffeur gesproken die u op 1 mei heeft rondgereden. Hij zei dat u zelf ook met meneer Moreno in gesprek raakte.'

'Dat klopt. Hij was een heel sociale man.'

Sachs merkte dat haar hart sneller ging kloppen. De vrouw zou best eens een bron van informatie kunnen zijn.

'Hoeveel mensen hebben jullie die laatste keer gesproken?'

'Vier, geloof ik. Een paar non-profitorganisaties die werden geleid door Russen, en wat mensen uit Dubai en van het Braziliaanse consulaat. Hij heeft ook in zijn eentje nog iemand gesproken. Die man sprak vloeiend Engels en Spaans. Daar had hij mij niet bij nodig, dus heb ik bij de Starbucks beneden in het kantoorgebouw op hem gewacht.'

Of misschien wilde hij niet dat je hoorde wat ze bespraken.

'Ik zou graag met u willen komen praten.'

'Dat is goed, als ik kan helpen doe ik het graag. Ik ben de hele dag thuis. Ik zal al mijn verslagen opzoeken en op volgorde leggen.'

'Houdt u overal verslagen van bij?'

'Ik schrijf elk woord op. Het zal u verbazen hoe vaak cliënten papieren die ik hen toestuur kwijtraken of er geen back-up van maken.'

Nog beter.

Op dat moment zoemde haar telefoon: een sms, gemarkeerd als dringend. 'Een ogenblikje, alstublieft,' zei ze tegen Lydia Foster. Toen las ze het bericht.

Bruns telefoon nog in gebruik. Stemafdruk klopt – het is hem. Is nu in Manhattan. Bel Rodney Szarnek.
– Ron

Ze zei: 'Mevrouw Foster, ik moet eerst iets anders doen, maar daarna kom ik naar u toe.'

37

Rhyme zat in restaurant Hurricane's en had net zijn Kalik-biertje op toen hij achter zich een stem hoorde.

'Dag.'

Mychal Poitier.

Het blauwe shirt van de politieman vertoonde overduidelijk zweet-plekken in de vorm van rorschachvlekken en op zijn donkere broek met de rode strepen zat zand en modder. Hij had een rugzak bij zich en zwaaide naar de serveerster, die hem lachend begroette en ervan opkeek dat hij bij de invalide man uit Amerika ging zitten. Ze noteerde een be-stelling zonder te vragen wat hij wilde hebben en bracht een glas met een soort kokosdrank.

'Ik ben aan de late kant doordat we helaas de studente hebben ge-vonden. Ze is tijdens het zwemmen verdronken. Hebt u een momentje? Ik zal mijn rapport even uploaden.' Uit zijn rugzak haalde hij een ver-weerde leren tas met een iPad en startte het ding op. Hij typte een paar woorden in en drukte op 'verzenden'.

'Nu heb ik net even wat meer tijd om met u te praten. Ik zal zeggen dat ik wat andere zaken met betrekking tot het incident heb nage-trokken.' Hij knikte in de richting van zijn iPad. 'Ongelukkige situatie.' Zijn gezicht stond ernstig. Het drong tot Rhyme door dat hij op Ver-keer, de afdeling waar hij eerst zat, en later op de afdeling Bedrijfs-inspectie en Vergunningen waarschijnlijk weinig tragische gevallen had meegemaakt, weinig zaken die een ingrijpende weerslag op het leven van politiemensen kunnen hebben, waardoor ze milder worden of juist een deuk oplopen. 'Ze is verdronken op een plek die normaal ge-sproken niet gevaarlijk is, maar blijkbaar had ze gedronken. We hebben rum en cola in haar auto aangetroffen. Ach ja, studenten. Die menen dat ze het eeuwige leven hebben.'

'Mag ik eens zien?' vroeg Rhyme.

Poitier draaide het scherm naar hem toe, en Rhyme bekeek de foto's die langzaam voorbijkwamen. Alle kleur was uit het lichaam van het slachtoffer weggetrokken, een gevolg van bloedverlies. De huid was door het water gerimpeld. Vissen of andere waterdieren hadden grote delen van haar gezicht en hals weggevreten. Moeilijk om haar leeftijd te schatten. Rhyme kon zich de foto op het aanplakbiljet niet goed meer voor de geest halen. Hij vroeg hoe oud ze was.

'Drieëntwintig.'

'Wat studeerde ze?'

'Latijns-Amerikaanse literatuur aan het Nassau College. Ik heb haar familie in Amerika gebeld. Ze komen het stoffelijk overschot ophalen.' Zijn stem zakte weg. 'Ik heb nog nooit zo'n gesprek hoeven voeren. Het was erg moeilijk.'

Ze had een slank figuur, atletisch, een kleine tatoeage op haar schouder – een sterretje – en ze droeg allerlei gouden sieraden. Het kettinkje dat ze om had, met kleine blaadjes eraan, was het enige dat van zilver was.

'Is ze door een haai aangevallen?'

'Nee, waarschijnlijk door barracuda's. Van haaien hebben we hier niet zo veel last. En toen ze is gaan zwemmen, waren ze waarschijnlijk net op jacht. Zo nu en dan komt het wel eens voor dat ze een badgast bijten, maar over het algemeen vallen de verwondingen mee. Waarschijnlijk is ze verdronken doordat ze met de stroom is meegetrokken. Toen hebben de vissen haar te pakken gekregen.'

Rhyme zag dat de ernstigste verwondingen rond de hals zaten. Er staken stompjes van de halsslagader door de huid heen. Een groot deel van de hoofdhuid was weggevreten. Rhyme prikte wat conches aan zijn vork en at ze op. Ze waren werkelijk erg lekker.

Toen schoof hij de iPad terug naar de politieman. 'Ik neem aan dat u niet hiernaartoe gekomen bent om ons aan te houden?'

De man schoot in de lach. 'Het kwam heel even bij me op. Ik was tamelijk boos. Maar nee, ik ben naar u toegekomen om u weer te helpen.'

'Dank u, meneer Poitier. Deze keer voel ik me verplicht alles met u te delen wat ík weet.' En hij vertelde de man over NIOS, over Metzger, over de sluipschutter.

'De moordkamer. Wat een kille benaming.'

Nu Rhyme wist dat Poitier min of meer aan zijn kant stond, vertelde hij hem dat Pulaski met het kamermeisje van de South Inn Cove zou gaan spreken om meer te weten te komen over de verkenningsmissie die de sluipschutter had ondernomen, de dag voordat hij Moreno had doodgeschoten.

Poitier keek hem grijnzend aan. 'Een agent uit New York die zich geroepen voelt mijn werk voor me te doen. Wat een rare situatie, met dank aan de politiek.'

De serveerster bracht het eten – een stoofschotel van groenten en stukjes donker vlees, kip of geit, gokte Rhyme. En wat geroosterd brood erbij. Poitier brak een stukje brood af en gaf dat aan de hond die in de zaak rondscharrelde. Daarna trok hij het bord naar zich toe, stopte zijn servet in zijn shirt, op de plek waar de ketting van zijn borstzakje naar een knoop aan zijn kraag liep. Hij drukte op een paar toetsen op zijn iPad en richtte zich tot Rhyme. 'Ik zal nu een hapje eten, en ondertussen kan ik Thom een paar dingen over de Bahama's vertellen, over de geschiedenis en de cultuur. Als hij dat wil.'

'Dat zou ik leuk vinden, ja.'

Poitier duwde de iPad naar Rhyme toe. 'En u, meneer Rhyme, wilt misschien liever nog wat foto's bekijken van de prachtige omgeving hier.'

Terwijl de politieman zich tot Thom richtte en de twee mannen in gesprek raakten, begon Rhyme door de foto's te scrollen.

Een foto van een gezin, waarschijnlijk dat van Poitier, op het strand. Een lieftallige vrouw en lachende kinderen. Daarna een barbecue met een man of tien.

Een foto van een zonsondergang.

Een foto van een muziekuitvoering op school.

Een foto van de eerste bladzijde van het rapport over de moord op Robert Moreno.

Als een spion had Poitier er foto's van genomen, met zijn iPad.

Rhyme keek even naar de politieman, maar die lette niet op hem en praatte met Thom over de koloniale geschiedenis van de Bahama's, terwijl hij de hond zo nu en dan nog wat brood toewierp.

Eerst werden Moreno's laatste dagen op aarde beschreven, voor zover Poitier had kunnen achterhalen.

Moreno was samen met zijn bodyguard, Simon Flores, op zondag 7 mei in Nassau aangekomen. Ze hadden de maandag buiten het hotel doorgebracht en hadden waarschijnlijk vergaderingen bijgewoond; Moreno leek niet iemand die met dolfijnen ging zwemmen of graag ging jetskiën. De volgende dag had hij vanaf negen uur 's ochtends gasten ontvangen. Vlak nadat die waren vertrokken, rond halfelf, kwam de journalist, Eduardo de la Rua. De aanslag vond rond kwart over elf plaats.

Poitier had ontdekt wie er die dag bij Moreno langs waren geweest, en hij had met ze gesproken. Het waren plaatselijke zakenlieden die in de landbouw en het transport zaten. Moreno had een joint venture met hen willen opzetten als hij op de Bahama's een vestiging van zijn Local Empowerment Movement oprichtte. Wat ze deden was volstrekt legaal, en ze waren al jaren gerespecteerde leden van de zakenwereld in Nassau.

Geen enkele getuige wist te vertellen of Moreno in de gaten gehouden werd of dat iemand ongebruikelijk veel interesse in hem getoond had – los van het telefoontje voor zijn komst en de Amerikaan met het lichtbruine haar.

Toen scrolde Rhyme door naar het rapport over de plaats delict zelf. Dat stelde hem teleur. Het forensisch team had zevenenveertig vingerafdrukken gevonden – naast die van de slachtoffers – maar ze hadden er maar de helft van geanalyseerd. Die bleken allemaal van het hotelpersoneel te zijn. In het rapport stond dat de andere vingerafdrukken verdwenen waren.

Men had weinig moeite gedaan om de slachtoffers zelf op sporen te onderzoeken. Informatie over de plek waar het slachtoffer was neergeschoten zou bij een aanslag door een sluipschutter normaal gesproken natuurlijk weinig opleveren, aangezien de schutter een heel eind weg zat. Maar in dit geval was de sluipschutter in het hotel geweest, al was dat een dag eerder, en hij had misschien een kijkje in de moordkamer genomen om te zien hoe die er uitzag en uit welke hoek hij het beste kon schieten. Bij die gelegenheid had hij misschien sporen achtergelaten, ook al hoefden er niet per se vingerafdrukken van hem te zijn achtergebleven. Maar het forensisch team had de kamer praktisch niet op sporen onderzocht; ze hadden alleen een paar snoeppapiertjes en wat peukjes veiliggesteld die naast de asbak bij het lichaam van de bodyguard waren aangetroffen.

De volgende afbeeldingen op de iPad, foto's van de moordkamer zelf, spraken echter boekdelen. Moreno was neergeschoten in het zitgedeelte van de suite. Alles en iedereen in de kamer was bezaaid met glasscherven. Moreno lag languit op een bank, het hoofd naar achteren, mond open, een bloedvlek op zijn shirt, met in het midden een grote zwarte stip, de ingangswond. De bekleding van de bank achter hem zat vol donker bloed en viezigheid, waarschijnlijk het gevolg van de grote uitgangswond.

De andere slachtoffers lagen op hun rug bij de bank. De een, een forse man met een Latijns-Amerikaans uiterlijk, was geïdentificeerd als Simon Flores, de bodyguard van Moreno. De ander was een kalende man van in de vijftig met een modieus baardje: De la Rua, de journalist. Ze zaten onder de glasscherven en onder het bloed, en hun huid vertoonde op tal van plaatsen snijwonden.

Er was ook een foto van de kogel zelf, die op de grond lag naast een klein bordje van de forensische dienst met het getal 14 erop. De kogel was in het kleed blijven steken, een metertje van de bank af.

Rhyme ging naar de volgende pagina in de verwachting nog meer te zien te krijgen.

Maar op de volgende foto stond Poitier weer met zijn vrouw, allebei in een strandstoel.

Zonder om te kijken zei Poitier: 'Meer is er niet.'

'Niets over de sectie?'

'Die is al wel uitgevoerd, maar de resultaten zijn nog niet binnen.'

Rhyme vroeg: 'En de kleren van de slachtoffers?'

Nu keek hij de criminalist aan. 'In het mortuarium.'

'Ik heb mijn collega in de South Cove gezegd navraag te doen naar de camera van De la Rua, diens cassetterecorder en alle andere spullen die hij bij zich had. Hij heeft gemeld dat alles naar het mortuarium is gegaan. Die spullen zou ik graag willen zien.'

Poitier lachte sceptisch. 'Dat had ik ook wel gewild.'

'Had gewild?'

'Ja, dat hebt u goed gehoord, meneer Rhyme. Tegen de tijd dat ik ernaar vroeg, waren ze verdwenen, samen met alle waardevolle spullen van de slachtoffers.'

Op een van de foto's had Rhyme gezien dat de bodyguard een Rolex droeg, en bij de journalist lag een gouden pen.

Poitier voegde eraan toe: 'Blijkbaar moet je er als de kippen bij zijn om het bewijsmateriaal veilig te stellen als je hier een plaats delict onderzoekt. Daar ben ik nu ook achter. Die notaris waar ik het over had?'

'De vooraanstaande notaris.'

'Ja, die,' zei Poitier met een lachje. 'Nadat hij was vermoord, maar nog voor onze rechercheurs ter plekke waren, hadden ze zijn kantoor leeggeroofd.'

Rhyme zei: 'Maar jullie hebben de kogel in elk geval wel.'

'Dat klopt. In onze kluis. Maar toen jullie me op het bureau kwamen opzoeken, moest ik toch bij commissaris McPherson komen? Ik moest al het bewijsmateriaal in de zaak-Moreno aan hem overdragen. Hij heeft zich erover ontfermd en de boel achter slot en grendel gelegd. Hij is de enige die erbij kan. O, en ik mocht van hem ook geen contact meer met u hebben.'

Rhyme zuchtte. 'Ze willen echt niet dat er resultaten worden geboekt, hè?'

Met een bitterheid die Rhyme nog niet van Poitier kende, zei de politieman: 'Ah, maar er zijn al wel resultaten geboekt. De zaak is zelfs al opgelost. De drugskartels hebben de moord op hun geweten. Een wraakactie voor het een of ander. Onvoorspelbaar, die gewetenloze drugskartels.' De man keek hem grijnzend aan. Toen zei hij op gedempte toon: 'Ik had gehoopt u concreet bewijsmateriaal te kunnen overhandigen, maar dat is me dus niet gelukt. Maar ik kan u wel rondleiden.'

'Rondleiden?'

'Inderdaad. De zuidwestkust van New Providence Island is een prachtige toeristische attractie. Een stukje land van een paar honderd meter lang, geteisterd door tropische stormen, hoofdzakelijk bestaand uit rotsen en stranden met vervuild zand. De highlights zijn een illegale vuilstortplaats, een metaalfabriek die regelmatig wegens milieuschandalen in het nieuws is en een bedrijf waar autobanden worden gerecycled.'

'Klinkt fantastisch,' zei Thom.

'Het is een heel populaire plek om naartoe te gaan. Dat was het althans voor een Amerikaanse toerist. Hij is er op 9 mei geweest, 's morgens rond kwart over elf. Een van de toppers waar hij veel belangstelling voor had, was de South Cove Inn. Hij had er ongehinderd uitzicht op, op een afstand van precies eenentwintighonderd en tien meter. Omdat u hier toch als toerist bent, dacht ik dat u daar wel in geïnteresseerd zou zijn. Klopt dat?'

'Dat klopt helemaal, meneer Poitier.'

'Laten we dan meteen maar gaan. Misschien kan ik hier binnenkort niemand meer rondleiden.'

38

Terwijl ze zich naar het centrum haastte, verbrak Amelia Sachs de verbinding met Rodney Szarnek van de eenheid Computercriminaliteit. Ze had een prepaidmobieltje gebruikt – uit eigen zak betaald, uiteraard contant – en vertrouwde erop dat het gesprek niet afgeluisterd was door de man die ze op het spoor waren.

Szarnek had haar verteld dat de sluipschutter van NIOS op dat moment een gesprek voerde in de buurt van Wall Street en dat hij te voet was.

Hij had Sachs uitgelegd waar de man zich ongeveer bevond en daar racete ze nu naartoe. Als ze er was, zou ze terugbellen en dan zou Rodney proberen de exacte coördinaten vast te stellen.

Ze trapte de koppeling van haar Torino Cobra diep in, schakelde ruw terug naar een lagere versnelling, zodat het toerental omhoogging, gaf gas en liet twee strepen rubber achter op het beton.

Ze zigzagde door het verkeer tot ze even verderop een opstopping zag. 'Kom op, kom op.' Snel schoot ze een straat naar het oosten in en probeerde vervolgens een U-bocht te maken, maar doordat ze voor een plotseling overstekende voetganger moest uitwijken, kwam ze weer in dezelfde rijrichting terecht. Ze probeerde het nog eens en schoot toen door zijstraatjes die in oostelijke en zuidelijke richting naar het centrum liepen.

'Verdomme,' mopperde Sachs toen het verkeer weer vast kwam te staan. Ze besloot de eerste dwarsstraat te nemen, die min of meer toegankelijk was, ook al was het eenrichtingverkeer en mocht ze er niet in. Andere automobilisten schrokken zich dood van haar manoeuvre en er klonk een schril koor van claxons. Er werden ook wat middelvingers opgestoken. Ze schoot rechts langs een gele taxi, net voordat de chauffeur wilde gaan parkeren, en toen was ze op Broadway en reed ze naar het zuiden. Ze stopte voor bijna elk rood licht.

Er was veel discussie over de vraag of telefoonmaatschappijen verplicht waren de politie informatie te verschaffen over telefoonverkeer. In noodgevallen werkten de meeste maatschappijen wel mee, ook zonder gerechtelijk bevel. Maar verder dan dat gingen ze niet. Rodney Szarnek wilde het zekere voor het onzekere nemen, dus had hij meteen contact opgenomen met een rechter toen hij van Pulaski het nummer van de sluipschutter had doorgekregen, en hij had een gerechtelijk bevel aangevraagd om vijf seconden te mogen meeluisteren voor het verkrijgen van een stemafdruk en om de locatie te kunnen bepalen.

Szarnek was erachter gekomen dat de telefoon gebruikt werd op de hoek van Broadway en Warren Street. Daarvoor had hij een driehoeksmeting gedaan, wat hem een globale plaatsbepaling had opgeleverd. Nu was hij bezig de signaalgegevens van zendmasten in die buurt in de berekeningen op te nemen. Het was in de stad veel gemakkelijker een telefoon op te sporen dan op het platteland, doordat er veel meer masten stonden. Het nadeel was natuurlijk wel dat er in de stad veel meer gebruikers waren, en dat maakte het weer moeilijker om die ene telefoonverbinding eruit te vissen.

Szarnek hoopte de GPS-gegevens te kunnen vaststellen, want daarmee kon hij de locatie van de sluipschutter tot op een meter nauwkeurig vaststellen.

Sachs kwam eindelijk in de buurt en scheurde met vijfenzestig kilometer per uur een bocht om, waarbij ze met een paar centimeter tussenruimte zowel een bus als een hotdogkraampje wist te ontwijken. In een zijstraat van Broadway kwam ze slippend tot stilstand. De geur van warme banden rees op, nostalgisch en geruststellend.

Ze keek naar de honderden voetgangers, van wie ongeveer tien procent liep te telefoneren. Was de schutter een van de mensen die ze op dit moment zag? Misschien die magere jongeman met het kortgeknipte haar in een kaki broek en een casual overhemd? Hij zag eruit als een militair. Of die norse, donkere man in het slechtzittende pak, die argwanend om zich heen keek en een donkere zonnebril droeg? Hij zag eruit als een huurmoordenaar, maar kon ook best een accountant zijn.

Hoe lang zou Bruns aan de telefoon blijven? Als hij ophing, konden ze hem nog steeds volgen, tenzij hij de batterij uit het toestel trok. Maar het was gemakkelijker iemand te spotten die liep te bellen.

Ze bedacht dat dit ook een valstrik kon zijn. De explosie in de Java Hut kon ze zich maar al te goed herinneren. De sluipschutter wist van het onderzoek. En hij wist ook dat zij erbij betrokken was; hij had Sachs' telefoon afgeluisterd en zo over het koffiehuis gehoord. Er kroop een lichte huivering van angst over haar rug.

Haar mobieltje begon te trillen.

'Sachs.'

'Ik heb hem op de GPS!' riep Rodney Szarnek opgewonden als een tiener (hij had een keer gezegd dat hij het werk voor de politie bijna net zo leuk vond als een spelletje Grand Theft Auto spelen). 'We zitten op de server van de telefoonmaatschappij en kunnen hem volgen. Hij loopt aan de westkant van Broadway. Bij Vesey, op dit moment.'

'Ik ben onderweg.' Sachs liep de kant uit die Rodney had aangegeven en voelde een steek in haar linkerheup; de knie alleen was kennelijk niet erg genoeg. Ze stak haar hand in haar achterzak en haalde er een blister-verpakking Advil uit zonder de stiletto te verplaatsen. Ze scheurde hem met haar tanden open, slikte de pillen snel door en gooide de verpakking op straat.

Onmiddellijk ging ze weer achter haar prooi aan.

Szarnek: 'Hij blijft staan, misschien voor een verkeerslicht.'

Sachs baande zich een weg tussen de voetgangers door, ongeveer op de manier waarop ze eerder tussen de auto's door was geschoten, en kwam bij een kruising, waar voetgangers en het verkeer in zuidelijke richting voor rood stonden te wachten.

'Hij staat er nog,' zei Szarnek. Er klonk nu geen rockmuziek in zijn kantoor.

Op een afstand van een meter of twaalf zag ze het licht op groen springen. De mensen op de stoep haastten zich naar de overkant.

'Hij loopt weer.' Een blok later zei Szarnek zonder enige emotie: 'Hij heeft opgehangen.'

Verdomme.

Sachs ging sneller lopen en keek of ze iemand een telefoon zag weg-doen. Niemand. En ze had het duistere vermoeden dat dit zijn laatste telefoontje met dit toestel zou zijn. De sluipschutter was tenslotte geen amateur; hij wist vast dat mobieltjes gevaarlijk konden zijn. Misschien had hij haar zelfs gezien en belandde zijn telefoon straks in hetzelfde riool als die van Sachs.

Bij Dey Street sprong het licht op rood. Ze moest blijven staan, om-ringd door een groep van zo'n twintig mensen: zakenlui, bouwvakkers, studenten, toeristen. Een etnische mengelmoes, uiteraard. Blank, Azia-tisch, Latino, zwart en diverse combinaties daarvan.

'Amelia?' Rodney Szarnek was weer aan de lijn.

'Zeg het maar,' zei ze.

'Hij wordt gebeld. Het toestel zou nu over moeten gaan.'

Op dat moment begon de telefoon in de zak van een man rechts van Sachs te zoemen.

Ze stonden letterlijk schouder aan schouder.

Hij beantwoordde ongeveer aan de beschrijving van de man in de South Cove Inn die inspecteur Mychal Poitier van de politie van de Bahama's hen verschaft had: een blanke man met een compact en atletisch lichaam. Hij droeg een lange broek, een overhemd en een windjack. En een honkbalpet. Ze kon niet zien of hij bruin haar had; het leek eerder donkerblond, maar een getuige kon dat gemakkelijk bruin hebben genoemd. Het was kortgeknipt, net als dat van de sluipschutter. Zijn veterschoenen waren glanzend gepoetst.

Militair.

Ze zei opgewekt in haar telefoon: 'Nou, dat is zeker interessant.'

Szarnek vroeg: 'Sta je naast hem?'

'Je hebt het precies goed.' Nu niet overdrijven met dat toneelspel, hield ze zichzelf voor.

Het licht sprong op groen en ze wachtte tot de man overstak.

Sachs vroeg zich af of er een manier was om de identiteit van de man te achterhalen. Een paar jaar geleden hadden zij en Rhyme een zaak gehad waarbij ze de hulp hadden ingeroepen van een jonge vrouwelijke illusionist en goochelaar, die ook heel goed was in zakkenrollen – alleen om de mensen in het theater te vermaken, had ze hun lachend verzekerd. Nu zou Sachs haar hulp goed kunnen gebruiken. Zou ze zelf haar vingers in de jaszak van de man durven steken om een portefeuille of een bonnetje of zo te bemachtigen?

Onmogelijk, oordeelde ze. Zelfs al was ze zo handig geweest, de man leek veel te veel op zijn hoede en keek steeds om zich heen.

Ze staken over en liepen verder over Broadway, voorbij Liberty Street. Toen ging de sluipschutter plotseling rechtsaf, Zuccotti Park in, waar op dat moment niemand was. Op hetzelfde moment zei Szarnek: 'Hij gaat in westelijke richting door Zuccotti.'

'Daar heb je gelijk in.' Ze hield het toneelspelen nog even vol, ook al kon haar prooi haar waarschijnlijk niet horen.

Ze volgde hem schuin het park door. Aan de westkant ging hij via Trinity naar het zuiden.

Szarnek vroeg: 'Hoe ga je het aanpakken, Amelia? Moet ik versterking laten komen?'

Ze dacht na. Ze konden hem niet oppakken; daar hadden ze niet genoeg bewijs voor. 'Ik blijf zo lang ik kan bij hem en probeer een beeld van hem te krijgen.' Ze durfde Szarnek te antwoorden zonder op haar woorden te letten; de sluipschutter was nu ruim buiten gehoorsafstand. 'Als ik geluk heb, gaat hij naar zijn auto en kan ik het kenteken noteren. Zo niet, dan kom ik misschien in de metro naar Nergenshuizen terecht. Ik bel je terug.'

Sachs deed alsof ze nog steeds telefoneerde, maar ze ging sneller lopen en passeerde de sluipschutter. Bij het volgende rode licht bleef ze staan. Ze draaide zich om alsof ze helemaal in het gesprek opging, richtte de lens van haar telefoon op hem en nam een stuk of zes foto's. Toen het licht op groen sprong, liet ze eerst de sluipschutter oversteken. Hij was met zijn aandacht bij zijn eigen gesprek en leek Sachs niet op te merken.

Ze hervatte de achtervolging en belde Szarnek terug. De agent zei: 'Oké, hij heeft opgehangen.'

Sachs zag de man de telefoon in zijn zak stoppen. Hij ging op een gebouw van tien of twaalf verdiepingen af in het donkere ravijn van Rector Street. Maar in plaats van door de vooringang naar binnen te gaan, liep hij een steegje aan de zijkant in. Halverwege het smalle straatje draaide hij zich om, hing een lint met een pasje eraan om zijn nek en liep door een hek een pleintje op dat zo te zien een parkeerplaats was. Het hek was verfraaid met scherp prikkeldraad.

Sachs bleef in de schaduw en liet zich door Szarnek doorverbinden met Sellitto. Ze vertelde haar collega dat ze de schutter had gevonden en dat ze een team nodig had om hem in de gaten te houden.

'Goed, Amelia. Ik stuur meteen iemand van Special Services.'

'Ik zal wat foto's van hem sturen. Laat ze contact opnemen met Rodney. Hij kan de telefoon blijven volgen en ze laten weten wanneer hij weer op pad gaat. Ik blijf hier tot ze er zijn. Daarna ga ik Lydia Foster verhoren.'

'Waar ben je precies?' vroeg Sellitto.

'Rector Street 85. Hij is aan de zijkant van het gebouw een hek door gegaan naar een parkeerplaats. Of misschien is het een binnenplaats. Ik wilde niet te dichtbij komen.'

'Oké. Wat is het voor gebouw?'

Sachs lachte. Haar oog viel op een onopvallend bordje.

NATIONAL INTELLIGENCE AND OPERATIONS SERVICE.

Ze zei tegen Sellitto: 'Het is zijn kantoor.'

39

Afschuwelijk bericht: die aardige meneer Moreno was dood.

In haar appartement aan Third Avenue koos Lydia Foster de hazelnootsmaak uit honderden cupjes Keurig-koffie, zette een kop en liep terug naar de woonkamer. Ze vroeg zich af wanneer die inspecteur zou komen.

Lydia had hem heel aardig gevonden – slim, hoffelijk, een echte gentleman. Ze wist dat ze er goed uitzag en dat ze als aantrekkelijk bekend stond, maar in tegenstelling tot sommige mannen die van haar diensten als tolk gebruikmaakten, had meneer Moreno op geen enkele wijze met haar geflirt. De eerste keer dat ze voor hem tolkte, een aantal maanden geleden, had hij foto's van zijn kinderen laten zien – zo lief! Dat deden sommige mannen om vervolgens avances te maken, wat Lydia ongelofelijk goedkoop vond, zelfs als het alleenstaande vaders waren. Maar meneer Moreno had daarna een foto van zijn vrouw laten zien en had verklaard dat hij uitkeek naar hun zoveeljarig huwelijksfeest.

Zo'n aardige man. Welgemanierd – hield het portier voor haar open, ook al hadden ze een chauffeur. Moreno was ontzettend charmant geweest. En onderhoudend. Ze hadden heel interessante gesprekken gevoerd. Zo bleken ze allebei gefascineerd te zijn door taal. Hij schreef op blogs en voor tijdschriften en presenteerde een radioprogramma, terwijl zij de kost verdiende door de woorden van anderen te vertalen. Ze hadden het gehad over overeenkomsten tussen talen en zelfs over naamvallen: nominatief en datief en possessief; ook vervoegingen van werkwoorden waren aan bod gekomen. Hij had haar verteld dat hij een grondige hekel aan de Engelse taal had, ook al was het zijn moedertaal. Dat had ze vreemd gevonden. Het was mogelijk om wat minder gecharmeerd te zijn van een taal vanwege de harde klanken – Duits of Xhosa, bijvoorbeeld – of je kon bepaalde talen lastig vinden omdat het zo moeilijk was om ze vloeiend te leren spreken, zoals Japans, maar Lydia had nog nooit meegemaakt dat iemand op algemene gronden een hekel had aan een bepaalde taal.

Hij vond dat er te weinig systeem in het Engels zat (al die onregelmatige constructies), en al met al was het een verwarrende en onelegante taal. De achterliggende reden voor zijn weerzin bleek ergens anders vandaan te komen. 'Overal ter wereld wordt die taal opgedrongen, of de mensen dat nu leuk vinden of niet.' Het is een van de machtsmiddelen om landen afhankelijk te maken van de Verenigde Staten.'

Maar meneer Moreno had over tal van zaken een duidelijke mening. Als hij eenmaal over politiek begon, ging hij oeverloos door. Ze merkte dat ze dat onderwerp om die reden vermeed.

Ze wilde de inspecteur vertellen dat meneer Moreno zich ernstig zorgen had gemaakt om zijn veiligheid. Regelmatig had hij over zijn schouder gekeken als ze door de stad reden en naar hun afspraken liepen. Op een gegeven moment, toen ze net een vergadering hadden gehad en op weg waren naar de volgende, was meneer Moreno plotseling blijven staan.

'Die man daar. Hebben we die al niet eerder gezien, bij dat andere kantoor? Volgt hij ons?' Het betrof een jonge blanke man met een sombere blik, die een tijdschrift las. Dat vond Lydia vreemd, iets uit een ouderwetse politiefilm, waarin een detective net doet alsof hij op straat een krant staat te lezen maar ondertussen een verdachte in de gaten houdt. Niemand staat in New York nog te lezen op straat; iedereen kijkt op zijn of haar iPhone of BlackBerry.

Lydia zou de inspecteur absoluut over dat voorval vertellen; misschien had die man iets met de dood van meneer Moreno uit te staan.

Ze keek in allerlei dossiermappen en verzamelde aantekeningen die ze de afgelopen maanden tijdens de ontmoetingen met meneer Moreno had gemaakt. Ze had alles bewaard. Zo nu en dan tolkte ze voor politie en justitie. Ze had er een gewoonte van gemaakt alles in dossiers te bewaren, want als ze de vraag van een rechercheur of het antwoord van een verdachte niet helemaal correct vertaalde, kon dat ertoe leiden dat een onschuldige achter de tralies belandde of een schuldige verdachte op vrije voeten werd gesteld. Die nauwgezette instelling had ze ook bij haar commerciële opdrachten.

De politie zou bijna duizend pagina's vertaalde tekst door en over wijlen de heer Moreno van haar krijgen.

De intercom zoemde, en ze vroeg: 'Ja?'

'Mevrouw Foster, ik ben van de politie,' zei een mannenstem. 'U hebt eerder met inspecteur Sachs gesproken. Ze is wat verlaat en heeft me gevraagd of ik u een paar vragen over Robert Moreno zou kunnen stellen.'

'Natuurlijk, kom maar boven. 12B.'

'Dank u.'

Een paar minuten later werd er op de deur geklopt. Ze keek door het kijkgaatje en zag een man van in de dertig met een prettig voorkomen.

Hij was gekleed in een pak en hield een leren portefeuille omhoog met een gouden badge erin.

'Kom maar binnen.' Ze haalde het veiligheidskettinkje eraf en deed de deur open.

Hij knikte haar toe en kwam binnen.

Meteen toen ze de deur had dichtgedaan, merkte ze dat er iets mis was met zijn handen. Ze waren gerimpeld. Nee, hij droeg vleeskleurige handschoenen.

Ze keek hem fronsend aan. 'Wacht...'

Voordat ze de kans kreeg te gaan gillen, sloeg hij haar keihard met zijn vlakke hand op haar keel.

Rochelend en huilend zakte ze in elkaar.

40

Soms stond hij echt versteld van mensen, Jacob Swann.

Je was nauwgezet of je was het niet. Je schrobde je roestvrijstalen pan met koperen bodem brandschoon of je deed dat niet. Je gaf je soufflé alle zorg die ze nodig had en zag hem dertien centimeter boven de rand van het ramequin uit rijzen, of je verdomde het om al die moeite te doen en serveerde als nagerecht Häagen-Dazs, zogenaamd Scandinavisch gespeld maar gemaakt in de Verenigde Staten.

Hij stond naast Lydia Foster, die naar adem happend in elkaar was gezakt, maar dacht aan Amelia Sachs.

Ze was slim genoeg geweest om haar telefoon te vernietigen (en hij was inderdaad vernietigd, niet alleen gecastreerd, hadden de technische mensen uitgedokterd). Maar toen had ze de grote fout gemaakt om inspecteur Sellitto terug te bellen in een telefooncel op nog geen tien meter afstand van de Java Hut. Tegen die tijd hadden diezelfde technici op het hoofdkantoor er razendsnel voor gezorgd dat ze die telefoon – en verscheidene andere in de buurt – konden afluisteren.

(Terwijl ze natuurlijk officieel beweerden dat ze niet wisten hoe dat moest en het nooit zouden doen als ze het zouden weten.)

Het kan gebeuren dat je Miele-oven ermee ophoudt, uiteraard net voordat je er een lamsbout in wilt schuiven, en dat je moet improviseren.

En zo had Lon Sellitto de gegevens over Lydia Foster aan Sachs doorgegeven en onopzettelijk ook aan Jacob Swann.

Hij liep stilletjes het appartement door om zich ervan te vergewissen dat ze alleen waren. Er zou waarschijnlijk niet veel tijd zijn. Sachs had gezegd dat ze eerst iets anders moest doen, maar ze zou elk moment kunnen bellen of voor de deur staan. Moest hij op haar wachten? Dat was een dilemma. Het was natuurlijk niet zeker of ze alleen zou zijn. Daarnaast moest hij in overweging nemen dat hij weliswaar een pistool had, maar dat een vuurwapen in vergelijking met een mes de slordigste (en minst aangename) manier was om een probleem op te lossen.

Maar stel dat Sachs wel alleen was? Dan waren er verschillende mogelijkheden.

Hij stopte het mes weg, liep terug naar de tolk, greep haar bij de haren en de kraag van haar bloes en zette haar op een zware eetkamerstoel. Hij bond haar eraan vast met het snoer dat hij met een gewoon, scherp keukenmes had afgesneden – uiteraard niet met de Kai Shun. Die gebruikte hij niet eens om het touw af te snijden voor runderrollade, een van zijn favoriete recepten.

De tranen stroomden over haar gezicht en ze hapte naar adem door de klap tegen haar keel, maar de huiverende Lydia Foster schopte toch naar hem.

Jacob Swann stak zijn hand in zijn borstzak en haalde de Kai Shun uit de houten schede. Haar angst werd niet heviger. We schrikken alleen van onverwachte dingen. Dit had ze natuurlijk zien aankomen.

Hij ging op zijn hurken naast de vrouw zitten, die onchristelijke geluiden maakte en ongecontroleerd trilde.

'Stil,' fluisterde hij in haar oor.

Hij dacht aan gisteren op de Bahama's, aan het *uhn-uhn-uhn* van Annette op het strand, omringd door zilverkleurige palmen en platanen, die werden verstikt door een oranje slingerplant.

De tolk gehoorzaamde niet helemaal, maar kalmeerde wel wat.

'Ik heb een paar vragen. Ik moet al het materiaal hebben van je werk voor Robert Moreno. Ik wil weten waar jullie over hebben gesproken. En wie jullie ontmoet hebben. Maar ten eerste: hoeveel politiemensen heb je over Robert Moreno verteld? En wanneer komen ze met je praten?' Hij was bang dat er na Amelia Sachs nog iemand gebeld had.

Ze schudde haar hoofd.

Jacob Swann legde zijn linkerhand op de rug van haar stevig vastgebonden linkerhand. 'Dat is geen aantal. Hoeveel agenten?'

Ze maakte nog meer bizarre geluiden, maar toen hij met het mes langs haar vingers streek, fluisterde ze: 'Niemand.'

Ze keek even naar de deur. Dat betekende dat ze dacht dat ze gered kon worden als ze tijd rekte, als ze de politie de tijd gaf om naar haar toe te komen.

Jacob Swann kromde de vingers van zijn linkerhand en legde de zijkant van de Kai Shun, de kant met de ingehamerde kuiltjes, tegen zijn knokkels. De messcherpe rand zakte naar de toppen van haar middelvinger en haar ringvinger. Zo hanteerde elke goede kok zijn mes als hij iets sneed, met de vingers van de leidende hand weggebogen van het gevaarlijke lemmet. Je moest heel voorzichtig zijn bij het snijden. Hij had verschillende malen in zijn eigen vingertoppen gesneden. De pijn was niet te beschrijven; in vingers zaten meer zenuwuiteinden dan in welk ander deel van het lichaam dan ook.

Hij fluisterde: 'Nou, ik zal het je nog één keer vragen.'

41

De rit naar de plek waar de sluipschutter zijn schot had gelost, nam meer tijd in beslag dan had gehoeven.

Mychal Poitier gaf Thom een ingewikkelde route naar de snelweg op die naar hun bestemming leidde – SW Road. Het doel van deze omweg was om te zien of ze door de goudkleurige Mercury gevolgd werden. Poitier verzekerde hun dat er geen collega's van hem in zaten. Dat ze gevolgd werden, zou iets met Moreno te maken kunnen hebben, of met iets wat er totaal niets mee te maken had. Een goedgeklede en weerloze Amerikaan in een rolstoel zou ook gewoon de interesse van een stelletje dieven gewekt kunnen hebben.

Rhyme belde Pulaski, die nog in het hotel was, om hem te vertellen waar ze naartoe gingen. De jonge politieman bleef wachten op het kamermeisje dat misschien iets wist over de verkenningsactie van de sluipschutter in het hotel op de dag voor de aanslag.

Toen ze eenmaal voorbij het vliegveld waren, werd het rustiger op de weg en kon Thom iets meer vaart maken. Hij volgde SW Road, die in een glooiende bocht over het eiland liep, langs keurig onderhouden, ommuurde wooncomplexen en armoedige woninkjes met wasgoed aan de lijn en geiten om het huis, langs een moerasgebied en daarna langs een uitgestrekt bos met velden – Clifton Heritage Park.

'Deze kant op, hier afslaan,' zei Poitier.

Ze kwamen op een onverharde weg, die naar rechts afboog en naar een breed, verroest hek liep, dat openstond. De weg volgde een smalle landtong die zo'n achthonderd meter in Clifton Bay uitstak. Het land lag een metertje boven de waterspiegel; tussen de verspreid staande bomen lagen smerige, onbegroeide stukken land langs een kust die soms rotsachtig was en soms zanderig. Langs de weg stonden herhaaldelijk borden met VERBODEN TE ZWEMMEN erop. Er werd verder niet uitgelegd waarom je hier niet mocht zwemmen, maar het water had een ongezond groene kleur die buitengewoon ontmoedigend was.

Thom reed door over de noordkant van de landtong, langs de industriële sites waar Poitier het in het restaurant al over gehad had. De eerste die ze tegenkwamen, bij de kruising van een weg zonder aanduiding en SW Road, was de illegale vuilstort, waar verscheidene vuren brandden.

Een tiental mensen liep rond om te zoeken naar spullen die nog enige waarde hadden. Vervolgens kwamen ze bij het bandenrecyclebedrijf, en uiteindelijk bereikten ze het complex van de metaalbewerkingsfabriek, dat bestond uit verschillende lage gebouwtjes die er zo krakkemikkig uitzagen dat het leek alsof ze met gemak door een briesje – en al helemaal door een tropische storm – omvergeblazen konden worden. De bestemmingen van de diverse gebouwen waren met de hand op de gevels geschilderd. Om de percelen stonden omheiningen die met prikkeldraad waren afgezet; agressieve honden liepen dreigend heen en weer, gedrongen en weldoorvoed, heel anders dan het dier dat in het restaurant bij hun tafeltje was komen bedelen.

Gele en grijze rookpluimen hingen verticaal in de lucht, alsof ze te zwaar waren om door de wind te worden verplaatst.

Thom probeerde de vele kuilen in het wegdek te vermijden, en plotseling hadden ze rechts een groots uitzicht: een baai van helderblauw water onder een overweldigend blauwe hemel met wolken als wattenbollen. Zo'n twee kilometer verderop was de lage beige streep van de South Cove Inn zichtbaar. Ergens langs deze noordkant van de landtong, die zo'n honderd meter doorliep, moest de sluipschutter hebben toegeslagen.

'Hier in de buurt,' zei Rhyme. Thom reed een eindje door naar een parkeerplaats en zette daar de auto neer. Hij deed de motor uit, waarna er nog twee geluiden overbleven: een hard, ritmisch gebons van de metaalfabriek en het zachte geruis van de golven die tegen de rotsen spoelden.

'Allereerst even dit,' zei Poitier. Hij stak zijn hand in zijn rugzak, haalde er iets uit en gaf het aan Rhyme. 'Wilt u deze?'

Het was een pistool: een Glock – een soortgelijk wapen als dat van Amelia Sachs. Poitier controleerde of er kogels in zaten en trok de slede naar achteren om het wapen door te laden. Een Glock heeft geen veiligheidspin; je kunt ongehinderd de trekker overhalen.

Rhyme keek naar het pistool, vervolgens naar Thom en pakte het wapen in zijn rechterhand. Hij had nooit veel met vuurwapens opgehad. De kans om ze te gebruiken – althans in zijn forensische werk – was praktisch nihil, en hij was altijd bang dat hij ook echt een wapen moest gebruiken als hij er een bij zich zou hebben. Zijn tegenzin lag niet in de kans dat hij dan een belager zou vermoorden, maar dat hij een plaats delict zou vervuilen: door de rook, de schokgolf, kruitsporen, dampen…

Dat was ook hier het geval, maar vreemd genoeg merkte hij dat het wapen hem een onmiskenbaar gevoel van macht gaf.

In tegenstelling tot de kwetsbaarheid die hij had ervaren sinds hij het ongeluk had gehad.

'Ja,' zei hij.

Hoewel hij niet met zijn vingers kon voelen dat hij de Glock in zijn hand had, leek het wapen met zijn hand te versmelten en onderdeel van zijn nieuwe arm te worden. Hij stak het voorzichtig uit het openstaande raampje en richtte op het water. Hij dacht terug aan zijn vuurwapentraining. *Ga er altijd van uit dat elk wapen geladen is, schietklaar. Richt nooit op iets waar je geen kogel in wilt pompen. Schiet nooit tenzij je precies weet wat zich achter je doelwit bevindt. Leg je vinger nooit op de trekker als je niet wilt schieten.*

Door zijn wetenschappelijke kennis had Rhyme altijd vrij goed kunnen schieten. Hij gebruikte zijn natuurkundige inzicht om te berekenen hoe hij de kogel het best op de beoogde plek kon krijgen.

'Ja,' zei hij nog eens. Hij liet het wapen in de binnenzak van zijn jasje glijden.

Ze stapten uit en namen de omgeving in zich op. Pijpleidingen en buizen liepen het water in, en bij het water lagen tientallen hoopjes smurrie, puin, auto-onderdelen, oude apparaten en verroeste industriële machines.

VERBODEN TE ZWEMMEN...

Je meent het.

'Het is heiig en het hotel is ontzettend ver weg,' zei Thom. 'Hoe kon hij zijn doelwit duidelijk in het vizier krijgen?'

Poitier antwoordde: 'Met een speciale kijker, denk ik. Adaptieve optiek, laserstralen.'

Rhyme was aangenaam verrast. Blijkbaar had Poitier meer onderzoek verricht dan hij had laten doorschemeren. Of wellicht meer onderzoek dan commissaris McPherson lief was.

'Misschien was het toen niet zo heiig.'

'Hier is het altijd heiig,' zei Poitier, terwijl hij naar de lage schoorsteen van de bandenrecyclefabriek wees. Het ding braakte gifgroene en beige rook uit. Er hing een misselijkmakende geur van rotte eieren en smeulend rubber.

Ze begaven zich in de richting van het water. Rhyme keek waar de sluipschutter zich mogelijk had kunnen verschansen – een beschutte plek met iets om het geweer op te laten steunen. Zo'n vijf of zes plekken voldeden aan die eisen.

Niemand stoorde hen; ze waren praktisch alleen. Een pick-up kwam rustig aanrijden en stopte aan de overkant van de weg. De man die achter het stuur gezeten had en een grijs shirt vol zweetplekken aanhad, was met zijn mobieltje aan het bellen en liep ondertussen naar de achterkant van de wagen om vuilniszakken in een greppel te gooien. Blijkbaar was vuil storten op de Bahama's niet strafbaar. Achter de omheining van de metaalfabriek hoorde Rhyme een paar mensen lachen en roepen, maar verder waren ze helemaal alleen.

Thom, Poitier en Rhyme gingen op zoek naar de plek waar de sluip-schutter had toegeslagen, en de rolstoel hield zich heel goed op het oneffen terrein vol onkruid, aarde en mul zand. Poitier en Thom waag-den zich dichter bij de waterkant. Rhyme vertelde hun waar ze op moes-ten letten: struiken met afgebroken takken, richels waar het geweer op gelegen kon hebben, voet- of schoenafdrukken die naar een vlak stuk van het terrein liepen.

'En kijk ook goed naar het zand.' Zelfs een uitgeworpen patroonhuls kan een duidelijke afdruk achterlaten.

'Het gaat om een professional,' legde Rhyme uit. 'Hij zal een statief bij zich hebben gehad om het geweer op te zetten, of zandzakken, maar mischien heeft hij ook keien op elkaar gestapeld en die zo laten liggen. Zoek naar stenen die verplaatst zijn of op elkaar liggen. Om vanaf zo'n afstand zuiver te kunnen schieten, mag het geweer absoluut niet wiebe-len.'

Rhyme kneep zijn ogen half dicht; door de luchtverontreiniging en de wind begonnen ze te prikken. 'Het zou mooi zijn als we hulzen von-den,' zei hij. Maar het leek hem sterk dat de sluipschutter lege hulzen zou hebben achtergelaten; professionals raapten die altijd op, omdat ze een schat aan informatie over het wapen en de schutter bevatten. Hij tuurde naar het water, in de hoop dat daar een huls te vinden was. De zee was zwart, en naar hij aannam heel diep. 'Een duiker zou handig zijn.'

'We kunnen geen gebruik maken van onze duikers, meneer Rhyme,' zei Poitier op verontschuldigende toon, 'want wat we hier aan het doen zijn, is officieel helemaal geen onderzoek.'

'Meer een rondleiding.'

'Precies.'

Rhyme reed dichter naar het water en tuurde omlaag.

'Voorzichtig!' riep Thom.

'Maar ik duik zelf ook,' zei Poitier. 'Ik zou hier later terug kunnen komen om te kijken of er iets op de bodem te vinden is. Van de kust-wacht zou ik een duiklamp kunnen lenen.'

'Zou u dat willen doen, meneer Poitier?'

Ook hij tuurde nu naar het water. 'Jazeker. Morgen zou ik...'

Wat er toen gebeurde, gebeurde razendsnel.

In een oogwenk.

Rhyme, Thom en Poitier keken achterom toen ze het geluid van een rammelende wielophanging en een sissende, pruttelende automotor hoorden. Ze zagen de goudkleurige Mercury over het onverharde pad op hen af komen, deze keer met twee mensen erin.

Rhyme snapte het meteen. Hij keek opzij en zag dat de man in het grijze T-shirt die afval had staan dumpen over het smalle weggetje sprintte; Poitier werd tegen de grond gewerkt op het moment dat de politieman zijn pistool trok. Het wapen vloog door de lucht. De aanvaller schopte de naar lucht happende Poitier in zijn zij en tegen zijn hoofd, keihard.

'Nee!' riep Rhyme.

De Mercury kwam met gierende remmen tot stilstand en twee van de mannen die hen al eerder hadden gevolgd, sprongen eruit, die met de dreadlocks in het mouwloze gele shirt en de kleinere man met het groene T-shirt aan. De man in het groen griste Thoms telefoon uit zijn handen en beukte hem vol in zijn maag, waarop Thom dubbelklapte.

'Niet doen!' schreeuwde Rhyme – een kreet die hij ongewild slaakte en die geen enkele zin had.

De man in het grijze T-shirt zei tegen de twee anderen: 'Oké, nog iemand anders gezien?'

'Nee.'

Daarom had hij natuurlijk staan bellen. Hij was hier helemaal niet naartoe gekomen om afval te dumpen. Hij had hen gevolgd en toen de anderen opdracht gegeven om naar het strandje te komen.

Poitier hapte naar adem en hield zijn handen tegen zijn zij.

Rhyme zei met krachtige stem: 'We zijn van de Amerikaanse politie. We werken samen met de FBI. Maak het niet erger dan het al is. Wegwezen.'

Het was alsof ze hem niet gehoord hadden.

De man in het grijs liep naar de plek waar het pistool van Poitier terecht was gekomen, een meter of drie verderop in het zand, en bukte zich om het wapen op te rapen.

'Stop,' riep Rhyme.

De man verstijfde en keek met knipperende ogen in de richting van de criminalist. Zijn handlangers keken roerloos naar de Glock die Rhyme in zijn hand had. Het pistool was niet heel nauwkeurig, maar vanaf deze afstand kon hij met gemak een kogel in het lijf van een belager pompen.

De man stak zijn hand op en kwam vanuit zijn gebukte houding overeind. Hij keek naar het pistool dat vlak voor hem op de grond lag. Daarna weer naar Rhyme. 'Oké, oké, mister. Niet doen.'

'Achteruit jullie allemaal. Ga op de grond liggen, op je buik.'

De twee die in de Mercury hadden gezeten, keken naar de man in het grijs.

Niemand bewoog.

'Ik ga dit niet nog een keer zeggen.' Rhyme vroeg zich af wat voor effect de terugslag zou hebben op zijn hand. Hij nam aan dat sommige pezen beschadigd zouden kunnen raken. Maar na het eerste schot hoefde hij het pistool alleen maar vast te houden. De anderen zouden er als een speer vandoorgaan als ze zagen dat hun leider was uitgeschakeld.

Hij dacht aan de moordopdracht. Geen eerlijk proces, geen rechtsgang. Zelfverweer. De tegenstander uitschakelen voordat je zelf te grazen werd genomen.

'Ga je me doodschieten, mister?' De man nam hem nauwlettend op en had iets opstandigs over zich gekregen.

Rhyme stond zelden oog in oog met criminelen. Meestal waren ze de plaats delict allang ontvlucht tegen de tijd dat hij daar aankwam, en hooguit zag hij ze in de rechtszaal als hij als getuige-deskundige werd opgeroepen. Toch kostte het hem geen enkele moeite om de man in het grijs strak aan te blijven kijken.

Zijn compagnon, de man in het geel, die over een indrukwekkende partij spierbundels beschikte, deed een stap naar voren, maar bleef abrupt staan toen Rhyme het pistool op hem richtte.

'Oké, rustig, man, rustig.' Handen gingen omhoog.

Rhyme richtte het wapen weer op de leider, die strak naar het pistool bleef kijken. Hij hield zijn handen omhoog en glimlachte. 'En? Ga je me doodschieten? Daar ben ik nog niet zo zeker van.' Hij deed een paar passen naar voren. Bleef even staan. En liep daarna in een rechte lijn op Rhyme af.

Meer viel er niet te zeggen.

Rhyme verstrakte, hoopte dat de terugslag de resultaten van de chirurgische ingrepen niet teniet zou doen en dat hij het wapen kon blijven vasthouden. Hij concentreerde zich op het krommen van zijn wijsvinger.

Maar er gebeurde niets.

Glocks – betrouwbare pistolen, Oostenrijkse degelijkheid – hebben een trekker met maar een paar pond trekkracht.

Toch kon Rhyme die kracht niet opbrengen. Hij was niet in staat om het leven te redden van zijn verzorger, noch van de politieman die zijn baan op het spel had gezet om hem te helpen.

De man in het grijze T-shirt kwam steeds dichterbij en nam misschien aan dat Rhyme de mentale kracht niet kon opbrengen om te schieten, ook al deed hij wanhopig zijn best om de trekker over te halen. Het vernederendst was misschien wel dat de man niet in een boogje op hem af kwam, maar gewoon recht op de loop af stevende die op hem gericht was.

De man sloot zijn gespierde hand om het pistool en trok het wapen moeiteloos uit Rhymes greep.

'Weet je, je bent een freak, man.' Hij ging stevig staan, plantte een voet op Rhymes borstkas en schoof hem hard achteruit.

De Storm Arrow rolde een halve meter naar achteren en tuimelde van de rotsige rand. Met een grote plons viel Rhyme met rolstoel en al in het water. Hij haalde diep adem en ging kopje-onder.

Het was niet zo diep als hij had gedacht. Het water was zo donker door alle vervuiling en chemische troep die erin zat. De rolstoel zonk een meter of drie en bleef op de bodem liggen.

Rhyme, die direct bonzende slapen en zwoegende longen had door het snel afnemende zuurstofgehalte, boog zijn hoofd zo ver mogelijk naar achteren. Met zijn mond pakte hij de hengsels van de rugzak die aan zijn stoel hing. Hij trok hem naar voren, en het ding zweefde door het water, net binnen zijn bereik. Hij slaagde erin zijn arm om de zak te slaan en hem vast te houden. Met zijn tanden trok hij de rits open. Vervolgens bracht hij zijn hoofd omlaag en viste naar het mondstuk van het zuurstofapparaat. Hij klemde het ding met zijn lippen stevig vast en wurmde het tussen zijn tanden.

Zijn ogen stonden in brand en prikten door alle chemische stoffen die in het water zaten. Hij kneep zijn ogen half dicht, maar bleef kijken terwijl hij op zoek was naar de schakelaar van het apparaat.

Eindelijk. Daar. Dat was hem.

Hij zette het ding aan.

Lampjes lichtten in het donker op. De machine begon te zoemen en hij zoog een heerlijke teug zuurstof naar binnen.

En nog een.

Maar geen derde keer. Blijkbaar was het water door de behuizing gedrongen en was er kortsluiting opgetreden.

De lampjes van het zuurstofapparaat gingen uit. De luchttoevoer stokte.

Op dat moment hoorde hij een ander geluid, gedempt door het water, maar toch onmiskenbaar. Twee geluiden, eigenlijk.

Pistoolschoten.

Ze luidden de dood in van zijn vrienden: een die hij zijn hele leven al kend – althans, zo voelde dat – en een die hij de afgelopen uren goed had leren kennen.

Toen Rhyme weer ademhaalde, kreeg hij water binnen.

Hij dacht aan Amelia Sachs en voelde hoe zijn lichaam zich ontspande.

42

Nee.

O, nee.

Ze parkeerde tegen vijven bij het flatgebouw op Third Avenue waar Lydia Foster woonde.

Sachs kon er niet dichtbij komen; de straat werd geblokkeerd door politiewagens en ambulances.

Het leek haar niet logisch dat dat kwam doordat de tolk dood was. Sachs had de sluipschutter de laatste anderhalf uur in de gaten gehouden. Hij bevond zich nog steeds in zijn kantoor in het centrum. Ze was pas weggegaan toen het team van Special Services was gearriveerd. En bovendien, hoe kon de sluipschutter de naam en het adres van de tolk weten? Sachs was heel voorzichtig geweest; ze had gebeld via vaste verbindingen en prepaidmobieltjes.

Logisch was het dus niet.

Maar instinctief wist ze dat Lydia dood was en dat zíj daar verantwoordelijk voor was. Omdat ze nu zag hoe de feiten lagen en ze daar nooit eerder aan had gedacht: ze hadden te maken met twee daders. De ene was de man die ze had gevolgd door het centrum van New York, de sluipschutter, dat wist ze door de stemafdruk – en de andere, de moordenaar van Lydia Foster, was een onbekende. Hij was een totaal andere persoon, misschien de handlanger van de schutter, de 'spotter' waar veel sluipschutters mee samenwerkten. Of iemand die apart was ingehuurd, een specialist die door Shreve Metzger was belast met het wegwerken van sporen die met de aanslag verband hielden.

Ze parkeerde snel, gooide het politievignet op het dashboard, stapte uit en haastte zich naar het onopvallende flatgebouw, waarvan de lichte gevel was besmeurd met bleke watervlekken, alsof de airconditioningunits hadden gehuild.

Ze dook onder het politielint door en liep snel naar een inspecteur die de agenten instrueerde die buurtonderzoek moesten doen. De slanke Afro-Amerikaan herkende haar, hoewel ze hem niet kende, en knikte haar toe. 'Inspecteur.'

'Is het Lydia Foster?' Ze wist niet waarom ze het nog vroeg.

'Inderdaad. Houdt dit verband met een lopende zaak?'

'Ja. Lon Sellitto leidt het onderzoek, onder supervisie van Bill Myers. Ik doe de praktische uitvoering.'

'Dan laten we dit maar aan jou over.'

'Wat is er gebeurd?'

Ze zag dat de man behoorlijk ontdaan was. Hij meed haar blik en speelde afwezig met een pen.

Hij slikte en zei: 'De plaats delict is echt erg, dat kan ik je wel vertellen. Ze is gemarteld. Daarna heeft hij haar doodgestoken. Ik heb nog nooit zoiets gezien.'

'Gemarteld?' vroeg ze fluisterend.

'Hij heeft de huid van haar vingers gesneden. Heel langzaam.'

Jezus...

'Hoe is hij binnengekomen?'

'Om de een of andere reden heeft ze hem gewoon binnengelaten. Geen sporen van braak.'

Nu drong de ontzettende waarheid tot Sachs door. De onbekende had haar wel degelijk afgeluisterd – waarschijnlijk toen ze belde in de telefooncel bij de Java Hut – en zo had hij gehoord over de tolk. Hij had gedaan alsof hij van de politie was, had met een valse penning gezwaaid en gezegd dat hij met Sachs samenwerkte; hij wist inmiddels haar naam.

Dat gesprek tussen Sachs en Sellitto was de Special Task Order voor Lydia Foster geweest.

Ze voelde een machteloze woede jegens de moordenaar. Wat hij Lydia had aangedaan – de pijn die hij haar had laten lijden – was onnodig geweest. Om een burger onder druk te zetten hoefde je alleen maar te dreigen. Fysiek martelen had nooit enige zin.

Tenzij je het leuk vond.

Tenzij je ervan genoot een mes te hanteren en heel precies en met grote vaardigheid te snijden.

'Hoe komen jullie hier?' vroeg ze.

'Die schoft heeft haar zo toegetakeld dat het bloed door de vloer droop. De benedenburen zagen het op hun plafond en belden het alarmnummer.' De inspecteur vervolgde: 'De flat was overhoop gehaald. Ik weet niet wat hij zocht, maar alles is grondig doorzocht. Hij heeft geen la ongemoeid gelaten. Er is geen computer of mobiele telefoon meer te vinden. Hij heeft alles meegenomen.'

De dossiers van de tolkopdrachten voor Moreno waren dus waarschijnlijk al in de papierversnipperaar verdwenen of verbrand.

'Is de technische recherche onderweg?'

'Ik heb een team opgeroepen uit Queens. Ze kunnen hier elk moment zijn.'

Sachs had een basisset voor forensisch onderzoek in de kofferbak van haar Torino. Ze liep terug naar de auto, trok de matblauwe overall en de plastic schoenkapjes aan en zette een hoofdkapje op. Ze ging meteen aan de gang. De sporen namen met de minuut af in kwaliteit.

En het monster dat dit gedaan had, bouwde elke minuut een grotere voorsprong op.

Het raster volgen.

Amelia Sachs liep in operatiekleding volgens het klassieke zoekpatroon voor plaatsen delict door de flat van Lydia Foster; stap voor stap van muur tot muur, omdraaien, een stap opzij en terug. En als zo de hele ruimte was afgewerkt, ging je er nog een keer doorheen, maar dan haaks op het eerdere patroon.

Het was de meest tijdrovende methode om een plaats delict te doorzoeken, maar ook de meest grondige. Dit was de manier waarop Rhyme plaatsen delict had doorzocht, en hij stond erop dat de mensen die voor hem werkten het ook zo deden.

Het doorzoeken is misschien wel het belangrijkste onderdeel van de procedure op een plaats delict. Foto's en video's en schetsen zijn belangrijk. Routes om binnen en buiten te komen in kaart brengen, de plek waar hulzen liggen, vingerafdrukken, spermasporen, bloedspetters, al die dingen wil je hebben. Maar forensisch onderzoek draait om het vinden van cruciale sporen. *Merci, monsieur Locard.* Als je het raster volgt, moet je je hele lichaam openstellen voor de plaats delict door te ruiken, te luisteren, aan te raken en uiteraard te kijken. Door onophoudelijk alles af te tasten.

Dat deed Amelia Sachs nu.

Ze vond niet dat ze een natuurtalent was als het om forensische analyse ging. Ze was geen wetenschapper. Ze was niet in staat tot de adembenemende deducties die Rhyme zo gemakkelijk afgingen. Maar één ding werkte in haar voordeel: haar empathie.

Toen ze voor het eerst met elkaar samenwerkten, had Rhyme kennelijk een kwaliteit bij haar bespeurd die hij zelf niet had: het vermogen om zich te verplaatsen in de dader. Als zij het raster volgde, was ze in staat in de huid van de moordenaar, verkrachter, ontvoerder of dief te kruipen. Dat kon een zenuwslopende en uitputtende aangelegenheid zijn. Maar als het lukte, kwam ze op dingen waar een normale rechercheur niet aan zou denken, zoals plekken waar je iets kon verstoppen, waar je binnen of weer buiten kon komen of die een goed overzicht boden.

Daar vond ze dan sporen die anders voor altijd onopgemerkt zouden zijn gebleven.

De technische recherche uit Queens arriveerde. Maar zoals altijd deed Amelia Sachs het voorbereidende werk alleen. Je zou denken dat meer mensen beter konden zoeken, maar dat gold alleen voor grote gebieden, bijvoorbeeld bij een massale schietpartij. Op een normale plaats delict werd je minder afgeleid als je in je eentje zocht. Bovendien wist je dan dat niemand anders zou vinden wat je over het hoofd zag, dus concentreerde je je veel beter.

En wat ook gold voor het onderzoeken van een plaats delict: er was maar één kans om de cruciale aanwijzing te vinden. Teruggaan om het nog eens te proberen bestond niet.

Toen ze door de flat liep, waarin het lijk van Lydia Foster nog zat vastgebonden op een stoel, bebloed en met haar hoofd achterover, voelde Sachs een dringende behoefte om met Rhyme te praten en hem te vertellen wat ze zag, rook en dacht. En net als toen ze in de Java Hut het raster volgde, sloeg de kilte haar om het hart door de leegte die ze voelde omdat ze zijn stem niet kon horen. Rhyme bevond zich niet meer dan vijftienhonderd kilometer bij haar vandaan, maar ze had het gevoel dat hij niet meer bestond.

Onwillekeurig dacht ze aan de operatie die later die maand op de agenda stond. Ze wilde er niet over nadenken, maar ze kon het niet helpen.

Stel dat hij de ingreep niet overleefde?

Zowel Sachs als Rhyme balanceerde altijd op het randje van de dood, zij door haar leven vol snelheid en gevaar, hij door zijn lichamelijke conditie. Mogelijk, waarschijnlijk zelfs, maakte dit risico hun leven samen intenser, hun band hechter. En dat accepteerde ze meestal ook. Maar nu hij weg was, Sachs een bijzonder lastige plaats delict moest onderzoeken en ze te maken had met een dader die zich maar al te goed van haar bewust was, moest ze er wel aan denken dat slechts een geweerschot of een falende hartslag volstond om voor altijd alleen te zijn.

Zet het uit je hoofd, dacht Sachs ongeduldig. Misschien zei ze het zelfs hardop. Ze wist het niet. *Ga aan het werk.*

Maar ze merkte dat haar inlevingsvermogen niet werkte, niet op deze plaats delict. Ze liep door de kamers en voelde een blokkade. Zoiets als schrijvers of kunstenaars die hun muze niet konden vinden. De ideeën wilden niet komen. Ten eerste wist ze bij god niet wie de moordenaar kon zijn. De meest recente informatie gooide alles in de war. De man die dit gedaan had, was niet de sluipschutter. Maar wie was hij wel?

De andere reden waarom ze hem niet aanvoelde, was dat ze het motief van de onbekende niet begreep. Als hij getuigen uit de weg wilde ruimen of het onderzoek wilde belemmeren, waar was die afschuwelijke marteling dan voor nodig, dat precieze snijwerk; de manier waarop hij Lydia's huid had weggesneden, zo te zien op zijn dooie gemak? Sachs merkte dat ze afgeleid werd als ze naar de reepjes huid keek die onder Lydia's stoel lagen. Het bloed.

Wat wilde hij?

Als Rhyme in haar oortje had gesproken en via de portofoon of de video de plaats delict samen met haar had onderzocht, was het misschien anders geweest, was het inzicht misschien wel gekomen.

Maar nu hij er niet was, lukte het haar niet om in de huid van de moordenaar te kruipen.

Het onderzoek zelf nam niet veel tijd in beslag. Wat zijn motief ook was, de moordenaar van Lydia was heel voorzichtig te werk gegaan. Om te beginnen had hij latex handschoenen gedragen. Dat zag ze aan de lijntjes in sommige bloedvegen, waar hij haar lichaam had aangeraakt terwijl hij de huid wegsneed. Hij had ervoor gezorgd niet in het bloed te stappen, dus waren er geen duidelijke voetafdrukken, en toen ze met een elektrostatisch apparaat over de kale vloer ging, zag ze ook geen latente afdrukken. Uit de zakken van de spijkerbroek die aan de badkamerdeur hing, haalde ze een paar bonnetjes en Post-it-briefjes. Maar dat was alles wat Sachs kon vinden. Ze onderzocht het lichaam en zag nog eens de afgrijselijke verwondingen, klein maar precies, waar de dader de vingers van de vrouw had gevild. De enkele, dodelijke steek in de borst. Er leken kneuzingen rond de snee te zitten, alsof hij haar stevig betast had om een plek te vinden waar hij het hart kon bereiken zonder op botweefsel te stuiten.

Waarom was dat?

Sachs pakte de portofoon en liet haar collega's weten dat ze boven konden komen om foto's en video-opnamen te maken.

Bij de deur bleef ze staan; ze keek nog één keer om naar het lichaam van Lydia Foster.

Het spijt me, Lydia. Ik dacht niet goed na!

Ik had er rekening mee moeten houden dat hij de telefooncellen in de buurt van de Java Hut zou afluisteren. Ik had er rekening mee moeten houden dat er twee daders konden zijn.

Sachs dacht ook nog iets anders: het speet haar dat ze niet op tijd was gekomen om de informatie te achterhalen die deze vrouw had kunnen verschaffen. De ontbrekende details die de tolk had kunnen aanvullen en de dossiers die ze in haar bezit had, waren duidelijk van het allergrootste belang. Waarom had de moordenaar haar anders ondervraagd? En nu waren ze weggehaald en uiteraard vernietigd.

Ze verontschuldigde zich nog een keer tegenover Lydia Foster voor deze zelfzuchtige gedachte.

Eenmaal buiten trok ze de overall uit en gooide hem in een afvalzak om verbrand te worden; hij was besmeurd met Lydia's bloed. Ze gebruikte gel om haar handen schoon te maken en controleerde haar Glock. Ze keek om zich heen, op haar hoede voor gevaren. Ze zag honderd zwarte ramen, duistere doodlopende steegjes, stilstaande auto's. Stuk voor stuk ideale plekken om haar op te wachten.

Sachs wilde het hoesje van haar telefoon aan haar riem haken, maar bedacht zich en haalde de iPhone eruit. Ze dacht: ik wil echt met Rhyme praten.

Ze drukte op een knop van haar laatste prepaidtelefoon om zijn nummer te bellen, maar kreeg meteen de voicemail. Sachs dacht erover een bericht in te spreken, maar hing op. Ze wist niet goed wat ze wilde zeggen.

Misschien alleen dat ze hem miste.

43

Lincoln Rhyme knipperde met zijn ogen; ze prikten als de hel. In zijn mond lag de smaak van zoete olie en zure chemicaliën.

Hij was net bij bewustzijn gekomen en tot zijn verbazing hoefde hij niet eens zo erg te hoesten. Op zijn neus en mond zat een zuurstofmasker en hij ademde zwaar. Maar zijn keel deed zeer. Hij dacht dat dat mogelijk kwam omdat hij eerder al veel erger had gehoest, toen hij nog niet bij kennis was.

Hij keek om zich heen en zag dat hij in een ambulance lag. Het was er ontzettend heet. Het voertuig stond bij het strandje waar de aanval had plaatsgevonden; in de verte zag hij de South Cove Inn, aan de overkant van de kabbelende blauwgroene zee. Een gezette zwarte ambulancebroeder met een rond gezicht boog zich over hem heen en scheen met een zaklantaarn in zijn ogen. De man trok het zuurstofmasker af om Rhymes mond en neus te onderzoeken.

Zijn zeer donkere gezicht was niet te peilen. Uiteindelijk zei hij met een Amerikaanse tongval, niet Brits: 'Dat water. Heel ongezond. Rioolafval. Chemische troep. Allerlei stoffen. Maar het ziet er niet al te slecht uit. Geïrriteerd. Doet het zeer?'

'Prikt. Doet zeer. Ja.'

Alsof de staccato manier van praten van de man besmettelijk was.

Rhyme haalde diep adem. 'Maar eerst moet u me vertellen: die twee mannen die bij me waren. Hoe is het met…?'

'Hoe is het met zijn longen?'

De vraag kwam van Thom Reston, die net kwam aanlopen. Hij kuchte twee keer, hard.

Rhyme onderdrukte zijn eigen gekuch en mompelde overrompeld: 'Ben je… Gaat het goed?'

Thom wees naar zijn ogen, die vuurrood waren. 'Niets ernstigs. Er zat alleen veel troep in dat water.'

Heel ongezond. Rioolafval…

Zijn kleren waren doorweekt, zag Rhyme, en dat beantwoordde heel wat vragen. Allereerst begreep hij dat de verzorger hem had gered.

Ik heb een vrouw en twee kinderen, die van mij afhankelijk zijn. Ik hou ontzettend veel van ze…

Rhyme vond het afschuwelijk dat de man dood was. Nadat Poitier vermoord was, was Thom natuurlijk het water in gedoken om Rhyme te redden, terwijl hun belagers een veilig heenkomen zochten.

De broeder luisterde weer naar zijn longen. 'Bijzonder. U hebt goede longen. Ik zag het litteken en het beademingsapparaat, maar het was een oud litteken. U hebt het uitstekend gedaan. Blijkbaar houdt u uw lichaam in conditie. En uw rechterarm, en dat prothetisch systeem. Daar heb ik over gelezen. Heel indrukwekkend.'

Maar niet indrukwekkend genoeg om Mychal Poitier te redden.

De broeder kwam overeind en zei: 'Goed schoonmaken, uw ogen en uw mond. Met water. Niets anders. Uit een fles. Drie, vier maal daags. En laat uw eigen huisarts ernaar kijken. Als u weer thuis bent. Ben zo terug.' Hij draaide zich om en liep weg; zijn voeten knarsten op het zand en de steentjes.

Rhyme zei: 'Dank je, Thom. Dank je wel. Weer heb je mijn leven gered, en deze keer niet met clonidine.' Dat was een bloeddrukverlagend medicijn dat gegeven werd na een aanval van autonome dysreflexie. 'Ik heb het zuurstofapparaat geprobeerd.'

'Weet ik. Het zat om je hals gewikkeld. Ik moest het lostrekken. Jammer dat ik niet zo'n mes bij me had zoals Amelia heeft.'

Rhyme zuchtte. 'Maar Mychal. Wat afschuwelijk...'

Thom pakte een bloeddrukmeter van het rek. Hij kon de bloeddruk zelf wel opnemen. Terwijl hij daarmee bezig was, zei hij: 'Het ziet er niet ernstig uit.'

'Mijn bloeddruk?'

'Nee, ik bedoel Poitier. Stil even, ik wil naar je hartslag luisteren.'

Rhyme was ervan overtuigd dat hij het niet goed verstaan had; zijn oren zaten nog vol water. 'Maar...'

'Sssst.' De verzorger drukte een stethoscoop op Rhymes arm.

'Je zei...'

'Stilte!' Even later knikte hij. 'Je bloeddruk is prima.' Een blik in de richting waarin de ambulancebroeder was verdwenen. 'Niet dat ik hem niet vertrouwde, maar ik wilde het even...'

'Wat bedoel je dat het er niet ernstig uitziet met Mychal?'

'Nou, je hebt zelf nog gezien dat ze hem hebben geschopt en geslagen. Maar het valt allemaal wel mee.'

'Ze hebben hem toch neergeschoten?'

'Neergeschoten? Nee, hoor.'

'Ik hoorde twee schoten.'

'O, dat.'

Rhyme beet hem toe: 'Hoe bedoel je, "O, dat"?'

Thom legde uit: 'Die vent die je in het water heeft getrapt, met dat grijze shirt aan. Die schoot op Ron.'

'Pulaski? Jezus. Is hij geraakt?'

'Met Pulaski is ook alles goed.'

'Wat is er verdomme gebeurd?' riep Rhyme uit.

Thom begon te lachen. 'Blij dat je je alweer wat beter voelt.'

'Wat. Is. Er. Gebeurd.'

'Ron was klaar in de South Cove Inn en is hiernaartoe gekomen. Jij had gezegd dat hij ons hier kon vinden. Hij kwam net aanrijden toen jij in het water viel, zag wat er aan de hand was en reed recht op die vent met het pistool af, echt plankgas. Die vent heeft twee keer op de auto geschoten, maar was waarschijnlijk bang dat er nog meer versterking aan zou komen, en omdat er maar één vluchtroute was, sprongen ze in de Mercury en de pick-up om er direct ervandoor te gaan.'

'Dus met Mychal gaat het goed?'

'Dat zei ik net al.'

De opluchting was onbeschrijfelijk. Rhyme wist een tijdje niets uit te brengen en tuurde over het kabbelende water. Laag in het westen spatte water op, dat door het zonlicht werd beschenen. 'En de rolstoel?'

Thom schudde zijn hoofd. 'Daar is het minder goed mee afgelopen.'

'Eikels,' mompelde Rhyme. Hij hechtte niet zo aan spullen, of het nu ging om dingen die hij voor zijn werk gebruikte of in de privésfeer. Maar de Storm Arrow ging hem aan het hart, puur uit praktisch oogpunt, omdat het zo'n fijne machine was en het hem veel moeite had gekost om de besturing onder de knie te krijgen. Het besturen van een rolstoel is een hele kunst. Hij was woedend op de criminelen.

Zijn verzorger zei: 'Ik leen er wel een van hen.' Een blik naar het ambulancepersoneel. 'Niet elektrisch aangedreven. Eigenlijk aangedreven door ondergetekende.'

Er kwam iemand aan.

'Nou, het groentje is weer de held.'

'Je ziet er niet al te beroerd uit,' zei Pulaski. 'Een beetje nattig. Volgens mij heb ik jou nog nooit nattig gezien, Lincoln.'

'Ben je nog wat in het hotel te weten gekomen?'

'Niet veel. Het kamermeisje bevestigde zo'n beetje wat Poitier ons ook al verteld had. Een stoer uitziende Amerikaan vroeg naar Moreno en naar suite 1200. Hij zei dat hij een vriend van Moreno was en dat hij een feestje voor hem wilde organiseren. Hij vroeg wie er bij hem waren, hoe zijn agenda voor de komende dagen eruitzag, wie zijn vriend was – ik neem aan dat hij de bodyguard bedoelde.'

'Een feestje,' bromde Rhyme. Hij keek om zich heen. De broeder kwam terug in het gezelschap van een paar potige assistenten, van wie er een een oude rolstoel voortduwde. Rhyme vroeg: 'Hebben jullie misschien brandy?'

'Brandy?'

'Medicinale brandy.'

'Medicinale brandy?' Het grote gezicht van de man plooide zich in een frons. 'Even denken. Ja, ik denk dat artsen in deze regionen dat inderdaad aan hun patiënten geven – uiteraard omdat we hier in de derde wereld leven. Ik ben bang dat ik die cursus net gemist heb toen ik aan de universiteit van Maryland mijn opleiding tot ambulancebroeder volgde.'

Touché.

Maar kennelijk kon de man er wel de lol van inzien en voelde hij zich niet beledigd. Hij gebaarde naar zijn assistenten, die Rhyme in de oude rolstoel hesen. Hij kon zich niet meer heugen hoe lang het geleden was dat hij in een rolstoel had gezeten die geen accu en motor had, en hij vond het maar niks om zo hulpeloos te zijn. Dat deed hem te veel denken aan de tijd vlak na het ongeluk.

'Ik wil Mychal spreken,' zei hij. Automatisch greep hij naar de joystick van de rolstoel en kwam er onmiddellijk achter dat die er niet was. Hij deed geen moeite de rolstoel eigenhandig in beweging te krijgen. Als hij niet eens in staat was om een trekker over te halen, kon hij zijn eigen gewicht ook niet met één hand over een laag asfalt vol scheuren en zand voortbewegen.

Thom duwde hem naar Poitier toe, die tien meter verder op een in creosoot gedrenkte balk zat, naast de twee agenten die op de melding waren afgekomen.

Poitier kwam overeind. 'Ah, meneer Rhyme. Ik had gehoord dat u het had gered. Mooi, mooi. U lijkt er niets aan overgehouden te hebben.'

'Nattig,' zei Pulaski weer. Thom moest erom glimlachen, Rhyme trok een zuur gezicht.

'En u?'

'Prima. Beetje licht in het hoofd. Ze hebben me iets tegen de pijn gegeven. Mijn eerste gevecht in vijf jaar sinds ik bij het korps zit, en het ging niet geweldig. Een blinde vlek. Ik had gewoon een blinde vlek.'

'Heeft iemand de kentekens genoteerd?' vroeg Rhyme.

'Die hadden ze niet. Geen nummerborden. En het heeft ook geen zin om goudkleurige Mercury's of witte pick-ups na te trekken. Ik ga er zonder meer van uit dat ze gestolen waren. Ik zal op het bureau foto's van criminelen doornemen, maar dat heeft ook geen enkele zin. Maar toch zullen we de gewone procedure moeten volgen.'

Plotseling zagen ze een stofwolk in de richting van SW Road. Een auto, nee, twee auto's kwamen met een flinke vaart aanrijden.

De agenten die bij hen stonden, verstijfden en begonnen zenuwachtig te doen.

Niet omdat deze auto's een fysiek gevaar vormden. Rhyme zag dat de ongemarkeerde Ford rode lampen op de grille had, die opzichtig knipperden. Hij keek er niet van op toen commissaris McPherson achterin bleek te zitten. Een tweede auto, een patrouillewagen, kwam erachteraan.

Beide voertuigen stopten bij de ambulances. McPherson stapte woedend uit en gooide het portier met een knal dicht.

Hij beende woest op Poitier af en brieste: 'Wát is hier gebeurd?'

Rhyme legde de situatie uit en nam alle schuld op zich.

De commissaris keek hem misprijzend aan en beet zijn ondergeschikte toe: 'Ik duld deze insubordinatie niet. Je had me op de hoogte moeten stellen.'

Rhyme verwachtte dat de jongeman het hoofd zou buigen. Maar hij keek zijn chef recht in de ogen.

'Commissaris, met alle respect. De zaak-Moreno was aan mij toegewezen.'

'En je had die volgens de gebruikelijke richtlijnen moeten onderzoeken. Het meeslepen van een buitenstaander valt daar absoluut buiten.'

'Dit was een spoor. De sluipschutter is hier geweest. Ik had hier vorige week al moeten gaan zoeken.'

'We zullen zien wat de...'

Poitier vulde zijn zin aan: '...Venezolaanse autoriteiten daarover te zeggen hebben.'

'Val me niet in de rede, Poitier. En sla niet zo'n toon tegen me aan.'

'Ja, commissaris. Goed, commissaris.'

Rhyme mengde zich in het gesprek. 'Dit is een belangrijke zaak, commissaris, die gevolgen heeft voor zowel uw als mijn land.'

'En ook voor u, meneer Rhyme. Beseft u wel dat er door uw toedoen bijna iemand van mijn korps om het leven is gekomen?'

De criminalist zweeg.

Op onverzoenlijke toon zei de commissaris: 'En zelf had u ook bijna het loodje gelegd. We zitten hier op de Bahama's niet te springen om nog meer dode Amerikanen. Daar hebben we er nu meer dan genoeg van.' De man wierp een kille blik opzij. 'Je bent geschorst, Poitier. Er zal een onderzoek worden ingesteld dat kan leiden tot je ontslag. Meer dan een post op Verkeer zit er niet in.'

Poitier keek de man ontzet aan. 'Maar...'

'En u, meneer Rhyme, dient de Bahama's onmiddellijk te verlaten. Mijn agenten zullen u naar het vliegveld brengen, samen met uw medewerkers. Uw bezittingen zullen uit het hotel worden opgehaald en op het vliegveld aan u worden overhandigd. We hebben al contact opgenomen met de luchtvaartmaatschappij. Uw vlucht vertrekt over twee uur. Tot die tijd bent u onder onze hoede. En jij, Poitier, kunt je wapen inleveren en je badge op het bureau achterlaten.'

'Goed, commissaris.'

Maar plotseling stapte Ron Pulaski naar voren en ging voor de commissaris staan, die waarschijnlijk minstens twee keer zo zwaar was als hij, en bijna een halve kop groter. 'Nee,' zei de jonge agent.

'Pardon?'

Vastberaden zei Pulaski: 'We blijven vannacht in ons motel slapen. Morgenochtend zullen we vertrekken.'

'Hè?' McPherson knipperde met zijn ogen.

'Vandaag gaan we niet meer weg.'

'Dat is onacceptabel, agent Pulaski.'

'Lincoln heeft hier bijna het leven gelaten. Hij stapt niet op het vliegtuig voordat hij rust heeft gehad.'

'U hebt misdrijven begaan...'

Pulaski pakte zijn mobieltje. 'Zullen we de ambassade bellen om de zaak met hen te bespreken? Dan moet ik natuurlijk wel uitleggen wat we hier aan het doen zijn, welke zaak we in onderzoek hebben.'

Stilte. Alleen het getik van de mysterieuze machines in de fabriek achter hen, en het gekabbel van de golfjes.

De commissaris keek verstoord. 'Goed dan,' mompelde hij. 'Maar dan nemen jullie morgenochtend het eerste het beste vliegtuig terug naar huis. Jullie gaan onder begeleiding naar het motel en moeten tot jullie vertrek binnenblijven.'

Rhyme zei: 'Dank u wel, commissaris. Dat waardeer ik zeer. Ik bied mijn verontschuldigingen aan voor de problemen die ik heb veroorzaakt. Veel succes verder met deze zaak. En met het onderzoek naar de moord op de Amerikaanse studente.' Hij keek naar Poitier. 'En u ook mijn excuses, inspecteur.'

Vijf minuten later zaten Rhyme, Thom en Pulaski in het Ford-busje, op weg naar hun motel, gevolgd door een politie-escorte, dat erop moest toezien dat ze daar bleven. De twee lange agenten in de patrouillewagen leken op hun hoede en keken ernstig uit hun ogen. Rhyme vond het niet erg dat ze meegingen, want per slot van rekening waren hun drie belagers nog op vrije voeten.

'Geweldig goed gedaan, groentje.'

'Beter dan bekwaam?'

'Je hebt jezelf in bekwaamheid overtroffen.'

De jonge agent moest lachen. 'Ik had zo'n idee dat u wel wat tijd kon gebruiken.'

'Zeer juist gezien. Dat van die ambassade was trouwens leuk gevonden.'

'Kwestie van improviseren. Maar wat gaan we nu doen?'

'We laten het brood nog even in de oven,' zei Rhyme cryptisch. 'Laten we eens kijken of we wat van die rum kunnen bemachtigen waar ze hier zo hoog over opgeven.'

44

Amelia Sachs sjouwde een krat met bewijsstukken uit de flat van Lydia Foster naar binnen en zette ze in de salon neer, die dienstdeed als laboratorium.

'Heeft Lincoln nog gebeld?' vroeg ze aan Mel Cooper, die de inhoud van het krat belangstellend bekeek.

'Nee, niets van gehoord.'

Cooper was een expert in laboratoriumwerk. Op voorspraak van Lon Sellitto en Myers was hij officieel overgeplaatst naar bureau Rhyme. Cooper, die inspecteur was, was een klein, kalend mannetje met een dikke Harry Potter-bril, die nooit goed op zijn neus bleef zitten. Je zou denken dat hij buiten diensturen wiskundige puzzels oploste en de *Scientific American* las, maar zijn vrije tijd ging grotendeels op aan ballroomdansen op wedstrijdniveau, samen met zijn verbijsterend mooie Scandinavische vriendin, die wiskundeprofessor was aan Columbia University.

Nance Laurel zat aan haar bureau. Ze wierp een nietszeggende blik op het bewijsmateriaal en keek toen naar Sachs, maar die wist niet of dat een begroeting was of een van de stiltes voor ze iets zou gaan zeggen.

Sachs verklaarde grimmig: 'Ik had het mis. Er zijn twee daders.' Ze legde uit hoe ze tot dat inzicht was gekomen. 'Ik was de sluipschutter aan het schaduwen. De man die Lydia Foster heeft vermoord is iemand anders.'

'Wie denk je dat het is?' vroeg Cooper.

'Bruns handlanger.'

'Of een door Metzger ingehuurde specialist die de rotzooi moet opruimen,' zei Laurel. Sachs had het idee dat haar stem opgewekter klonk. Goed nieuws voor de zaak, goed nieuws voor de jury als hun belangrijkste verdachte een van zijn mensen had bevolen zoiets harteloos te doen. Geen woord van medeleven voor het slachtoffer, geen enkele bezorgde frons.

Op dat moment haatte Sachs de vrouw echt.

Toen ze verder vertelde, richtte ze het woord opzettelijk tot Mel Cooper. 'Lon heeft ermee ingestemd voorlopig te doen alsof het motief onbekend is, zoals de bomaanslag op de Java Hut officieel nog steeds een gasexplosie is. Ik dacht dat het beter was Metzger niet te laten weten hoe het onderzoek verloopt.'

Laurel knikte. 'Mooi zo.'

Sachs staarde naar de gegevens op het whiteboard en begon erbij te schrijven wat ze te weten waren gekomen. 'Laten we de moordenaar van Lydia Foster "dader 516" noemen. Vijf zestien. Naar de datum.'

Laurel vroeg: 'Is er al iets meer bekend over de schutter, de man die jij naar NIOS hebt gevolgd?'

'Nee. Lon laat hem schaduwen. Het team belt zodra bekend is wie hij is.'

Weer een stilte. Toen zei Laurel: 'Even uit nieuwsgierigheid: heb je eraan gedacht een poging te doen zijn vingerafdrukken te bemachtigen?'

'Zijn...'

'Toen je de sluipschutter door de stad volgde? Ik vraag het omdat ik een keer een zaak heb gehad waarbij een undercover rechercheur opzettelijk een glossy liet vallen. De verdachte raapte het tijdschrift voor haar op. Toen hadden we zijn vingerafdrukken.'

'Nee,' zei Sachs effen. 'Dat heb ik niet gedaan.'

Als ik het wel had gedaan, wisten we verdomme wie hij was. En nu niet.

Een ondoorgrondelijk, cryptisch knikje van Laurel.

Even uit nieuwsgierigheid...

Dat was net zo irritant als 'als je het niet erg vindt'.

Sachs wendde zich af en haar gezicht vertrok even toen ze het bewijsmateriaal van de moord op Lydia Foster aan Mel Cooper overhandigde. Cooper bekeek het sobere resultaat met hetzelfde ongenoegen dat Sachs voelde.

'Is dat alles?'

'Ik ben bang van wel. Dader 516 weet wat hij doet.' Sachs keek naar de foto's van het bebloede lijk, die de technische recherche van Queens haar had gemaild en die ze nu aan het uitprinten was.

Met opeengeperste lippen liep ze naar een van de whiteboards en hing de foto's op.

'Hij heeft haar gemarteld,' zei Laurel zachtjes maar zonder emotie.

'En hij heeft alles meegenomen wat Lydia had over haar werk voor Moreno.'

'Wat kan zij nu geweten hebben?' vroeg de hulpofficier. 'Hij nam natuurlijk geen tolk mee als hij een afspraak met criminelen had. Ze zou mooi kunnen getuigen dat Moreno geen terrorist was.' Ze verbeterde zichzelf. 'Ze hád mooi kunnen getuigen.'

Sachs werd opeens ontzettend boos. De vrouw reageerde niet zozeer op de dood van Lydia Foster, maar op het feit dat ze een fundamenteel onderdeel van de aanklacht tegen Shreve Metzger kwijt was. Toen dacht ze aan haar eigen ontzetting bij het zien van het lichaam, een sentiment dat deels veroorzaakt was doordat ze te laat was geweest om betrouwbare informatie van de tolk los te krijgen.

Ze zei: 'Ik heb haar even aan de lijn gehad. Ik weet dat ze besprekingen hadden met liefdadigheidsorganisaties uit Rusland en de Emiraten en op het Braziliaanse consulaat. Meer niet.'

Ik heb niet de kans gehad meer te weten te komen, dacht ze. Ze was nog steeds nijdig op zichzelf. Als Rhyme hier was geweest, zou hij eraan gedacht hebben dat er twee daders konden zijn. Verdomme.

Laat het los, dacht ze streng. Ga verder met het onderzoek.

Ze keek naar Cooper. 'Eens zien of we verbanden kunnen leggen. Ik wil weten of Bruns of de onbekende dader verantwoordelijk is voor die bomaanslag. Heb je in de Java Hut bewijsmateriaal kunnen vinden, Mel?'

Cooper legde uit dat er weinig aanwijzingen waren geweest, maar dat hij toch een paar ontdekkingen had gedaan. De explosievendienst had hem ervan op de hoogte gesteld dat er een standaard brisantgranaat was gebruikt met Semtex, het plastische explosief uit Tsjechoslowakije. 'Je kunt ze vrij gemakkelijk op de wapenmarkt krijgen als je de juiste connecties hebt,' zei Cooper. 'Ze worden vooral door legers gekocht, zowel nationale legers als huurlegers.'

Cooper had de latente afdrukken die Sachs in het koffiehuis had kunnen veiligstellen in IAFIS ingevoerd. Zonder resultaat.

Hij zei: 'Je hebt me een heleboel goede monsters bezorgd uit de Java Hut, maar er waren niet veel sporen die met de dader in verband konden worden gebracht. Twee dingen waren echter uniek, en dat betekent dat die van de bommenlegger afkomstig kunnen zijn. Het eerste bestond uit geërodeerd kalksteen, koraal en heel kleine stukjes schelp. Zand dus, maar wel van een tropische locatie. Ik heb ook organisch schaaldierafval aangetroffen.'

'Wat bedoel je daarmee?' vroeg Laurel.

'Krabbenpoep,' zei Sachs.

'Precies,' bevestigde Cooper. 'Hoewel het eigenlijk ook van kreeften, langoesten, garnalen, krill of eendenmossels afkomstig kan zijn. Er zijn meer dan vijfenzestigduizend soorten schaaldieren. Maar ik kan jullie wel vertellen dat het afkomstig is van de stranden in het Caraïbisch gebied. Er zit een residu in dat overeenkomt met verdampt zeewater.'

Sachs fronste. 'Dus hij kan degene zijn die net voor de moord op Moreno in de South Cove Inn is geweest. Zou er na een week nog steeds zand op zijn kleren kunnen zitten?'

'Het waren heel fijne korrels. Ja, het is mogelijk. Ze kunnen lang blijven plakken.'

'Wat heb je verder gevonden, Mel?'

'Iets wat ik nog nooit op een plaats delict heb aangetroffen: 1,5 dicaffeoylquiniczuur.'

'En dat is?'

'Cynarine,' las Cooper van een database voor chemische stoffen op zijn beeldscherm. 'Het is het biologisch actieve bestanddeel van artisjokken. Dat geeft ze die bittere smaak.'

'En de dader heeft daar sporen van achtergelaten?'

'Dat kan ik niet met zekerheid zeggen, maar ik heb er iets van aangetroffen op de drempel van de Java Hut, op de deurknop en op een fragment van de bom.'

Sachs knikte. Artisjokken. Vreemd, maar zo ging dat met forensisch onderzoek. Het was een puzzel met heel veel stukjes.

'Verder niets.'

'Dat is alles, wat de Java Hut betreft?'

'Ja.'

'Dus we weten nog steeds niet wie de bom daar geplaatst heeft.'

Vervolgens bekeken zij en Cooper het materiaal uit de flat van Lydia Foster.

'Allereerst de verwondingen,' zei de laborant met een knikje naar de foto's van het lichaam. 'De sneden zijn zeer ongebruikelijk, zo smal. Maar er bestaat geen database die ons daar iets over kan vertellen.'

De Verenigde Staten, het land van de National Rifle Asociation, waren hét vuurwapenland bij uitstek. In het Verenigd Koninkrijk en andere landen met strenge wapenwetten kwam het vaak voor dat mensen met messteken werden omgebracht, maar in Amerika, waar overal vuurwapens aanwezig waren, werden niet veel moorden met een mes gepleegd. Dus had geen enkele wethandhavende instantie een database ontwikkeld met betrekking tot messteken, in elk geval niet voor zover Sachs en Rhyme wisten.

Hoewel ze er zeker van was dat de dader handschoenen had gedragen, had Sachs toch vingerafdrukken genomen rond en op het lichaam van Lydia Foster. Je wist nooit of de dader zijn handschoenen niet even had uitgedaan. Maar net als die van de Java Hut werden ze niet teruggevonden in een database.

'Ik had ook niet anders verwacht,' mompelde ze. 'Maar ik heb een haar gevonden die niet bij de rest paste, hier, in dit zakje.' Sachs gaf hem aan de laborant. 'Bruin en kort. Zou van de dader kunnen zijn. Poitier heeft immers gezegd dat de man die de dag voor de moord naar Moreno's suite informeerde kort bruin haar had. O, en het haarzakje zit er nog aan.'

'Mooi. Ik zal in CODIS kijken.'

De landelijke DNA-database groeide exponentieel. Degene van wie de haar was, zou in het systeem kunnen zitten; zo ja, dan hadden ze binnen de kortste keren zijn identiteit en mogelijk ook zijn huidige adres te pakken.

Sachs begon de rest van het bewijsmateriaal te bekijken. Hoewel de moordenaar elk document, elke computer en elke informatiedrager had meegenomen waarin Robert Moreno genoemd zou kunnen zijn, had ze toch iets gevonden wat relevant kon blijken: een bonnetje van een Starbucks. Bovenaan stonden datum en tijd vermeld: de namiddag van 1 mei. Sachs dacht dat dat misschien het tijdstip was waarop Moreno zijn privégesprek had gehad, het gesprek waarbij Lydia niet aanwezig was geweest. Misschien kon ze nagaan in welk kantoor de activist was geweest.

Morgen ging ze ter plekke kijken, bij een gebouw in Chambers Street.

Sachs en Cooper onderzochten de rest van het bewijsmateriaal uit Lydia's flat, maar zonder veel resultaat. Cooper deed een monster in de gaschromatograaf en keek op naar de vrouwen. 'Dit is iets. Een plant. *Glycyrrhiza glabra*, een peulvrucht, een soort boon of erwt. Zoethout, eigenlijk.'

Sachs vroeg: 'Anijs of venkel?'

'Nee, die zijn er niet aan verwant, hoewel de smaken op elkaar lijken.'

Nance Laurel keek verbaasd. 'Je hebt helemaal niets opgezocht. Cynarine, glycyrrhiza... Neem me niet kwalijk, maar hoe weten jullie dat allemaal?'

Cooper duwde zijn zwarte bril hoger op zijn neus en zei alsof het alles verklaarde: 'Ik werk voor Lincoln Rhyme.'

45

Eindelijk een doorbraak: ze waren achter de ware naam van de sluipschutter gekomen.

Het speciale surveillanceteam van Myers' Special Services had de sluipschutter vanaf het NIOS-hoofdkantoor naar zijn huis gevolgd. Hij had de metro naar Carroll Gardens genomen en was naar een huis gegaan dat op naam stond van Barry en Margaret Shales. Navraag bij de dienst voor het wegverkeer had een foto van Shales opgeleverd. Het was duidelijk dezelfde man die Sachs die middag had gevolgd en die ze met haar mobieltje had gefotografeerd.

Barry Shales was negenendertig en had in het leger gezeten. Hij was kapitein bij de luchtmacht geworden en meer dan eens onderscheiden. De man werkte nu als 'inlichtingenspecialist' voor NIOS. Hij en zijn vrouw – een lerares – hadden twee kinderen, jongens van de basisschoolleeftijd. Shales was actief in een Presbyteriaanse gemeente en deed bij zijn zoons op school vrijwilligerswerk, leesles.

Het zinde Sachs niets. De meeste verdachten met wie Rhyme en zij te maken hadden, waren geharde criminelen, recidivisten, kopstukken uit de georganiseerde misdaad, psychopaten, terroristen. Maar Shales was een heel ander verhaal. Het had er alle schijn van dat hij een plichtsgetrouwe ambtenaar was, een toegewijde echtgenoot en vader. Hij deed wat hem werd opgedragen, ook als dat behelsde dat hij in koelen bloede terroristen moest doodschieten. Als ze hem oppakten en hij veroordeeld werd, zou het gezin uit elkaar vallen. Metzger gebruikte NIOS misschien voor zijn eigen waandenkbeelden om het land te beschermen en had een specialist ingehuurd om sporen uit te wissen. Maar Shales? Misschien voerde die alleen maar bevelen uit.

Maar ook al was hij misschien niet degene die Lydia Foster had gemarteld en vermoord, hij maakte wel deel uit van een organisatie die daarvoor verantwoordelijk was.

Sachs belde Lon Sellitto en bracht hem van de nieuwe ontdekking op de hoogte. Daarna belde ze met de Informatiedienst en vroeg of ze Barry Shales konden natrekken. Ze wilde alles weten wat er over de man te vinden was, en met name waar hij op 9 mei, de dag van de aanslag, was geweest en wat hij toen had gedaan.

De labtelefoon ging. Sachs keek wie er belde en nam op. 'Fred.'

Ze was niet bang dat dader 516 deze telefoonlijn afluisterde, want Rodney Szarnek had een apparaatje naar hen toe gestuurd dat hij een *tap trap* noemde, een afluisterverklikker waarmee onmiddellijk te zien was of er iemand op de lijn meeluisterde. Op de display stond dat dat niet het geval was.

'Amelia, klopt het wat ik gehoord heb en ligt onze gemeenschappelijke vriend lekker op de Bahama's te zonnen?'

Zijn verontwaardiging was zo overduidelijk geacteerd dat Sachs erom moest glimlachen. Cooper ook. Nance Laurel niet.

'Daar lijkt het wel op, Fred.'

'Waarom krijg ik altijd opdrachten toegeschoven die me naar eersteklas vakantieoorden als de South Bronx en Newark voeren? Terwijl meneer Rhyme op het strand mag gaan liggen, met dank aan New York City. Ik zie daar niets eerlijks in. Zit hij nu achter zo'n verwijfd drankje met een parapluutje en plastic zeepaardjes?'

'Ik denk dat hij het allemaal uit eigen zak betaalt, Fred. En hoe weet jij trouwens dat ze daar plastic zeepaardjes bij de drankjes serveren?'

'Betrapt,' gaf de agent toe. 'Die met kokos vind ik zelf het lekkerst. Hoe staat het met het onderzoek? De moord aan Third Avenue, had die er iets mee te maken? Lydia Foster. Ik zag het op tv.'

'Ik ben bang van wel. We denken dat ze vermoord is om sporen uit te wissen, waarschijnlijk in opdracht van Metzger.'

'Fúck,' zei Dellray fel. 'Die vent slaat echt helemaal door.'

'Zeg dat wel.' Sachs vertelde hem ook dat ze hadden ontdekt dat er twee daders in het spel waren. 'We weten nog niet wie van de twee die bom in dat koffiehuis geplaatst heeft.'

'Nou, ik heb een paar dingetjes voor je die misschien wel interessant zijn.'

'Vertel op.'

'Allereerst het mobieltje dat de sluipschutter gebruikte, dat op naam stond van Don Bruns, met dat valse persoonsnummer en dat bedrijf in Delaware als dekmantel? Het was best nog lastig om het bedrijf te achterhalen, maar ik heb het spoor weten te herleiden tot een paar postbusfirma's waar NIOS in het verleden betrekkingen mee had. Dat is waarschijnlijk de reden dat de telefoon nog functioneert. Het komt wel vaker voor dat ze bij de overheid denken dat ze zo slim bezig zijn dat niemand er ooit lucht van kan krijgen. Of misschien vinden ze zichzelf enorm belangrijk. Maar dat heb je niet van mij.'

'Oké. Bedankt, Fred.'

'En nu blijkt dat jouw grote vriend, wijlen de heer Moreno, níét van plan was om dood en verderf te zaaien en zich vervolgens in een grot terug te trekken.'

Hij verwees naar het mysterieuze bericht van Robert Moreno over 'de lucht in gaan, op 24 mei'.

'Waar ging dat dan over?' wilde Sachs weten.

De FBI-agent legde uit: 'Het was kennelijk een woordgrapje. Want wat was er aan de hand? Onze mensen in Venezuela hebben ontdekt dat Moreno en zijn gezin op 24 mei wilden verhuizen.'

Hij vertelde dat Robert Moreno een huis met vier slaapkamers had gekocht in San Cristóbal, een stad in Venezuela, een van de sjiekere locaties van het land. Het huis lag op een berg.

De lucht in...

Laurel knikte toen hij dit zei, en ze was duidelijk blij het te horen. Dus Moreno was misschien geen westerse Bin Laden.

We moeten de jury te vriend houden, dacht Sachs cynisch.

Dellray vervolgde zijn verhaal: 'O, en die bomaanslag in Mexico-Stad op 13 mei? Dat is bijna grappig te noemen. De enige link met Moreno is dat er op die datum in Mexico-Stad een groot evenement werd georganiseerd om geld op te halen voor een goed doel waarmee hij zich bezighield. *Classrooms for the Americas.* Ballonnendag noemden ze het. Voor tien dollar kreeg je een ballon, die je kapot moest prikken om te zien wat voor prijsje erin zat. Er waren meer dan duizend ballonnen. Ik moet zeggen dat míjn longen daar niet geschikt voor zouden zijn.'

Sachs zakte onderuit in haar stoel en deed haar ogen dicht. Jezus.

Kunnen we iemand vinden om ze op te blazen?

'Dank je wel, Fred.' Ze verbrak de verbinding.

Nu ze dit gehoord had, zei Laurel: 'Grappig hoe een eerste indruk je op een totaal verkeerd spoor kan zetten, hè?' Ze leek het Sachs niet in te willen peperen, maar Sachs wist het niet zeker.

Als je het niet erg vindt...

Even uit nieuwsgierigheid...

Sachs pakte haar mobieltje en belde Lincoln Rhyme.

Hij nam op met de woorden: 'Ik denk dat we een kameleon moeten nemen.'

Niet 'Hallo' of 'Met mij'.

'Zo'n... beest?'

'Dat is werkelijk heel interessant. Ik heb er nog niet een gezien die van kleur veranderde. Weet je hoe hij dat doet, Sachs? Met behulp van zogeheten chromatofore cellen. Die zitten in de huid, en hormonen zetten veranderingen in die huidcellen in werking. Ik vind het echt fascinerend. Hoe staat het bij jullie met het onderzoek?'

Ze beschreef de ontwikkelingen die zich hadden voorgedaan.

Rhyme dacht er even over na. 'Dat klinkt wel logisch, twee verschillende daders. Metzger zet zijn allerbeste sluipschutter natuurlijk niet in om in New York wat sporen uit te wissen. Daar had ik eerder aan moeten denken.'

Ik ook, dacht ze bedrukt. Met de vermoorde Lydia Foster in gedachten.

'Kun je een foto van Shales mailen? Van zijn rijbewijs of militaire ID.'

'Tuurlijk. Ik zal het na dit gesprek meteen doen.' Op sombere toon vertelde ze hem tot in detail over de moord op de tolk van Moreno, Lydia.

'Gemarteld?'

Ze beschreef hoe Lydia met een mes was toegetakeld.

'Opvallende techniek,' oordeelde hij. 'Dat is misschien nuttig.'

Zijn opmerking sloeg waarschijnlijk op het feit dat criminelen die geen vuurwapen, maar een mes of bijvoorbeeld een honkbalknuppel gebruikten, wonden bij hun slachtoffers veroorzaakten die overeenkomsten vertoonden, aan de hand waarvan de dader kon worden geïdentificeerd. Het ontging Sachs niet dat deze losse, klinische opmerking zijn enige reactie op de afschuwelijke moord was.

Maar dat was typisch Lincoln Rhyme. Dat wist ze en ze accepteerde het. Tegelijkertijd vroeg ze zich af waarom diezelfde houding bij Nance Laurel haar zo op de zenuwen werkte.

Ze vroeg: 'Hoe gaat het daar op de mooie Bahama's?'

'We schieten niet veel op, Sachs. We hebben huisarrest gekregen.'

'Hè?'

'Dat probleem is morgen hoe dan ook opgelost.' Meer was hij niet van plan erover te zeggen. Misschien was hij bang dat zíjn telefoon werd afgeluisterd. 'Ik ga ophangen. Thom heeft gekookt, en volgens mij kunnen we zo aan tafel. Je moet echt eens donkere rum proberen. Erg lekker. Wordt van suiker gemaakt, weet je.'

'Misschien laat ik de rumbeker even aan me voorbijgaan, want ik heb daar wat onprettige herinneringen aan. Hoewel je eigenlijk niet van herinneringen kunt spreken als je je ze niet meer voor de geest kunt halen.'

'Wat denk je van de zaak, Sachs? Zoek je nog steeds in de hoek van de politiek en politici? Het Congres?'

'Nee. Nu niet meer. Sinds ik heb gezien wat er met Lydia Foster is gebeurd, ben ik om. Hier zijn een paar enorme klootzakken bij betrokken. En die zullen we krijgen ook. O, trouwens, Rhyme: als je iets hoort over een bom die hier is afgegaan, hoef je je geen zorgen te maken: mij mankeert niks.' Ze vertelde hem over de aanslag op de Java Hut, zonder diep in te gaan op het feit dat ze bijna het loodje had gelegd.

'Het is hier goed uit te houden, Sachs. Ik zit eraan te denken later nog een keertje terug te komen, buiten het werk om.'

'Een vakantie. Ja, Rhyme, laten we dat doen.'

'Je kunt hier alleen niet lekker plankgas geven,' waarschuwde hij. 'Het verkeer is hopeloos.'

'Ik heb altijd eens zo'n jetski willen proberen. Dan kun jij op het strand gaan zitten.'

'Ik ben al in het water geweest,' zei hij.

'Meen je dat?'

'Ja, absoluut. Ik vertel je er later wel meer over.'

Ze zei: 'Ik mis je,' en verbrak de verbinding voordat hij de kans had hetzelfde tegen haar te zeggen.

Of niet.

Nance Laurel werd op haar eigen mobieltje gebeld. Sachs merkte dat ze verstrakte toen ze zag wie haar belde. Aan de manier waarop ze sprak hoorde Sachs dat het om een privézaak ging die niets met het onderzoek te maken had.

'Hé, hallo... Hoe is het?'

De vrouw keerde Sachs en Cooper de rug toe en liep bij hen weg, maar Sachs kon haar nog steeds verstaan: 'Heb je die nodig? Dat had ik niet verwacht. Ik heb ze al ingepakt.'

Vreemd. Sachs had nooit gedacht dat de hulpofficier er een privéleven op na zou houden. Ze droeg geen trouw- of verlovingsring, eigenlijk nauwelijks sieraden. Sachs zag haar wel met haar moeder of zus op vakantie gaan en kon zich Nance Laurel nauwelijks als vrouw of minnares voorstellen.

Laurel sprak nog steeds op gedempte toon. 'Nee, nee. Ik weet niet waar ze zijn.'

Wat voor toon was dat precies?

Toen drong het tot Sachs door: ze is kwetsbaar, weerloos. Degene die ze aan de lijn had, bezat een bepaalde macht over haar. Een scheiding die nog niet helemaal beklonken was?

Laurel verbrak de verbinding en ging even zitten, alsof ze haar gedachten op een rijtje moest zetten. Toen kwam ze overeind en pakte haar tas. 'Ik moet even iets regelen.'

Vreemd om haar zo van slag te zien.

Sachs vroeg zowaar: 'Kan ik iets voor je doen?'

'Nee. Ik zie je morgen wel weer. Ik... Ik ben er morgen.'

Met haar tas onder de arm liep de hulpofficier naar buiten. Sachs zag dat haar werkplek niet was opgeruimd en dat her en der nog papieren lagen, terwijl ze de vorige avond alles ordelijk had achtergelaten. Toen Sachs naar de tafel keek, viel haar oog op een document. Ze liep ernaartoe en pakte het op. Er stond:

Van: hulpofficier van justitie Nance Laurel
Aan: officier van justitie Franklin Levine (Manhattan County)
Betreft: de staat vs. Metzger, et al. Update, dinsdag 16 mei

Ik heb de zaak onderzocht en ben achter de identiteit gekomen van de chauffeur van Elite Limousines die Robert Moreno op 1 mei heeft rondge-reden. De chauffeur heet Atash Farada. Mijn onderzoek heeft verscheidene relevante feiten opgeleverd.
1. Robert Moreno was in het gezelschap van een vrouw van in de dertig, mis-schien een escortgirl of prostituee. Mogelijk heeft hij haar een 'aanzienlijk' bedrag betaald. Hij noemde haar 'Lydia'.
2. Hij en bovengenoemde dame zijn in de stad uitgestapt, waarna de chauf-feur enkele uren op hen heeft gewacht. Farada had de indruk dat Moreno niet wilde dat hij wist waar hij naartoe ging.
3. De chauffeur heeft een motief voor Moreno's anti-Amerikaanse senti-menten aangedragen. Een goede vriend van hem is tijdens de invasie van Panama in december 1989 door Amerikaanse strijdkrachten om het leven gebracht.

Sachs was er beduusd van. De memo was bijna identiek aan het mailtje dat zijzelf naar Laurel had gestuurd, zoals voorgeschreven door de Op-zichter. Er stonden maar een paar wijzigingen in.

Van: inspecteur Amelia Sachs, NYPD
Aan: hulpofficier van justitie Nance Laurel
Betreft: de moord op Moreno, update, dinsdag 16 mei

Ik heb de zaak onderzocht, en ben achter de identiteit gekomen van de chauffeur (Atash Farada) van Elite Limousines die Robert Moreno op 1 mei heeft rondgereden. In mijn gesprek met hem zijn verschil-lende relevante dingen aan het licht gekomen.
1. Moreno was in het gezelschap van een vrouw van in de dertig, mis-schien een escortgirl of prostituee. Het kwam bij me op dat ze mo-gelijk een terroriste was of in dienst was bij een of andere geheime

dienst. Mogelijk heeft hij haar een 'aanzienlijk' bedrag betaald. Haar voornaam was 'Lydia'.

2. Hij en de vrouw zijn in de stad uitgestapt, waarna de chauffeur een tijd op hen heeft gewacht. De chauffeur had de indruk dat Moreno niet wilde dat hij wist waar hij met Lydia naartoe ging.

3. De chauffeur kwam met een motief voor Moreno's anti-Amerikaanse activiteiten. Een goede vriend van hem is bij de invasie van Panama om het leven gekomen.

Laurel heeft mijn werk gejat.

En dat niet alleen, ze heeft de tekst verdomme ook nog zitten corrigeren.

Sachs bekeek nog een paar andere memo's die ze plichtsgetrouw had geschreven en naar Laurel had gestuurd.

Als je het niet erg vindt...

Nou, Sachs vond het wél erg, want alle berichten waren dusdanig herschreven dat het net leek of Laurel al het onderzoek had verricht. Sterker nog: Sachs' naam kwam in geen enkel document voor. Rhyme werd veelvuldig genoemd, maar Sachs was praktisch uit het onderzoek gewist.

Godverdomme. Wat was dit nou weer?

Ze bekeek nog meer documenten, op zoek naar antwoorden. Veel ervan waren kopieën van juridische adviezen en aktes van beschuldiging.

Maar onder op de stapel lag een document dat anders was.

En dat verklaarde een hoop.

Sachs keek naar Mel Cooper, die over een microscoop gebogen zat. Hij had blijkbaar niet gezien dat ze in Laurels paperassen had zitten snuffelen. Sachs pakte het document dat ze net had ontdekt, maakte er een kopie van en stopte die in haar tas. Het origineel legde ze weer onder op de stapel, precies op de plek waar ze het had gevonden. Hoewel het op Laurels bureau een zootje was, zou Sachs er niet van opkijken als de hulpofficier precies wist waar elk document – en elke paperclip – lag toen ze wegging.

Sachs wilde niet dat de vrouw zou merken dat ze er gloeiend bij was.

Woensdag 17 mei

IV

Snijden

46

'Meneer Rhyme, voelt u zich al wat beter?'

Na een passende pauze zei hij tegen commissaris McPherson: 'Ja, dank u. We hebben onze spullen gepakt en gaan zo naar het vliegveld.' Rhymes mobiel stond op de luidsprekerstand.

Het was acht uur in de morgen en Rhyme bevond zich in het zitgedeelte van de warme en buitengewoon klamme motelsuite. Thom en Pulaski zaten op de veranda koffie te drinken in het gezelschap van twee kameleons.

Een korte pauze. 'Mag ik u iets vragen, meneer Rhyme?'

'Gaat uw gang.' Hij klonk geërgerd. Moe. Als een gevangene.

'Iets wat u onlangs zei, heeft me zeer verbaasd.'

'En dat is?'

'U wenste ons succes met het onderzoek naar "de móórd op de Amerikaanse studente".'

'Ja?'

'Maar de jonge vrouw is door een ongeluk om het leven gekomen. Ze is gaan zwemmen terwijl ze dronken was.'

Rhyme liet een stilte van een paar seconden vallen, alsof hij in de war was. 'O, dat zou me zeer verbazen.'

'Hoe bedoelt u, meneer?'

'Ik heb nu echt geen tijd om erover te praten, commissaris. We moeten naar het vliegveld. Ik laat de hele zaak aan u…'

'Alstublieft… Denkt u echt dat ze is vermoord?'

'Ik ben er zeker van, ja.'

Het idee dat de studente was vermoord was bij hem opgekomen toen hij conch fritters zat te eten in het Hurricane Café en de afschuwelijke foto's van de plaats delict bekeek. Hij had op dat moment echter besloten inspecteur Poitier nog niet te vertellen wat hij ervan dacht.

De commissaris zei: 'Gaat u alstublieft verder.'

'Verder?' vroeg Rhyme verbaasd.

'Ja, vertel me wat u denkt. Wat u zei, is heel intrigerend.'

We laten het brood nog even in de oven…

'Dat kan wel zijn, maar ik moet naar het vliegveld. Nogmaals succes, commissaris.'

'Wacht! Alstublieft! Meneer Rhyme, misschien heb ik gisteravond wat al te haastig gereageerd. Het is zeer ongelukkig wat er in Clifton Bay is gebeurd. En inspecteur Poitier was tenslotte zijn boekje te buiten gegaan.'

'Eerlijk gezegd, meneer McPherson, is mijn ervaring dat de beste resultaten in ons werk vaak worden behaald door de mensen die het verst hun boekje te buiten gaan.'

'Ja, dat is misschien wel waar. Maar als u me zou willen vertellen wat u denkt van...'

Rhyme zei snel: 'Ik zou misschien kunnen helpen...' Hij maakte de zin niet af.

'Ja?'

'Maar in ruil daarvoor zou ik inspecteur Poitier graag in zijn functie hersteld zien.'

'Hij is er niet echt uit ontheven. Het papierwerk ligt hier voor me op mijn bureau. Ik heb nog niets getekend.'

'Mooi. En ik wil ook toegang tot de plaats delict in de South Cove Inn, de sectieverslagen en de kleding van de drie slachtoffers. En al het relevante bewijsmateriaal dat is verzameld, in het bijzonder de kogel. Ik moet die kogel zien.'

Een zacht tikje in de luidspreker. De commissaris was er duidelijk niet aan gewend om te onderhandelen.

Rhyme keek even naar de anderen, die al in de brandende zon kwamen te zitten. Pulaski lachte bemoedigend.

Na een korte stilte – een beladen stilte, dacht Rhyme wrang – zei de commissaris: 'Heel goed, meneer Rhyme. Misschien kunt u even naar het bureau komen om deze zaak te bespreken?'

'Alleen als mijn partner ook komt.'

'Uw partner?'

'Inspecteur Poitier.'

'Natuurlijk. Ik zal hem laten komen.'

47

Het kantoor van de commissaris van de Royal Bahamas Police Force was een beetje vergane glorie, meer een ruimte waarin werd geleefd dan een vertrek waarin een officieel ambt werd bekleed. De kamer straalde een koloniale sfeer uit, waardoor Rhyme zich er onmiddellijk thuis voelde. Zijn eigen werkplek, het lab dat vroeger een woonvertrek was geweest, stamde nog uit de victoriaanse tijd. Het gebouw van de RBPF was van recentere datum, maar het kantoor van McPherson deed denken aan vervlogen tijden. Rhyme zag een chintz sofa, een waskom en een lampetkan, een grote eiken kast, lampen met gele lampenkappen en aan de muur foto's van mannen die waarschijnlijk gouverneur-generaal of iets dergelijks waren geweest. Er hingen verschillende formele uniformen op rekken – één smetteloos wit, één marineblauw.

Natuurlijk was de moderne tijd ook hier binnengeslopen: oude grijze archiefkasten, drie mobieltjes op het functionele beige bureau en twee indrukwekkende computers. Aan een muur hing een imposante kaart van New Providence Island.

Het was warm binnen – de airco loeide – en de luchtvochtigheid was hoog. Rhyme vermoedde dat McPherson gewoonlijk de ramen open had staan, maar vanochtend ter ere van zijn gasten de airco had aangezet. Dat vermoeden werd versterkt doordat er nog een aanwezige was – een kameleon die binnen op de vensterbank zat.

De forsgebouwde commissaris droeg een gesteven kaki uniform. Hij kwam overeind en schudde Rhyme voorzichtig de hand. 'Is alles goed met u, meneer Rhyme?'

'Zeker. Een moment van rust was net wat ik nodig had.'

'Uitstekend.'

Hij gaf ook Pulaski en Thom een hand. Even later kwam Mychal Poitier aarzelend binnen. Weer werden er handen geschud.

De commissaris ging zitten en was ineens een en al zakelijkheid. Hij keek Rhyme met half toegeknepen, priemende ogen aan. 'Die studente, meneer Rhyme. U had het over moord.'

Rhyme zei: 'Inderdaad. Ze is absoluut met voorbedachten rade om het leven gebracht. Het was van tevoren gepland. En volgens mij is ze geslagen voordat ze is overleden.'

'Geslagen?' Poitier hield zijn hoofd schuin.

De criminalist zei: 'Cruciaal hierbij zijn haar sieraden. Op de foto's zag ik dat haar armbanden, haar horloge, de ringen om haar vingers en die om haar tenen van goud waren. Maar aan haar halsketting zaten zilveren lovertjes. Dat leek niet goed bij elkaar te passen, goud met zilver.'

'Wat heeft...' begon de commissaris. Toen zweeg hij. Rhyme had hem fronsend aangekeken bij de onderbreking.

'Volgens mij heeft haar belager haar flink toegetakeld en wilde hij dat verborgen houden. Toen hij met haar klaar was, heeft hij haar verdronken en haar die halsketting omgedaan. Hij wist dat aasetende vissen op het glimmende metaal af zouden komen – daar heb ik op de heenweg in het vliegtuig over gelezen. Ik neem aan dat het in alle reisgidsen staat: geen glinsterende spullen dragen als je gaat zwemmen. Met name zilver is gevaarlijk, omdat het op schubben lijkt, meer nog dan goud. De vissen hebben alle sporen van mishandeling weggewerkt door het grootste deel van het gezicht weg te vreten. We weten dat haar moordenaar dit zo gepland had, omdat hij het zilveren kettinkje bij zich gehad moet hebben.'

Poitier vroeg: 'Waarom zou hij dat doen? Er zijn geen sporen die op seksueel misbruik wijzen.'

'Wraak misschien. Maar ik heb een theorie die misschien wat op kan leveren. Daarvoor moeten we eerst met de lijkschouwer praten. Ik wil graag weten hoe het zit met de bloedbezinking.' Toen de commissaris Rhyme bleef aankijken, zei de criminalist tegen hem: 'Het zou handig zijn om dat nu te weten te komen.'

'Ja, natuurlijk.' McPherson pakte de hoorn van de telefoon op zijn bureau en toetste een nummer in. Hij praatte even tegen een baliemedewerker of assistent en zei toen tegen degene aan de andere kant van de lijn: 'Het maakt me niet uit of hij met een sectie bezig is. Dat lijk blijft wel dood, daar verandert een telefoontje tussendoor echt niets aan. Haal hem maar op.'

Na een kort moment van stilte hervatte hij het gesprek. Op een gegeven moment keek hij naar Rhyme en hield de telefoon een eindje van zijn oor af. 'De resultaten zijn binnen. De lijkschouwer heeft het rapport voor zich liggen.'

'Alcoholpercentage?' vroeg de criminalist.

De vraag werd doorgegeven. Toen: 'Nul komma zeven.'

'Officieel nog niet dronken, maar het scheelt niet veel,' zei Pulaski.

'Wat had ze gedronken?' vroeg Rhyme.

'We hebben een fles Bacardi, tachtig procent, en een fles cola in de auto aangetroffen. Allebei open,' antwoordde Poitier.

'Light of gewoon? De cola, bedoel ik.'

'Gewoon.'

Rhyme wendde zich tot McPherson. 'Vraag de lijkschouwer naar het glucosegehalte. En ik bedoel niet haar bloedsuiker, maar de waarden in haar oogbol.' Hij legde uit: 'Daar zitten geen glycolytische enzymen in.' McPherson staarde hem aan. De andere aanwezigen eigenlijk ook. Rhyme werd ongeduldig. 'Ik wil het glucosegehalte van het glasachtig lichaam in haar oog. Dat is een standaard test. Die hebben ze vast gedaan.'

De man stelde de vraag. Het antwoord luidde: 4,2 milligram per deciliter.

'Laag tot normaal.' De criminalist glimlachte. 'Ik wist het wel. Ze had niet voor de lol gedronken. Als ze rum-cola had gehad, zou het gehalte hoger zijn. Haar moordenaar heeft haar gedwongen pure rum te drinken, en daarna heeft hij de colafles opengemaakt om de indruk te wekken dat ze gemixt had.' Rhyme richtte zich weer tot de commissaris. 'Drugs?'

Weer werd de vraag doorgegeven.

'Niets gevonden.'

'Mooi,' zei Rhyme enthousiast. 'Nu komen we tenminste ergens. Laten we kijken wat voor werk ze deed.'

'Ze had een parttime baan als verkoopster in Nassau,' vertelde Poitier.

'Nee, niet dát werk. Haar werk als prostituee, bedoel ik.'

'Hè? Hoe weet u dat?'

'De foto's.' Hij keek naar Poitier. 'De foto's die u me op uw iPad hebt laten zien. Ze had heel wat injectiesporen op haar arm. In haar bloed waren geen sporen van drugs te vinden, hebben we net gehoord, dus hoe komen die puntjes dan op haar arm? Insuline kan het niet zijn, want diabetici spuiten daar niet. Nee, het lijkt me waarschijnlijk – let wel: waarschijnlijk, want zeker is het niet – dat ze zich regelmatig op soa's heeft laten testen.'

'Een prostituee.' De commissaris leek ermee in zijn nopjes. De Amerikaanse die in zijn district was overleden, bleek dus niet de onschuldige studente te zijn waar ze haar voor hadden gehouden.

'U kunt nu wel ophangen.' Rhymes blik gleed naar de hoorn van de telefoon, die als een roerloze slinger aan het koord hing.

McPherson bedankte de lijkschouwer kortaf en hing op.

'Wat is onze volgende stap?' wilde Poitier weten.

'Achterhalen waar die vrouw werkte,' zei Pulaski, 'en waar ze haar klanten oppikte.'

Rhyme knikte. 'Inderdaad. Daar heeft ze de moordenaar waarschijnlijk getroffen. Haar gouden sieraden waren duur en stijlvol. Fysiek gesproken was ze in een uitstekende conditie. Het meisje had een knap gezicht. Ze zal niet hebben getippeld. Kijk of er in haar tas creditcardbonnetjes zitten. Dan weten we waar ze haar cocktails dronk.'

De commissaris knikte naar Mychal Poitier, die meteen ging bellen, blijkbaar met iemand van de recherchekamer of de rechercheafdeling.

De jonge rechercheur voerde een uitgebreid telefoongesprek en hing uiteindelijk op. 'Interessant,' zei Poitier. 'Twee bonnetjes van een bar in de...'

Het kwam door de manier waarop hij het zei dat Rhyme een ingeving kreeg. 'De South Cove Inn!'

'Inderdaad, meneer Rhyme. Hoe wist u dat?'

Rhyme gaf geen antwoord. Hij staarde een minuut lang naar buiten. De gedachten tolden door zijn hoofd. 'Hoe heet ze?' vroeg hij.

'Annette. Annette Bodel.'

'Nou, ik heb goed nieuws voor ons allebei, commissaris. Voor u: de moordenaar van Annette Bodel kwam niet van de Bahama's, maar was een Amerikaan – en dat is een pr-coup voor uw land. En het goede nieuws voor mij is dat we mogelijk een link met de zaak-Moreno hebben. Eén ding had ik niet goed: ze zal ongetwijfeld gemarteld zijn. Maar volgens mij gebruikte hij een mes, niet zijn vuisten, en heeft hij daarmee haar wangen, neus of tong bewerkt.'

'Hoe weet u dat?' vroeg McPherson.

'Ik weet het niet zeker, nog niet. Maar ik acht het wel waarschijnlijk. Een van mijn medewerkers in New York vertelde me dat de man die getuigen in deze zaak uit de weg ruimt, graag messen gebruikt. Hij is niet de sluipschutter. Ik denk dat hij de sluipschutter heeft geholpen en dat hij de Amerikaan is die op 8 mei in het hotel was om te kijken wat hij kon uitvissen over suite 1200, Moreno en zijn bodyguard. Waarschijnlijk heeft hij Annette in de bar opgepikt, heeft hij haar gebruikt om informatie te verkrijgen en is hij na de aanslag samen met de schutter vertrokken. Toen hij hoorde dat er een onderzoek zou worden ingesteld, is hij teruggegaan en maandag, eergisteren, heeft hij haar gemarteld om te horen of ze nog met iemand anders over hem gepraat had. Daarna heeft hij haar vermoord.'

'Laten we teruggaan naar het strand waar ze is aangetroffen om daar nog een keer te zoeken, deze keer als plaats delict,' stelde Pulaski voor.

De commissaris keek naar Poitier, maar die schudde zijn hoofd. 'We hebben met een slimme vent te maken, commissaris. Hij heeft haar vermoord toen het eb was. Op die plek staat nu een meter water.'

'Inderdaad slim.' Rhyme keek de commissaris strak aan. Hij zei: 'Uit het bewijsmateriaal blijkt overduidelijk dat Robert Moreno door een sluipschutter is vermoord die in dienst was van de Amerikaanse overheid en dat zijn handlanger of in elk geval iemand van zijn organisatie naderhand sporen heeft uitgewist. Als gevolg daarvan is Annette Bodel in Nassau vermoord. Die informatie zal binnen niet al te lange tijd openbaar worden gemaakt. U kunt vasthouden aan het verhaal dat er een Venezolaans drugskartel achter de aanslag zit en de Amerikaanse link negeren. Maar dan wekt u de indruk dat u de zaak in de doofpot wilt stoppen. Een andere mogelijkheid is dat u ons helpt de sluipschutter en diens handlanger op te sporen.'

Pulaski viel Rhyme bij: 'Zoals het er nu naar uitziet, commissaris, is de man die opdracht gaf tot de moord waarschijnlijk buiten zijn boekje gegaan. Als u ons helpt de schuldigen op te sporen, zal Washington dit niet zo hoog opnemen als u misschien denkt.'

Uitstekende zet, dacht Rhyme.

'Ik zal de forensische dienst opdracht geven de plek te onderzoeken waar de sluipschutter zich had verschanst.' McPherson draaide zijn brede gezicht naar Mychal Poitier toe. 'Poitier, jij gaat met meneer Rhyme en zijn gevolg mee naar de South Cove Inn voor een hernieuwd onderzoek op de plaats delict. Je doet daarbij alles wat in je macht ligt om hen te helpen. Is dat begrepen?'

'Begrepen, commissaris.'

McPherson richtte zich nu tot Rhyme. 'Ik zal ervoor zorgen dat het volledige forensisch rapport en het sectierapport worden vrijgegeven. O, en ook het bewijsmateriaal. Ik neem aan dat u dat graag wilt bekijken, meneer Rhyme?'

'Bewijsmateriaal, zeker. Dat zou ik heel graag bekijken.' Het kostte hem enige moeite om niet te zeggen dat het verdomme tijd werd ook.

48

Nogmaals SW Road.

Poitier, Pulaski en Rhyme zaten in het rolstoelbusje; Thom reed. Ze namen dezelfde route naar de South Cove Inn die ze gisteren hadden gevolgd voor het stiekeme en bijna fatale bezoekje aan het strandje aan Clifton Bay.

Ondanks het vroege uur stond de zon achter hen al hoog aan de hemel. De planten glansden groen, rood en diepgeel. Een paar witte bloemen, waarvan Rhyme wist dat Sachs ze prachtig zou hebben gevonden.

Ik mis je...

Ze had de verbinding verbroken terwijl hij inademde om hetzelfde te zeggen. Hij glimlachte om haar timing.

Ze stopten even bij de forensische dienst om wat spullen voor sporenonderzoek op te halen. Ze waren van uitstekende kwaliteit en Rhyme vertrouwde erop dat Pulaski en Poitier wel iets in de moordkamer zouden vinden dat hen zou helpen Barry Shales in verband te brengen met de aanslag, en mogelijk ook aanwijzingen die zouden leiden tot de identiteit van onbekende dader 516.

Niet veel later waren ze bij het hotel. Pal voor het indrukwekkende, maar niet al te opzichtige gebouw stopten ze. Rhyme dacht dat de architectuur neokoloniaal was. Thom duwde Rhyme in de handbewogen rolstoel over de stoep naar de entree, door de prachtig verzorgde tuin.

Ze gingen de hal in en Mychal Poitier begroette de vriendelijke receptioniste. Ze was nieuwsgieriger naar de man in de rolstoel dan naar de rechercheur; de laatste tijd hadden ze genoeg politie over de vloer gehad. Het hotel leek goed toegankelijk doordat alles zich op de begane grond bevond, maar Rhyme veronderstelde dat het vakantieoord, voornamelijk strandhotel en golfclub, niet veel gehandicapte gasten trok.

De manager was op dat moment elders bezig, maar de receptioniste maakte zonder enige aarzeling een sleutelkaart aan voor suite 1200.

Pulaski, die haar de dag tevoren had ontmoet, begroette haar met een knikje en liet de foto van Barry Shales zien die Sachs per e-mail had toegestuurd. Noch zij, noch iemand anders had Shales ooit eerder gezien.

En dat bevestigde zo'n beetje wat Rhyme al had gedacht: dat dader 516 op 8 mei in het hotel was geweest als assistent van Shales.

Pulaski en Poitier droegen de spullen en het hele gezelschap ging op weg door de gang die de receptioniste had aangewezen.

Na een paar minuten – het was een behoorlijk groot hotel – knikte Thom naar een bordje: SUITES 1200-1208 →

'We zijn er bijna.'

Ze gingen een hoek om. En bleven abrupt staan.

'Wacht,' mompelde Poitier. 'Wat is dit?'

Rhyme keek naar de dubbele deur van suite 1200, de moordkamer. De plaats delict was vermoedelijk met politielint afgezet geweest en met was verzegeld, en er zouden bordjes hebben gehangen met de mededeling dat het ten strengste verboden was de kamer te betreden.

Maar nu niet meer.

De deuren stonden wijd open en een schilder in een vlekkerige witte overall was midden in de kamer bezig met een roller een laatste laag verf aan te brengen op de muur boven de open haard. Van de kale houten vloer was het tapijt verwijderd. En al het andere was ook weg, de bebloede bank, de glassplinters, alles.

49

Jacob Swann at een perfecte omelet in een restaurant aan Upper West Side, in de buurt van Central Park West.

Hij droeg een spijkerbroek, een windjack (vandaag een zwarte), hardloopschoenen en een wit T-shirt. Naast hem stond zijn rugzak. Dit was een buurt waarin veel mensen banen hadden waarvoor ze geen net pak aan hoefden en waarbij kantooruren niet de norm waren – de uitvoerende kunsten, musea, galeries. En natuurlijk de horeca. Swann viel daarin niet op.

De koffie waaraan hij nipte was goed heet en niet bitter. De toast was dik en vóór het roosteren beboterd – de enige juiste manier om toast te maken. En de omelet? Zeer goed klaargemaakt, vond hij. Werkelijk uitmuntend.

Eieren zijn altijd lastig te verwerken. Ze kunnen van een gerecht iets hemels maken of het compleet verprutsen als je niet oppast of pech hebt, als de boel gaat stollen of schiften of inzakken. Als je eiwit gaat kloppen, hoeft er maar een klein beetje eigeel in te komen en je kunt je omelette sibérienne wel vergeten. En je loopt altijd het risico dat ongewenste bacteriën zich vermenigvuldigen in Gods perfecte ovaal (voortplanting is per slot van rekening waar eieren voor gemaakt zijn).

Maar deze eieren waren vakkundig geklopt – losjes en zonder toevoeging van extra vloeistof – en vervolgens op een hoog vuur gebakken met verse dragon, bieslook en dille, die op het juiste moment waren toegevoegd, niet te vroeg. De halvemaanvormige omelet was geel, bruin en wit; krokant vanbuiten, vanbinnen langzaam gestold.

Maar ondanks het eersteklas eten raakte Swanns geduld met Amelia Sachs langzamerhand op.

Ze zat nu al uren bij Lincoln Rhyme binnen. Ze had de kwestie met de telefoons opgelost, nam kennelijk om de zoveel uur een ander prepaidtoestel – iedereen van het team gebruikte die dingen nu – en ze had een afluisterverklikker op het vaste toestel in Rhymes herenhuis laten installeren, en die kon je niet omzeilen zonder het ding te mollen.

Maar omdat ze het onderzoek leidde, zou ze op een gegeven moment weer naar buiten moeten komen.

Hij dacht aan haar partner, Rhyme. Dat was een flinke tegenvaller geweest. Het had zijn organisatie bijna tweeduizend dollar gekost om de man, diens verzorger en een andere agent uit de weg te ruimen, plus iemand van de plaatselijke politie. Maar de mensen die hij daarvoor had ingehuurd, hadden het verprutst. Ze hadden Swann naderhand gevraagd of ze nog een poging moesten ondernemen, maar hij had gezegd dat ze zo snel mogelijk het eiland moesten verlaten. Het zou lastig zijn om een link met Swann te vinden, maar onmogelijk was het niet.

Hij ging er zonder meer van uit dat zich nog wel vaker een mogelijkheid zou voordoen om Rhyme uit de weg te ruimen. De man was toch niet in staat om de Kai Shun te ontwijken. Swann had nagetrokken wat Rhyme mankeerde, een dwarslaesie, en wist dat de criminalist in praktisch zijn hele lichaam geen gevoel meer had. Swann raakte gefascineerd door de gedachte dat de man roerloos zou blijven toekijken als iemand zijn huid afstroopte – en hij langzaam zou doodbloeden – zonder dat hij er iets van voelde.

Wat een interessant idee: iemand levend villen.

Merkwaardig. Hij zou dan…

Ah, daar was onze charmante Amelia.

Ze kwam niet uit de richting die hij had verwacht – de L-vormige doodlopende steeg die doorliep tot achter het huis, waar ze haar Ford Torino had neergezet. Ze had het huis verlaten via de voordeur, die op Central Park West uitkwam. Ze liep aan de overkant van de straat in westelijke richting.

Hij had gehoopt haar in het steegje te grazen te kunnen nemen, want op dit moment waren er te veel voetgangers op straat, mensen die naar hun werk gingen. Maar het zou slechts een kwestie van tijd zijn voordat hij haar ergens in haar eentje te pakken kon krijgen.

Zorgvuldig veegde Swann zijn bestek en koffiebeker schoon om vingerafdrukken te verwijderen. Hij betaalde met een tientje en een vijfje, die hij onder het bord schoof, omdat hij liever niet aan de kassa afrekende. Hij had deze biljetten als wisselgeld van een hotelreceptionist aan de andere kant van de stad gekregen; omdat papiergeld uit een geldautomaat veel te gemakkelijk te traceren was, had hij een kleine witwastransactie uitgevoerd. Hij gaf een ruime maar niet overdreven fooi.

En toen liep hij naar buiten en stapte in zijn Nissan.

Hij hield Sachs door de voorruit in de gaten. Waakzaam keek ze om zich heen, hoewel niet in zijn richting, alleen naar de kanten van waaruit een aanvaller kon toeslaan. Ook interessant: ze wierp steeds een vorsende blik omhoog.

Maak je maar geen zorgen, dacht Swann. Daar komt de kogel niet vandaan.

Terwijl ze naar haar autosleutels zocht, gleed een van haar jaspanden van haar heup en zag hij dat ze een Glock droeg.

Hij startte zijn auto gelijktijdig met die van haar, zodat het niet opviel.

Sachs trok op; Swann reed achter haar Torino aan.

Hij vond het jammer dat hij haar met een kogel zou moeten uitschakelen; onder de huidige omstandigheden kon hij niet de Kai Shun op haar zijdezachte huid gebruiken.

50

Mychal Poitier sprak met de manager van de South Cove Inn.

'Maar inspecteur, ik dacht dat u dat wel wist,' zei de lange man met krulhaar in het prachtige beige pak. Op dat moment zaten er diepe fronsen in zijn rozig gebruinde voorhoofd. Zijn accent deed Brits aan.

'Wat wist ik wel?' foeterde Poitier.

'U had ons gezegd dat we de kamer in konden om hem schoon te maken en de schade te herstellen.'

'Ik? Dat heb ik nooit gezegd!'

'Nou ja, niet u. Maar iemand anders van de politie. Ik ben gebeld met de boodschap dat de plaats delict werd vrijgegeven. Ik weet niet meer hoe de beller heette.'

'Hij belde?' vroeg Rhyme. 'Dus hij kwam niet hierheen?'

'Nee, het ging via de telefoon.'

Rhyme zuchtte. 'Wanneer was dat?'

Poitier draaide zich om en keek Rhyme ontmoedigd aan. 'Ik heb strikte bevelen gegeven dat de plaats delict verzegeld moest blijven. Ik kan me niet voorstellen wie...'

'Het was niet iemand van de politie,' zei Rhyme. 'De onbekende dader heeft gebeld.'

Uiteraard wilde de manager maar al te graag dat elk teken dat hier een moord was gepleegd weggepoetst werd. Politielint in het hotel is niet goed voor de public relations.

'Het spijt me, inspecteur,' zei de manager verontschuldigend.

'Waar zijn het vloerkleed, de bank en de glassplinters gebleven?' informeerde Rhyme. 'En het andere meubilair?'

'Ergens op een vuilnisbelt, neem ik aan. Ik heb geen idee. We hebben er een aannemer bij gehaald. Die zei dat ze het kleed en de bank zouden verbranden vanwege het bloed.'

Al die vuurtjes om afval te verbranden...

'Meteen nadat hij Annette heeft vermoord, pleegt de dader een telefoontje en daar gaat de plaats delict. Best slim, als je erover nadenkt. Simpel,' zei Pulaski.

Dat was het inderdaad. Rhyme keek om het hoekje van de brandschone kamer. Het enige bewijs dat hier een misdaad was gepleegd, was het ontbreken van glas in het raam, waar een stuk plastic voor geplakt was.

'Als ik nog iets kan doen...' bood de manager aan.

Toen niemand reageerde, trok hij zich terug.

Thom reed Rhyme de suite in, en omdat de moordkamer niet geschikt was voor rolstoelgebruikers werd hij door Poitier en Pulaski twee lage treden af geholpen.

De kamer was lichtblauw en groen – op sommige muren was de verf nog nat – en ongeveer zes bij negen meter. Aan de rechterkant gaven twee deuren toegang tot slaapkamers. Ook die waren leeg en klaar om geschilderd te worden. Bij binnenkomst lag er aan de linkerkant een volledig uitgeruste keuken.

Rhyme keek door een van de ongeschonden ramen naar buiten. Voor de kamer lag een keurige tuin, die werd gedomineerd door een boom met een gladde stam die zich een meter of twaalf in de lucht verhief. Hij zag dat de onderste takken waren weggesnoeid; het bladerdak begon pas op een hoogte van ruim zes meter boven de grond. Toen hij onder het bladerdak door keek, zag hij in de verte duidelijk de beruchte landtong waarvandaan Barry Shales had geschoten en waar de mannen die zich nu in de kamer bevonden bijna waren vermoord.

Hij tuurde naar het topje van de boom.

Nou, misschien hebben we toch nog een plaats delict.

'Groentje!' riep Rhyme.

'Ja, Lincoln.'

Pulaski was bij hem komen staan. Ook Mychal Poitier voegde zich bij hen.

'Zie je niets vreemds aan deze plek?'

'Het was wel een superschot. Die landtong is verschrikkelijk ver weg. En kijk naar de vervuilde lucht waar hij doorheen moest kijken.'

'Het is hetzelfde scenario als we gisteren van de andere kant hebben gezien,' mopperde Rhyme. 'Er is niets aan veranderd. Daar heb ik het natuurlijk ook niet over. Ik wilde zeggen: zie je niets vreemds aan de horticultuur?'

De jonge agent bekeek de omgeving. 'De schutter heeft hulp gehad. Die takken.'

'Dat klopt.' Rhyme legde het uit aan Poitier. 'Iemand heeft de lagere takken gesnoeid zodat de sluipschutter een vrij schootsveld had. We moeten in de tuin gaan kijken.'

Maar de rechercheur schudde zijn hoofd. 'Het is een interessante theorie, meneer Rhyme. Maar nee. Die boom, dat is een gifhoutboom. Kent u die?'

'Nee.'

'Het is precies zoals de naam al suggereert, net als bij de gifsumak. Als je het hout verbrandt is de rook net traangas. En als je de bladeren aanraakt, kan je huid zo geïrriteerd raken dat je in het ziekenhuis belandt. Het zijn heel mooie bloeiende bomen, dus in vakantieoorden mogen ze blijven staan, maar de lagere takken worden weggesnoeid, zodat de gasten ze niet kunnen aanraken.'

'Ach, nou ja, het was leuk geprobeerd,' mompelde Rhyme. Hij had er een bloedhekel aan als een goede theorie op niets uitliep. En dat tegelijkertijd de hoop op een behoorlijke plaats delict die onderzocht kon worden de grond in werd geboord.

'Maak foto's,' zei hij tegen Pulaski. 'Neem monsters van de vloerbedekking in de gang en bodemmonsters van de bloembedden langs het pad aan de voorkant. Onderzoek daarna de deurkrukken op vingerafdrukken. Het levert waarschijnlijk niets op, maar nu we hier toch zijn…'

Rhyme keek toe hoe de jongeman monsters verzamelde en in plastic zakjes deed, waar hij op schreef waar ze gevonden waren. Daarna nam Pulaski tientallen foto's van de plaats delict. Hij wist drie latente afdrukken veilig te stellen. Toen hij klaar was, deed hij alles wat hij had verzameld in een grote papieren zak. 'Nog iets anders, Lincoln?'

'Nee,' zei de criminalist nors.

Het onderzoek in de moordkamer en het hotel was misschien wel het snelste in de geschiedenis van de forensische analyse.

Er verscheen iemand in de deuropening, een geüniformeerde politieman met een heel donkere huid en een rond gezicht. Er leek bewondering in zijn ogen te liggen toen hij naar Rhyme keek. Misschien had Mychal Poitiers exemplaar van Rhymes boek over forensisch onderzoek de laatste tijd de ronde gedaan bij de politie van de Bahama's. Of misschien vond hij het gewoon spannend om zich in dezelfde kamer te bevinden als die rare Amerikaan die met een reeks eenvoudige deducties de zaak van de vermiste studente had opgelost.

'Inspecteur,' zei de jonge agent met een eerbiedig knikje naar Poitier. Hij had een dikke map en een grote plastic tas bij zich. 'Van commissaris McPherson: een volledige kopie van het forensisch rapport en de foto's van de sectie. En het sectierapport zelf.'

Poitier nam de map van de man aan en bedankte hem. Hij knikte naar de plastic tas. 'De kleren van de slachtoffers?'

'Inderdaad, en de schoenen. En ook nog bewijsmateriaal dat hier na de aanslag is verzameld. Maar ik moet u zeggen dat er veel is zoekgeraakt. Dat zei de administrateur van het mortuarium. Hij weet niet hoe dat gebeurd is.'

'Dat zal wel niet,' zei Poitier minachtend.

Rhyme herinnerde zich dat de horloges en andere waardevolle zaken ergens tussen deze plek en het mortuarium waren verdwenen, net als de camera en de cassetterecorder van Eduardo de la Rua.

'Het spijt me, inspecteur.'

'Iets bekend over de hulzen?' vroeg Poitier. Hij keek door het raam naar de overkant van de baai. Daar waren al een uur duikers en agenten met metaaldetectoren aan het zoeken.

'Ik ben bang van niet. Het lijkt erop dat de sluipschutter alles heeft meegenomen, en we hebben nog steeds niet de plek gevonden waarvandaan hij geschoten heeft.'

Poitier haalde zijn schouders op. 'Nog iets gevonden over Barry Shales?'

Onderweg naar het hotel had Poitier zijn inlichtingenafdeling laten nagaan of de douane of de paspoortcontrole kon bevestigen dat de sluipschutter het land in was gekomen. Hij had ook naar creditcards laten kijken.

'Niets, inspecteur. Nee.'

'Goed. Dank je, agent.'

De man salueerde, knikte aarzelend tegen Rhyme, draaide zich om en marcheerde statig de kamer uit.

Rhyme vroeg Thom hem dichter naar Poitier te duwen en keek in de plastic tas, waarin drie in plastic verpakte bundeltjes bleken te zitten, allemaal stevig verzegeld en met behoorlijk ingevulde registratiekaarten eraan. Hij stak onhandig zijn arm in de tas en haalde de kleine envelop eruit die bovenop lag. Daarin zat de kogel. Rhyme schatte dat hij wat groter was dan de kogel die sluipschutters het meest gebruikten, de .338 Lapua. Dit was waarschijnlijk een .416, een kaliber dat steeds populairder werd. Rhyme bekeek het stukje vervormd koper en lood. Net als alle kogels, zelfs als ze zo'n groot kaliber hadden, leek hij verrassend klein om zo'n enorme schade te hebben aangericht en in een fractie van een seconde een menselijk leven te hebben genomen.

Hij deed hem terug. 'Groentje, ontferm jij je hier maar over. Vul meteen de kaarten in.'

'Doe ik.' Pulaski krabbelde zijn naam op de registratiekaarten.

'We zullen er goed op letten, inspecteur,' zei Rhyme.

'Nou ja, ik betwijfel of wij er veel aan zouden hebben. Als jullie die

Shales en zijn handlanger, de onbekende dader, te pakken weten te krijgen, denk ik niet dat jullie rechters ze zullen terugsturen om hier berecht te worden.'

'Toch is het bewijsmateriaal. We zullen ervoor zorgen dat het in dezelfde staat bij jullie terugkomt.'

Poitier keek de brandschone kamer rond. 'Het spijt me dat we geen plaats delict voor u hebben, meneer Rhyme.'

Rhyme fronste. 'O, maar die hebben we wel. En ik stel voor dat we er zo snel mogelijk naartoe gaan voordat daar ook iets mee gebeurt. Duwen, Thom. We gaan.'

51

Hij leek op een dikke pad.

Henry Cross had een gedrongen postuur, een donkere huid en ver-schillende zichtbare wratten die volgens Amelia Sachs gemakkelijk ver-wijderd zouden kunnen worden. Hij had een dikke bos zwart haar op zijn grote hoofd. Volle lippen. Brede handen met afgebroken nagels. Onder het praten pakte hij zo nu en dan een dikke sigaar, die hij in zijn mond stopte om er enthousiast op te kauwen zonder hem aan te steken. Walgelijk.

Hoofdschuddend zei Cross: 'Shit, zeg, dat Roberto dood is. Echt dikke shit.' Hij sprak met een licht accent, Spaans, gokte ze. Ze wist nog dat Lydia Foster had gezegd dat hij vloeiend Engels en Spaans sprak, net als Moreno.

Hij was directeur van de Classrooms for the Americas Foundation, een stichting die met kerken samenwerkte om scholen te bouwen in de arme streken van Zuid-Amerika en leraren aan te trekken. Sachs her-innerde zich dat Moreno zich ook met dergelijke activiteiten bezighield.

De ballonnen opblazen...

'Met zijn Local Empowerment Movement was Roberto een van onze grootste sponsoren.' Cross wees met een worstvinger naar een gehavende muur, waaraan een fotogalerij hing van de vestigingen van de stichting in Caracas, Rio en Managua, Nicaragua. Moreno stond bij een bouw-put en had zijn arm om een glimlachende donkere man geslagen. Ze hadden allebei een helm op. Een groepje bewoners uit de streek leek te applaudisseren.

'Hij was een vriend van me,' mompelde Cross.

'Kende u hem al lang?'

'Zo'n vijf jaar, denk ik.'

'Gecondoleerd met dit verlies.' Een zinnetje dat je op de politie-academie leerde. Maar als Amelia Sachs het zei, meende ze het.

'Dank u.' Hij zuchtte.

Het kleine, donkere kantoor bevond zich in een gebouw in Cham-bers Street in het zuiden van Manhattan, het enige adres waar Moreno was geweest dat Sachs had kunnen achterhalen – dankzij het bonnetje van Starbucks dat ze in het appartement van Lydia Foster had gevonden.

In het bezoekersregister van het gebouw waarin de koffiezaak gevestigd was, had Sachs gelezen dat Moreno op 1 mei bij de CAF was langsgegaan.

'Roberto vond het fijn dat we geen liefdadigheidsinstelling zijn. We zijn meer bezig met de herverdeling van middelen. Mijn organisatie strooit niet met geld. We financieren scholen, waar mensen vaardigheden leren waarmee ze de armoede kunnen bestrijden. Ik heb geen boodschap aan lieden die hun hand ophouden. Ik kan het niet uitstaan als...'

Cross onderbrak zichzelf, hief een verontschuldigende hand op en begon te lachen. 'Net als Roberto heb ik de neiging te gaan preken. Sorry. Maar ik spreek uit ervaring, ik heb zelf vuil werk moeten doen, ik weet wat het is om in de goot te leven. Toen ik nog in de scheepsbouw zat heb ik gemerkt dat de meeste mensen best bereid zijn hun handen uit de mouwen te steken. Ze willen hun levensomstandigheden verbeteren. Maar daar hebben ze geen kans toe zonder een goede opleiding, en de scholen in die streken waren echt kut, sorry dat ik het zeg. Zo ben ik Roberto tegengekomen. We waren een vestiging in Mexico aan het opzetten, en hij was in de stad en sprak een aantal boeren toe over empowerment. We konden meteen goed met elkaar overweg.' De dikke lippen plooiden zich tot een flauw lachje. '*Power to the people...* Het idee is niet slecht, moet ik zeggen. Roberto pakte de zaken aan via microkredieten, ik via onderwijs.'

Toch oogde hij meer als de directeur van een knopenfabriek of een advocaat die zich in persoonlijk letsel had gespecialiseerd dan als het hoofd van een charitatieve instelling.

'Dus u bent hier vanwege die drugsfiguren die hem hebben vermoord?' blafte Cross. Hij kauwde een ogenblik woest op zijn sigaar en legde het ding toen op een glazen asbak die de vorm van een esdoornblad had.

Sachs hield zich op de vlakte. 'We zijn eerst informatie aan het vergaren,' vertelde ze. 'We trekken zijn laatste bezoek aan New York na – toen hij bij u is langsgeweest. Kunt u me misschien vertellen waar hij toen nog meer naartoe is gegaan?'

'Naar nog een paar non-profitorganisaties, zei hij, een stuk of vier. Ik weet dat hij daarbij soms een tolk nodig had, als dat voor u van nut is.'

'Noemde hij ook specifieke organisaties?'

'Nee, hij kwam alleen langs om een cheque af te geven en om te horen wat voor nieuwe projecten we wilden opzetten. Hij wilde dat er iets naar hem vernoemd werd – een klaslokaal, geen hele school. Typisch

Roberto. Een realist. Hij bracht een x bedrag in, geen miljarden dollars, en daarom wist hij dat er geen hele school naar hem vernoemd kon worden. Hij nam genoegen met een klaslokaal. Een bescheiden vent, snapt u? Maar hij was wel op zoek naar erkenning.'

'Leek hij zich zorgen te maken over zijn veiligheid?'

'Natuurlijk. Voortdurend. Per slot van rekening nam hij niet bepaald een blad voor de mond.' Een droef lachje. 'Hij had een hekel aan politicus zus of aan CEO zo, en man, hij deinsde er niet voor terug om dat op de radio of zijn blogs wereldkundig te maken. Hij noemde zichzelf de Boodschapper, de Stem van het Geweten. Hij maakte veel vijanden. Die stomme drugsfiguren. Klootzakken zijn het, een ander woord is er niet voor. Ik hoop dat ze de elektrische stoel of een dodelijke injectie krijgen of weet ik veel.'

'Voelde hij zich bedreigd door drugskartels of bendes?'

Cross leunde achterover en dacht even na. 'Nou, dat zei hij niet letterlijk zo. Maar hij beweerde dat hij gevolgd werd.'

'Gevolgd?'

Cross wreef met een vinger over een serie puisten in zijn nek. 'Hij had het over een vent die er wel was maar ook weer niet, als u begrijpt wat ik bedoel. Iemand die hem op straat volgde.'

'Gaf hij een beschrijving?'

'Een blanke man. Zag er stoer uit. Meer niet.'

Ze dacht onmiddellijk aan Barry Shales en dader 516.

'Maar er was nog wat. Het vliegtuig. Dat vond hij nog wel het meest bedreigend.'

'Vliegtuig?'

'Roberto was vaak onderweg. Hij zei dat hij wel drie of vier keer hetzelfde privévliegtuig had gezien in verschillende steden waar hij geweest was, steden met een klein vliegveld, waar een privévliegtuig meer opviel, snapt u. Bermuda, de Bahama's, Caracas, waar hij woonde. Een paar steden in Mexico. Hij zei dat hij dat raar vond, omdat dat vliegtuig er altijd al stond als hij aankwam. Alsof iemand zijn reisschema kende.'

Bijvoorbeeld door zijn telefoon af te tappen? Een favoriete hobby van dader 516.

De sigaar werd kapotgebeten. 'De reden waarom hij juist dat vliegtuig herkende: hij zei dat de meeste privévliegtuigen wit waren. Maar dit toestel was blauw.'

'Een markering, getallen, letters?'

Cross haalde zijn schouders op. 'Nee, daar zei hij nooit iets over. Maar ik dacht wel bij mezelf: iemand die je met een vlíégtuig volgt?

Waar slaat dat op? Wie zou dat nou doen? Zo'n ding kost heel veel geld.'

'Is er verder nog iets wat u zich kunt herinneren?'

'Nee, sorry.'

Sachs kwam overeind, gaf de man een hand en bedacht dat het ingewikkelde spoor – dat bij de limochauffeur begon – eindelijk een concrete aanwijzing had opgeleverd. Al was die nog zo cryptisch.

Het blauwe vliegtuig...

Cross zuchtte, keek naar een foto van hem en Moreno in de jungle, omringd door lachende arbeiders, een schep in de hand, een helm op, met de voeten in de modder.

'Weet u, inspecteur, we waren goede vrienden, maar ik moet toegeven dat ik nooit goed hoogte van hem kon krijgen. Hij gaf altijd af op Amerika, had een grondige hekel aan de VS. Elke keer kwam hij erop terug. Ik heb hem wel eens gezegd: "Kom op nou, Roberto. Waarom zit je constant het enige land ter wereld de grond in te boren waar je ongezouten kritiek op kunt leveren zonder dat je door een moordcommando in een steegje wordt gemold of midden in de nacht naar een geheime gevangenis wordt gesleept? Doe toch niet zo moeilijk."' Er kwam een bitter lachje over zijn volle, vochtige lippen. 'Maar hij wilde niet luisteren.'

52

Jacob Swann remde toen hij zag dat Amelia Sachs een eindje verderop stopte, vlak bij het huis van Lincoln Rhyme.

Hij was haar gevolgd naar het centrum, waar ze een afspraak had gehad in Chambers Street, en hij had gewacht op een kans om haar neer te schieten. Maar er waren daar te veel mensen geweest. Altijd een probleem in Manhattan. Nu was ze terug. Onbehouwen parkeerde ze op een plekje bij het doodlopende straatje waar de auto niet mocht staan.

Hij keek de overschaduwde straat door. Helemaal verlaten. Ja, dit was het goede moment, de goede plek. Swann greep met zijn in een latex handschoen gestoken hand de SIG Sauer en zorgde ervoor dat hij het wapen snel kon trekken.

Hij ging haar niet doodschieten. Hij had besloten dat dat te veel commotie zou veroorzaken; te veel politie, een intensieve klopjacht, te veel aandacht in de pers. In plaats daarvan wilde hij haar in de rug of benen schieten.

Als ze straks uitstapte, zou hij dubbel parkeren, uitstappen, schieten en wegrijden, waarna hij een paar straten verder zijn kentekenplaten zou verwisselen.

Sachs stapte uit en keek weer behoedzaam om zich heen, met haar hand bij haar heup. Doordat ze zo op haar hoede was, bleef Swann in de Nissan zitten, met zijn hoofd naar beneden. Toen ze in beweging kwam, deed hij het portier van de auto open, maar bleef nog zitten. Sachs ging niet naar het doodlopende straatje dat toegang gaf tot Rhymes huis of naar Central Park West, maar stak de straat over – naar een Chinees restaurant.

Hij zag haar naar binnen gaan; ze praatte lachend met de vrouw achter de kassa. Sachs bekeek het menu. Ze bestelde iets om mee te nemen. Ze keek op en zwaaide naar een van de keukenhulpjes. Hij lachte terug.

Swann reed een eindje door en zag een leeg plekje. Hij parkeerde, zette de motor af en stak zijn hand in zijn jasje om te voelen waar het pistool zich precies bevond. Door de veiligheidspal en sledevangpal was de SIG Sauer minder soepel tevoorschijn te halen dan een Glock, maar het pistool zelf was behoorlijk zwaar, wat ervoor zorgde dat het ook bij meerdere schoten snel achter elkaar bijzonder accuraat was. Lichtere wapens weken verder af van het doelwit dan zwaardere.

Hij tuurde naar Sachs door het streperige glas.

Ze was een zeer aantrekkelijke vrouw.

Lang, rood haar.

Een lange vrouw.

En slank. Zo slank. Hield ze niet van eten? Ze leek niet het type dat vaak kookte. Daarom had Swann meteen een hekel aan haar. Een dergelijke afhaalmaaltijd, vol zout en te vaak gebruikt frituurvet? *Schande, Amelia. De komende paar maanden zit je thuis en eet je alleen nog gelatine-pudding terwijl je aan het revalideren bent.*

Tien minuten later kwam ze weer naar buiten met de afhaalmaaltijd in haar hand. En als een behulpzaam doelwit liep ze recht het doodlopende straatje in.

Aan het begin van het steegje bleef ze staan en keek ze in de tas, kennelijk om te zien of de extra rijst, de gelukskoekjes of de eetstokjes er wel bij zaten. Ze was nog steeds in de tas aan het rommelen toen ze doorliep het steegje in.

Swann trok weer op, maar moest snel remmen toen een fietser langs de auto schoot, ervoor stopte en om en of andere reden nadacht over de vraag of hij wilde omkeren of verder wilde naar Central Park. Swann maakte zich boos, maar wilde niet de aandacht op zich vestigen door te toeteren. Hij wachtte met een rood aangelopen gezicht af.

De fietser reed door – na gekozen te hebben voor het prachtige groen van het park in de lente – en Swann trapte het gaspedaal in om snel bij het doodlopende steegje te zijn. Maar het oponthoud brak hem op. De snel lopende Sachs was al bij de bocht van het L-vormige straatje en sloeg linksaf naar de achteringang van het huis.

Geen probleem. Beter, eigenlijk. Hij zou de auto parkeren, achter haar aan gaan en haar neerschieten als ze bijna bij de deur was. Door de vorm van het straatje zouden de schoten gedempt worden en zou het geluid wel honderd verschillende kanten op gaan. Het was dan lastig te zeggen waar het vandaan kwam.

Hij keek om zich heen. Geen politie. Weinig verkeer. Een paar onoplettende voorbijgangers, verdiept in hun eigen wereld.

Swann draaide het doodlopende straatje in, zette de auto in de parkeerstand en stapte uit. Hij trok zijn wapen, maar verborg het onder zijn windjack en liep over de keitjes verder.

Twee schoten, laag in de rug en bij de knie, herhaalde hij in zichzelf. Hoewel hij de voorkeur gaf aan zijn mes, was hij een goede schutter. Hij zou...

Een stem achter hem, van een vrouw: 'Neem me niet kwalijk. Kunt u me misschien helpen?' Brits accent.

De stem hoorde bij een slanke, aantrekkelijke hardloopster van begin dertig. Ze stond twee, drie meter van hem af, tussen hem en het open portier van zijn auto.

'Ik kom van buiten de stad en ben op zoek naar de vijver. Daar is een hardlooppad...'

En toen zag ze het.

Zijn windjack was verder opengegaan. Ze zag het pistool.

'O, god. Doe me niets. Ik heb niets gezien! Ik zweer het.'

Ze wilde zich omdraaien, maar Swann kwam snel in beweging en versperde binnen een tel haar weg. Ze haalde adem om te gillen, maar hij sloeg met de zijkant van zijn hand tegen haar keel. Ze smakte tegen het beton, buiten het zicht van een stel aan de overkant dat ergens over liep te ruziën.

Swann keek weer naar de donkere kloof tussen de gebouwen. Zou Sachs al binnen zijn?

Misschien niet. Hij wist niet hoe ver het doodlopende deel van de straat doorliep.

Maar hij had slechts enkele seconden om te beslissen. Hij keek omlaag naar de vrouw, die naar adem hapte, net zoals Annette op de Bahama's had gedaan en Lydia Foster hier in de stad.

Uhn, uhn, uhn. Met haar handen tegen haar keel, wijd opengesperde ogen en open mond.

Ja of nee? Hij twijfelde.

Nu kiezen.

Hij koos: ja.

53

Amelia Sachs stond in de doodlopende steeg achter het huis van Rhyme, haar Glock in de hand, gericht op de plek waar de schemerige stads-canyon in een bocht naar rechts naar de straat terugliep.

De portie afhaalchinees lag op de grond en ze stond in de schiethou-ding: voeten evenwijdig aan elkaar, de tenen naar de vijand gericht, iets voorovergebogen, de rechterhand stevig om het wapen, de linkerhand om de trekkerbeugel voor de stabiliteit. De rechterarm gestrekt; als de spieren niet aangespannen zijn, is het mogelijk dat de patroonhuls door de terugslag niet wordt uitgeworpen en dat er geen nieuwe kogel wordt geladen. *Als het wapen blokkeert, kan dat je dood betekenen. Jij en je pistool moeten partners zijn...*

Kom op, sprak Sachs in stilte tegen haar tegenstander. Kom op, laat je zien! Dit was natuurlijk dader 516. Ze wist dat het Barry Shales niet was, de sluipschutter, want die werd nog door het team van Lon Sellitto in de gaten gehouden.

Ze had al een paar keer een lichtgekleurde sedan gezien. Eerst bij het kantoor van Henry Cross in Chambers Street. Daarna op weg hierheen en later weer, een kwartiertje geleden. Ze had de auto toen niet goed kunnen opnemen, maar het was hoogstwaarschijnlijk dezelfde die haar vanaf het huis van Tash Farada in Queens was gevolgd.

Toen ze zag dat de wagen aan het eind van de straat aan de stoeprand werd geparkeerd, had ze bedacht hoe ze het best te werk kon gaan. Ze kon de centrale meldkamer bellen of zelf op hem af stappen, maar dat kon in beide gevallen resulteren in een vuurgevecht, en in dit dicht-bevolkte deel van de stad leek haar dat geen goed idee.

Daarom had ze besloten hem naar de steeg te lokken. Ze was naar de afhaalchinees gegaan om de kans te vergroten dat hij haar in de gaten kreeg. Voordat ze daar wegging, had ze haar pistool in haar tas gedaan. Daarna was ze de straat overgestoken, waarbij ze ervoor gezorgd had dat hij haar niet zomaar kon neerschieten, en vervolgens was ze de steeg in gelopen, ogenschijnlijk met haar aandacht bij het eten dat ze had opge-haald, hoewel ze in werkelijkheid vanuit haar ooghoeken in de gaten had gehouden of de man in actie kwam.

Snel was ze de hoek van de steeg om gegaan toen ze merkte dat er een auto aankwam, die vervolgens stopte. Op dat moment had ze zich omgedraaid, het eten laten vallen en haar pistool getrokken.

Nu wachtte ze tot het doelwit zich zou laten zien.

Zou hij de steeg in rijden? Waarschijnlijk niet. Te grote kans om ingesloten te raken als een bestelbus of verhuiswagen de ingang blokkeerde.

Was hij uitgestapt en rende hij nu in haar richting?

Droge handpalmen, ogen goed open – nooit je ogen tot spleetjes knijpen als je gaat schieten. En richt je op maar twee dingen: je doelwit en de korrel voor op de loop. Kijk niet naar het vizier achter op het wapen; je kunt niet alles tegelijk scherp zien.

Kom op!

Rustig ademhalen.

Waar bleef hij nou? Was hij naar de hoek geslopen en stond hij op het punt om tevoorschijn te springen en zelf ook in de schiethouding te gaan staan?

Of stel dat hij had gemerkt dat ze hem in de gaten had? Misschien dwong hij een voorbijganger de steeg in te lopen, als afleidingsmanoeuvre. Of misschien gebruikte hij die persoon als schild, in de hoop dat Sachs overhaast zou reageren en een onschuldige zou doodschieten.

Inademen, uitademen, inademen...

Hoorde ze een stem? Hoorde ze iemand zachtjes huilen?

Wat was dat? Ze liep behoedzaam naar voren, naar de hoek. Wachtte, drukte zich plat tegen de stenen muur.

Waar bleef hij nou? Hield hij zijn wapen ook in de aanslag, gericht op de plek waar ze tevoorschijn zou komen als ze een stap vooruit deed?

Oké, vooruit. Laag blijven, met het pistool in de aanslag. Ook je omgeving in de gaten houden.

Een... twee...

Nu!

Sachs sprong tevoorschijn, haar wapen omhooggericht, en kwam in een knielende houding neer.

Op dat moment ging ze door haar knie.

Voordat ze kon zien of haar tegenstander haar stond op te wachten, tuimelde ze om en belandde ze op de keien. Ze wist nog net haar vinger van de trekker te halen om te voorkomen dat ze per ongeluk kogels zou afvuren. Amelia Sachs rolde door en bleef geschrokken liggen, een perfect doelwit.

Zelfs haar gezichtsvermogen had haar in de steek gelaten. Tranen van pijn.

Maar ze negeerde de pijn en ging in een schiethouding liggen, de loop gericht op de steeg, vanwaar dader 516 op haar af zou komen. Met getrokken wapen. Om een paar hollowpoints in haar te pompen.

Maar dat gebeurde niet.

Ze knipperde de tranen uit haar ogen en veegde ze vervolgens wild met haar mouw weg.

Leeg. De steeg was leeg. Dader 516 was verdwenen.

Ze krabbelde overeind, stopte het pistool in de holster en masseerde haar knie. Trekkend met haar been liep ze door naar de straat en hield voorbijgangers aan. Maar niemand had acht geslagen op lichtgekleurde auto's, niemand had een gedrongen man met bruin haar en een militair voorkomen opgemerkt, niemand had welk wapen dan ook gezien.

Ze stond met haar handen op haar heupen, keek naar links en toen naar rechts. Alles was rustig, alles was normaal. Een doodgewone dag in Upper West Side.

Sachs liep terug de steeg in en probeerde zo normaal mogelijk te lopen. Man, wat deed haar been zeer. Ze raapte het Chinese eten van de straat en gooide het in een container.

In New York City kon je nu eenmaal niet van de grond eten.

54

'U had gelijk, meneer Rhyme!' riep Mychal Poitier vanaf het balkon van Annette Bodels appartement in Nassau. 'Het zijraam is geforceerd. Barry Shales of zijn handlanger heeft hier ingebroken, voor of na de moord!'

Rhyme keek omhoog en kneep zijn ogen dicht tegen de felle, strakblauwe hemel. Hij zag de inspecteur niet, alleen het silhouet van een traag wuivende palm bij het dak van het gebouw waarin de prostituee en studente had gewoond.

Dit was de andere plaats delict waarover hij het had gehad. Hij had geweten dat de moordenaar hier moest zijn geweest om alle informatie die ze gehad had kunnen hebben over hem en zijn bezoek aan South Cove van vorige week mee te nemen. Poitier en zijn mannen waren hier ook al geweest – nadat ze als vermist was opgegeven – maar alleen om te kijken of ze thuis was. Omdat de sloten niet waren geforceerd, hadden de agenten niet verder gekeken.

'Waarschijnlijk na de moord!' riep Rhyme. Annette zou gemarteld zijn om boven tafel te krijgen of er adresboekjes en computerbestanden waren waarin zijn naam voorkwam. En dagboeken, uiteraard. Dat zou nu allemaal weg zijn, maar hij hoopte dat er toch een spoor van de dader achtergebleven was.

Er stond een klein groepje buurtbewoners met bruine en zwarte gezichten toe te kijken, nieuwsgierig naar wat er allemaal gebeurde. Rhyme bedacht dat er weliswaar enige discretie geboden was, maar doordat Poitier bijna acht meter hoger stond, moest hij wel schreeuwen.

'Ga niet naar binnen, inspecteur! Ron onderzoekt de zaak wel!' Hij draaide zich om. 'Hoe staat het ervoor, groentje?'

'Bijna klaar, Lincoln.' Hij was bezig een beschermende overall aan te trekken en zijn spullen bij elkaar te pakken.

Rhyme dacht er niet over het appartement zelf te doorzoeken, hoewel hij wel in de verleiding was geweest. Het gebouw had geen lift en het zou bijna onmogelijk zijn om de zware rolstoel de smalle, niet al te stevige trap op te dragen. Bovendien was Pulaski hier heel goed in. Bijna net zo goed als Amelia Sachs.

De agent bleef voor Rhyme staan alsof hij instructies verwachtte. Maar de criminalist zei alleen maar: 'Het is jouw plaats delict. Je weet wat je moet doen.'

De jongeman knikte en draafde de trap op.

Hij had er bijna een uur voor nodig om het raster af te lopen.

Toen Pulaski weer naar buiten kwam met een stuk of zes zakken vroeg hij aan Rhyme en Poitier of ze het bewijsmateriaal meteen wilden zien. Rhyme dacht erover na, maar besloot uiteindelijk alles mee te nemen naar New York om het daar te analyseren.

Een van de redenen hiervoor was de vertrouwde samenwerking met Mel Cooper.

Een andere reden was dat hij Sachs miste, maar dat kon hij niemand vertellen... behalve haar.

'Wat zijn de mogelijkheden voor de reis?' vroeg hij aan Thom.

Die raadpleegde zijn telefoon. 'Als we over een halfuur op het vliegveld kunnen zijn, halen we de volgende vlucht.'

Rhyme keek naar de rechercheur.

'Twintig minuten op zijn hoogst,' zei Poitier.

'Zelfs met het beruchte verkeer op de Bahama's?' vroeg Rhyme droog.

'Ik heb een rood zwaailicht.'

Pulaski liep naar het busje, nog steeds in zijn overall, laarsjes en hoofdkapje.

'Trek je gewone kleren aan, groentje. Anders schrikken de andere passagiers nog van je.'

'O, oké.'

De zwaailichten hielpen inderdaad en niet veel later stopten ze voor de vertrekhal. Ze stapten uit het busje en terwijl Pulaski zich om de bagage bekommerde en Thom regelde dat het voertuig werd opgehaald, bleef Rhyme naast Poitier staan. Het was een komen en gaan van toeristen en mensen uit de Bahama's zelf, er hing een enorme hoeveelheid stof in de lucht en overal klonk het onophoudelijke geklop en geroep op de vele bouwplaatsen. En dan was er nog de constante geur van brandend afval.

Rhyme wilde iets zeggen, maar merkte dat hij de woorden niet kon vinden. Uiteindelijk wist hij er een paar op een rijtje te krijgen. 'Het spijt me wat er is gebeurd op dat strandje, inspecteur. De commissaris had gelijk. Door mij was u bijna vermoord.'

Poitier lachte. 'We zijn geen bibliothecarissen of tandartsen, meneer Rhyme. We komen niet altijd thuis.'

'Maar toch, ik was niet zo competent als ik had moeten zijn.' Deze woorden deden bittere pijn. 'Ik had de aanval moeten voorzien.'

'Ik ben nog niet heel lang een echte politieman, meneer Rhyme, maar ik geloof dat ik gerust kan zeggen dat het onmogelijk is om alles te voorzien wat in dit beroep zou kunnen gebeuren. Het is eigenlijk krankzinnig, wat wij doen. Slecht betaald, gevaarlijk, politieke spelletjes aan de top en chaos op straat.'

'U zult het goed doen bij de recherche, inspecteur.'

'Dat hoop ik. Ik voel me er in ieder geval beter thuis dan bij Bedrijfsinspectie en Vergunningen.'

Rhymes aandacht werd getrokken door een zwaailicht en een sirene. Een politiewagen zigzagde tussen het andere verkeer door en naderde snel de luchthaven.

'Aha, het laatste bewijsmateriaal,' zei Poitier. 'Ik was al bang dat het niet op tijd zou arriveren.'

Wat kon dat voor bewijsmateriaal zijn? vroeg Rhyme zich af. Ze hadden alles van de moord op Moreno en ook uit het flatje van Annette Bodel. De duikers hadden de zoektocht naar de hulzen van Barry Shale opgegeven.

De inspecteur wuifde de auto naar hem toe.

Aan het stuur zat de jonge agent die ook in de South Cove Inn was geweest. Hij stapte uit met een zak in zijn hand en salueerde naar de twee mannen tegenover hem.

Rhyme bood weerstand aan de belachelijke aandrang om ook te salueren.

Poitier nam de zak aan en bedankte de agent. Na zijn gestrekte vingers weer naar zijn hoofd gebracht te hebben, stapte de agent in de auto, trok snel op en zette de sirene en de zwaailichten weer aan, hoewel zijn werk erop zat.

'Wat is dat?'

'Weet u dat niet?' vroeg Poitier. 'Ik herinner me dat u in uw boek de instructie gaf om altijd de lucht op te snuiven op een plaats delict.'

Rhyme boog fronsend voorover en rook.

Uit de zak kwam de geur van conch fritters.

55

Sasss, sasss...

In zijn keuken nipte Jacob Swann van zijn Vermentino, een lichte, aangename Italiaanse wijn, in dit geval uit Ligurië. Hij zette zich weer aan het slijpen van zijn mes, een Kai Shun, al was het niet het vleesmes. Dit was een Deba-model, 21 cm, om te hakken en grote stukken vlees af te snijden.

Sasss, sasss, sasss...

Hij bewoog het mes om en om langs de Arkansas-slijpsteen, zijn persoonlijke manier van slijpen. Nooit in een cirkelbeweging.

Het was rond acht uur in de avond. Hij had een jazzplaat opgezet. Larry Coryell, de gitarist. Zijn interpretatie van standards, eigen composities en zelfs klassieke stukken was ongeëvenaard. Zijn vertolking van 'Pavane voor een overleden prinses' was weergaloos.

Met een schort voor stond Swann bij het kookeiland. Hij had net een sms'je van het hoofdkantoor gekregen met complimenten voor wat hij vandaag gedaan had, een bevestiging dat hij er goed aan had gedaan de aanslag op Sachs uit te stellen. Hij had een avondje vrij. En daar maakte hij onmiddellijk gebruik van.

Hij had zijn woning stemmig verlicht en de gordijnen dichtgetrokken.

In zekere zin hing er een romantische sfeer. Swann keek naar de vrouw die niet ver van hem af zat. Haar haar zat los, ze droeg een van zijn T-shirts, zwart, en een geblokte boxershort, ook van hem. Hij dacht een bloemengeur te ruiken, een kruidig aroma. Reuk en smaak zijn onlosmakelijk met elkaar verbonden. Swann kookte nooit iets van betekenis als hij verkouden was of voorhoofdsholteonsteking had. Waarom zou je al die moeite doen? Als je dan at, nam je gewoon brandstof tot je.

Doodzonde.

De vrouw, die Carol Fiori heette – rare naam voor een Britse – keek naar hem. Ze zat zachtjes te huilen.

Zo nu en dan maakte ze een geluidje dat ze al eerder had gemaakt. *Uhn-uhn-uhn.* Carol was de joggende vrouw die in de steeg naar hem toe was gekomen en daarmee zijn kans had verpest om Amelia Sachs uit te schakelen. Een slag op de keel en in de kofferbak ermee. Hij was snel weggereden, naar huis. Die rechercheur zou hij later wel krijgen.

Eenmaal terug in Brooklyn had hij Carol naar binnen gesleurd, waar hij merkte dat haar joggingoutfit onbruikbaar was geworden; ze was zo bang geworden dat ze de controle over haar blaas had verloren. Hij had haar uitgekleed en haar van top tot teen gewassen. Daarna had hij haar de kleren gegeven die ze nu aan had. Aanvankelijk had ze verklaard dat ze met 'vrienden' rondreisde, maar in feite was ze single en trok ze een maand in haar eentje door de Verenigde Staten. Ze dacht erover een artikel over haar reisavonturen te schrijven.

In haar eentje...

Hij had getwijfeld over wat hij met zijn trofee moest aanvangen.

Nu wist hij het.

Ja, nee?

Ja.

Eerst had ze hem nog smekend aangekeken en smekend tegen hem gefluisterd, maar nu had ze dat opgegeven en keek ze alleen maar met vochtige ogen naar de Deba terwijl hij het mes sleep, *sasss, sasss*. Zo nu en dan schudde ze haar hoofd. Swann had haar met haar polsen en benen vastgebonden aan een mooie en comfortabele Mission-stoel, net als hij bij Lydia Foster gedaan had.

'Alstublieft,' zei ze geluidloos, haar blik op het mes gericht. Het smeken was dus nog niet helemaal achter de rug.

Hij bekeek het mes zorgvuldig, voelde met zijn duim of het lemmet scherp genoeg was. Die had precies de goede weerstand: vlijmscherp. Hij nam nog een slokje wijn en haalde ingrediënten uit de koelkast.

Toen Jacob Swann klein was, lang voordat hij ging studeren, lang voordat hij in het leger ging en lang voordat hij aan zijn carrière na het leger was begonnen, leerde hij al voedsel op waarde te schatten. De enige momenten waarop zijn vader en moeder tijd voor hem hadden, waren die waarop er werd gekookt en gegeten.

De gezette Andrew Swann was niet streng en ook niet ruw in de mond, maar wel afstandelijk. Hij was voortdurend in gedachten bij zijn eigen activiteiten, verplichtingen en afspraken, die meestal iets te maken hadden met zijn werk in de gokwereld van Atlantic City. De jonge Jacob had nooit geweten wat zijn vader precies deed; gezien het werk dat hij nu zelf deed, zou het goed kunnen dat Andrew anderen fysiek onder druk zette. Die genen ook altijd... Maar er was één ding dat Jacob en zijn moeder over de man wisten, en dat was dat hij dol was op lekker eten. Daarmee kon je zijn aandacht krijgen en vasthouden.

Marianne was geen culinair natuurtalent, en waarschijnlijk had ze altijd een hekel aan koken gehad. Ze begon haar culinaire vaardigheden pas te ontwikkelen nadat zij en Andrew iets met elkaar kregen. Jacob had eens opgevangen wat zijn moeder een vriendin had verteld over een van de eerste maaltijden die ze hem had voorgezet.

'Waddisdit?' had Andrew uitgeroepen.

'Macaroni met bonen en...'

'Je zei dat je kon koken.'

'Maar dat heb ik toch gedaan?' Ze gebaarde naar de koekenpan.

Andrew had zijn servet op tafel gegooid en was de deur uit gegaan, naar het casino.

De volgende dag had ze een Betty Crocker-kookboek gekocht en was ze aan de slag gegaan.

's Middags in hun rijtjeshuis zag de jonge Jacob hoe ze koortsachtig in de weer was om een fricassee met kip te maken, of gebakken kabeljauw. Ze vocht met het eten, het was een complete worsteling. Ze doorzag de basisprincipes van het koken niet (het is per slot van rekening allemaal een kwestie van scheikunde en natuurkunde), maar viel op elk recept aan alsof ze nog nooit een karbonade of een scholletje of een pak meel had gezien. Haar sauzen waren klonterig en er zaten vreemde kruiden in en altijd te veel zout, al vond Andrew dat niet, dus misschien viel het achteraf nog mee.

In tegenstelling tot haar zoon vond Marianne koken een zeer stressvolle bezigheid, en tijdens de voorbereiding nam ze altijd heel wat glaasjes wijn. Ook wel eens whisky. Of wat er ook maar in huis was.

Maar ze deed haar best en ze speelde het klaar om Andrew toch een uurtje aan tafel te houden. Onvermijdelijk kwam dan altijd het moment waarop Andrew zijn dessertvorkje met een tik op het bordje legde, nog een flinke slok koffie nam – Andrew nipte nooit – opstond en verdween. Naar de kelder om aan zijn geheime zakelijke projecten te werken, naar een café in de buurt, of terug naar het casino. Of naar een buurvrouw om een nummertje te maken, dacht Andrew, toen hij oud genoeg was om te weten wat dat betekende.

Na school en in het weekend, als hij niet naar een worstelwedstrijd hoefde of naar de competitie van de schietclub op school, hing Jacob meestal in de keuken rond. Hij bladerde wat in kookboeken en keek toe als zijn moeder er weer een puinhoop van maakte, met overal spetters melk en tomatensaus, maanzaad, kruiden, bloem, maizena, ingewanden. En ook bloedspetters.

Soms werd het haar allemaal te veel en vroeg ze of hij vlees wilde uitbenen of in dunne plakjes wilde snijden. Marianne leek van mening dat jongens van nature beter met een mes dan met een garde overweg konden.

'Kijk eens aan, lieverd. Wat heb je dat goed gedaan! Jij bent mijn slagertje!'

Hij nam steeds meer taken in de keuken over en redde menige stoofschotel, leerde vlees heel dun te snijden en zette het vuur op het juiste moment uit, voordat de boel overkookte. Zijn moeder kneep ondertussen liefdevol in zijn wang en schonk zichzelf nog een wijntje in.

Nu keek Swann naar de vrouw die hij op de stoel had vastgebonden. Hij was nog steeds razend op haar omdat ze zijn plannen voor die middag in de war had geschopt.

Ze huilde nog steeds.

Hij zette zich weer aan de voorbereidingen voor zijn driegangenmenu voor die avond. Het voorgerecht bestond uit asperges, gestoomd in water en vermouth, met een vers laurierblaadje en een snufje salie. De stelen werden geserveerd op een bedje van veldsla en licht besprenkeld met zelfgemaakte hollandaisesaus – met de nadruk op 'licht besprenkeld', omdat de combinatie van eigeel en boter snel overheerst. Bij asperges komt het natuurlijk aan op timing. De Romeinen hadden daar een uitdrukking voor; iets doen in de tijd die het kost om asperges te koken, betekende: iets heel snel doen.

Swann nipte van de wijn en maakte de vloeistof klaar waarin de asperges gestoomd zouden worden. Daarna knipte hij verse kruiden uit het potje op de vensterbank.

Toen zijn moeder er niet meer was – wijn plus honderddertig kilometer per uur zonder gordel – nam de zestienjarige Jacob de keukenhonneurs waar.

Alleen voor hen tweeën, vader en zoon.

De tiener deed hetzelfde als zijn moeder: hij paaide Andrew met eten, met dit verschil dat de jongen koken leuk vond en er veel beter in was. Hij begon meer gangen te serveren – als een culinaire proeverij – om de tijd te rekken die de twee mannen samen doorbrachten. Uiteindelijk kwam er nog een verschil met zijn moeder aan het licht. Het bleek dat koken hem meer beviel dan het uurtje waarin het eten werd verorberd, en hij realiseerde zich op een gegeven moment dat hij zijn vader niet zo aardig vond. De man had geen zin om te praten over de dingen waar Jacob zich mee bezighield: gamen, kickboksen, worstelen, jagen, wapens, en boksen met de blote vuist. Andrew wilde het eigenlijk alleen maar over Andrew hebben.

Op een keer, toen Jacob achttien was, kwam zijn vader thuis met een knappe blondine, werkelijk een ontzettend mooie vrouw. Hij had haar verteld dat 'die zoon van mij' zo lekker kon koken. Alsof hij met een opzichtige ring aan zijn pink zat te pronken. Tegen Jacob had hij gezegd: 'Zet Cindi iets lekkers voor, oké? Kook voor deze mooie dame.'

Het bestaan van *E. coli* was Jacob toen niet onbekend. Hij wilde de vierentwintigjarige Cindi dolgraag zien kokhalzen tot de dood erop volgde, of in elk geval alleen kokhalzen, maar hij kon het niet over zijn hart verkrijgen om willens en wetens een gerecht te verknoeien. De vrouw overlaadde hem met complimenten voor zijn kip cordon bleu, die hij niet had gemaakt door de kippenborst plat te slaan, maar door het vlees spiraalsgewijs en dun te snijden, zoals je een appel schilt, om daarmee de Gruyère en – in zijn recept – de prosciutto uit Parma te omwikkelen.

Mijn slagertje...

Niet lang daarna werd het land door terroristische aanslagen opgeschrikt. Toen Jacob zich bij het leger aanmeldde, werd hem naar zijn vaardigheden en interesses gevraagd, maar hij liet niet blijken dat hij goed kon koken, omdat hij bang was dat hij dan vier jaar in de gaarkeuken mocht gaan staan. Hij wist dat het niet leuk was om voor duizend militairen tegelijk te moeten koken. Hij wilde vooral mensen doden. Of ze laten gillen. Of allebei. Hij zag het verschil niet zo tussen het afslachten van mensen en het doden van dieren. Hij vond zelfs dat we aan de ene kant onschuldige koeien en lammetjes doodmaakten zonder met onze ogen te knipperen, terwijl we aan de andere kant niet zonder gewetenswroeging het mes of het pistool durfden te hanteren als het ging om mensen die allemaal wel een of ander misdrijf op hun geweten hadden.

Sommigen althans.

Hij keek nog eens naar Carol. Ze was heel gespierd, maar zag erg bleek. Misschien sportte ze vooral in sportscholen of deed ze zonnebrandcrème op als ze ging joggen. Hij bood haar wat wijn aan. Ze schudde haar hoofd. Hij gaf haar water. Ze dronk de halve fles leeg.

Zijn tweede gang van die avond zou bestaan uit een variatie op *pommes Anna*. Geschilde en in partjes gesneden aardappels, in boter en olijfolie gegaard en spiraalsgewijs op elkaar gelegd, met ruim zeezout en peper. In het midden zou hij een klodder crème fraîche doen, die hij nota bene had opgeklopt met een beetje – echt een heel klein beetje – verse ahornstroop. Om het af te maken nog wat flintertjes zwarte truffel eroverheen. Deze schotel maakte hij in een kleine gietijzeren braadpan. Eerst zou hij de aardappels bakken en dan zou hij het geheel onder de Mielegrill een kleurtje geven.

Aardappels en ahorn en truffels. Wie had dat kunnen bedenken?

Oké, hij kreeg trek.

Toen Jacob begin twintig was, overleed zijn vader aan wat je 'maagklachten' zou kunnen noemen, al ging het niet om zweren of kanker-gezwellen. Vier 9mm-kogels in de buik.

De jonge militair had wraak gezworen, maar daar was nooit wat van terechtgekomen. Er waren heel wat mensen die de man vermoord zouden kunnen hebben. Andrew, zo bleek, had links en rechts mensen opgelicht, en dat was geen gezond idee in Atlantic City. Het zou eeuwen duren om de daders op te sporen. Bovendien moest Jacob bekennen dat hij eigenlijk niet zo van streek was. De moordenaar zou heel goed een van de zakenpartners kunnen zijn die bij de begrafenis kwamen condoleren. Bij de receptie had Jacob een subtiel plagerijtje in het menu verwerkt. Het hoofdgerecht was *penne alla puttanesca*, een kruidige pasta-schotel waarvan de Italiaanse naam 'klaargemaakt op de wijze van een hoer' betekent. Hij had het ter ere van de toenmalige vriendin van zijn vader gemaakt, niet Cindi, al had dat goed gekund.

Vanavond maakte Jacob Swann iets bijzonders van de derde gang, het hoofdgerecht. De Moreno-opdracht was zwaar geweest en hij wilde zichzelf eens in de watten leggen.

Het was een schotel à la Véronique, die hij klaarmaakte met in schijf-jes gesneden druiven en sjalotjes – even dun gesneden – in een witte beurre blanc, waar hij iets minder wijn dan normaal aan toevoegde (hij gebruikte nooit azijn) omdat er ook al druiven in het gerecht zaten.

Hij zou het vlees in bijna doorzichtige plakjes snijden, die vervolgens door bloem type 45 halen en ze dan snel aanbraden in een mengsel van olijfolie en boter (altijd die twee samen, natuurlijk, want als je alleen boter gebruikte, brandde het gerecht razendsnel aan).

Hij bood Carol nog wat water aan, maar ze toonde geen interesse. Ze had de moed opgegeven.

'Relax,' fluisterde hij.

De vloeistof in de aspergepan kookte, de aardappels stonden onder de grill te bruinen, de olie en boter stonden op het vuur en gaven hun heerlijke aroma prijs.

Swann maakte de snijplank schoon die hij net gebruikt had om het vlees voor het hoofdgerecht te snijden.

Maar voordat hij aan het werk ging: eerst wijn. Hij maakte een fles sauvignon blanc open, een Cloudy Bay uit Nieuw-Zeeland, een van de fijnste sauvignon-wijnen die er op deze planeet te vinden waren, en schonk zichzelf een glas in. Hij had nog overwogen een Pelorus open te trekken, de heerlijke mousserende wijn van hetzelfde wijnhuis, maar hij dacht niet dat hij een hele fles in zijn eentje soldaat zou maken, en bubbels kon je natuurlijk niet lang laten staan.

Donderdag 18 mei

V

Het gulden schot

56

'Je bent bruin geworden,' beweerde Sellitto.

'Helemaal niet.'

'Wel waar. Je moet je de volgende keer insmeren, Linc.'

'Ik ben helemaal niet bruin geworden,' mokte hij.

'Ik vind van wel,' zei Thom.

Het was bijna acht uur in de morgen. Thom, Pulaski en Rhyme waren de vorige avond tegen elven op luchthaven La Guardia aangekomen en de verzorger had erop gestaan dat Rhyme meteen ging slapen. De zaak kon wachten tot de volgende morgen.

Rhyme had niet tegengesputterd; hij was uitgeput. Die duik in het water had zijn tol geëist. De hele reis, eigenlijk. Maar toen Rhyme om halfzeven wakker werd, aarzelde hij niet de drukknop te gebruiken om Thom te roepen. (De verzorger vond die knop net iets uit *Downton Abbey*, een verwijzing die Rhyme niet begreep.)

Het was inmiddels een hele drukte in de salon nu Sellitto, Cooper en Sachs er waren. Ron Pulaski, die echt bruin leek te zijn geworden, kwam ook net binnen. Nance Laurel moest naar het gerechtshof voor een van haar andere zaken en zou later arriveren.

Rhyme zat in zijn nieuwe rolstoel, een Vision Select van Merits. Grijs met rode spatborden. Hij was de vorige dag bezorgd en in elkaar gezet, nog voor Rhyme terug was van de Bahama's. Thom had vanuit Nassau hun verzekeringsmaatschappij gebeld en een snelle aankoop geregeld. ('Ze wisten niet wat ze moesten zeggen toen ik als reden voor het verlies "onderdompeling in drie meter water" opgaf,' had de verzorger gemeld.)

Rhyme had dit model gekozen omdat hij er goed mee over ruw terrein kon rijden. Zijn tegenzin om zich in het openbaar te vertonen was verdwenen, vooral dankzij het uitstapje naar de Bahama's. Hij wilde meer reizen en weer zelf plaatsen delict onderzoeken. Daarvoor was een stoel nodig waarmee hij op zoveel mogelijk plekken kon komen.

De Merits was enigszins aangepast aan Rhymes lichamelijke toestand. Er zat bijvoorbeeld een band op voor zijn linkerarm, een touchpad onder zijn werkende linker ringvinger en natuurlijk een bekerhouder waarin zowel een whiskyglas als een koffiebeker paste. Op dit moment stond de laatste erin en hij dronk de koffie door een dik rietje. Hij keek naar Sellitto, Sachs en Pulaski en bestudeerde toen het whiteboard, waarop Sachs' aantekeningen stonden over wat ze tijdens zijn afwezigheid ontdekt had.

'De klok staat niet stil.' Hij knikte naar het STO-formulier. 'Meneer Rashid gaat over een dag of twee de pijp uit als wij er niets aan doen. Eens kijken wat we hebben.' Hij reed heen en weer voor de whiteboards waarop het bewijsmateriaal stond dat Sachs had verzameld bij de Java Hut en het appartement van Lydia Foster.

'Een blauw vliegtuig?' vroeg hij toen hij dat las.

Sachs herhaalde wat Henry Cross haar had verteld over de privéjet die Moreno in de Verenigde Staten en Midden- en Zuid-Amerika leek te hebben gevolgd.

'Ik heb de mensen van Special Services erop gezet, maar ze boeken niet veel succes. Er is geen database waarin vliegtuigen op kleur gesorteerd staan. Maar als hij onlangs verkocht is, hebben de aanbieders misschien verkoopgegevens met foto's erbij. Dat wordt nog gecontroleerd.'

'Goed. Laten we nu eens kijken wat we op de Bahama's hebben gevonden. Allereerst in de moordkamer.'

Rhyme legde aan Sachs en Cooper uit dat de sporen op de plaats delict waren uitgewist door dader 516 of Barry Shales, maar dat hij toch de hand op een paar dingen had weten te leggen, waaronder het voorlopige politierapport en de foto's, die Sachs nu op een apart whiteboard plakte, samen met het summiere forensisch onderzoek dat de plaatselijke politie had uitgevoerd.

Het volgende halfuur waren Sachs en Cooper bezig met het zorgvuldig analyseren van de schoenen en kleren van de drie mannen die op 9 mei in suite 1200 waren omgekomen. Elke plastic zak werd geopend boven een groot steriel stuk papier en kledingstukken en schoenen kregen een uitvoerig onderzoek op sporen.

Aan de schoenen van Moreno, zijn bodyguard en De la Rua kleefden vezels die identiek waren aan die van de vloerbedekking in het hotel, en modder die overeenkwam met monsters die waren genomen van het pad en de tuin voor het hotel. Op hun kleren waren dezelfde stoffen te vinden, samen met sporen van recente maaltijden, met name het ontbijt; ze waren voor de lunch gestorven. Cooper vond vlokken bladerdeeg, jam en stukjes bacon op de kleding van Moreno en zijn bewaker, en piment en een onbestemd soort pepersaus op het jasje van de verslaggever. Moreno en zijn lijfwacht hadden ook sporen van ruwe olie op hun schoenen, manchetten en mouwen, waarschijnlijk opgelopen bij hun bespreking op maandag buiten het hotel. Er waren niet veel raffinaderijen in New Providence, dus misschien hadden ze bij de haven gegeten. De bodyguard had sporen van sigarettenas op zijn overhemd.

De informatie werd op de whiteboards geschreven en Rhyme nam er notie van maar bleef er niet lang bij stilstaan; de moordenaar had zich tenslotte op twee kilometer afstand bevonden toen hij de kogel had afgevuurd. Dader 516 was in het hotel geweest, maar zelfs als hij stiekem de moordkamer was binnengeglipt, waren daar geen sporen van achtergebleven.

Hij zei: 'En nu het sectierapport.'

Ook dat leverde geen verrassingen op. Moreno was overleden door een verwoestende kogelwond in de borst en de anderen door bloedverlies, veroorzaakt door veelvoudige snijwonden van het rondvliegende glas, van verschillende afmetingen, maar voor het merendeel drie of vier millimeter breed en twee tot drie centimeter lang.

Cooper keek naar de sigarettenpeuken en het snoeppapiertje die de technische recherche in de moordkamer had gevonden, maar die leverden niets nuttigs op. De peuken waren van hetzelfde merk als het pakje Marlboro dat op het lichaam van de lijfwacht was aangetroffen, en het snoepje kwam uit een geschenkmand die bij aankomst voor Moreno had klaargestaan. De vingerafdrukken die Pulaski had veiliggesteld leverden in geen enkele database iets op. Ook dat was geen verrassing.

'We gaan verder met het appartement van de prostituee, Annette Bodel.'

Pulaski had goed werk verricht en een heleboel sporen gevonden op plekken waar de moordenaar had gezocht; hij had ook voorbeeldmonsters genomen om alles wat niet van de moordenaar was te kunnen uitsluiten. Cooper bekeek alles en liet af en toe een monster analyseren in de gaschromatrograaf-massaspectrometer. Na een tijdje meldde hij: 'Nou, we hebben tweetaktbrandstof.'

Tweetaktmotoren waren vrij klein en werden bijvoorbeeld gebruikt in sneeuwscooters en kettingzagen; de smeerolie werd direct met de benzine gemengd.

'Van een jetski misschien,' opperde Rhyme. 'Ze werkte parttime in een duikwinkel. Het hoeft niet van de dader afkomstig te zijn, maar we houden het in gedachten.'

'En zand,' verkondigde de analist. 'Samen met zeewaterresidu.' Hij vergeleek de chemische samenstelling van deze substanties met wat ze al hadden van de twee eerdere plaatsen delict. 'Ja, het is praktisch hetzelfde als wat Amelia in de Java Hut heeft aangetroffen.'

Rhyme trok een wenkbrauw op. 'Aha, een definitieve link tussen dader

516 en de Bahama's. We weten dat hij in Annettes appartement is geweest en ik ben er voor negenennegentig procent zeker van dat hij op 8 maart in de South Cove Inn heeft rondgelopen. Is er ook iets wat hem in verband brengt met Lydia Foster?'

Pulaski merkte op: 'De bruine haar. Inspecteur Poitier zei dat de man in de South Cove Inn, de man die daar net was geweest voordat Moreno werd vermoord, ook bruin haar had.'

'Dat suggereert iets, maar bewijst niets. Ga door, Mel.'

De laborant zat in het oculair van een microscoop te staren. 'Hier heb ik iets vreemds. Een soort membraan, oranje. Ik zal een stukje ervan door de GC-MS halen.'

Een paar minuten later had hij de resultaten van de gaschromatograaf-massaspectrometer.

Cooper las voor: 'DHA, C22:6n-3 – docosahexaeenzuur.'

'Visolie,' zei Rhyme, die op het scherm keek waarop het beeld van de microscoop werd geprojecteerd. 'En dat membraan, zie je dat in de rechter bovenhoek? Visseneitjes, zou ik zeggen. Kuit. Of kaviaar.'

'Ook wat $C_8H_8O_3$,' meldde Cooper.

'Daar heb je me,' mompelde Rhyme.

Het kostte dertig seconden om het op te zoeken. 'Vanilline.'

'Je bedoelt vanille-extract?'

'Precies.'

'Thom! Thom, kom hier. Waar zit je in godsnaam?'

De stem van de verzorger kwam van elders in het appartement. 'Wat moet ik doen?'

'Hier komen.'

De assistent kwam aanlopen en rolde intussen zijn mouwen omlaag. 'Hoe zou ik zo'n beleefd verzoek kunnen weigeren?'

Sachs lachte.

Rhyme fronste. 'Kijk naar die schema's, Thom. Doe een beroep op je culinaire vaardigheden. Vertel me wat je vindt van wat daar staat, in de wetenschap dat docosahexaeenzuur en $C_8H_8O_3$ respectievelijk kaviaar en vanille zijn.'

De assistent bleef even naar de schema's staan kijken. Er verscheen een glimlach op zijn gezicht. 'Komt me bekend voor... Wacht even.' Hij liep naar een computer en ging naar de website van de *New York Times*. Daar keek hij even rond. Rhyme kon niet precies zien waarnaar hij op zoek was. 'Nou, dat is interessant.'

'Ah. Kun je ons misschien ook vertellen wat er zo interessant is?'

'Op de twee andere plaatsen delict – het appartement van Lydia Foster en de Java Hut – daar zijn toch sporen van artisjok en zoethout aangetroffen?'

'Dat klopt,' bevestigde Cooper.

Hij draaide het computerscherm een slag, zodat ze konden meekijken. 'Nou, als je die ingrediënten combineert met kaviaar en vanille krijg je een heel duur gerecht dat wordt geserveerd in de Patchwork Goose. Er stond laatst een artikel over in de kookrubriek.'

'De Patchwork… Wat is dat in vredesnaam?' mompelde Sellitto.

Sachs zei: 'Het is een van de beste restaurants in de stad. Ze serveren zeven of acht gangen in vier uur, met bijpassende wijnen. Ze doen er rare dingen zoals koken met vloeibare stikstof en butaanbranders. Niet dat ik er ooit geweest ben, uiteraard.'

'Dat klopt.' Thom knikte naar het scherm. Er bleek een recept op te staan. 'Dit is een van de gerechten: forel met artisjok, gekookt met zoethout en geserveerd met kuit en vanillemayonaise. Heeft de dader sporen van die ingrediënten achtergelaten?'

'Inderdaad,' zei Sachs.

Sellitto vroeg: 'Dus hij werkt in dat restaurant?'

Thom schudde zijn hoofd. 'Nee, dat betwijfel ik. Dan zou hij zes dagen per week twaalf uur per dag werken en heeft hij geen tijd om moorden te plegen. En ik denk ook niet dat het een klant is. In dat geval zouden de ingrediënten niet op zijn kleren terechtkomen en zouden ze er in ieder geval niet meer dan een paar uur op zijn achtergebleven. Waarschijnlijk heeft hij het gerecht thuis nagemaakt. Met dit recept hier.'

'Mooi, mooi,' fluisterde Rhyme. 'Nu weten we dat dader 516 op 15 mei op de Bahama's is geweest om Annette Bodel te vermoorden, dat hij de bom in de Java Hut heeft geplaatst en dat hij Lydia Foster heeft vermoord. Hij was waarschijnlijk de man die vlak voordat Moreno werd doodgeschoten in de South Cove Inn was. Hij hielp Barry Shales met de voorbereidingen voor de moord.'

Sachs zei: 'En we weten dat hij graag kookt. Misschien is hij vroeger kok geweest. Daar kunnen we iets mee.'

Cooper pakte zijn telefoon en nam een telefoontje aan; Rhyme had hem niet horen rinkelen en vroeg zich af of de laborant het geluid van zijn mobieltje had uitgezet. Of had hij nog steeds water in zijn oren als gevolg van de duik? Zijn ogen prikten ontzettend.

De laborant bedankte de beller en zei: 'We hebben het haarzakje geanalyseerd van de haar die Amelia bij Lydia Foster heeft gevonden. Dat was het resultaat dat CODIS heeft opgeleverd. Niets. Wie de onbekende dader ook is, hij staat niet in de DNA-databases.'

Terwijl Sachs hun laatste bevindingen op het whiteboard zette, zei Rhyme: 'Nu maken we tenminste vorderingen. Maar als we Metzger willen pakken, moeten we het geweer hebben; en als we het geweer willen hebben, moeten we de kogel hebben. Laten we er eens naar kijken.'

57

Hoewel mensen elkaar al meer dan duizend jaar met vuurwapens naar het leven staan, is de forensische analyse van pistolen en kogels een betrekkelijk nieuwe wetenschap.

Waarschijnlijk werd de discipline voor het eerst toegepast in Engeland in het midden van de negentiende eeuw, toen een moordenaar een bekentenis aflegde op grond van het feit dat de betreffende kogel was teruggevoerd op de gietvorm waarin die was vervaardigd. In 1902 bewees een getuige-deskundige (Oliver Wendell Holmes, jawel) dat de kogel waarmee een moord was gepleegd uit het pistool van de verdachte moest zijn gekomen.

Maar pas nadat Calvin Goddard, een arts en forensisch wetenschapper, in 1925 een artikel had geschreven over forensische ballistiek kwam de discipline echt van de grond. Goddard wordt tegenwoordig gezien als de vader van de ballistiek.

Rhyme wilde drie dingen bereiken met het volgen van het protocol dat Goddard al negentig jaar geleden had opgesteld. Allereerst wilde hij de kogel onderzoeken. Aan de hand van die informatie wilde hij nagaan welke soorten wapens gebruikt konden zijn om de kogel af te vuren. Ten derde wilde hij de betreffende kogel met een specifiek wapen in verband brengen, dat dan op de schutter terug te voeren was, in dit geval Barry Shales.

Het team richtte zich nu op de eerste kwestie: de kogel zelf.

Met handschoenen aan en een masker voor deed Sachs het plastic zakje open waarin de kogel zat, een langwerpig, in elkaar gedrukt klompje koper en lood. Ze bestudeerde het hoopje metaal. 'Het is een bijzondere kogel. Allereerst is hij groot – driehonderd *grain*.'

Het gewicht van het projectiel dat door een wapen wordt afgevuurd – de kogel – wordt in de Verenigde Staten in grains uitgedrukt. Een kogel van driehonderd grain weegt ongeveer 19,5 gram. De meeste jagers en militairen, ook sluipschutters, gebruiken kogels die veel lichter zijn, rond honderdtachtig grain.

Ze bepaalde het kaliber van de kogel met behulp van een platte metalen schijf waarin gaten met verschillende diameters zaten. 'En een afwijkend kaliber. Groot. Vier twintig.'

Rhyme fronste. 'Niet vier zestien?' Dat was zijn eerste ingeving geweest toen hij de kogel in de moordkamer had gezien. De .416 was een recente innovatie in de kogeltechnologie, ontworpen door het befaamde bedrijf Barrett Arms. De patroon was een variant op de .50-kogel die door sluipschutters over de hele wereld gebruikt werd. In sommige landen en Amerikaanse staten was de .50 verboden voor niet-militair gebruik, maar de .416 mocht meestal nog wel gebruikt worden.

'Nee, absoluut groter.' Sachs legde de kogel vervolgens onder de microscoop. 'En het is een geavanceerd ontwerp. Een hollowpoint met een plastic punt – een aangepaste *spitzer*.'

Wapenfabrikanten waren begonnen bij het ontwerpen van hun projectielen aerodynamische principes toe te passen toen – en dat mag niet verwonderlijk heten – de vliegtuigbouw in opkomst was. De spitzerkogel – het Duitse woord betekent 'gepunte kogel' – werd ontwikkeld voor het lange-afstandsschieten. Doordat de kogel zo gestroomlijnd was, was hij zeer accuraat. Het nadeel was dat de kogel bij het treffen van het doel intact bleef en veel minder schade aanrichtte dan een stompe hollowpoint, die bij de inslag breed uitzette.

Er waren kogelfabrikanten die de hollowpoint uitrustten met een scherpe plastic punt, die de kogel de stroomlijn van een spitzer verleende, maar afbrak als de kogel doel trof, zodat die uit kon zetten.

Dit was het kogeltype dat Berry Shales gebruikt had om Robert Moreno te vermoorden.

Geheel in overeenstemming met het gestroomlijnde ontwerp, verklaarde Sachs, had de kogel de vorm van een boot – hij liep naar achteren taps toe, net als een wedstrijdzeiljacht, om de weerstand zo klein mogelijk te maken.

Ze vatte samen: 'Groot, zwaar, en uiterst accuraat.' Ze knikte naar de foto van Moreno op de plaats delict, languit op de bank in de moordkamer, met achter hem spetters bloed en hersenweefsel. 'Ronduit verwoestend.'

Ze schraapte wat residu van de kogel en analyseerde dat; de gas- en stofdeeltjes die op de kogel achterblijven als het kruit tot ontbranding is gekomen. 'Het neusje van de zalm,' zei ze. 'De ontstekingslading was van Federal 210-kwaliteit, het kruit zelf was Hodgdon Extreme Extruded – zeer geconcentreerd spul. Dit is de Ferrari onder de kogels.'

'Wie fabriceert ze?' Dat was de hamvraag.

Een zoektocht op internet leverde maar weinig hits op. Geen van de grote wapenfabrikanten als Winchester, Remington of Federal brachten een dergelijke kogel op de markt, en er was geen enkel verkoopadres dat de kogel op voorraad had. Maar op een paar obscure wapenforums vond Sachs verwijzingen naar het mysterieuze bestaan van de kogel en zo kwam ze erachter dat een wapenfabrikant in New Jersey, Walker Defense Systems, de kogel misschien in productie had. Op de website van dat bedrijf stond dat Walker weliswaar geen geweren maakte, maar wel spitzers .420 met plastic punt en bootprofiel.

Sachs keek naar Rhyme. 'Ze leveren alleen aan het leger, de politie... én aan de federale overheid.'

Het eerste doel was bereikt, de identiteit van de kogel. Nu richtte het team zich op het achterhalen van het type wapen dat gebruikt was.

'Allereerst: wat was het voor wapen?' vroeg Rhyme. 'Een grendelgeweer, semi-automatisch, salvo van drie schoten, volautomatisch? Wat denk jij, Sachs?'

'Sluipschutters schieten nooit met volautomatische geweren of met salvo, omdat je over zo'n afstand steeds moet compenseren voor de terugslag. Als hij een grendelgeweer had gebruikt, zou hij nooit drie kogels hebben afgevuurd; als hij de eerste keer miste, zou het doelwit daarna meteen zijn weggedoken. Ik ga voor semi-automatisch.'

Sellitto zei: 'Zo'n geweer moet niet al te lastig op te sporen zijn. Er bestaan maar een paar geweren die een dergelijke kogel kunnen afvuren. Zo'n kogel is behoorlijk uniek.'

'Behóórlijk uniek,' reageerde Rhyme op sarcastische toon. 'Net als een béétje zwanger.'

'Linc,' zei Sellitto opgewekt, 'heb je ooit overwogen om onderwijzer te worden? De kinderen zouden je vast geweldig vinden.'

Sellitto had wel gelijk, wist Rhyme. Hoe zeldzamer de kogel, hoe minder geweren er waren waarmee het ding afgevuurd kon worden. Dit zou het makkelijker maken om het geweer te identificeren, en dus ook makkelijker om het op Barry Shales terug te voeren.

De twee kenmerken waarmee een kogel met een wapen in verband kan worden gebracht, zijn het kaliber, dat nu bekend was, en de sporen die de loop achterlaat op de kogel.

Alle moderne vuurwapens hebben aan de binnenkant van de loop spiralende sleuven, bedoeld om de kogel te laten ronddraaien en aldus accurater te maken. Dat noemt men een 'getrokken loop'. Wapenfabrikanten trekken de loop – waardoor 'trekken' (de sleuven) en 'velden' ontstaan – in diverse configuraties, afhankelijk van het wapentype, de kogel die ermee moet worden afgevuurd, en het doel van het wapen. De zogeheten 'spoed' (of *twist* in het Engels), de afstand tussen de trekken en velden die nodig is om de kogel één keer om zijn as te laten draaien, kan de kogel met de klok mee laten draaien, of juist andersom. Hoe snel de kogel draait, hangt af van het aantal omwentelingen in de loop tijdens het afschieten.

Eén blik op de kogel was voldoende om te constateren dat het geweer van Barry Shales de kogel tegen de klok in had laten ronddraaien, met een spoed van 25 centimeter.

Dat was ongebruikelijk, wist Rhyme; de spoed was meestal korter, met een ratio van 1:7 of 1:8.

'Dat betekent dat er een lange loop is gebruikt, toch?' vroeg Rhyme aan Cooper.

'Yep. Een heel lange loop. Vreemd.'

Gegeven het zeldzame kaliber en de afwijkende draailengte zou het normaal gesproken niet al te moeilijk zijn om een lijst te maken van merken semi-automatische wapens die dergelijke kenmerken vertoonden. Dat soort gegevens staan in ballistische databanken, die met behulp van een eenvoudige computerzoekopdracht binnen enkele seconden de juiste gegevens kunnen uitbraken.

Maar in dit onderzoek was niets normaal.

Sachs keek op van haar computer en verklaarde: 'Geen enkele hit. Er is geen enkele commerciële wapenfabrikant bekend die een dergelijk geweer produceert.'

'Is er nog meer wat we over het wapen kunnen zeggen?' vroeg Rhyme. 'Bekijk de foto's van de plaats delict en van Moreno nog eens. Misschien dat dat iets oplevert.'

De forensisch specialist schoof zijn bril omhoog en wiegde heen en weer terwijl hij de grimmige foto's bekeek. Als iemand enig inzicht in dat soort dingen had, was het Mel Cooper wel. De rechercheur was actief in de International Association for Identification, een instituut dat bijna een eeuw oud was, en hij had binnen de AIA de hoogste kwalificaties op tal van gebieden: forensische kunst, voet- en bandensporen, forensische fotografie/beeldbewerking, tenprint vingerafdrukken en latente sporen, naast bloedsporenanalyse, een persoonlijke hobby van zowel Cooper als Rhyme.

Cooper las foto's van een plaats delict zoals een arts een röntgenfoto beoordeelde. Hij zei: 'Ah, kijk daar eens naar, die bloed- en weefselsporen.' Hij wees naar het bloed en de resten weggeblazen weefsel en bot op de bank en de vloer erachter. 'Hij schoot toch van een afstand van tweeduizend meter?'

'Ongeveer,' zei Rhyme.

'Amelia, wat zou de snelheid van een kogel van die grootte dan zijn?'

Ze haalde haar schouders op. 'Dat ding heeft een mondingssnelheid van maximaal achthonderd meter per seconde. De snelheid waarmee hij het slachtoffer raakte? Vijfhonderdvijftig meter per seconde, schat ik.'

Cooper schudde zijn hoofd. 'Die kogel moet Moreno geraakt hebben met een snelheid van meer dan negenhonderd meter per seconde.'

'Meen je dat?' vroeg Sachs.

'Absoluut.'

'Dat is snel. Heel snel. Dat bevestigt dat het geweer een uitzonderlijk lange loop had, en dat betekent dat er heel wat kruit in de patroon moet hebben gezeten. Normaal gesproken zou er bij zo'n kogel veertig of tweeënveertig grain kruit gebruikt worden. Maar voor zo'n snelheid denk ik dat er twee keer zoveel is gebruikt, en dus moet het geweer een versterkte kamer hebben gehad.'

De kamer is het deel van het geweer waarin de kogel wordt afgeschoten. De kamer is dikker dan de loop om de gasdruk te kunnen weerstaan die bij het afvuren van de kogel ontstaat en te voorkomen dat het wapen uit elkaar spat als de schutter de trekker overhaalt.

'Kun je al conclusies trekken?'

'Ja,' zei Sachs. 'Dat Barry Shales, of iemand bij NIOS, het geweer zelf gemaakt heeft.'

Rhyme keek haar grijnzend aan. 'Dus we kunnen met geen mogelijkheid een serienummer achterhalen van een geweer dat aan NIOS of Shales verkocht is. Jezus.'

Zijn derde doel, het vaststellen van een link tussen Shales en de kogel via zijn wapen, was nu een stuk moeilijker te bereiken.

Sachs zei: 'We wachten nog steeds op nadere gegevens van de Informatiedienst. Misschien kan die achterhalen of Shales wapenonderdelen heeft gekocht, of gereedschap om zo'n geweer te maken.'

Rhyme trok berustend zijn wenkbrauwen op. 'Nou, laten we kijken of de kogel ons nog iets wijzer maakt. Mel, vingerafdrukken?'

Vingerafdrukken kunnen op een kogel zichtbaar blijven, ook nadat het projectiel is afgeschoten en zich in een lichaam heeft geboord, soms zelfs als het in een muur terechtgekomen is.

Aangenomen dat Barry Shales de kogels met zijn blote vingers had aangeraakt, wat niet het geval bleek te zijn. Met een speciale veiligheidsbril op bescheen Sachs de kogel met UV-licht. 'Niets.'

'Zitten er andere sporen op?'

Cooper bekeek de kogel nu. 'Glassplintertjes van het raam.' Hij pakte een pincet en schraapte daarmee minuscule flintertjes van de een of ander stof van de kogel, die hij vervolgens onder de microscoop legde. 'Plantaardig,' verklaarde Rhyme toen hij naar de monitor keek.

'Dat klopt,' zei de techneut. Hij voerde een scheikundige analyse uit. 'Het is urushiol, een allergene stof die huidirritatie kan veroorzaken.' Hij keek op. 'Gifsumak?'

'Ah, de gifhoutboom die voor het raam van de moordkamer stond. De kogel is waarschijnlijk eerst door een blaadje gegaan voordat Moreno geraakt werd.'

De techneut vond ook vezels, die terug te voeren waren op Moreno's shirt, en bloedsporen, die overeenkwamen met de bloedgroep van de activist.

Cooper zei: 'Los daarvan, en van de kruitsporen, zit er verder niets op de kogel.'

Rhyme draaide zijn nieuwe rolstoel en keek naar de whiteboards. 'Ron, zou je met dat prachtige handschrift van je de gegevens kunnen bijwerken? Ik wil het grote plaatje graag een tikkeltje bijstellen,' voegde hij eraan toe, in het jargon van hun superieur in absentia, Bill Myers.

58

De moord op Robert Moreno

Vetgedrukt: nieuwe informatie

Plaats delict 1
- Suite 1200, South Cove Inn, New Providence, Bahama's (de 'moordkamer').
- 9 mei.
- Slachtoffer 1: Robert Moreno.
- Oorzaak van overlijden: enkele schotwond in de borst.
- Aanvullende informatie: Moreno, 38, Amerikaans staatsburger, expat, woont in Venezuela. Extreem anti-Amerikaans. Bijnaam: 'de Boodschapper van de Waarheid'. **Vastgesteld is dat 'de lucht in gaan' en 'de boel opblazen' GEEN verwijzingen zijn naar terroristische acties.**
- **Schoenen bevatten vezels die overeenkomen met vloerbedekking in hotelgang, modder van ingang hotel en ruwe olie.**
- **Kleding bevat sporen van ontbijt: vlokken bladerdeeg, jam en bacon, ook ruwe olie.**
- Is drie dagen in New York geweest, van 30 april tot 2 mei. Doel?
- Heeft op 1 mei gebruikgemaakt van Elite Limousines.
- Chauffeur Atash Farada. (Vaste chauffeur Vlad Nikolov was ziek. Proberen hem te vinden.)
- Hief rekeningen op bij American Independent Bank and Trust, waarschijnlijk ook bij andere banken.
- **Reed in New York rond met tolk Lydia Foster (vermoord door dader 516).**
- Reden voor anti-Amerikaanse gevoelens: beste vriend gedood door Amerikaanse troepen bij invasie van Panama, 1989.
- Moreno's laatste reis naar V.S. Zou nooit meer terugkeren.
- Afspraak in Wall Street. Doel? Locatie?
  - **Niets bekend van onderzoek naar terroristische acties in die buurt.**
- **Had besprekingen met onbekende personen van hulporganisaties uit Rusland, de VAE (Dubai) en het Braziliaanse consulaat.**

- Had bespreking met Henry Cross, directeur van Classrooms for the Americas. Die meldde dat Moreno met andere hulporganisaties sprak, maar weet niet welke. Moreno werd gevolgd door blanke en 'stoer ogende' man. En door privéjet? Blauw. Proberen te identificeren.

- Slachtoffer 2: Eduardo de la Rua.
  - Oorzaak van overlijden: bloedverlies. Verwondingen van rondvliegend glas na geweerschot, **3-4 mm breed, 2-3 cm lang.**
  - Aanvullende informatie: journalist, was bezig Moreno te interviewen. Geboren in Puerto Rico, woont in Argentinië.
  - **Camera, taperecorder, gouden pen, aantekenboeken weg.**
  - **Schoenen bevatten vezels die overeenkomen met vloerbedekking in hotelgang, modder van ingang hotel.**
  - **Kleding bevat sporen van ontbijt: piment en pepersaus.**

- Slachtoffer 3: Simon Flores.
  - Oorzaak van overlijden: bloedverlies. Verwondingen van rondvliegend glas na geweerschot, **3-4 mm breed, 2-3 cm lang.**
  - Aanvullende informatie: bodyguard van Moreno. Braziliaanse nationaliteit, woont in Venezuela.
  - **Rolex-horloge, Oakley-zonnebril weg.**
  - **Schoenen bevatten vezels die overeenkomen met vloerbedekking in hotelgang, modder van ingang hotel en ruwe olie.**
  - **Kleding bevat sporen van ontbijt: vlokken bladerdeeg, jam en bacon, ook ruwe olie en sigarettenas.**

- **Chronologisch overzicht van Moreno's verblijf op de Bahama's.**
- **7 mei. Aankomst in Nassau met Flores (bodyguard).**
- **8 mei. De hele dag buiten het hotel afspraken.**
- **9 mei. 9.00 uur. Afspraak met twee mannen over het opzetten van een vestiging van Local Empowerment Movement op de Bahama's. 10.30 uur aankomst De la Rua. 11.15 uur Moreno neergeschoten.**

- Verdachte 1: Shreve Metzger.
  - Directeur van National Intelligence and Operations Service.
  - Geestelijk labiel? Woede-uitbarstingen.
  - Heeft bewijsmateriaal gemanipuleerd om illegaal Special Task Order goedgekeurd te krijgen?
  - Gescheiden. Rechten gestudeerd, Yale.

- Verdachte 2: dader 516.
  - **Niet de sluipschutter, dat staat vast.**
  - Mogelijk man bij South Cove Inn op 8 mei. Blank, in de 30, kort licht-bruin haar, Amerikaans accent, mager maar gespierd. 'Militair' voor-komen. Informeerde naar Moreno.
  - **Zou de partner van de sluipschutter kunnen zijn of apart door Metzger kunnen zijn ingehuurd om sporen uit te wissen en onder-zoek te bemoeilijken.**
  - **Moordenaar van Lydia Foster en Annette Bodel, dader van bom-aanslag op Java Hut.**
  - **Amateur of professionele kok, in elk geval behoorlijke vaardigheid als kok.**

- **Dader 3: Barry Shales.**
  - **Sluipschutter, codenaam Don Bruns.**
  - **39, voormalig lid van de luchtmacht, onderscheiden.**
  - **Inlichtingenspecialist** NIOS. **Vrouw lerares. Twee zoons.**
  - Man die op 7 mei de South Cove Inn belde om aankomst van Moreno te bevestigen. **Belde met telefoon die op naam staat van Don Bruns, via dekmantel** NIOS.
  - **Informatiedienst doet onderzoek naar Shales.**
  - Stemafdruk bemachtigd.

- Verslag plaats delict, sectieverslag, andere bijzonderheden.
  - **Plaats delict schoongemaakt en verontreinigd door dader 516 en grotendeels onbruikbaar.**
  - **Algemene details: kogel heeft glaswand verbrijzeld, daarvoor tuin, bladeren gifhoutboom gesnoeid tot hoogte van 6 meter. Zicht naar sluipschutterspositie wazig door nevel en vervuilde lucht.**
  - **47 vingerafdrukken aangetroffen; helft geanalyseerd, geen resul-taat. Andere zoekgeraakt.**
  - Snoeppapiertjes veiliggesteld.
  - Sigarettenas veiliggesteld.
  - Kogel achter bank waarop Moreno's lichaam is aangetroffen.
    - Fatale kogel.
    - Kaliber .420, gemaakt door Walker Defense systems, NJ.
    - Taps toelopende spitzer.
    - Extreem goede kwaliteit.
    - Extreem hoge snelheid en kracht.

- Zeldzaam.
- Wapen: op bestelling gemaakt.
- Sporen op kogel: vezels van Moreno's overhemd en blad gif-
houtboom.

- Plaats delict 2
  - Schuilplaats van de sluipschutter, 2000 meter van moordkamer, New
  Providence, Bahama's.
  - 9 mei.
  - Hulzen of andere sporen van locatie sluipschutter niet te vinden.

- Plaats delict 2A.
  - Appartement 3C, Augusta Street 182, Nassau, Bahama's.
  - 15 mei.
  - Slachtoffer: Annette Bodel.
  - Doodsoorzaak: nog onzeker, mogelijk verwurging, verstikking.
  - Verdachte: dader 516.
  - Slachtoffer is waarschijnlijk gemarteld.
  - Sporen:
    - Zand gelijkend op zand gevonden in Java Hut
    - Docosahexaeenzuur – visolie. Waarschijnlijk kaviaar of kuit.
    Ingrediënt in gerecht van restaurant in New York.
    - Tweetaktbrandstof.
    - $C_8H_8O_3$, vanilline. Ingrediënt in gerecht van restaurant in New
    York.

- Plaats delict 3.
  - Java Hut, kruising Mott Street en Hester Street.
  - 16 mei.
  - Bomexplosie teneinde videobeelden van klokkenluider te vernieti-
  gen.
  - Slachtoffers: geen doden, enkele lichtgewonden.
  - Verdachte: dader 516.
  - Bom in militaire stijl, brisant, granaatscherven. Explosief: semtex.
  Verkrijgbaar op de wapenmarkt.
  - Klanten in winkel waargenomen toen klokkenluider aanwezig was,
  worden ondervraagd voor informatie, foto's.
  - Spoor:
    - Zand uit tropisch gebied.

- Plaats delict 4.
  - Appartement 230, Third Avenue 1187.
  - 16 mei.
  - Slachtoffer: Lydia Foster.
  - Doodsoorzaak: Bloedverlies, shock na bewerkt te zijn met mes.
  - Verdachte: dader 516.
  - Haar, bruin en kort (van dader 516), naar CODIS gestuurd voor analyse.
  - Sporen:
    - Glycyrrhiza glabra – zoethout. Ingrediënt in gerecht van restaurant in New York.
    - Cynarine, chemisch component van artisjokken. Ingrediënt in gerecht van restaurant in New York.
  - Sporen van marteling.
  - Alle verslagen van tolkopdracht voor Robert Moreno op 1 mei gestolen.
  - Geen mobiele telefoon of computer.
  - Bonnetje van Starbucks, waar Lydia op 1 mei wachtte terwijl Moreno privégesprek had.
  - Geruchten dat drugskartels achter de moorden zitten. Wordt niet waarschijnlijk geacht.

- Aanvullende informatie.
- Vaststellen identiteit klokkenluider.
  - Onbekende die de Special Task Order naar buiten heeft gebracht.
  - Verzonden vanaf anoniem e-mailadres.
  - Getraceerd via Taiwan naar Roemenië en Zweden. Verstuurd vanuit New York via gratis wifi-verbinding, geen overheidsservers gebruikt.
  - Er is gebruikgemaakt van een oude computer, waarschijnlijk tien jaar oud, iBook, fruitschaalmodel in twee kleuren, waarvan één fel (bijv. groen of oranje). Of traditioneel model in donkergrijs, maar veel dikker dan moderne laptops.
- Rechercheur A. Sachs gevolgd door iemand in lichtgekleurde sedan.
  - Onbekend merk en model.

'Er zijn nog heel wat raadsels,' zei Rhyme peinzend terwijl hij naar de whiteboards staarde en helemaal opging in wat daar geschreven stond. Hij voegde er half fluisterend aan toe: 'Houden we van raadsels, groentje?'

'Ik zou zeggen van wel, Lincoln.'

'En of je gelijk hebt. En waarom?'

'Omdat ze ervoor zorgen dat we niet zelfgenoegzaam of zo worden. Ze zorgen ervoor dat we vragen blijven stellen en als we vragen stellen, ontdekken we dingen.'

Een glimlach.

'Nou, wat hebben we hier? Allereerst dader 516. We hebben een heleboel bewijzen tegen hem, voor de moord op Annette op de Bahama's, voor de bomaanslag op de Java Hut en voor de moord op Lydia Foster. Als – neem me niet kwalijk, wanneer – zijn identiteit eenmaal is vastgesteld, kunnen we hem beschuldigen van het plegen van een bomaanslag en een moord.

'En dan de samenzwering van Shales en Metzger. We kunnen die twee met elkaar in verband brengen – ze werken allebei bij NIOS – en we hebben Shales' codenaam, Don Bruns, op de moordopdracht. Alles wat we nog nodig hebben, is het laatste stukje van de puzzel: bewijs dat Barry Shales zich op 9 mei op de Bahama's bevond. Hebben we dat, dan kunnen we ze allebei aanklagen wegens samenzwering.'

Hij bleef naar de borden kijken en fluisterde in zichzelf: 'We hebben geen enkel bewijs dat hij daar geweest is. We kunnen bewijzen dat de onbekende dader de dag voor de moord in de South Cove Inn was, maar niet dat Shales daar was.' Hij keek naar Sachs. 'Hoe is het met de informatievergaring? Is er al iets bekend over eventuele reisjes van Shales?'

'Ik zal de Informatiedienst bellen.' Ze pakte haar mobieltje.

We hebben niet veel nodig, bedacht Rhyme. De jury kon tot de conclusie komen dat er een verband was, daar was indirect bewijs voor. Maar er moest wel enige basis zijn voor een gegronde conclusie. Een jury kan iemand veroordelen omdat hij in dronken toestand een ongeluk heeft veroorzaakt en is doorgereden, zelfs als hij de volgende morgen nuchter wordt aangetroffen en alles ontkent, als een barkeeper getuigt dat hij een uur voor het ongeluk twaalf glazen bier achterover heeft geslagen en de jury die getuigenis geloofwaardig acht. Tolpoortgegevens, creditcards, RFID-chips in personeelsbadges, metrokaarten, de luchthavenbeveiliging, de douane, verkeerscamera's en beveiligingscamera's in winkels... Er waren tientallen informatiebronnen waarmee je kon aantonen dat verdachten op een plaats delict aanwezig waren geweest.

Hij zag dat Sachs snel aantekeningen maakte. Mooi. Ze zaten op het goede spoor, dat voelde hij. Het moest mogelijk zijn aan te tonen dat Barry Shales op 9 mei op de Bahama's was.

Sellitto keek naar het schema en bracht Rhymes gedachten onder woorden. 'Er moet iets zijn. We weten dat Shales de schutter is.'

Amelia Sachs verbrak de verbinding en zei met een verbaasd gezicht: 'Nou, eigenlijk is hij het niet, Lon.'

59

Een halfuur later was Nance Laurel bij Rhyme thuis.

'Onmogelijk,' fluisterde ze.

Sachs zei: 'Hij is de sluipschutter niet. Kijk zelf maar.'

Ze gooide een aantal documenten voor Laurel op tafel, met iets meer kracht dan Rhyme onder de gegeven omstandigheden noodzakelijk achtte. Aan de andere kant was het duidelijk dat deze twee vrouwen nooit goed met elkaar overweg zouden kunnen. Hij verwachtte dat ze elkaar op een gegeven moment in de haren zouden vliegen, zoals een tornadojager een grijsgroen wolkendek ziet en denkt: daar komt zo een flinke storm uit.

De informatiedienst van de politie had ontdekt dat Barry Shales niet op de Bahama's was geweest op de dag dat Moreno werd neergeschoten. Hij was de hele dag in New York geweest. Sterker nog: hij was al maanden niet meer in het buitenland geweest.

'Ze hebben alle mogelijkheden onderzocht, vanuit meerdere invalshoeken. Ik heb ze gevraagd om de boel te dubbelchecken. Ze hebben alles zelfs drie keer gecontroleerd. Om negen uur is hij het NIOS-kantoor binnengegaan, waarbij hij met behulp van een RFID-chip werd geïdentificeerd. Rond een uur of twee is hij weggegaan om te gaan lunchen. Hij is toen naar Bennigan's gegaan en heeft betaald met een creditcard. Zijn aanwezigheid is met handschriftherkenning geverifieerd. Hij is daarna naar een geldautomaat gegaan – de scan daar is positief. Een gezichtsherkenning van zestig punten. Is om drie uur weer op kantoor teruggekomen. Is om halfzeven vertrokken.'

'Negen mei. Weet je het zeker?'

'Absoluut.'

Een vreemd geluid, als het gesis van een slang. De lucht die Nance Laurel tussen haar tanden door liet ontsnappen.

'Wie hebben we dan nog over?'

'Dader 516,' zei Pulaski.

'Niets wijst erop dat hij de sluipschutter is geweest,' verklaarde Sellitto. 'Hij lijkt meer een soort hulpje, of iemand die naderhand sporen uitwist. Maar we kunnen hem dingen ten laste leggen.'

'We kunnen er een andere zaak van maken,' stelde Rhyme voor. 'We laten de moord op Moreno even voor wat die is en bewijzen dat dader 516 van Metzger opdracht heeft gekregen Lydia Foster te vermoorden en de bom te plaatsen. Dan kunnen we hem in elk geval op grond van samenzwering oppakken en draait Metzger waarschijnlijk voor doodslag de cel in.'

Maar Laurel leek zo haar bedenkingen te hebben. 'Dat is niet de zaak die ik wil.'

'Niet de zaak die je wilt?' vroeg Sachs. Ze vond dat de hulpofficier zich als een verwend nest gedroeg.

'Precies. Mijn zaak is de aanklacht tegen Metzger en de sluipschutter, die hebben samengespannen om een illegale actie uit te voeren.' Ze verhief haar stem, en het was voor het eerst dat Rhyme enige emotie bij haar bespeurde. 'De moordopdracht vormde daar de basis voor.' Ze staarde naar de kopie ervan die op een van de whiteboards hing, alsof het document haar verraden had.

'Metzger is er nog steeds gloeiend bij,' zei Sachs geïrriteerd. 'Maakt het uit op welke manier we hem te pakken krijgen?'

De hulpofficier negeerde haar opmerking en liep naar het raam. Ze liet haar blik over Central Park gaan.

Amelia Sachs keek naar haar. Rhyme wist precies wat er in haar omging.

Ik wíl…

Míjn zaak…

Rhymes ogen gleden naar Laurel. De boom waarnaar ze keek was een tweekleurige eik, *Quercus bicolor*, een dikke en niet bijzonder hoge boom die het in Manhattan goed deed. Rhyme wist dat, niet doordat hij zelf zo in bomen geïnteresseerd was, maar doordat hij ooit een minuscuul stukje blad van een tweekleurige eik had aangetroffen in de auto van ene Reggie 'Sump' Kelleher, een buitengewoon onaangenaam sujet uit Hell's Kitchen. Door de vondst van dat stukje blad, plus de aanwezigheid van wat kalkhoudende modder, kon bewezen worden dat Kelleher op een veldje in Prospect Park was geweest, waar het levenloze lichaam van een drugsbaron uit Jamaica was aangetroffen, zonder hoofd.

Rhyme dacht na over de boom toen hij ineens een idee kreeg.

Snel draaide hij zich om naar de whiteboards en bleef er een tijdje naar kijken. Hij was zich er vaag van bewust dat er dingen tegen hem werden gezegd. Hij sloeg er geen acht op, mompelde wat in zichzelf.

Toen riep hij over zijn schouder: 'Sachs, Sachs! Snel! Je moet ergens naartoe.'

60

Er kwam zo'n beetje een eind aan de oorlogen op de wereld en een aantal gebouwen die het hoofdkantoor van Walker Defense Systems in New Jersey vormden waren dichtgespijkerd.

Maar Sachs merkte dat er toch nog wel een markt was voor zowel grootschalige als kleinschalige vernietigingswapens; op de parkeerplaats stonden tientallen dure Mercedessen, Audi's en BMW's.

En een Aston Martin.

Man, dacht Sachs, wat zou ik graag een eindje gaan rijden in die Vanquish. Ze fantaseerde erover om al die paardenkrachten los te laten op het parkeerterrein van het bedrijf.

In het gebouw, dat de stijl had van de jaren vijftig, meldde ze zich bij de receptie, waarna ze naar een zitje werd geleid.

'Steriel' was het woord dat bij haar opkwam, en dat was in twee opzichten van toepassing. De aankleding was minimaal en streng met een paar schilderijen in grijs en zwart en wat advertenties voor producten waarvan ze de bedoeling niet helemaal begreep. En de sfeer was ook in een ander opzicht steriel; ze kreeg het gevoel dat ze een virus was dat de wetenschappers niet helemaal vertrouwden en dat geïsoleerd werd tot er meer over bekend was.

In plaats van een *People* of een *Wall Street Journal* met het nieuws van de afgelopen week koos ze een glanzende bedrijfsbrochure waarin beschreven werd welke afdelingen er waren, zoals raketbesturing, gyroscopische navigatie, bepantsering, munitie en meer van dat soort zaken.

Het bedrijf mocht dan gedwongen zijn af te slanken, volgens de brochure waren er naast het hoofdkantoor ook nog indrukwekkende vestigingen in Florida, Texas en Californië. Overzees waren er kantoren in Abu Dabi, São Paulo, Singapore, München en Mumbai. Ze liep naar het raam en liet haar blik over het grote terrein gaan.

Het duurde niet lang voor een keurig geklede man van in de dertig de hal in kwam en haar begroette. Het verbaasde hem duidelijk dat een rechercheur er ook zo kon uitzien en hij kon zich er niet helemaal van weerhouden met haar te flirten toen hij haar door een eveneens steriel doolhof van gangen naar het kantoor van de directeur bracht. Hij vroeg heel vriendelijk naar haar werk – hoe was het om in New York bij de politie te zijn, wat waren haar interessantste zaken, keek ze wel eens naar *CSI* of *The Mentalist* en wat voor pistool had ze?

Het deed haar denken aan de getatoeëerde bedrijfsleider van de Java Hut.

Mannen...

Toen duidelijk werd dat hij met deze gesprekonderwerpen geen voet aan de grond kreeg, ging hij over op de prestaties van het bedrijf. Ze knikte beleefd, maar al die met grote stelligheid gebrachte beweringen gingen het ene oor in en het andere uit. Hij keek fronsend naar haar been; ze besefte dat ze ermee had lopen trekken en dwong zichzelf meteen normaal te lopen.

Na een flinke wandeling kwamen ze bij een van de hoekkantoren van het lage gebouw, dat van meneer Walker. Een brunette die flink met haarlak in de weer was geweest keek wantrouwig op, waarschijnlijk wegens het feit dat haar baas bezoek kreeg van de politie. Sachs zag dat hier veel plastic en loden soldaatjes op de planken stonden. Hele legers. Haar eerste gedachte was: wat een ramp om hier af te stoffen.

Haar flirtgrage escorte keek alsof hij haar mee uit wilde vragen, maar wist blijkbaar niet hoe hij dat moest aanpakken. Hij draaide zich om en verdween.

'U kunt naar binnen gaan,' zei de assistente.

Toen Sachs het kantoor van Harry Walker betrad, glimlachte ze onwillekeurig.

Het gezicht van een wapenfabrikant hoorde toch smal, humorloos en argwanend, zo niet sadistisch te zijn? Het gezicht van iemand die munitie aan Rusland verkoopt terwijl hij tegelijkertijd een lading verscheept naar de Tsjetsjeense rebellen. De directeur van Walker Defense was echter een mollige en engelachtige man van vijfenzestig, die op dat moment in kleermakerszit op de vloer zat en een roze driewieler in elkaar probeerde te zetten.

Walker droeg een wit overhemd, dat opbolde boven zijn geelbruine pantalon. Zijn das was gestreept, rood en blauw. Hij glimlachte vriendelijk en stond op – met enige moeite. In de ene hand had hij een schroevendraaier en in de andere een gebruiksaanwijzing. 'Inspecteur Sachs. Amanda?'

'Amelia.'

'Ik ben Harry.'

Ze knikte.

'Mijn kleindochter.' Hij keek even naar de driewieler. 'Ik ben afgestudeerd aan het MIT en ik heb tweehonderd patenten voor geavanceerde wapensystemen op mijn naam staan. Maar kan ik een driewieler van Hello Kitty in elkaar zetten? Alleen met grote moeite, dat is wel duidelijk.'

Elk onderdeel was zorgvuldig op de vloer uitgestald, met een Post-it erop.

Sachs zei: 'Als ik aan auto's sleutel, houd ik altijd een schroef of moer of ander dingetje over. Maar ze werken prima.'

Hij legde het gereedschap en de gebruiksaanwijzing op zijn bureau en ging erachter zitten. Sachs nam de stoel waarnaar hij gebaarde.

'Nou, wat kan ik voor u doen?' Hij glimlachte nog steeds, op dezelfde manier als de man die haar uit de hal had opgehaald, maar het was niet Walkers bedoeling met haar te flirten. Achter zijn lach gingen zowel nieuwsgierigheid als behoedzaamheid schuil.

'Uw bedrijf is een van de oudste producenten van kogels en wapensystemen van het land.'

'Tja, als het op Wikipedia staat, heeft het geen zin dat te ontkennen.'

Sachs leunde achterover in de comfortabele stoel, die net als de zijne van beige leer was. Ze keek even naar de foto's aan de muur van mannen op een schietbaan, waarschijnlijk rond de Eerste Wereldoorlog.

Hij vertelde: 'Het bedrijf is opgericht door mijn overgrootvader. Een heel bijzondere man. Ik zeg dat alsof ik hem heb gekend, maar hij is al voor mijn geboorte overleden. Hij heeft de door de terugslagactie aangedreven afsluiter voor automatische wapens uitgevonden. Er waren natuurlijk wel vijf andere uitvinders die hetzelfde hebben gedaan, maar die hebben niet als eerste hun patentaanvraag ingediend. Bovendien maakte hij de beste en efficiëntste modellen.'

Sachs had niet geweten van het werk van Walker senior, maar was onder de indruk. Er bestonden diverse manieren om een wapen meer kogels achter elkaar te laten afschieten, maar dit systeem was het populairst. Een getalenteerde schutter kon met een wapen met handmatig bediende grendel elke paar seconden een kogel afvuren. Maar een modern automatisch wapen kon negenhonderd kogels per minuut uitspuwen, en sommige exclusieve soorten nog meer.

'Weet u iets van vuurwapens?' vroeg hij.

'Schieten is een hobby van me.'

Hij bekeek haar zorgvuldig. 'Wat vindt u van het tweede amendement?' Een provocerende vraag onder het mom van gewone nieuwsgierigheid.

Ze aarzelde geen seconde. 'Dat hangt af van de interpretatie. Milities versus persoonlijke rechten.'

Het korte tweede amendement op de grondwet ging over het recht van milities om wapens te hebben en te dragen. Er stond niet in dat alle burgers dat recht hadden.

Sachs vervolgde: 'Ik heb de aantekeningen van George Mason gelezen en hij heeft volgens mij echt alleen milities genoemd.' Ze stak een hand op toen Walker iets te berde wilde brengen. 'Maar hij heeft er ook aan toegevoegd: "Wat zijn milities? Die bestaan op dit moment uit het hele volk, met uitzondering van een paar openbare beambten." Dat betekent dat het recht voor iedereen geldt; in die tijd was elke burger potentieel lid van een militie.'

'Ik ben het helemaal met u eens!' Walker straalde. 'Dat is trouwens bijna een direct citaat. "Maak dus geen inbreuk op onze rechten."' Hij knikte.

'Niet zo snel,' voegde Sachs er plagerig aan toe. 'Er is nog meer over te zeggen.'

'O ja?'

'De grondwet geeft ons een heleboel rechten, maar staat ook toe dat het Congres ons op wel duizend verschillende gebieden regels oplegt. Je hebt een vergunning nodig om in een auto te kunnen rijden, een vliegtuig te kunnen besturen of drank te kunnen verkopen. Je mag pas stemmen als je achttien bent. Dus waarom zou je geen vergunning nodig hebben om een vuurwapen te bezitten of ermee te schieten? Daar heb ik geen probleem mee. En het is helemaal niet in strijd met het tweede amendement.'

Walker ging er opgewekt op in. Hij genoot zichtbaar van de discussie. 'Maar ja, als we een vergunning moeten hebben, weet de overheid uiteraard waar de wapens zich bevinden en kunnen ze die midden in de nacht komen weghalen. Hebben we onze wapens niet nodig om dat te voorkomen?'

Sachs antwoordde: 'De overheid heeft kernwapens. Ze kan onze wapens te allen tijde afnemen als ze dat wil.'

Walker knikte. 'Dat is natuurlijk waar. Maar we dwalen nu wel heel erg af. Wat kan ik voor u doen?'

'We hebben op een plaats delict een kogel aangetroffen.'

'Een kogel van ons, neem ik aan.'

'Dit is toch het enige bedrijf dat een taps toelopende vier twintig spitzer maakt?'

'O, onze nieuwe sluipschutterskogel. Mooi ding. Beter dan de vier zestien, als u het mij vraagt. Snel. O, zo snel als de duivel.' Toen fronste hij in kennelijke verwarring. 'En zo'n kogel is gebruikt bij een misdaad?'

'Dat klopt.'

'We verkopen hem niet aan gewone burgers. Alleen aan de overheid, het leger en arrestatieteams van de politie. Ik weet niet hoe een misdadiger er een in handen heeft kunnen krijgen. Waar was die plaats delict precies?'

'Dat kan ik op dit moment niet zeggen.'

'Ik begrijp het. En wat wilt u nu weten?'

'Ik wil alleen maar wat informatie. We proberen het geweer te vinden waarmee deze kogel is afgevuurd, maar zonder succes. We gaan ervan uit dat ze op bestelling gemaakt worden.'

'Dat klopt. De patronen zijn te groot voor gewone commerciële geweren, ook als ze worden aangepast. De meeste mensen zoeken iemand die het wapen voor hen kan maken. Een paar doen het zelf.'

'Kent u iemand die dat werk doet?'

Hij glimlachte ondeugend. 'Dat kan ik op dit moment niet zeggen.'

Ze lachte. 'En dat geldt ook voor informatie over klanten aan wie deze kogels zijn verkocht?'

Nu werd Walker ernstig. 'Als iemand had ingebroken in een van onze opslagplaatsen…' Een knikje naar het raam en de gebouwen daarbuiten. '… en als de gestolen kogels bij een misdaad zouden zijn gebruikt, dan zou ik u met alle plezier helpen. Maar ik kan geen informatie geven over onze klanten. In al onze contracten zijn geheimhoudingsclausules opgenomen, en in de meeste gevallen is de nationale veiligheid er ook nog mee gemoeid. Het zou een misdaad zijn om dergelijke informatie vrij te geven.' Zijn gezicht stond bezorgd. 'Kunt u me helemaal niets vertellen over wat er gebeurd is? Ging het om moord?'

Sachs dacht even na. 'Ja.'

Walker viel even stil. 'Dat vind ik erg. Echt. We hebben er niets aan als iemand onze producten misbruikt en er tragische dingen mee doet.'

Maar dat betekende niet dat hij haar ging helpen. Walker stond op en stak zijn hand uit.

Zij kwam ook overeind. 'Dank u voor uw tijd.'

Walker pakte de handleiding en de schroevendraaier weer en liep naar de driewieler.

Toen glimlachte hij en pakte een bout. 'Als je een Harley-Davidson koopt, zit hij tenminste al in elkaar.'

'Veel succes ermee, meneer Walker. Bel me alstublieft als u nog iets te binnen schiet.' Ze gaf hem een van haar kaartjes, maar ze vermoedde dat hij het zou weggooien voordat ze halverwege de hal was.

Het maakte niet uit.

Sachs wist alles wat ze wilde weten.

61

In Rhymes schemerige woonkamer rook het naar sporenmateriaal dat door de gaschromatograaf in belastend bewijsmateriaal was veranderd.

Sachs trok haar jas uit en hield de folder van Walker Defense omhoog.

Ron Pulaski plakte het document op een van de whiteboards. Het glimmende papier kwam naast de moordopdracht te hangen.

'Vertel,' zei Rhyme. 'Hoe zag het eruit?'

'Niet lang, en verscholen tussen twee gebouwen, maar vanuit Walkers kantoor heb ik er een glimp van kunnen opvangen. Aan de ene kant stond een windzak, en aan de andere kant iets wat op een hangar leek.'

Sachs was niet naar Walker toegegaan om informatie over klanten in te winnen of fabrikanten van langeafstandsgeweren te achterhalen, gegevens waarvan Rhyme wist dat Walker ze nooit zou prijsgeven. Haar missie was om zo veel mogelijk te weten te komen over de producten die het bedrijf leverde – meer dan de gladde en weinig duidelijkheid verschaffende website bood. En wat nog wel het belangrijkst was: om uit te vinden of er een strook asfalt of beton lag die mogelijk als startbaan werd gebruikt. Google Earth was in dat opzicht van weinig nut gebleken.

'Uitstekend,' zei Rhyme.

Wat de andere producten betrof: die waren precies waar ze op hadden gehoopt: instrumenten en apparaten voor geleiding, navigatie- en controlesystemen, en ook munitie. 'Gyroscopen, GPS-systemen, synthetic aperture radar, dat soort dingen,' legde Sachs uit.

De criminalist las de brochure door.

Langzaam zei hij: 'Oké, we hebben ons antwoord. De zaak kan weer worden opgepakt. Barry Shales heeft Robert Moreno wel degelijk vermoord. Hij zat alleen iets verder van het slachtoffer af dan tweeduizend meter. Hij was hier in New York toen hij de trekker overhaalde.'

Sellitto schudde zijn hoofd. 'We hadden beter moeten nadenken. Shales zat niet bij de infanterie of bij de commando's. Hij zat bij de luchtmacht.'

Rhymes theorie, die bevestigd was door Sachs' missie, was dat Barry Shales een dronepiloot was.

'We weten dat zijn codenaam Don Bruns is en dat Bruns degene was die Moreno heeft vermoord. We kunnen bewijzen dat hij op de dag van de aanslag in het NIOS-kantoor was. Hij zal daar vanuit een speciale besturingsruimte een drone hebben bestuurd.' Hij zweeg even, fronste zijn wenkbrauwen. 'Ach, verdomme, dat is natuurlijk de "moordkamer" waar in de STO over wordt gerept. Het is niet de hotelsuite waar Moreno werd neergeknald, maar de dronecockpit – of hoe je de ruimte ook maar noemt waarin de piloot zit.'

Sachs knikte naar de brochure. 'Bij Walker produceren ze zulke kogels, ze maken vizieren en systemen voor stabilisatie, radar en navigatie. Ze hebben een speciale drone gemaakt of er een uitgerust met een geweer.'

Rhyme zei: 'Oké, nu valt alles op z'n plaats. Wat is altijd het enige probleem bij een drone-aanval?'

'Collateral damage,' zei Sachs.

'Precies. Met een raket kun je terroristen uitschakelen, maar vaak vallen er dan ook onschuldige slachtoffers. Erg slecht voor het imago van Amerika. NIOS heeft contact opgenomen met Walker Defense omdat ze een drone wilden hebben waarmee collateral damage tot een minimum beperkt zou worden. Door een precisiegeweer met een buitengewoon grote kogel te gebruiken.'

Sellitto zei: 'Maar dat werkte niet. Want er ontstond wél collateral damage.'

'Dat was totaal niet voorzien,' zei Rhyme. 'Wie had ooit kunnen denken dat al dat rondvliegende glas dodelijk zou zijn?'

Sellitto schoot in de lach. 'Weet je, Amelia, je had gelijk. Dit was echt een gulden schot. Als je weet wat drones kosten, is dat zelfs zwak uitgedrukt. Het is eerder een schot van tien miljoen.'

'Hoe kwam je daar zo op?' vroeg Nance Laurel.

'Hoe hij daar zo op kwám?' zei Sachs scherp.

Maar Rhyme hoefde zich niet te verantwoorden. Hij was blij met zijn conclusie en legde met alle plezier uit hoe hij daartoe gekomen was: 'Bomen. Ik dacht aan bomen. Er zaten sporen van het blad van de gifhoutboom op de kogel. Ik heb de boom gezien die voor de hotelsuite van Moreno stond. Tot op een hoogte van zo'n zes meter waren alle takken weggesnoeid, omdat het management van het hotel wilde voorkomen dat iemand aan de bladeren kwam. Dat betekent dat de kogel van bovenaf op Moreno is afgevuurd, onder een scherpe hoek, waarschijnlijk ongeveer vijfenveertig graden. Die hoek is te groot voor een sluipschutter die vanaf de andere kant van het water schoot, zelfs als hij iets hoger richtte om rekening te houden met de zwaartekracht. Dat betekende dat de kogel vanuit de lucht is afgevuurd.

Als Shales door het gebladerte heen heeft geschoten, betekent dat dat hij een soort infrarood- of radarsysteem gebruikt moet hebben om Moreno door de bladeren heen te kunnen waarnemen. Ik vond het raar dat er geen sporen van luchtvervuiling op de kogel zaten, vanwege al die rookwolken en rotzooi die aan de overkant van de baai de lucht in werden gepompt. Aan een hete kogel zouden heel wat van dat soort sporen zijn blijven plakken. Maar dat was dus niet het geval.'

'Trouwens, Lincoln,' zei Pulaski, 'eigenlijk heten ze UAV's, *unmanned aerial vehicles*, onbemande luchtvaartuigen. Geen drones.'

'Dank voor deze correctie. Accuratesse is waar het om gaat. Wat bezit je toch een schat aan kennis.'

'Discovery Channel.'

Rhyme moest lachen en ging verder: 'Het verklaart ook waarom de duikers van Mychal Poitier geen hulzen hebben gevonden. De huls is boven zee uitgeworpen. Of misschien werpt de drone de gebruikte hulzen niet uit. Mooi, mooi. Zo komen we ergens.'

'En hij was veel dichterbij dan tweeduizend meter,' merkte Cooper op. 'Vandaar de hoge snelheid van de kogel.'

'Ik denk,' ging Rhyme verder, 'dat de UAV hooguit zo'n twee- of driehonderd meter weg was, anders kun je onmogelijk zo'n precies schot lossen. Als je op die afstand vanaf de grond had geschoten, zou je ook nog de kans lopen te missen. Het ding zal gecamoufleerd zijn geweest, als een kameleon. En er zal een kleine motor in gezeten hebben – een tweetakt, weet je nog? Met een geluiddemper zal er niets te horen zijn geweest.'

'Is het ding in New Jersey vanaf de startbaan bij Walker de lucht in gegaan?' wilde Pulaski weten.

Rhyme schudde zijn hoofd. 'Die startbaan wordt alleen gebruikt voor het testen van drones, denk ik. NIOS zal een militaire basis hebben gebruikt om de drone de lucht in te krijgen, een die dicht bij de Bahama's ligt.'

Laurel bladerde door haar aantekeningen. 'NIOS heeft een kantoor in de buurt van Miami.' Ze keek op van haar papieren. 'Bij Homestead Air Reserve Base.'

Sachs tikte op de brochure. 'Walker heeft daar ook een vestiging in de buurt. Waarschijnlijk voor service en ondersteuning.'

Met haar heldere stem zei Laurel: 'Weten jullie nog wat Lincoln zei?' Ze richtte zich niet tot iemand in het bijzonder.

'Jazeker,' zei Sellitto, die dwangmatig in zijn koffie zat te roeren, alsof die daardoor zoeter werd; hij had er maar een half zakje suiker in gedaan. 'We hoeven niet meer te bewijzen dat het om een complot gaat. Barry Shales zat in New York toen hij de trekker overhaalde. Dat betekent dat we nu te maken hebben met moord met voorbedachten rade. En Metzger is medeplichtig.'

'Heel goed, inspecteur, dat is juist,' zei Laurel, alsof ze een onderwijzeres was en een scholier prees.

62

Shreve Metzger bracht zijn kin omhoog, zodat de woorden op zijn magische telefoon scherper in beeld kwamen door de onderkant van zijn brillenglazen.

BUDGETBESPREKINGEN IN VOLLE GANG. VEEL HEEN EN WEER GEPRAAT. MORGEN RESOLUTIE. KAN NOG ALLE KANTEN UIT.

Hij zei in gedachten tegen de Tovenaar: *En wat moet ik verdomme met deze vervloekte non-informatie? Mijn cv bijwerken of niet? Iedereen hier vertellen dat ze zullen worden gestraft voor hun vaderlandsliefde en voor het feit dat ze nee hebben gezegd tegen het kwaad dat het beste land op de wereld wil vernietigen? Of niet?*

De Rook was soms maar licht en niet meer dan irritant. Maar andere keren was het een inktzwarte wolk van het soort dat je ziet opstijgen boven neergestorte vliegtuigen en ontplofte olietankers.

Hij wiste het bericht, ging naar het restaurant en kocht een latte voor zichzelf en een mochachino met sojamelk voor Ruth. Toen hij terugkwam, zette hij haar koffie op haar bureau, tussen foto's van man nummer één en man nummer twee, allebei soldaten.

'Dank je,' zei de vrouw, en ze keek hem met haar prachtige blauwe ogen aan. De ooghoeken rimpelden toen ze glimlachte. Zelfs op gevorderde leeftijd was Ruth nog buitengewoon charmant. Metzger geloofde niet in zielen en zo, maar als hij er wel in had geloofd, zou hij dat deel van Ruth het aantrekkelijkst hebben gevonden.

Misschien kon je gewoon zeggen dat ze een goed hart had.

En zo'n prachtmens werkt dan voor iemand als ik...

Hij probeerde het cynisme van de Rook te verdringen.

'Het is goed gegaan met de afspraak,' zei ze tegen hem.

Metzger antwoordde: 'Ik wist het wel. Ik had er alle vertrouwen in. Wil je Spencer even laten komen, alsjeblieft?'

Hij liep zijn kantoor in, liet zich in zijn stoel vallen en nam een slokje koffie, geïrriteerd om de volgens hem buitensporige hitte die door het karton kwam. Dit deed hem denken aan een ander incident: een verkoper die hem koffie had ingeschonken, was onbeleefd geweest. Hij fantaseerde er nog steeds over om de kraam van die man op te zoeken en hem met zijn auto te rammen. Het incident dateerde van drie jaar geleden.

Kan nog alle kanten uit.

Hij blies in zijn koffie en stelde zich voor dat hij de Rook uitblies.

Laat het los.

Hij begon de e-mails te lezen die door het konijnenhol van de codering waren gekropen. Een ervan was zorgwekkend: verontrustend nieuws over het onderzoek naar Moreno. Een tegenvaller. Vreemd genoeg werd hij daar alleen maar moe van, niet woedend.

Er werd op de deurpost geklopt. Spencer Boston kwam binnen en ging zitten.

'Weet je al wie de klokkenluider is?' vroeg Metzger zonder hem te begroeten.

'De eerste ronde met de leugendetector heeft niets opgeleverd. Het ging om de mensen die de STO hebben geparafeerd of herzien. Er zijn nog honderden anderen die ergens een kantoor in kunnen zijn geglipt en zo een kopie in handen kunnen hebben gekregen.'

'Dus alle hogergeplaatsten zijn oké?'

'Ja. Hier en in de centra.'

NIOS had drie UAV-commandocentra: Pendleton in Californië, Fort Hood in Texas en Homestead in Florida. Ze hadden alle drie een kopie van de Moreno-STO ontvangen, ook al was de UAV vertrokken vanaf Homestead.

'O ja,' zei Boston. 'Ik heb de leugentest ook goed doorstaan.'

Metzger glimlachte. 'Het was helemaal niet bij me opgekomen dat jij die ook zou moeten doen.' En dat was ook echt zo.

'Wat voor de informant geldt, geldt ook voor de agent.'

Metzger vroeg: 'En Washington?'

Meer dan tien mensen in de hoofdstad wisten van de STO. Waaronder uiteraard hooggeplaatste stafleden van het Witte Huis.

'Dat is moeilijker. Ze stribbelen tegen.' Boston vroeg: 'Hoe zit het inmiddels met het onderzoek van de politie?'

Metzger voelde de Rook opkomen. 'Die Rhyme is er blijkbaar toch in geslaagd op de Bahama's te komen.' Hij knikte naar zijn telefoon, waarop hij de inmiddels gewiste e-mails had ontvangen. 'Dat verdomde zand heeft hem niet zo dwarsgezeten als we hadden gehoopt.'

'Wat?' Bostons ogen, die normaal overkapt werden door zware oogleden, werden groot.

'Er is kennelijk een ongeluk gebeurd,' zei Metzger voorzichtig. 'Maar daar liet hij zich niet door weerhouden.'

'Een ongeluk?' Boston keek hem strak aan.

'Dat klopt, Spencer, een ongeluk. En hij is alweer terug en gaat er vol tegenaan. Die vrouw ook.'

'Die officier van justitie?'

'Nou ja, zij ook. Maar ik bedoelde die rechercheur. Sachs. Die is niet te stoppen.'

'Jezus.'

Maar met zijn huidige plannen zou ze heel doeltreffend worden tegengehouden.

En Laurel ook.

Nou ja, zij...

Boston liet duidelijk merken hoe bezorgd hij was en dat ergerde Metzger. Hij zei afwijzend: 'Ik kan me niet voorstellen dat Rhyme iets ontdekt heeft. De plaats delict was een week oud, en hoe competent kan de politie daar nu helemaal zijn?'

De herinnering aan de koffieverkoper kwam terug, sterk en levendig. In plaats van de kraam te rammen, had Metzger overwogen hete koffie over zichzelf heen te gooien, de politie te bellen en te zeggen dat de verkoper het gedaan had.

Zo onredelijk maakte de Rook je.

Boston verstoorde de herinnering. 'Denk je niet dat je nog iemand anders moet waarschuwen?'

'Op dit moment niet.'

Hij keek op en zag Ruth in de deuropening staan.

Waarom had hij verdomme de deur niet dichtgedaan? 'Ja?'

'Shreve. Operations aan de lijn.'

Er flitste een rood lampje op Metzgers telefoon.

Hij had het niet gemerkt.

Wat nu weer?

Hij stak een wijsvinger op naar Spencer Boston en nam op. 'Met Metzger.'

'Meneer, we hebben Rashid te pakken.' Het hoofd Operations was nog jonger dan Metzger en dat was aan zijn stem te horen.

Opeens was de Rook verdwenen. Evenals Nance Laurel, Lincoln Rhyme en zo'n beetje elke andere nagel aan zijn doodskist. Rashid was de volgende op de lijst van de Special Task Order, na Moreno. Metzger zat al een hele tijd achter hem aan. 'Waar is hij?'

'In Mexico.'

'Dus dát voert hij in zijn schild. Die klootzak is dichterbij gekomen dan we dachten.'

'Een gladde aal, meneer. Inderdaad. Hij zit op een tijdelijke locatie, in een huis van het Matamoros-kartel in Reynosa. We hebben niet veel tijd. Moet ik de details doorsturen naar het GCS en het centrum in Texas?'

'Ja.'

Het hoofd Operations vroeg: 'Meneer, bent u zich ervan bewust dat de STO in Washington is aangepast?'

'In welk opzicht?' vroeg hij bezorgd.

'In het oorspronkelijke bevel stond dat de collateral damage geminimaliseerd moest worden, maar niet ontoelaatbaar was. Dat is nu wel zo. De goedkeuring wordt ingetrokken als er onschuldige slachtoffers vallen of er zelfs maar iemand gewond raakt.'

Ingetrokken…

Dat betekent dat ik mijn bevoegdheden heb overschreden als er behalve Rashid nog iemand gedood wordt, al is het de tweede man van Al Qaida en stond hij op het punt een kernraket af te schieten.

En dan kan ik het schudden.

Het maakte niet uit of er een echte klootzak omkwam en daarmee duizend onschuldige mensen gered werden.

Misschien hoorde dit bij de 'budgetbesprekingen'.

'Meneer?'

'Begrepen.'

Hij verbrak de verbinding en stelde Boston op de hoogte. 'Rashid? Ik dacht dat die schoft voorlopig in San Salvador zou blijven. Hij heeft leden van de Mara Salvatrucha oftewel de MS-13-bende betaald voor bescherming. Hij had een huis in het zesde district, in de buurt van Soyapango. Als je zoek wilt raken op deze wereld, is dat de plek waar je naartoe moet.'

Niemand kende Midden-Amerika beter dan Spencer Boston.

Er verscheen een vlaggetje op de computer. Metzger opende zijn gecodeerde e-mails en las de nieuwe STO, de terdoodveroordeling van al-Barani Rashid, in passende bewoordingen gevat. Hij las het bericht nog eens en voegde zijn elektronische handtekening en PIN toe om de moordopdracht goed te keuren.

De man was net als Moreno van oorsprong Amerikaans, maar had tot een paar maanden geleden in Noord-Afrika en de Golfstaten gewoond.

Hij stond al een paar jaar op een lijst van mensen die in de gaten moesten worden gehouden, maar dat gebeurde slechts informeel omdat hij niet als actief risico bekendstond. Hij had nooit iets misdaan wat bewezen kon worden. Maar hij was net zo vurig anti-Amerikaans als Moreno was geweest. En ook hij was gesignaleerd in het gezelschap van mensen die terroristische aanslagen pleegden.

Metzger scrolde door de informatieanalyse die bij de gewijzigde STO was gevoegd en bracht Boston op de hoogte van de details. Rashid bevond zich in het onopvallende stadje Reynosa in Mexico, vlak bij de grens met Texas. De informanten die NIOS daar gebruikte, waren ervan overtuigd dat Rashid daar was voor een ontmoeting met een hooggeplaatste man binnen het grootste drugskartel in noordoost Mexico. Terroristen hadden twee redenen om nauw samen te werken met kartels: om de toevoer van drugs naar Amerika te bevorderen en zodoende de westerse samenleving en instellingen te ontwrichten, zoals paste bij hun ideologie, en omdat de kartels ongelooflijk goed uitgerust waren.

'Laten we het hem doen?'

'Natuurlijk.' Hem. Bruns. Shales. Hij was de beste die ze hadden. Metzger stuurde hem een sms en gaf hem bevel zich te melden in de moordkamer.

Metzger draaide het computerscherm naar Boston toe en samen bestudeerden ze de beelden, zowel van de grond als van de satelliet. Het huis in Reynosa was een stoffige ranch zonder verdiepingen, behoorlijk groot, maar met een verweerde geelbruine verflaag en heldergroene accenten. Het stond midden op een zanderige kavel van zo'n vierduizend vierkante meter. Voor alle ramen zaten zonwering en tralies. De auto, als er al een was, stond waarschijnlijk weggestopt in de garage.

Metzger beoordeelde de situatie. 'We zullen een raket moeten gebruiken. We kunnen niet genoeg zien voor de LRR.'

Het Long-Range Rifle-programma, waarvoor een speciaal ontworpen sluipschuttersgeweer in een drone was ingebouwd, was een bedenksel van Metzger. Hier draaide het allemaal om bij NIOS. Het had twee voordelen. Het verkleinde het risico dat er onschuldige mensen omkwamen, wat bijna altijd gebeurde als er raketten werden gebruikt. En het gaf Metzger de kans om veel meer vijanden uit te schakelen. Je moest voorzichtig zijn met het lanceren van raketten en er bestond naderhand nooit veel twijfel over waar de Hellfire vandaan kwam: het Amerikaanse leger, de CIA of een andere inlichtingendienst. Maar een enkel geweerschot? Dat kon door iedereen zijn afgevuurd. Een paar aanwijzingen dat de schutter werkte voor een politieke tegenstander, een terroristische groepering of bijvoorbeeld een Zuid-Amerikaans kartel zorgden ervoor dat de plaatselijke autoriteiten en de pers niet verder keken. Het slachtoffer kon zelfs zijn neergeschoten door een jaloerse echtgenote.

Maar hij had vanaf het begin geweten dat hij niet altijd een LRR-drone zou kunnen inzetten. In het geval van Rashid, waarbij het doelwit niet te zien was, was een raket met een explosieve lading van twintig pond de enige optie.

Bostons lange gezicht was naar het raam gekeerd; misschien keek hij naar het punt waar de Twin Towers hadden gestaan. Hij streek afwezig met zijn vingers over zijn witte haar en speelde met een los draadje aan een manchetknoop. Metzger vroeg zich af waarom hij op het werk altijd een jasje droeg.

'Wat is er, Spencer?'

'Is dit een goed moment voor een STO? Na de commotie om Moreno?'

'Deze informatie klopt als een zwerende vinger. Rashid is schuldig, dat staat vast. We hebben rapporten van Langley, de Mossad en de SIS.'

'Ik bedoel alleen dat we niet weten in hoeverre de lijst is uitgelekt. Misschien ging het alleen om het bevel voor Moreno, maar het kan zijn dat Rashids naam ook bekend is. Hij stond als volgende op de lijst, weet je nog? Zijn dood zal in het nieuws komen. Misschien grijpt die verdomde officier van justitie dat dan ook wel aan om ons te pakken. We bevinden ons op glad ijs.'

Het waren allemaal geldige argumenten, maar Metzger had die inwendige behoefte nu eenmaal en dus bleef de Rook op afstand.

Hij wilde absoluut niet dat dit gevoel van opluchting, van voldoening en vrijheid verdween.

'Je weet wat Rashid in petto heeft voor Texas of Oklahoma als we hem niet tegenhouden.'

'We kunnen Langley bellen en een uitlevering regelen.'

'Hem ontvoeren? En dan? We hebben geen informatie van hem nodig, Spencer. Het enige wat wij van Rashid nodig hebben, is dat hij ophoudt te bestaan.'

Boston gaf toe. 'Goed. Maar hoe staat het met het risico op collateral damage? Als we een Hellfire afschieten op een woning zonder te weten of er nog meer mensen zitten?'

Metzger scrolde door de e-mail tot hij het surveillancerapport vond. Het was tien minuten geleden nog bijgewerkt. 'Het huis is leeg, op Rashid na. Het wordt al een week in de gaten gehouden door de DEA en de Mexicaanse Federales omdat ze vermoeden dat het gebruikt wordt door drugssmokkelaars. Er is helemaal niemand geweest tot Rashid vanmorgen arriveerde. Volgens onze informatie kan die vent van het kartel elk moment arriveren. Als die eenmaal weg is, blazen we de boel op.'

63

Al-Barani Rashid keek voortdurend achterom.

Letterlijk en figuurlijk.

De lange, kalende veertigjarige man met de geprononceerde sik wist dat hij gevaar te duchten had, van de kant van de Mossad, de CIA, of die veiligheidsorganisatie waarvan het hoofdkantoor in New York stond, NIOS. Waarschijnlijk had China het ook op hem gemunt.

Om nog maar te zwijgen van meer dan een paar medemoslims. Hij stond erom bekend de fundamentalisten binnen zijn geloof te veroordelen om hun intellectuele tekortkomingen omdat ze zonder enige kritiek een middeleeuwse filosofie aanhingen die niet meer in de eenentwintigste eeuw paste. (Ook had hij de gematigden binnen het geloof publiekelijk verweten dat het laf van hen was om te beweren dat ze niet goed begrepen werden, dat de islam in essentie een presbyteriaans geloof was met alleen een ander heilig boek als uitgangspunt. Maar zíj hielden het in elk geval nog bij het plaatsen van beledigingen op internet; zíj spraken geen fatwa over hem uit.)

Rashid stond een nieuwe orde voor, een volledige heroriëntering van het geloof en de maatschappij. Als hij al een voorbeeld had, was dat niet Zawahiri of Bin Laden, maar meer een kruising tussen Karl Marx en Ted Kaczynski, de Unabomber, die toevallig net als hij aan de universiteit van Michigan had gestudeerd.

Rashid mocht dan niet geliefd zijn, in zijn hart geloofde hij dat hij het bij het rechte eind had. Als je het kankergezwel weghaalde, werd de wereld vanzelf beter.

De uitzaaiingen waren natuurlijk de Verenigde Staten van Amerika. Van de kredietcrisis tot Irak, van het schijntje voor buitenlandse hulp en de racistische uitlatingen van christelijke predikanten en politici tot de verheerlijking van consumentengoederen: het land was een zeeanker in de vaart der volkeren. Hij had het land verlaten nadat hij er een bul in de politicologie had gehaald en was er nooit meer teruggeweest.

Ja, vijanden lagen als wolven op de loer om hem vanwege zijn denkbeelden te grazen te nemen. Zelfs landen die geen vriendschappelijke betrekkingen onderhielden met Amerika hadden Amerika nódig.

Maar op het ogenblik voelde hij zich min of meer veilig. Hij had zijn intrek genomen in een groot huis dat in ranch-stijl was opgetrokken, in Reynosa, Mexico, en wachtte op de komst van een bondgenoot.

Hij kon natuurlijk niet 'vriend' zeggen. Zijn banden met die aalgladde figuren van het Matamoros-kartel waren symbiotisch, maar hun motieven verschilden nogal. Rashid voerde op ideologische grondslag een strijd tegen het Amerikaanse kapitalisme en de Amerikaanse maatschappij (en ook tegen de Amerikaanse steun aan Israël, maar dat hoefde geen nader betoog). Het kartel wilde in zekere zin het tegenovergestelde, namelijk zo veel mogelijk geld aan die maatschappij verdienen. Maar hun uiteindelijke doel was min of meer hetzelfde: smokkel zo veel mogelijk drugs het land in en maak iedereen af die je daarbij in de weg staat.

Hij nipte van een kop sterke thee en keek op zijn horloge. Een van de kartelkopstukken stuurde zijn beste bommenmaker, die Rashid binnen een uur zou ontvangen. De man zou Rashid leveren wat hij nodig had om een bijzonder slimme bom in elkaar te zetten, waarmee hij over twee dagen het regionale hoofd van de DEA in Brownsville, Texas, tijdens een picknick zou uitschakelen, samen met haar gezin en eventuele anderen die zich bij haar in de buurt zouden bevinden.

Rashid zat aan de salontafel over een geel schrijfblok gebogen en schetste met een tekenpen diagrammen voor de bom.

Hoewel Reynosa een buitengewoon onprettige plaats was – stoffig, grijs, vol oude fabriekjes – was dit huis groot en een zeer aangename verblijfplaats. Het kartel had het goed onderhouden. Het beschikte over een goede airco, flink veel eten, thee en flessen water in de voorraadkast, comfortabel meubilair en dikke gordijnen voor alle ramen. Ja, het was helemaal geen slechte plek om te vertoeven.

Hoewel het zo nu en dan wel wat lawaaierig was.

Hij liep naar de slaapkamer achter in het huis, klopte op de deur en ging naar binnen. Een van de kleerkasten van het kartel, een zwaargebouwde, nors kijkende man die Norzagaray heette, knikte hem ter begroeting toe.

Rashid liet zijn blik over de vier mensen gaan die door het kartel waren ontvoerd: een man en een vrouw, beiden autochtone Mexicanen, plus hun gedrongen tienerzoon en hun dochtertje. Ze zaten met z'n vieren op de grond, voor een tv. De handen van de twee volwassenen waren met telefoondraad vastgebonden, zo los dat ze konden drinken en eten, maar niet zo losjes dat ze hun ontvoerders konden aanvallen.

Rashid vond dat ze de vrouw strakker hadden mogen vastbinden. Zíj vormde een mogelijk risico, want ze had een bepaalde woede opgebouwd. Dat was duidelijk te zien toen ze haar dochtertje troostte, een mager kind met donkere krulletjes. De echtgenoot en de jongen waren banger.

Rashid had van zijn contactpersonen te horen gekregen dat hij het huis wel kon gebruiken, maar dat hij het dan met deze gijzelaars moest delen, die hier al acht of negen dagen zaten. Het bedrijfje van de man had in die tijd alle moeite gedaan om twee miljoen dollar bij elkaar te schrapen, het losgeld dat was geëist. De reden van de ontvoering was dat het bedrijf zich tegen het kartel had gekeerd.

Rashid zei tegen Norzagaray: 'Kan het geluid misschien wat zachter?' Hij knikte naar de tv, waarop een tekenfilm te zien was.

De bewaker deed wat hem gevraagd was.

'Bedankt.' Hij bekeek het gezin nu wat beter; hij genoot niet van hun angst. Dit was een misdrijf om geld, iets wat hij afkeurde. Hij keek naar de jongen en zag in de hoek van de kamer een voetbal liggen in de kleuren van Club América, de populaire voetbalclub van Mexico-Stad.

'Hou je van voetbal?'

'Ja.'

'Wat speel je?'

'Middenveld.'

'Ik ook toen ik zo oud was als jij.' Rashid lachte niet; dat deed hij nooit. Maar hij sprak op zachte toon. Hij keek nog even naar de gijzelaars. Die wisten het nog niet, maar Rashid had te horen gekregen dat de onderhandelingen praktisch rond waren en dat het gezin morgen zou worden vrijgelaten. Rashid was er blij om. Deze mensen waren niet de vijand. De vader werkte niet voor een verwerpelijk Amerikaans bedrijf dat zijn werknemers uitbuitte. Hij was gewoon een kleine zakenman die het kartel tegen de haren in had gestreken. Rashid zou hun graag verzekeren dat deze beproeving niet lang meer zou duren. Maar dit waren zijn zaken niet.

Hij deed de deur dicht en liep terug naar de diagrammen die hij aan het tekenen was. Hij bekeek ze nog eens en kwam tot twee conclusies. Ten eerste: als de bom afging, zou niemand in de buurt dat overleven. En ten tweede – hij stond zichzelf deze weinig bescheiden gedachte toe – waren de tekeningen net zo elegant als de mooiste terracotta zelligetegels, het paradepaardje van de Marokkaanse kunst.

64

Lincoln Rhyme stak van wal. 'En dezelfde gegevens waarvan wij dachten dat ze Shales vrijspraken omdat ze bewezen dat hij op het moment van de moord in New York was, kunnen nu als belastend worden opgevat: de telefoontjes van zijn mobiel naar de South Cove Inn om na te gaan wanneer Moreno zou inchecken, het feit dat hij zich op het moment van de moord in het hoofdkantoor van NIOS in New York bevond. Maar we hebben nog meer nodig. We moeten bewijzen dat hij die drone bestuurde, die UAV – neem me niet kwalijk, groentje. Hoe doen we dat?'

'Via de luchtverkeersleiding in Florida en op de Bahama's,' zei Sachs. 'Goed idee.'

Sachs belde hun contactpersoon bij de FBI, Fred Dellray, om hem het verzoek over te brengen en had een lang gesprek met hem. Eindelijk verbrak Sachs de verbinding. 'Fred zal de FAA bellen en het ministerie voor Burgerluchtvaart in Nassau. Hij heeft me nog een idee aan de hand gedaan.' Ze typte iets in op haar computer.

Rhyme kon het niet duidelijk zien. Het leek erop dat ze een kaart zat te bekijken. 'Kijk,' fluisterde ze.

'Wat is er?' vroeg Rhyme.

'Fred stelde voor om te proberen de moordkamer zelf te zien te krijgen.'

'Wat?' blafte Sellitto. 'Hoe dan?'

Via Google, blijkbaar.

Sachs glimlachte. Ze had een satellietfoto gevonden van het deel van Manhattan waar het hoofdkantoor van NIOS was gevestigd. Achter het gebouw zelf bevond zich een parkeerplaats, die van de straat was gescheiden door een indrukwekkend hek en vanuit een bewakerspost in de gaten werd gehouden. In de hoek stond een groot, rechthoekig ding dat leek op een scheepscontainer, zo een die op het dek vastgezet wordt en op snelwegen achter vrachtwagencombinaties langs komt. Ernaast wees een drie meter hoge antenne naar de hemel.

'Dat is het Ground Control Station, heeft Fred me verteld. Het GCS. Hij zei dat de meeste UAV's worden bestuurd vanuit dergelijke verplaatsbare eenheden.'

'De moordkamer,' concludeerde Mel Cooper.

'Perfect,' zei Laurel kordaat tegen Sachs. 'Print dat even uit, als je wilt.'

Rhyme zag dat Sachs nijdig werd. Ze aarzelde en tikte toen hard met een duim en een vinger, de laatste met een stukje opgedroogd bloed achter de nagel, op het toetsenbord. Een van de printers begon vellen papier uit te spuwen.

Toen het document geprint was, voegde Laurel het toe aan haar dossiers.

Sachs telefoon zoemde. 'Fred weer,' zei ze. Ze zette het toestel op de luidspreker.

Rhyme riep: 'Fred! Pas op met de beledigingen!'

'Dat hoor ik. Nou, jullie hebben daar een heel aardige zaak. Veel succes ermee. Maar als je soms eigenaardige vliegtuigjes voor het raam ziet zweven, moet je misschien de jaloezieën maar dichtdoen.'

Het was niet zo grappig als Dellray het had bedoeld, vond Rhyme, gezien Barry Shales' vaardigheid in het afvuren van kogels.

'Oké, even over de radar. Ik heb jullie screenshots gestuurd. Wat we daarop zien, is dat op de ochtend van 9 mei een klein toestel zonder transponder vanuit een plek ten zuiden van Miami in oostelijke richting over de Atlantische Oceaan vloog.'

'Daar ligt Homestead, de luchtmachtbasis,' merkte Sellitto op.

'Precies. Nou, er was geen vluchtplan en het toestel vloog volgens zichtvliegvoorschriften. De snelheid was heel laag, ongeveer honderdtachtig kilometer per uur. Dat is een normale snelheid voor een drone. Kunnen we het allemaal nog volgen?'

'Jawel, Fred. Ga door.'

'Nou, het is ongeveer tweehonderdnegentig kilometer van Miami naar Nassau. Precies een uur en tweeënvijftig minuten later pikte de ATC in Nassau een klein toestel zonder transponder op dat steeg tot het binnen het bereik van de radar kwam, op tweehonderd meter.' Dellray zweeg even. 'En toen stopte het.'

'Stopte het?'

'Ze dachten dat het overtrokken raakte. Maar het verdween niet van het scherm.'

'Het stond stil in de lucht,' zei Rhyme.

'Dat denk ik ook. Ze dachten dat het een ultralight vliegtuig was, omdat het geen transponder had, een van die zelfbouwdingen die bij tegenwind soms stilstaan in de lucht, net als vogels, weet je wel? Het bevond zich niet in het gebied waar de luchtverkeersleiding over gaat, dus ze hebben er niet meer op gelet. Dat was om vier over elf in de morgen.'

'Moreno is om zestien over elf neergeschoten,' zei Sachs.

'En om elf uur achttien draaide het om en daalde weer tot het buiten het bereik van de radar was. Twee uur en vijf minuten later kwam een klein toestel zonder transponder het Amerikaanse luchtruim in en vloog naar zuid-Miami.'

'Dat is hem,' zei Rhyme. 'Dank je, Fred.'

'Veel geluk. En vergeet dat jullie me ooit gekend hebben.'

Klik.

Het was geen onweerlegbaar bewijs, maar net als alle elementen in een zaak was het wel een solide steen in de muur om de schuld van een verdachte aan te tonen.

Nance Laurel werd gebeld. Bij een ander had je misschien aan wat geknik of een gezichtsuitdrukking kunnen zien wat er aan de andere kant van de lijn gezegd werd, maar zij luisterde zonder een spier te vertrekken; haar gepoederde gezicht was net een masker. Ze verbrak de verbinding. 'Er zijn problemen met een andere zaak. Ik moet een gevangene gaan verhoren. Het zou niet lang hoeven duren. Ik zou graag willen blijven, maar hier moet ik iets aan doen.'

De aanklager pakte haar tas en liep de deur uit.

Ook Sachs werd gebeld. Ze luisterde en maakte een paar aantekeningen.

Rhyme draaide zich om en keek weer naar de whiteboards. 'Ik wil meer,' zeurde hij. 'Iets wat echt bewijst dat Shales die drone bestuurde.'

'Vraagt en gij zult krijgen.' Dat kwam van Amelia Sachs.

Rhyme trok een wenkbrauw op.

'We hebben een aanwijzing over de identiteit van de klokkenluider,' vervolgde ze. 'Als iemand kan verklaren dat Barry Shales zich op 9 mei in de moordkamer bevond, is hij het.'

Sachs kon tot haar vreugde melden dat de agenten van Myers mensen hadden ondervraagd die zich in de Java Hut hadden bevonden toen de klokkenluider de STO had verstuurd. Ze hadden een paar getuigen opgeduikeld.

Haar computer piepte en ze keek naar het scherm. 'Een spervuur aan gegevens,' zei ze.

Sellitto lachte ruw. 'Geen goede woordkeus in dit geval, sorry dat ik het zeg.'

Ze opende de bijlage. 'Mensen betalen tegenwoordig veel vaker met creditcards of bankpasjes dan vroeger. Zelfs als het maar om drie, vier dollar gaat. Maar wij hebben er veel aan. De agenten hebben iedereen ondervraagd die op de elfde rond één uur iets heeft betaald. Meestal leverde het niets op, maar een van die lui heeft een foto gemaakt.' Ze printte de meegestuurde foto uit. Niet heel slecht, vond ze, maar ook geen haarscherpe opname. 'Dit moet hem zijn.'

Ze las het memo van de agent. 'De fotograaf was een toerist uit Ohio. Hij nam foto's van zijn vrouw, die tegenover hem zat. Op de achtergrond zie je een man – nogal wazig, want hij draait zich snel om en brengt zijn hand naar zijn gezicht. Hij heeft de toeristen gevraagd of ze hem nog beter hadden gezien. Dat was niet zo, en de andere klanten en het personeel hebben niet op hem gelet.'

Rhyme keek naar de foto. Twee tafeltjes achter de lachende vrouw zat de veronderstelde klokkenluider. Blank. Stevig gebouwd. Blauw pak met een enigszins vreemde kleur, net geen marineblauw. Hij had een honkbalpetje op, wat nogal verdacht was gezien zijn verder zakelijke voorkomen, maar hij leek licht haar te hebben. Vóór hem stond een grote, open laptop.

'Dat is hem,' zei Sachs. 'Hij heeft een iBook.' Ze had foto's van alle modellen gedownload.

'Dat pak past niet erg goed,' stelde de criminalist vast. 'Het is een goedkoop ding. En zie je de pakjes zoetstof op de tafel, naast het roerstaafje? Dat bevestigt dat hij onze man is.'

'Hoezo?' vroeg Sellitto. 'Ik gebruik ook zoetstof.'

'Niet de zoetstof zelf, het feit dat het op de tafel ligt. De meeste mensen doen bij de toonbank suiker of zoetstof in hun koffie en gooien de lege pakjes weg, net als de roerstaafjes. Dan hebben ze niet zoveel troep op hun tafel. Hij neemt al zijn afval mee om te voorkomen dat zijn vingerafdrukken ergens op achterblijven.'

Op plekken waar voedsel geserveerd wordt, leveren de meeste stoffen, zelfs papier, heel goede vingerafdrukken op. Dat komt door het vet in het eten.

'Zien jullie nog iets anders aan hem?' vroeg Pulaski.

'Vertel het maar, groentje.'

'Kijk hoe hij zijn rechterhand houdt, met de gebogen palm naar boven. Misschien wilde hij net een pil innemen. Hoofdpijn of pijn in zijn rug misschien. Wacht, kijk, daar ligt een doosje. Toch? Daar aan de zijkant van het tafeltje?'

Het leek er inderdaad wel op. Een blauw doosje met gouden opdruk.

'Goed gedaan,' zei Rhyme. 'Volgens mij heb je gelijk. En hij drinkt thee; zie je het zakje op het servet? In een koffiebar? Niet zo ongewoon, maar je zou kunnen denken dat hij last heeft van zijn maag. Zoek naar middeltjes tegen brandend maagzuur, reflux of indigestie die in twee-kleurige doosjes zitten.'

Even later zei Cooper: 'Het zou Zantac kunnen zijn, de sterkste variant. Moeilijk te zeggen.'

'We hoeven niet over alles volkomen zeker te zijn,' zei Rhyme zachtjes. 'Als we maar aanwijzingen hebben. Dus hij heeft waarschijnlijk last van brandend maagzuur.'

'Dat krijg je van de stress als je geheime overheidsdocumenten lekt,' zei Mel Cooper.

'Leeftijd?' vroeg Rhyme.

'Onbekend,' antwoordde de jonge agent. 'Waar zou je dat aan kun-nen zien?'

'Nou, ik vraag het niet om een spelletje met je te spelen, groentje. We zien dat hij stevig gebouwd is en dat hij maagklachten heeft. Het haar kan blond zijn, maar ook grijs. Conservatieve kledingkeuze. We kunnen dus met enige redelijkheid aannemen dat hij van middelbare leeftijd is.'

'O, ja. Ik zie het.'

'Zijn houding is prima, ook al is hij niet jong meer. Dat wijst op een militaire achtergrond. Of misschien zit hij nog steeds in het leger, maar is hij in burger.'

Ze keken naar de foto en Sachs vroeg zich onwillekeurig af: Waarom heb je de moordopdracht gelekt? Waar deed je het voor?

Iemand met een geweten…

Ben je een patriot of een verrader?

En wat ze zich ook afvroeg: *Wie ben je in godsnaam?*

Sellitto nam zijn telefoon op. Sachs merkte dat de nieuwsgierigheid van zijn gezicht verdween en plaatsmaakte voor een donderwolk. Hij keek even naar de anderen in de kamer en wendde zich toen af.

Nu fluisterde hij: 'Wat?… Dat is klote. Dat kun je niet zomaar zeg-gen. Ik moet bijzonderheden hebben.'

Iedereen keek naar hem.

'Wie? Wil ik dat weten? Goed, zoek het uit en laat het me weten.'

Hij verbrak de verbinding en de blik in de richting van Sachs, die ech-ter niet recht op haar gericht was, maakte duidelijk dat zij het onder-werp van het gesprek was geweest.

'Wat is er, Lon?'

'Ga even mee naar buiten.' Hij knikte naar de gang.

Sachs keek naar Rhyme. 'Nee,' zei ze. 'Hier. Wat is er? Wie was dat?'

Hij aarzelde.

'Lon,' zei ze vastberaden. 'Zeg op.'

'Oké Amelia, het spijt me, maar je bent van de zaak gehaald.'

'Wat?'

'Eigenlijk moet ik zeggen dat je verplicht met verlof bent. Je moet je melden bij…'

'Wat is er gebeurd?' vroeg Rhyme kortaf.

'Ik weet het niet goed. Dat was mijn assistente. Ze zei dat het van het hoofd van de recherche komt. Het formele rapport is onderweg. Ik weet niet wie hierachter zit.'

'O, ik wel,' bitste Sachs. Ze rukte haar tas open en keek of ze de kopie had van het document dat ze laatst op het bureau van Nance Laurel had zien liggen. Op dat moment had ze het niet als wapen willen gebruiken.

Nu wel.

65

Shreve Metzger haalde een hand door zijn kortgeknipte haar en dacht terug aan de eerste dag nadat hij uit het leger was gegaan.

Iemand in Buffalo, een burger, had hem op straat een skinhead genoemd. En een babymoordenaar. Die vent was dronken geweest. Een pacifist. Een klootzak. Alle voorgaande termen.

Razendsnel was de Rook bij Metzger opgekomen, al noemde hij het toen nog geen Rook. Toen noemde hij het nog niks. Hij brak minstens vier botten bij de man voordat de opluchting door zijn lichaam stroomde. Of eigenlijk was het meer dan opluchting – bijna seksueel genot.

Soms kwam deze herinnering weer bij hem boven, zoals nu, als hij toevallig door zijn haar streek. Meer was er niet voor nodig. Hij zag de man weer voor zich, de wazige blik in zijn enigszins loensende ogen. Het bloed, de opmerkelijk opgezwollen kaak.

En de koffieverkoper. *Nee, ram die vent in elkaar, sla hem tot moes, maak hem dood, maakt niet uit wat de gevolgen zijn. De genoegdoening zou onvergetelijk zijn.*

Help me, dr. Fischer.

Maar nu was er geen Rook. Hij was in extase. Experts van Inlichtingen en Surveillance voorzagen hem van informatie over de operatie-Rashid.

De terrorist – de volgende op de lijst – had een afspraak met een bommenmaker van het Matamoros-kartel. Metzger zou maar wat graag de STO wijzigen en ook die vent uitschakelen, maar de man was een Mexicaan, en om toestemming te krijgen om ook hem van de aardbodem te laten verdwijnen, zou Metzger uitvoerig in discussie moeten gaan met de bobo's in Mexico-Stad en Washington. En hij wist maar al te goed dat hij voorzichtig met dat soort lieden moest omgaan.

Budgetbesprekingen in volle gang. Veel heen en weer gepraat. Morgen resolutie. Kan nog alle kanten uit...

Hij kreeg een telefoontje over de vlucht van de UAV, die bestuurd werd door Barry Shales in de GCS, de trailer die voor het kantoor van Metzger stond. Het vliegtuig was niet vanuit Homestead opgestegen, zoals bij de operatie-Moreno gebeurd was, maar vanaf het NIOS-complex bij Fort Hood, Texas. Het ding was inmiddels het Mexicaanse luchtruim binnengedrongen, met de groeten van de overheidsinstanties aldaar, wat bij operatie-Moreno op de Bahama's niet het geval was geweest, en vloog nu in een stralende hemel op het doel af.

Zijn telefoon ging weer. Toen hij op de display zag wie er belde, verstijfde hij en keek hij naar de openstaande deur. Hij kon door de smalle opening net een stukje van het aangrenzende vertrek zien en zag Ruths handen. Ze was aan het typen. Ook in haar kantoortje zat een klein raam, en de zon viel op haar bescheiden verlovingsringen en indrukwekkende trouwringen.

Hij stond op, deed de deur dicht en nam op. 'Ja.'

'Heb haar gevonden,' verklaarde een mannenstem.

Geen namen of codenamen...

Haar.

Nance Laurel.

'Waar?'

'Huis van bewaring, gesprek met een verdachte. Niet in verband met deze zaak, iemand anders. Ik heb geverifieerd of zij het is. Ze zit daar nu, zo'n beetje alleen. Moet ik?'

Geen werkwoord ter nadere specificatie.

Metzger dacht na, woog de voors en tegens tegen elkaar af. 'Ja.'

Hij verbrak de verbinding.

Misschien, heel misschien, zou het allemaal overwaaien.

Hij richtte zijn aandacht weer op Mexico, waar een vijand van de staat op het punt stond van de aardbodem geveegd te worden... Shreve Metzger zwol van trots.

66

'Waar is Nance Laurel?' vroeg Sachs aan de dikke Afro-Amerikaanse vrouw op de vijfde verdieping van de gevangenis van New York.

De gevangenbewaarster verstijfde een beetje en wierp een minachtende blik op Sachs' penning. Sachs veronderstelde dat haar stem inderdaad wat scherp was geweest en de begroeting niet erg vriendelijk. Ze had het niet zo bedoeld, maar dit was nu eenmaal het effect dat Nance Laurel op haar had.

'Kamer vijf. Wapen inleveren.' Terug naar het tijdschrift *People*. Er was een schandaal over een paar halve beroemdheden. Of misschien waren het hele beroemdheden. Sachs had nooit van ze gehoord.

Ze wilde zich verontschuldigen voor haar ongemanierdheid, maar wist niet goed hoe. Toen stak haar ergernis over Laurel de kop weer op. Ze legde de Glock in een kluisje en sloeg het deurtje dicht, waarop de cipier verstoord zuchtte. Met een kort gezoem ging de deur open en ze stapte de kale gang in. Die lag er verlaten bij. Dit was het deel van het gebouw waar gevangenen die werden beschuldigd van zware misdrijven hun zaak bespraken met hun advocaat en onderhandelden met de aanklagers.

Het rook er naar ontsmettingsmiddel, verf en pies.

Sachs beende langs de eerste paar kamers, die leeg waren. Bij kamer nummer vijf keek ze door het besmeurde glas. Een geketende man in een oranje overall zat tegenover Laurel aan een aan de vloer vastgezette tafel. In de hoek stond een bewaarder, een enorme man wiens bijna witte, gladgeschoren hoofd glinsterde van het zweet. Hij had zijn armen over elkaar geslagen en keek naar de gevangene als een bioloog die een exemplaar van een giftig maar dood insect bestudeerde.

De deuren vielen vanzelf in het slot en er was een sleutel nodig om ze open te maken, dus sloeg Sachs met haar vlakke hand tegen de deur.

Dit moest nogal hard hebben geklonken, want iedereen in de kamer draaide zich geschrokken om. De bewaarder had geen wapen, maar zijn hand ging naar de pepperspray aan zijn riem. Hij zag Sachs, wist kennelijk dat ze van de politie was en ontspande zich. De gevangene keek met half toegeknepen ogen naar Sachs en de schrik op zijn gezicht maakte plaats voor een hongerige trek.

Een seksmisdrijf, deduceerde Sachs.

Laurels lippen verstrakten een beetje.

Ze stond op. De bewaarder maakte de deur open, liet de hulpofficier naar buiten, sloot het vertrek weer af en nam zijn waakzame positie weer in.

De vrouwen liepen naar het eind van de gang, weg van de deur. Laurel vroeg: 'Hebben jullie iets bezwarends gevonden tegen Metzger of Shales?'

'Waarom vraag je mij dat?' kaatste Sachs terug. 'Ik tel toch niet mee.'

'Inspecteur,' zei Laurel effen, 'waar heb je het over?'

Ze begon niet met wat Sellitto haar net had verteld, dat ze geschorst was. Ze hield een chronologische volgorde aan. 'Je hebt mijn naam van alle memo's en alle e-mails gehaald. En hem vervangen door die van jou.'

'Ik ben niet...'

'Alles om de verkiezingen te winnen, nietwaar, raadslid Laurel?'

Sachs haalde de kopie voor de dag die ze had gemaakt van het document uit Laurels persoonlijke dossier en hield het haar voor. Het was een petitie om Laurel op de verkiezingslijst te zetten voor het ambt van raadslid voor haar district.

De vrouw sloeg haar ogen neer. 'Aha.'

Betrapt.

Maar even later keek ze Sachs weer koeltjes aan.

'Je hebt mijn naam van de documenten gehaald om zelf met de eer te gaan strijken,' snauwde Sachs. 'Gaat het je daar om met deze zaak, Nance? Jóúw zaak, trouwens, niet ónze zaak of dé zaak. Want jij wilde een belangrijke zaak om indruk te maken in de media. Het maakt niet uit of dader 516 onschuldige vrouwen martelt. Hem wil je niet hebben. Je wilt de hoogste regeringsambtenaar die je kunt krijgen. En om daarvoor te zorgen, heb je mij de hele stad laten rondrennen om alle gunstige feiten over Moreno op te graven die er maar te vinden waren. Je hebt alle belangrijke documenten over de zaak in beslag genomen en je eigen naam eronder gezet om met de eer te kunnen gaan strijken.'

De hulpofficier leek helemaal niet van haar stuk gebracht. 'Heb je mijn verklaring dat ik me verkiesbaar stel toevallig ook gezien?'

'Nee, dat was niet nodig. Ik had deze, de petitie met de handtekeningen.' Ze hield de fotokopie omhoog.

Laurel zei: 'Dat document ondersteunt de verkiesbaarheidstelling. Je moet je nog steeds verkiesbaar stellen.'

Sachs werd getroffen door een gevoel dat ze wel eens meer kreeg, een knagende angst dat ze iets gemist had op een plaats delict. Iets heel belangrijks. Ze zweeg.

'Ik stel me niet verkiesbaar.'

'Deze petitie...'

'Die petitie is ingediend, ja. Maar ik ben van gedachte veranderd. Ik heb me nooit verkiesbaar gesteld.'

Een langere stilte.

Laurel vervolgde: 'Ik wilde inderdaad meedoen met de voorverkiezing bij de democraten, maar de partij vond me een beetje te eigenzinnig. Toen heb ik een petitie ingediend om op eigen titel mee te doen. Maar na een tijdje besloot ik daar toch maar vanaf te zien.'

Au...

Vreemd genoeg was het Laurel die haar blik afwendde. Ze leek zich ongemakkelijker te voelen dan Sachs. En ze hield haar schouders wat gebogen, terwijl ze anders altijd volkomen recht waren. 'Mijn partner en ik zijn afgelopen winter op een nogal nare manier uit elkaar gegaan. Hij was... Nou, ik dacht dat we zouden gaan trouwen. Ik begrijp dat die dingen niet altijd goed gaan. Prima. Maar het bleef pijn doen.' Haar kaken stonden strak en haar dunne lippen trilden. 'Ik werd er zo moe van.'

Sachs dacht aan wat ze eerder had gemerkt, toen Laurel in haar bijzijn was gebeld.

Ze is kwetsbaar, weerloos zelfs...

'Ik vond dat ik mijn aandacht ergens anders op moest richten. Ik wilde me verkiesbaar stellen en me aan de politiek wijden. Dat heb ik altijd gewild. Ik heb heel uitgesproken ideeën over dit land en de rol van de overheid daarin. Op de middelbare school en de universiteit heb ik in de leerlingen- en studentenraad gezeten. In die tijd was ik gelukkig en ik denk dat ik dat terug wilde. Maar ik ben tot de conclusie gekomen dat ik een betere aanklager dan politicus ben. Hier hoor ik thuis.'

Een knikje naar de verhoorkamer. 'Die verdachte daarbinnen, die heeft een voorgeschiedenis van aanranding. Hij zit daar omdat hij drie pubermeisjes heeft betast. De oorspronkelijke aanklager wilde geen tijd aan de zaak besteden. De aanklacht luidde: onzedelijk gedrag. Een overtreding. Hij wilde geen moeite doen. Maar ik ken dit soort types. Voor je het weet verkracht hij een elfjarig kind en de keer daarop vermoordt hij het meisje als hij met haar klaar is. Ik heb de zaak overgenomen en wil hem aanranding ten laste leggen.'

'Dat is een misdrijf,' zei Sachs.

'Precies. En het gaat me lukken ook. Hier heb ik talent voor, voor zaken zoals deze, niet voor de politiek. Ik wil verkrachters tegenhouden en mensen als Shreve Metzger, die zich verstoppen achter de overheid, doen wat ze zelf willen en de grondwet aan hun laars lappen, verdomme.'

Een vloek. Ze was boos. Sachs vermoedde dat dit de echte Nance Laurel was, amper zichtbaar achter het dichtgeknoopte mantelpakje en de zware make-up.

'Ik heb inderdaad je naam van de memo's en e-mails gehaald, Amelia. Maar dat heb ik zuiver en alleen voor jou en voor je carrière gedaan. Het is nooit bij me opgekomen dat je genoemd wilde worden. Wie zou dat nou willen?' Ze haalde haar schouders op. 'Weet je hoe gevaarlijk deze zaak is? Het kost je je carrière als er ook maar iets misgaat. Washington zou Metzger en Barry Shales kunnen laten vallen en als zondebokken kunnen laten fungeren, maar kan er ook zijn Gettysburg van maken en zich tegen mij keren. En als dat gebeurt en ik slaag er niet in hun on- schendbaarheid in te laten trekken, dan is het afgelopen met mij. De federale instanties zullen Albany dwingen me aan de kant te zetten en dat doet de minister van Justitie zó. En hetzelfde gebeurt dan met ieder- een die bij deze zaak betrokken is, Amelia.'

Míjn zaak...

'Ik wilde jou en de anderen zoveel mogelijk uit de wind houden. Lon Sellitto wordt ook in geen van de memo's genoemd. Hetzelfde geldt voor Ron Pulaski.'

'Maar een van ons zal als deskundige moeten getuigen,' merkte Sachs op. Toen begreep ze het. 'Lincoln.'

'Hij is consulent,' zei Laurel. 'Hij kan niet ontslagen worden.'

'Dit was me volledig ontgaan,' zei Sachs. Ze verontschuldigde zich voor haar uitbarsting.

'Nee, nee. Ik had je op de hoogte moeten stellen van de strategie.'

Sachs voelde haar telefoon trillen en keek op het schermpje. Een sms van Lon Sellitto.

A-
Net gehoord. Schorsing komt van hoofdkantoor. Myers. Denkt dat je niet eerlijk bent over gezondheid. Heeft dossier van je eigen dokter. Heb op hem ingepraat. Je krijgt een week om aan zaak Moreno te blij- ven werken. Volledig medisch onderzoek moet gereed zijn rond 28 mei.

Dus dat was het. Laurel had er niets mee te maken dat zij op een zij- spoor was gezet. Godzijdank had ze haar eerdere vermoedens er niet uit gegooid. Maar van de andere kant: hoe was Myers in godsnaam in het bezit gekomen van haar medische dossier? Ze diende nooit rekeningen in bij de politieverzekering. Ze betaalde de orthopeed zelf, juist om te voorkomen dat iemand op het hoofdbureau erachter kwam.

'Alles goed?' vroeg Laurel met een knikje naar de telefoon.

'Ja, hoor.'

Op dat moment klonk er een zoemer aan de andere kant van de gang. De deur zwaaide open en er verscheen een sportieve man van in de dertig in een donker pak. Hij knipperde verrast met zijn ogen toen hij de vrouwen aan het eind van de gang zag. Toen liep hij hun kant op, terwijl hij de rest van de gang en de lege spreekkamers in zich opnam.

Sachs kwam hier vaak. Ze kende veel van de bewakers en agenten. En de rechercheurs, uiteraard. Maar deze man had ze nooit eerder gezien. Misschien was hij de advocaat van de zedendelinquent. Maar ze zag aan Laurels gezicht dat zij hem ook niet kende.

Sachs wendde zich weer tot Laurel. 'Ik heb nog wel nieuws. Voor ik wegging, hadden we net een aanwijzing gekregen over de klokkenluider.'

'Echt?' Laurel trok een wenkbrauw op.

Sachs vertelde over de foto's die de toerist had gemaakt van de theedrinker die zoetstof gebruikte en last van brandend maagzuur had. Over zijn goedkope pak met dat eigenaardige kleurtje. Over de mogelijkheid dat hij militair was of was geweest.

Laurel stelde een vraag, maar inmiddels draaide Sachs' instinct op volle toeren en lette ze niet meer op.

De man die was binnengelaten, negeerde de spreekkamers. Hij leek doelbewust op de vrouwen af te lopen, maar was ook behoedzaam.

'Ken jij die vent?' fluisterde Sachs.

'Nee.' Laurel leek te schrikken van de bezorgdheid van de rechercheur.

Sachs zag in haar verbeelding, die gescherpt werd door haar instinct, de beelden al aan zich voorbijtrekken. Dit was niet Barry Shales – van hem hadden ze een foto gezien – maar het kon wel dader 516 zijn. Sachs was voorzichtig geweest met de mobieltjes, maar wie wist waartoe NIOS allemaal in staat was. De man kon haar hiernaartoe hebben gevolgd – of Laurel. Misschien had hij net de bewaarder bij de ingang vermoord en zichzelf binnengelaten.

Sachs zocht naar opties. Ze had haar mes, maar als dit de onbekende dader was, zou hij gewapend zijn. Ze dacht aan de afschuwelijke verwondingen van Lydia Foster. En voor hetzelfde geld had hij een vuurwapen bij zich. Ze moest dicht bij hem zien te komen voor ze het mes kon gebruiken.

Maar de man bleef ruim buiten het bereik van een mes staan. Ze kon het mes niet trekken en tot de aanval overgaan voordat hij het vuur zou openen. De waakzame ogen in het gladde gezicht keken van de een naar de ander. 'Nance Laurel?'

'Dat ben ik. Wie bent u?'

De man was niet van plan haar vraag te beantwoorden.

Met een snelle, peilende blik op Sachs stak hij zijn hand in zijn jasje.

Sachs spande haar spieren en balde haar vuisten, klaar om hem te lijf te gaan.

Kan ik op tijd zijn hand vastpakken als die weer tevoorschijn komt, mijn mes trekken en het openklikken?

Ze zakte iets door haar knieën en voelde een pijnscheut. Ze maakte zich op om op de man af te stormen.

En ze vroeg zich af, net als eerder in de steeg, of haar knie het weer zou begeven, zodat ze hulpeloos van de pijn op de grond terecht zou komen en de man alle tijd had om hen allebei dood te schieten of te steken.

67

Op het moment dat Sachs op de man af wilde duiken, zag ze dat hij geen Glock of mes tevoorschijn haalde, maar een envelop.

De man keek fronsend naar Sachs, omdat ze in een vreemde houding stond. Hij deed een stap dichterbij en overhandigde Laurel de envelop.

'Wie bént u?' vroeg Laurel nogmaals.

Nog steeds geen antwoord op die vraag. Hij zei: 'Mij is gevraagd u dit te overhandigen. Voordat u verdergaat, moet u hier kennis van nemen.'

'Voordat ik verderga?'

Hij verklaarde zich niet nader, maar knikte naar de envelop.

De hulpofficier haalde er een document uit. Ze nam de volledige tekst geconcentreerd door, woord voor woord, te oordelen naar haar langzame oogbewegingen. Ze leek haar kaken op elkaar te klemmen.

Ze keek de man aan. 'Werkt u voor Buitenlandse Zaken?'

Hoewel de man niets zei, kreeg Sachs de indruk dat die veronderstelling juist was. Waar ging dit allemaal over?

Een blik op het papier. 'Is dit authentiek?' vroeg Laurel, terwijl ze de man van Buitenlandse Zaken nauwlettend opnam.

De man verklaarde: 'Mij is gevraagd een document te overhandigen aan hulpofficier van justitie Laurel. Ik heb geen interesse in, noch kennis van de inhoud ervan.'

Correct gebruik van voorzetsels, dacht Sachs cynisch. Het zou Lincoln Rhyme goed hebben gedaan.

'Shreve Metzger zit hierachter, hè?' zei Laurel. 'Heeft hij het vervalst? Geef antwoord op de vraag. Is dit document authentiek?'

Geen kennis van, *geen interesse* in...

De man deed er verder het zwijgen toe. Hij draaide zich om, alsof de vrouwen niet langer bestonden, en liep weg. Aan het eind van de gang wachtte hij tot de deur zoemend openging.

'Wat is dat?' vroeg Sachs.

'Stond er in de informatie die we van Fred Dellray hebben gekregen niet dat Moreno is gesignaleerd in of bij Amerikaanse ambassades of consulaten, vlak voordat hij werd neergeschoten?'

'Klopt,' bevestigde ze. 'Mexico-Stad en Costa Rica. Nadat hij op 2 mei uit New York was vertrokken.'

Sachs werd verder gerustgesteld toen ze achteromkeek en het ronde, donkere gezicht van de bewaker zag die naar binnen tuurde, ongedeerd en niet bijzonder geïnteresseerd in de bezoeker. De vrouw liep terug naar haar werkplek en haar beroemdheden.

Met een zucht zei Laurel tegen Sachs: 'Als er al ooit iemand had gedacht dat Moreno van plan was een aanslag op een ambassade te plegen, blijkt die er nu volledig naast te zitten.' Ze knikte naar de brief in haar hand. 'Hij was wel op zoek naar een ambassade, maar alleen om zo snel mogelijk zijn Amerikaanse nationaliteit op te geven. Dat deed hij uiteindelijk op 4 mei in San José, Costa Rica. Zijn Amerikaanse nationaliteit werd per onmiddellijk ingetrokken, maar de papieren zijn pas gisteren op Buitenlandse Zaken aangekomen.' Ze zuchtte. 'Toen Robert Moreno werd vermoord, had hij de Venezolaanse nationaliteit, niet de Amerikaanse.'

Sachs zei: 'Daarom zei hij in New York natuurlijk tegen de chauffeur van de limo dat hij niet meer naar Amerika zou terugkeren. Dat was niet vanwege een of andere terroristische aanslag, maar omdat hij persona non grata zou zijn en op een buitenlands paspoort Amerika niet meer in zou komen.'

Een telefoon verscheen in Laurels hand. Ze keek ernaar. Ze had nog nooit zo bleek gezien. Waarom al die make-up? vroeg Sachs zich weer af. Laurel drukte een sneltoets in. Sachs kon niet zien welke dat was, maar dat maakte natuurlijk niet zo veel uit. Een 9 is net zo makkelijk in te drukken als een 1.

Laurel ging een eindje verderop staan en voerde een gesprek. Uiteindelijk borg ze haar mobieltje op en bleef een volle minuut met haar rug naar Sachs toe staan. Haar mobieltje ging. Weer een gesprek, deze keer korter.

Toen ze dat gesprek had beëindigd, draaide ze zich naar Sachs om. 'Mijn chef heeft net met de procureur-generaal van Albany gesproken. Misschien zijn Shreve Metzger en die schutter hun boekje ver te buiten gegaan, maar het heeft geen zin om een aanklacht in te dienen als het slachtoffer geen Amerikaanse staatsburger is. Ik heb te horen gekregen dat ik de zaak moet laten vallen.' Ze keek omlaag. 'Dus. Dat was het dan.'

'Wat vervelend,' zei Sachs meelevend. Ze meende het.

68

In het koele, schemerige huis in het Mexicaanse Reynosa legde al-Barani Rashid de laatste hand aan een lijst met bomonderdelen, die hij vervolgens naar de Dikke schoof.

Zo dacht hij over de grootste bommenexpert van het kartel sinds de man een halfuur geleden stoffig en met ongewassen haar binnen was komen waggelen. Rashid had hem de bijnaam gegeven uit minachting, maar hij was wel toepasselijk; de man was echt heel zwaar. Maar later had hij spijt van die onvriendelijke gedachten over zijn lichamelijke gesteldheid en persoonlijke hygiëne; de man van het kartel bleek niet alleen heel behulpzaam, maar ook buitengewoon getalenteerd. Hij was kennelijk verantwoordelijk voor een aantal van de meer geavanceerde bommen die de laatste paar jaar op het westelijk halfrond waren ingezet.

De man stopte de boodschappenlijst die hij samen met Rashid had opgesteld in zijn broekzak en zei in het Spaans dat hij die avond terug zou zijn met alle onderdelen en gereedschappen.

Rashid was ervan overtuigd dat dit wapen heel doeltreffend zou zijn en het eind zou betekenen voor Barbara Summers, de districtsdirecteur van de DEA, en iedereen die zich bij de kerkpicknick binnen een straal van tien meter van haar bevond. Het aantal slachtoffers zou afhangen van het aantal mensen dat in de rij stond bij de ijskraam, waar de bom zou worden geplaatst.

Rashid knikte naar de kamer waar de Mexicaanse gijzelaars werden vastgehouden. Hij vroeg aan de Dikke: 'Heeft zijn bedrijf het losgeld al bij elkaar?'

'Ja, ja, het is bevestigd. Ze zijn al op de hoogte gesteld. Ze mogen vanavond weg, zodra het laatste geld is overhandigd.' Hij keek Rashid scherp aan. 'Het is puur zakelijk, hoor.'

'Puur zakelijk,' zei Rashid, maar hij dacht: nee, dat is het helemaal niet.

De Dikke liep naar de keuken, trok de koelkast open en haalde er tot Rashids verrassing geen bier uit, maar twee bekers Griekse yoghurt. Met een blik op de Arabier trok hij beide bekers open en at met een plastic lepel eerst de ene en toen de andere leeg, terwijl hij midden in de kamer bleef staan. Daarna veegde hij zijn mond af met een stukje keukenpapier, gooide de lege bekers bij het afval en nam een slok uit een flesje water.

'Señor, ik zie u later.' Ze schudden elkaar de hand, waarna hij op zijn schoenen met scheef afgesleten hakken naar buiten waggelde.

Toen de deur weer dicht was, ging Rashid bij het raam staan. De man stapte in een Mercedes, die zwaar overhelde. De diesel kwam brommend tot leven en de zwarte auto gleed over de oprit en liet een stofwolk achter.

Rashid bleef nog tien minuten voor het raam staan. Geen enkel teken dat hij in de gaten werd gehouden, geen buren die ongemakkelijk opzijkeken als ze voorbij liepen. Geen gordijnen die snel weer voor de ramen vielen. De honden buiten stonden er rustig bij en geen blafje wees op verdekt opgestelde indringers.

In de slaapkamer klonken stemmen. En toen een zacht geluid dat hij aanvankelijk niet kon thuisbrengen, onregelmatig, aanzwellend en afnemend in volume en toon. Het werd regelmatiger en hij wist dat het geluid afkomstig was van een huilend kind. Het meisje. Ze had te horen gekregen dat ze binnenkort naar huis mocht, maar dat was niet snel genoeg voor haar. Ze wilde nú naar haar knuffel, haar bed en haar eigen deken.

Rashid dacht aan zijn zusje, dat met twee vriendinnen in Gaza was omgekomen. Zijn zusje was niet veel ouder geweest dan dit meisje. Ze had niet de kans gehad om te huilen.

Rashid nam nog een slokje thee, bestudeerde de tekeningen en luisterde naar het droevige gesnik van het meisje, dat nog aangrijpender leek doordat het door de muren werd gedempt, alsof ze een geest was die voor altijd vastzat in deze stoffige tombe.

69

De term 'moordkamer' deed denken aan sciencefiction of aan de controlekamer in het tv-programma *24*.

Maar het Ground Control Station van de National Intelligence and Operations Service was een smoezelige ruimte die oogde als het magazijn van een middelgroot verzekeringsbedrijf of reclamebureau. Het was gehuisvest in een trailer van vijf bij twaalf meter, die in twee gedeelten was gesplitst. Als je de trailer betrad, kwam je eerst in een kantoortje. Langs de muur stonden kartonnen dozen van verschillende afmetingen met cryptische benamingen erop, sommige leeg, sommige met documenten of kartonnen bekertjes of schoonmaakspullen erin. Een communicatieruimte, waar op dit ogenblik niemand was. Computers. Een aftands grijs bureau en een bruine stoel in een hoek, met oude, ongemarkeerde dossiers erop, alsof een secretaresse er schoon genoeg van gekregen had om ze op de juiste plek in de kast te zetten en de moed had opgegeven. Op de grond een bezem, een doos met lege Vitaminwaterflessen, een kapotte lamp. Kranten. Gloeilampen. Computercircuits. Draden. Een nummer van *Runner's World*.

Om de boel op te leuken, hingen er kaarten van het Caraïbisch gebied, Mexico, Canada en Midden-Amerika, en ook een kaart van Irak en verschillende posters waarop werd gewaarschuwd dat je bij het oppakken van zware lasten met je knieën en niet met je rug moest tillen, en dat je altijd genoeg water moest drinken als het heet was.

Het was er schemerig; de lampen aan het plafond werden zelden aangedaan. Alsof geheimen beter bij gedïmd licht bewaard konden worden.

Dat het in het kantoor zo'n rommeltje was, viel echter niet op vanwege de andere helft van de trailer: de UAV-besturingsruimte, die door een dikke glaswand van het kantoortje was gescheiden.

Mannen en vrouwen als Barry Shales, de piloten en bedieners van de sensoren, hadden het altijd over 'de cockpit' als ze de besturingsruimte bedoelden, waar niemand bezwaar tegen maakte, al werd het gebruik van het woord 'drone' van hogerhand ontmoedigd. Misschien klonk 'unmanned aerial vehicle' – onbemand vliegtuig – geavanceerder of klinischer. Die term was in elk geval beter – vanuit pr-oogpunt – dan de term die de piloten zelf voor de UAV's bezigden: FFA's, Fuckers From Above.

De slankgebouwde Barry Shales droeg een nette broek en een blauw-geblokt shirt met korte mouwen, geen stropdas, en zat in een comfortabele, luxueus beklede leren stoel, die meer deed denken aan de stoel van Captain Kirk in *Star Trek* dan aan een stoel in een cockpit. Voor hem stond een metalen controlepaneel van een meter bij vijftig centimeter, met tientallen hendels en knoppen, schakelaars en displays, plus twee joysticks, die hij op dit moment ongemoeid liet. UAV N-397 vloog op de automatische piloot.

In deze fase van de Special Task Order maakte het deel uit van de standaard procedure om de besturing aan de computer over te laten, die de kist een eind in de richting van het doelwit vloog. Shales vond het niet erg om op dit moment copiloot te moeten zijn. Hij kon zich vandaag slecht concentreren. Steeds moest hij denken aan de vorige opdracht.

De opdracht die NIOS in het honderd had laten lopen.

Hij wist nog goed wat er bekend was over de chemische stoffen die aan Moreno waren geleverd om er explosieven van te maken – nitromethaan, diesel, kunstmest – de bom waarmee het hoofdkantoor van AmPet in Miami tot een smeulende krater zou worden gereduceerd. De inlichtingen over Moreno's laaghartige aanval op Amerika, zijn oproepen tot geweld tegen Amerikaanse burgers. De informatie over de verkennende reizen van de activist naar de ambassades in Mexico en Costa Rica met het oogmerk ze op te blazen.

Wat waren ze zeker van hun zaak geweest...

En wat hadden ze het bij het verkeerde eind gehad.

Ook wat betreft het beperken van collateral damage. De la Rua en de bodyguard.

Het hoofddoel van het Long-Range Rifle-programma van NIOS was om de kans op collateral damage zo klein mogelijk te houden, en in het ideale geval zelfs tot nul te reduceren, wat onmogelijk was als je raketten gebruikte.

En wat was er gebeurd op de eerste echte missie die in het kader van het programma was uitgevoerd?

Er waren onschuldige slachtoffers gevallen.

Shales had de UAV zonder problemen naar Clifton Bay in de Bahama's gevlogen, het ding hing stil in de lucht, hij had met behulp van een infraroodcamera en radar door het bladerdek van een boom kunnen kijken, had Moreno in het vizier gekregen, had een dubbele bevestiging gekregen dat het inderdaad Moreno was, had rekening gehouden met de windkracht en de elevatiehoek en had pas gevuurd toen het doelwit in zijn eentje voor het raam stond.

Shales was er vast van overtuigd geweest dat alleen Moreno om het leven zou komen.

Maar er was één kwestie waar hij of wie dan ook niet bij stil had gestaan: het raam.

Wie had ooit kunnen denken dat het glas zo dodelijk zou zijn?

Zijn schuld was het niet... Maar als hij dat echt vond, als hij geloofde dat hem niets te verwijten viel, waarom had hij vannacht dan boven de plee zitten kotsen?

Een beetje grieperig, schat... Nee, hoor, verder is er niets aan de hand.

En waarom sliep hij de laatste tijd dan zo slecht?

Een merkwaardig gegeven: terwijl dronepiloten van alle militairen fysiek gezien waarschijnlijk het minste risico lopen, hebben ze vaker last van depressies en post-traumatische stress-stoornissen dan alle andere werknemers in het leger en de nationale veiligheidsdiensten. Het ene moment zit je achter een videoscherm in Colorado of New York City iemand te vermoorden die zich tienduizend kilometer verderop bevindt, en het volgende moment haal je je kinderen van gym of voetbal, ga je eten en zit je even later op de bank naar *Dancing with the Stars* te kijken. Dat was ongelofelijk desoriënterend.

Vooral als je collega-militairen door de woestijn kropen of door bermbommen uit elkaar werden gereten.

Oké, Vliegenier, sprak hij zichzelf toe, wat hij de laatste tijd regelmatig deed, concentreer je. Je bent op een missie. Een STO-missie.

Hij liet zijn blik langs de vijf beeldschermen gaan die voor hem stonden. Het voorste, zwarte achtergrond met groene lijnen, vakken en symbolen, was een combinatie van bekende controlepanelen: kunstmatige horizon, luchtsnelheid, snelheid ten opzichte van de grond, koers, navcom, GPS, brandstof- en motorstatus. Daarboven hing een scherm waarop een traditionele plattegrond was afgebeeld. Een monitor met gegevens – het weer, berichten en andere communicatierapporten – bevond zich linksboven.

Daaronder was een scherm waarop hij kon overschakelen van gewone radar naar *synthetic aperture radar*. Rechts daarvan, op ooghoogte, bevond zich een scherm met een haarscherp videobeeld van wat de camera in de drone zag. Op het ogenblik was het daar dag, maar er kon natuurlijk ook naar nachtkijkermodus worden overgeschakeld.

Op het scherm was te zien dat het vliegtuig nu boven grijsbruin woestijngebied vloog.

Het ging langzaam. Een drone is geen F-16.

Op een apart metalen paneel onder de monitoren was de status van de wapens af te lezen. Het ding had geen superdeluxe schermen, maar was zwart en functioneel en zag er gehavend uit.

Bij veel dronemissies wereldwijd, vooral in oorlogsgebieden, bestond de bemanning uit een piloot en iemand die de sensoren bediende. Maar bij NIOS werden de UAV's door één persoon gevlogen. Dit was een idee van Metzger; niemand wist precies wat erachter stak. Sommigen dachten dat het was om het aantal mensen te beperken dat van het STO-programma afwist, zodat het risico op een beveiligingslek verkleind werd.

Shales dacht echter dat er een andere verklaring voor was: de NIOS-directeur had oog voor de emotionele tol die deze missies vroegen en wilde dat zo weinig mogelijk mensen werden blootgesteld aan de stress die STO-missies nu eenmaal met zich meebrachten. Het kwam regelmatig voor dat een piloot eraan onderdoor ging. En dat had verregaande consequenties, voor hen, voor hun gezin… en natuurlijk ook voor het programma.

Barry Shales las de waarden op de meters af. Hij drukte een knop in, waarna er allerlei lampjes aangingen.

Hij zei in zijn microfoontje: 'UAV drie negen zeven voor Texas Center.'

Het antwoord kwam onmiddellijk: 'Kom er maar in, drie negen zeven.'

'Wapensystemen op groen.'

'Begrepen.'

Hij leunde achterover toen er weer een onprettige gedachte bij hem bovenkwam. Metzger had hem verteld dat iemand 'onderzoek deed' naar de Moreno-missie. Toen hij had doorgevraagd, had zijn chef hem met een smalend lachje verteld dat het een puur formele kwestie betrof, iets onbeduidends, dat alles onder controle was, dat hij voorzorgsmaatregelen getroffen had en dat niemand zich zorgen hoefde te maken. Shales was er niet gerust op. Als Metzger iets met een glimlach zei, moest je op je hoede zijn.

Shales was ten prooi gevallen aan dezelfde woede waarvan de baas van NIOS ook altijd last had. Dat was een publiek geheim. Wíé deed er onderzoek? De politie, het Congres, de FBI?

En toen, als klap op de vuurpijl, had Metzger hem verteld dat hij ook maar beter voorzorgsmaatregelen kon nemen.

'Zoals wat?'

'Als je maar weet dat het beter is als er zo weinig mogelijk… ach, "bewijsmateriaal" is zo'n groot woord. Maar je snapt wel wat ik bedoel.'

Op dat moment had Shales zich voorgenomen níét de gegevens te wissen in het mobieltje dat hij gebruikte onder zijn codenaam Don Bruns. Die gegevens – en de mailtjes en sms'jes van en aan Metzger –

waren weliswaar versleuteld, maar het leek Shales verstandig als het bewijsmateriaal juist niét verdween. Ook printte hij tientallen documenten uit en smokkelde ze het NIOS-gebouw uit.

Bij wijze van verzekering.

Het feit dat hij zich gedwongen had gevoeld dergelijke voorzorgsmaatregelen te nemen, had hem aan het denken gezet. Verdomme, misschien werd het tijd om deze krankjorume business vaarwel te zeggen. Shales was negenendertig, hij had zijn studie aan de Air Force Academy afgerond en daarna nog een studie techniek en politicologie gedaan. Hij kon overal aan de slag.

Of niet?

Met zo'n cv?

Bovendien vond hij de gedachte ondraaglijk dat hij dan geen rol meer zou spelen in de verdediging van zijn land.

Maar help ik mijn land wel als ik een missie uitvoer om een onaangename maar onschuldige schreeuwlelijk te vermoorden en door mijn toedoen een beroemde journalist en een hardwerkende bodyguard de dood vinden? En hoe zit het met...

'Texas Center voor drie negen zeven.'

Alsof je een schakelaar omzette. Barry Shales zat er onmiddellijk weer in. 'Drie negen zeven.'

'Nog tien minuten tot doelwit.'

In het operationele commandocentrum bij Fort Hood wisten ze precies waar zijn drone zich bevond.

'Ontvangen.'

'Visuele omstandigheden?'

Een blik op de monitor rechts van hem. 'Iets heiig, maar redelijk goed zicht.'

'We kunnen u melden, drie negen zeven, dat bronnen ter plekke verklaren dat de taak zich nu in zijn eentje in het desbetreffende gebouw bevindt. Het individu dat een uur geleden aankwam, is inmiddels vertrokken.'

De taak...

'Begrepen, Texas Center. Ik neem de besturing over,' zei Shales. Hij zette de automatische piloot uit. 'Nader het luchtruim van Lucio Blanco International.'

Het vliegveld van Reynosa.

'Bevriende mogendheid ATC is van uw vluchtroute op de hoogte gesteld.'

'Begrepen. Daal tot tweeduizend voet. EAD aan.'

De zogeheten *engine audio deflectors* zouden het aantal decibellen van de motor van de drone terugbrengen tot ongeveer een tiende van het normale geluid. Deze deflectoren konden echter niet lang gebruikt worden, omdat de motoren dan oververhit raakten en minder krachtig werden, wat bij slecht weer een risico vormde. Nu was de hemel onbewolkt en stond er bijna geen wind, zodat het vliegtuig niet in gevaar kwam.

Vijf minuten later liet hij 397 in de lucht stilhangen, op een hoogte van zo'n vijftienhonderd voet, zevenhonderd meter van het safehouse waar al-Barani Rashid zijn bom aan het ontwerpen of misschien al aan het monteren was.

'In zwevende positie.'

Een gevecht met de joystick.

Shales kleurde het safehouse met een laserstraal. 'Bevestig coördinaten.'

De longitude en latitude die hij opgaf zouden worden vergeleken met de gegevens die in de NIOS-computer lagen opgeslagen – voor de zekerheid.

'Texas Center voor drie negen zeven, coördinaten correct. Doelwit bevestigd. Wat is uw PIN?'

Shales noemde de tien cijfers van zijn persoonlijk identificatienummer, waarmee kon worden geverifieerd of hij degene was die hij moest zijn en dat hij toestemming had om deze raket vanuit deze positie af te vuren.

'Positieve ID, drie negen zeven. Lancering raket toegestaan.'

'Ontvangen. Drie negen zeven.'

Hij klapte het afdekplaatje open en drukte op de knop waarmee de Hellfire-raket in gereedheid werd gebracht.

Shales tuurde naar het beeld van het safehouse. Hij wachtte nog even met het indrukken van de lanceringsknop.

Hij keek naar de ramen, de deuren, de schoorsteen, het zand om het huis, een cactus. Op zoek naar een teken, een aanwijzing dat hij het dodelijk pakketje kon laten vallen.

'Drie negen zeven, bericht ontvangen? Lancering raket toegestaan.'

'Begrepen, Texas Center. Drie negen zeven.'

Hij haalde diep adem en dacht: Moreno...

Toen klapte hij het tweede afdekplaatje open, dat van de lanceerknop zelf. Hij drukte de knop in.

Er was niets te horen. Het scherm ging iets heen en weer toen de UAV de honderdtien pond zware raket afwierp. Een groen lampje bevestigde dat de raket was afgeworpen. Een ander lampje bevestigde de lancering.

'Raket afgeworpen, Texas Center. Drie negen zeven.'

'Begrepen.' Geen enkele emotie.

Shales kon nu alleen nog maar toekijken hoe het safehouse zou veranderen in een vuurzee met een rookpluim. Hij keek naar het videoscherm.

De achterdeur van het huis ging open. Twee mensen betraden het plaatsje tussen het huis en de garage. Een van hen was Rashid. De ander was een tiener, een jongen. Ze zeiden iets tegen elkaar en begonnen een voetbal naar elkaar toe te schoppen.

70

Barry Shales schrok ontzettend, het besef kwam als een klap in zijn gezicht.

Hij scheurde een duimnagel toen hij het knopje in de rode toets midden op het wapenpaneel indrukte. Er stond STOP op.

Hierdoor werd een signaal uitgestuurd waarmee de bom in de Hellfire werd uitgeschakeld. Maar de raket was nog steeds een dodelijke massa metaal en brandstof, die met ruim vijftienhonderd kilometer per uur en niet al te grote accuratesse op een gebouw af schoot. Zelfs al gingen de explosieven niet af, dan nog was de kans groot dat iedereen daarbinnen zou omkomen.

Shales drukte op de knop voor de automatische piloot van de drone en schakelde die van de raket uit, zodat hij de Hellfire met een kleine trackball op het wapenpaneel kon besturen.

In de neus van de raket, niet ver van de hoogst explosieve lading, bevond zich een camera, maar met deze snelheid en de marginale resolutie van de lens was het projectiel niet erg accuraat te besturen. Shales moest vertrouwen op de radar in de drone en de gegevens van de Mexicaanse luchtverkeersleiding om de dodelijke cilinder weg te krijgen van het huis.

Hij keek op de monitor aan de rechterkant. Het beeld van de camera in de drone was nog steeds gericht op de voetbalspelers. Hij zag dat Rashid bleef staan en naar boven keek. Tuurde. Hij had zeker iets gehoord of een glinstering gezien.

De tiener, die op het punt had gestaan een trap tegen de stoffige bal te geven, bleef ook staan en keek op zijn hoede naar de Arabier.

Achter hen zag Barry Shales een klein meisje in de deuropening van het huis verschijnen. Ze lachte.

'Texas voor drie negen zeven, projectiel wijkt volgens onze waarneming af van route. Contact alstublieft.'

Shales negeerde de oproep en concentreerde zich op zijn nieuwe taak de Hellfire, die twee keer zo snel was als een straalvliegtuig, weg te sturen van de woonwijken. Dat was niet gemakkelijk. Dit deel van Reynosa was niet zo dichtbebouwd als verder naar het oosten, maar er stonden nog steeds heel wat huizen en bedrijven en er was veel verkeer. De radar gaf een duidelijk beeld van alle vliegtuigen in de buurt, die Shales wel kon ontwijken, maar liet niet zien wat zich op de grond bevond, en daar zou hij de raket moeten laten neerstorten. En snel ook; over niet al te lange tijd was de brandstof op en kon hij hem helemaal niet meer besturen.

'Drie negen zeven? Hoort u mij?'

Op het schermpje waarop te zien was wat de camera in de neus van de raket filmde, vervaagde het beeld toen het projectiel in de wolken belandde. Hij vloog blind.

'God allejezus…'

Woorden die Barry Shales, die elke zondag met zijn vrouw en zoontjes naar de kerk ging, niet lichtvaardig gebruikte.

'Drie negen zeven, hier Texas. Antwoord alstublieft.'

Loop naar de hel, dacht hij, dat is mijn antwoord.

De mist verdween even en hij zag dat de raket recht op een woonwijk af ging.

Nee, nee…

Een draai aan de trackball verlegde de koers verder naar het westen.

De nevel werd weer dichter.

Een blik op de radar. Het terrein was in kaart gebracht; het was geen satellietbeeld, maar een traditionele kaart, waarop niet te zien was wat zich voor de Hellfire op de grond bevond.

Nog maar een paar seconden voor de brandstof op was en de dodelijke cilinder zou neerstorten. Maar waar? Op de slaapkamer van een kind, een ziekenhuis, een vol kantoorgebouw?

Toen kreeg Shales een idee. Hij liet de trackball even los en typte snel iets in op het toetsenbord voor zich.

Linksboven op de informatiemonitor verscheen Firefox. Dit ging tegen elke procedure in. Je kon in een GCS niet online gaan met een commerciële browser terwijl er een drone actief was. Maar Shales kon niets anders bedenken. Een tel later had hij Google Maps aangeklikt en op satellietbeeld gezet. Er verscheen een foto van het terrein rond Reynosa met huizen, begroeiing en winkels.

Heen en weer kijkend tussen het radarpaneel en de kaart om wegen en andere herkenningspunten te vergelijken schatte hij de positie van de Hellfire in.

Jezus! De raket bevond zich recht boven een buitenwijk ten noordwesten van Reynosa. Maar volgens Google was er in het westen een uitgestrekt en onbewoond gebied, een beige met gele woestijn.

'UAV drie…'

Shales rukte de koptelefoon van zijn hoofd en gooide hem van zich af.

Zijn rechterhand ging terug naar de trackball.

Voorzichtig, voorzichtig. Man, wat kon je snel te scherp sturen.

Hij keek van de radar naar Google en zag de baan van de Hellfire afbuigen, bij de huizen vandaan. Al snel vloog hij recht naar het westen, waar volgens de satellietkaarten niemand woonde. De camera in de neus van de raket liet nog steeds alleen maar nevel zien.

Toen nam de raket in hoogte en snelheid af. De brandstof was op. Shales kon niets meer doen, hij had geen macht meer over het projectiel. Hij leunde achterover, veegde zijn handen af aan zijn broek en staarde naar de monitor waarop het beeld van de camera in de neus van de Hellfire te zien was. Hij zag nog steeds alleen maar wolken.

De hoogtemeter stond op 1500 voet.

670.

590...

Wat zou hij zien als de Hellfire neerstortte? Een lege woestijn? Of een bus vol kinderen op schoolreis? Landarbeiders die met ogen vol ontzetting staarden naar wat er op hen af kwam?

Toen verdween de nevel en kon Shales duidelijk zien waar de raket op af ging.

Hoe luid en spectaculair de inslag een kleine drieduizend kilometer verderop ook was, in de moordkamer van NIOS manifesteerde die zich als een eenvoudige, stille verandering in het beeld: van een kale vlakte vol aarde en struiken in een scherm vol sneeuw, als een tv wanneer de verbinding door een storm is weggevallen.

Shales draaide zich weer om naar het besturingspaneel van de drone en zette de automatische piloot uit. Hij keek naar de beelden van de camera in de drone en zag weer het erf van het huis. De kinderen waren er nog en de jongen schopte zachtjes de bal naar het meisje, waarschijnlijk zijn zusje, die erachteraan rende als een terriër. Een vrouw stond ernstig in de deuropening naar hen te kijken.

God allejezus, herhaalde hij. Hij vroeg zich niet af wie ze waren en hoe ze in een huis terechtkwamen waarin zich volgens hun 'uiterst betrouwbare' informatie alleen een terrorist bevond. Het kon hem niet schelen.

Hij zoomde uit.

De garagedeur stond open. Rashid was verdwenen. Dat kon ook niet anders. Uit zijn behoedzame blik had Shales opgemaakt dat de terrorist vermoedde wat er aan de hand was.

Hij pakte de koptelefoon en zette hem op zijn hoofd; deed de stekker weer in het contact.

'… u mij, drie negen zeven?'

'Drie negen zeven voor Texas,' zei hij kortaf. 'Missie onderbroken op gezag van piloot. Keer terug naar basis.'

71

'Heb je zin in een glas whisky?' Rhyme zat midden in de kamer, bij een vergelijkingsmicroscoop. 'Je kunt vast wel een borrel gebruiken.'

Nance Laurel keek op van haar bureau in de hoek van de kamer, waar ze dossiers aan het inpakken was. Ze draaide zich naar Rhyme om en keek hem met opgetrokken wenkbrauwen aan, waardoor er een plooi in haar make-up ontstond. Hij verwachtte een donderpreek over hoe onprofessioneel het is om tijdens het werk te drinken.

Laurel vroeg: 'Wat voor merk?'

Rhyme antwoordde: 'Glenmorangie. Twaalf of achttien jaar oud.'

'Heb je geen whisky met iets meer turf erin?' vroeg ze tot zijn verbazing. Ook Sachs keek ervan op, een beetje geamuseerd, te oordelen naar het lachje dat om haar lippen speelde.

'Nee. Proef maar eens. Het is echt heel goed spul.'

'Oké. Die van achttien jaar. Uiteraard. Drupje water erbij.'

Rhyme pakte de fles en schonk klungelig twee glazen in. Ze deed er zelf wat water bij, omdat zijn bionische arm daar de subtiele motoriek voor miste. Hij vroeg: 'Sachs?'

'Nee, dank je. Ik neem wel wat anders.' Ze was de zakjes en dozen bewijsmateriaal aan het ordenen. De hele boel moest zorgvuldig worden geregistreerd en opgeborgen, ook nu de zaak was stopgezet.

'Thom en Mel?'

De laborant zei dat hij het bij koffie hield. Ook Thom sloeg het aanbod af. Hij was de laatste tijd dol op bourbon Manhattan, maar had aan Rhyme uitgelegd dat hij dat soort mixdrankjes alleen in het weekend dronk, als hij niet hoefde te werken.

Thom haalde een fles Franse chardonnay uit de koelkast waarin ook bloed- en weefselmonsters werden bewaard. Hij hield de fles omhoog en keek Sachs aan. Ze zei: 'Precies waar ik aan dacht.'

Hij ontkurkte de fles en schonk haar een glas in.

Rhyme nam een slokje van de geurige whisky. 'Goed spul, hè?'

'Zeker,' zei Laurel instemmend.

Rhyme las de brief nog eens waarin Moreno afstand deed van zijn Amerikaanse nationaliteit. Hij was net als Laurel ontstemd omdat de zaak vanwege dit technische detail werd stopgezet.

'Had hij zo'n grondige hekel aan Amerika,' vroeg Pulaski, 'dat hij zijn staatsburgerschap eraan gaf?'

'Blijkbaar,' zei Laurel.

'Kop op, jongens en meisjes,' zei Rhyme vermanend, en hij nam nog een slokje van zijn whisky. 'Ze hebben de eerste ronde gewonnen. Of de eerste inning, welk cliché of welke onzuivere metafoor je ook maar wilt gebruiken. Maar we hebben nog steeds een dader, en wel dader 516, die verantwoordelijk is voor een bomaanslag op een koffiehuis en voor de moord op Lydia Foster. Dat zijn belangrijke aanklachten. Lon Sellitto zal het vast goed vinden dat we die zaken oppakken.'

'Mijn zaken zijn het niet meer,' zei Nance Laurel. 'Ik heb te verstaan gekregen dat ik me weer op mijn reguliere werk moet richten.'

'Wat een onzin!' riep Ron Pulaski. Het klonk zo fel dat Rhyme ervan opkeek. 'Moreno is nog steeds dezelfde persoon – een onschuldig slachtoffer. Wat maakt het uit dat hij geen Amerikaans staatsburger meer was?'

'Inderdaad onzin, Ron,' zei Laurel, niet zozeer boos als wel vastberaden. 'Daar heb je helemaal gelijk in.'

Ze dronk haar whisky op en liep naar Rhyme toe. Ze schudde hem de hand. 'Het was me een voorrecht om met u te mogen werken.'

'We zullen elkaar vast nog wel eens tegenkomen.'

Een flauw lachje. Maar ze keek zo bedroefd uit haar ogen dat ze leek te geloven dat haar dagen als hulpofficier van justitie verleden tijd waren.

Sachs zei tegen haar: 'Hé, heb je zin om samen eens een hapje te gaan eten? Kunnen we lekker roddelen over de overheid.' En fluisterend, maar niet zo zacht dat het onverstaanbaar was voor Rhyme voegde ze eraan toe: 'En over mannen.'

'Dat zou ik leuk vinden. Ja.'

Ze wisselden telefoonnummers uit. Sachs moest dat van haar opzoeken omdat ze het nieuwe nog niet uit haar hoofd kende. Ze had de afgelopen dagen een stuk of vijf prepaidtoestellen gekocht.

Toen verzamelde de hulpofficier zorgvuldig haar papieren. Ze gebruikte paperclips en memoblaadjes om ze te ordenen. 'Ik zal jullie documentatie sturen over dader 516.'

De kleine vrouw pakte de aktentas in haar ene hand, de advocatentas in de andere. Met een laatste blik om zich heen – zonder verder nog iets te zeggen – verliet ze het vertrek. Haar hakken tikten op de houten vloer, daarna op het marmer in de gang. En toen was ze weg.

72

Jacob Swann moest met enige spijt concluderen dat hij Nance Laurel niet kon verkrachten voor hij haar vermoordde.

Nou ja, het kon natuurlijk wel. En iets in hem wilde het ook. Maar het zou niet verstandig zijn, dat bedoelde hij. Een seksmisdrijf liet veel te veel sporen achter. Het was bij elke moord al moeilijk genoeg om zo min mogelijk sporen achter te laten, om ervoor te zorgen dat zweet, tranen, speeksel, haren en die honderdduizend huidcellen die we dagelijks verliezen niet konden worden opgepikt door een ijverige technische rechercheur.

Om het nog maar niet te hebben over vingerafdrukken in latex handschoenen of op huid.

Hij moest iets anders bedenken.

Swann zat op dat moment in een restaurant in Henry Street, in Brooklyn, tegenover het appartement waar de hulpofficier woonde, op de derde verdieping van een gebouw zonder lift. Voor hem stond een kop bitterzoete Cubaanse koffie.

Hij bekeek het gebouw waarin Laurel woonde. Geen portier, zag hij. Mooi.

Swann had besloten dat hij in dit geval wel een dekmantel kon gebruiken. Laurel vervolgde niet alleen vaderlandslievende Amerikanen voor het vermoorden van verachtelijke verraders, maar had ook een heleboel verkrachters achter de tralies gezet. Hij had gekeken naar het aantal mensen dat ze had laten veroordelen – heel indrukwekkend – en gezien dat er tientallen serieverkrachters en aanranders bij zaten. Ieder van deze mensen kon na zijn vrijlating gemakkelijk besluiten wraak te nemen. Of anders zou een familielid dat heel goed kunnen doen.

Haar eigen verleden zou haar fataal worden.

Natuurlijk, hij had van het hoofdkantoor gehoord dat het onderzoek naar de dood van Moreno was gestaakt. Maar dat betekende niet dat het niet weer hervat kon worden. Laurel was het soort vrouw dat ontslag zou kunnen nemen en brieven of artikelen over wat er gebeurd was, over NIOS en over het STO-programma naar kranten zou sturen of op het internet zou zetten.

Het was beter als ze er gewoon niet meer zou zijn. Bovendien had

Swann een bom laten afgaan in Little Italy en een tolk en een limousine-chauffeur doodgestoken. Laurel zou kunnen worden ingeschakeld bij het onderzoek naar die misdaden. Ze moest dood en al haar dossiers moesten vernietigd worden.

Hij fantaseerde. Niet over de seks, maar over de zogenaamde verkrachting, die hij bekeek als een recept. Planning, voorbereiding, uitvoering. Hij zou inbreken in haar appartement, haar bewusteloos slaan door middel van een klap op haar hoofd (niet tegen de keel; er mocht natuurlijk geen verband zijn met Lydia Foster), de kleren van haar lijf scheuren en ervoor zorgen dat haar borsten en haar kruis vol blauwe plekken zaten (geen beten, hoewel hij het graag zou doen; dat verdomde DNA ook altijd). Daarna zou hij haar doodslaan en haar penetreren met een voorwerp.

Hij had geen tijd om naar een pornowinkel met videohokjes of naar een pornotheater te gaan en wat DNA te verzamelen dat hij op haar kon achterlaten. Maar hij had uit het afval van een flat in de buurt een bevlekte en gescheurde onderbroek in een tienermaatje gestolen. Hij zou vezels van dit kledingstuk onder haar vingernagels achterlaten en hopen dat de tiener ergens in de laatste paar dagen had gemasturbeerd. Niet onwaarschijnlijk.

Dat zou bewijsmateriaal genoeg zijn.

Hij stak zijn tong in de koffie en genoot van het intense gevoel in zijn mond. Het is een mythe dat de verschillende smaken – zout, zuur, zoet, bitter – op verschillende delen van de tong worden waargenomen. Nog een slokje. Swann kookte wel eens met koffie; hij had een soort Mexicaanse *molli*-saus gemaakt voor varkensvlees met chocola met tachtig procent cacao en espresso. Hij had het recept graag willen insturen voor een wedstrijd, maar toen bedacht dat het geen goed idee was om al te zeer op de voorgrond te treden.

Hij zat zijn plannen voor Nance Laurel nog eens door te nemen toen hij haar in de gaten kreeg.

De hulpofficier was aan de overkant de hoek om gekomen. Ze droeg een marineblauw pakje en een witte bloes. In haar mollige handjes hield ze een ouderwetse attachékoffer, bruin en gehavend, en een grote tas met processtukken. Hij vroeg zich af of een van de twee een cadeau was van haar vader of moeder, allebei juristen, had Swann ontdekt. Ze waren beiden werkzaam in de arme tak van het beroep: haar moeder was pro-deoadvocaat en haar vader werkte in een rechtswinkel.

Goede daden doen, iets betekenen voor de maatschappij, dacht Swann. Net als hun gedrongen dochter.

Laurel liep met gebogen hoofd met de zware tas te sjouwen. Hoewel haar gezicht een ondoorgrondelijk masker was, straalde ze nu toch iets treurigs uit, zoals platte peterselie in de soep. In tegenstelling tot krachtige koriander.

De oorzaak van die sombere stemming was ongetwijfeld het stuklopen van de zaak-Moreno. Swann kreeg bijna medelijden met haar. De zaak zou de kroon op haar werk zijn geweest, maar nu moest ze weer genoegen nemen met het aanklagen van José, Shariq, Billy en Roy wegens verkrachting en het bezit van drugs of wapens.

Ik heb het niet gedaan. Absoluut. Ik weet het niet, man, ik weet niet waar het vandaan komt, echt...

Alleen zou ze natuurlijk geen zaken meer behandelen.

Na vanavond zou ze helemaal niets meer doen. Ze zou zo koud en stil zijn als een stuk rundvlees.

Nance Laurel haalde haar sleutels voor de dag, maakte de voordeur open en ging naar binnen.

Swann gaf haar tien, vijftien minuten. Genoeg tijd om zich te ontspannen.

Hij bracht het dikke kopje naar zijn neus, snoof en stak zijn tong nog eens in de warme vloeistof.

73

'Wat weten we over de laatste van onze tien kleine negertjes?' vroeg Lincoln Rhyme afwezig.

De tegenvaller met betrekking tot het staatsburgerschap van Moreno had Nance Laurel buitenspel gezet, maar zijn jachtinstinct alleen maar aangewakkerd. 'Het maakt me niet uit wat Albany wil, Sachs, ik wil onze dader 516. Die vent is te gevaarlijk om hem vrij rond te laten lopen. Wat weten we over hem?' Hij keek naar de whiteboards. 'Oké, we weten dat 516 rond de tijd van de aanslag op de Bahama's was. We weten dat hij Annette Bodel heeft vermoord, die studente annex prostituee. We weten dat hij een bom heeft geplaatst om sporen naar de klokkenluider uit te wissen. We weten dat hij Lydia Foster heeft vermoord. We weten dat hij ons aller Sachs heeft achtervolgd. Wat kunnen we daaruit concluderen? Sachs!'

'Wat?'

'Die andere chauffeur, de man die Moreno meestal rondreed? Heeft die nog contact met je opgenomen?'

'Nee, heeft niets van zich laten horen.'

Dat gebeurde vaak als de politie vroeg of iemand wilde terugbellen.

De meeste mensen probeerden overal buiten te blijven.

Soms waren er andere redenen in het spel.

Ze belde het nummer van de chauffeur nog een keer en schudde haar hoofd. Daarna belde ze een ander nummer – dat van Elite Limousines, gokte Rhyme. Ze vroeg of ze de laatste tijd iets van hun werknemer hadden gehoord. Een kort gesprek, waarna ze ophing.

'Is niet meer op het werk verschenen sinds een sterfgeval in zijn familie.'

'Dat vertrouw ik maar niks. Misschien is hij het derde slachtoffer van onze dader. Zoek uit waar hij woont, Pulaski. Stuur er een team van het dichtstbijzijnde bureau op af om poolshoogte te nemen.'

De jonge agent haalde zijn mobieltje tevoorschijn en belde met het politiebureau in kwestie.

Rhyme rolde in zijn stoel heen en weer voor de whiteboards. Hij had nog nooit een zaak onder handen gehad waarbij er zo weinig bewijsmateriaal was, bewijsmateriaal dat ook nog eens ontzettend fragmentarisch was.

Stukjes en beetjes, observaties, complete wendingen die de boel op hun kop zetten.

Verder niets…

Verdomme.

Rhyme reed naar de plank met de whiskyflessen. Hij pakte de fles Glenmorangie en schonk zichzelf op stuntelige wijze een glas in, deed de dop er weer op en nam een slokje.

'Wat doe je?' vroeg Thom vanuit de deuropening.

'Wat ik doe, wat ik doe? Dat is een merkwaardige vraag. Meestal wijst het vragend voornaamwoord "wat" erop dat de vragensteller totaal in het duister tast.' Een flinke slok. 'Volgens mij heb je een prima zin verspild, Thom. Het is nogal duidelijk wat ik aan het doen ben.'

'Je hebt al te veel op.'

'Kijk, dat is een declaratieve zin, veel logischer. Daar kan ik wat mee. Ik ben het niet met de strekking eens, maar logisch gezien kan ik er wel wat mee.'

'Lincoln!' Thom beende naar de man toe.

Rhyme keek hem met een woeste blik aan. 'Als je maar niet denkt dat…'

'Wacht,' zei Sachs.

Rhyme nam aan dat ze in dit conflict de kant van Thom koos, maar toen hij zijn rolstoel naar haar omdraaide, ontdekte hij dat ze niet naar hem of de verzorger keek, maar naar de whiteboards. Ze liep ernaartoe en Rhyme merkte dat ze niet verkrampte en ook niet met haar been trok. Ze was alert en stabiel, en ze kneep haar ogen tot spleetjes. Dit was haar roofdierenblik. De lange vrouw kreeg daardoor iets angstaanjagends, iets wat Rhyme zeer aantrekkelijk vond.

Hij zette de whisky neer, sloeg zijn ogen op naar de whiteboards en liet zijn blik erover gaan, als een radar. 'Zie je iets over 516?'

'Nee, Rhyme,' fluisterde ze. 'Het is iets anders. Iets totaal anders.'

74

Nancyann Olivia Laurel zat in haar appartement in Brooklyn Heights op de bank, waarover een bruine grand foulard lag om de blauwe bekleding te bedekken die jaren geleden al door intensief gebruik van familie en vrienden was versleten.

Tweedehandsjes. Daar had ze er een heleboel van. Er kwam een herinnering bij Laurel op: haar vader zocht stiekem tussen de kussens van de bank naar munten die uit de zakken van bezoekers konden zijn gevallen. Ze was een jaar of acht geweest en hij had er een grapje over gemaakt toen ze onverwachts de kamer binnen was gekomen.

Maar het was geen spelletje, en dat wist ze donders goed. Kinderen kunnen zich diep schamen voor hun ouders.

Met de rokerige smaak van de whisky nog in haar mond keek ze om zich heen. Haar huis. Helemaal alleen van haar. Mijmerend. Ondanks – of misschien juist door – de versleten en steeds hergebruikte aankleding straalde het huis comfort uit, zelfs op een akelige dag als deze. Daar had ze hard voor gewerkt. De muren met hun tientallen lagen verf, die teruggingen tot de tijd van Teddy Roosevelt, waren crèmekleurig. Ze had de boel opgeleukt met een zijden bloemarrangement van een ambachtelijke markt in Chelsea, een herfstkrans van een boerenmarkt in Union Square en wat kunst. Ze had schilderijen en schetsen, een paar originele werken en een paar afdrukken, allemaal met een thema dat haar persoonlijk iets deed: paarden, boerderijen, rotsige beekjes, stillevens. Ze had geen idee waarom ze die zo leuk vond. Maar ze had meteen geweten dat het zo was en ze gekocht als ze het geld op een of andere manier bij elkaar kon schrapen. Er hingen ook wat kleurige, rechthoekige wandversieringen van alpacawol. Laurel was een paar jaar eerder gaan breien, maar had geen tijd en ook niet veel zin om de sjaals voor de nichtjes van vrienden af te maken.

Wat nu? dacht ze.

Wat nu…

Ze hoorde de fluit van de ketel. Al een tijdje eigenlijk. Schril. Opeens werd ze zich ervan bewust. Ze ging de kleine keuken in en deed een zakje rozenbottelthee in een mok – marineblauw vanbuiten, wit vanbinnen, net als haar kleren, besefte ze. Ze moest zich eigenlijk gaan omkleden.

Later.

Laurel bleef een volle minuut naar de ketel staan staren. Ze zette het vuur uit, maar goot het kokende water niet in de mok. Ze ging weer op de bank zitten.

Wat nu?

Dit was het ergste wat er had kunnen gebeuren. Als ze Metzger en Barry Shales veroordeeld had kunnen krijgen, dan zou ze het gemaakt hebben. Dan was haar hele leven anders geworden. Deze zaak was zo belangrijk voor haar geworden, daar waren gewoon geen woorden voor. Ze dacht eraan dat ze tijdens haar rechtenstudie gefascineerd was geraakt door de verhalen over de grote namen in het Amerikaanse juridische systeem, advocaten, aanklagers en rechters. Clarence Darrow, William O. Douglas, Felix Frankfurter, Benjamin Cardozo, Earl Warren en zoveel anderen. Ze dacht vaak aan Louis D. Brandeis.

De federale constitutie is misschien het grootste experiment van de mens...

Niets was zo mooi als het gerechtelijke apparaat en ze wilde daar enorm graag deel van uitmaken, haar eigen stempel drukken op de Amerikaanse wet.

Ze was nooit zo trots geweest als op de dag dat ze afstudeerde. Ze herinnerde zich dat ze uitkeek over het publiek. Haar vader was alleen geweest. Dat kwam doordat haar moeder een zaak moest bepleiten voor de Court of Appeals in Albany – het hoogste beroepshof van de staat – om de veroordeling van een dakloze wegens moord nietig te doen verklaren.

Laurel was ontzettend vereerd geweest dat de vrouw die dag niet aanwezig was.

De zaak-Moreno was haar manier om dergelijke offers zin te geven. Oké, en ook om naam te maken. Amelia had gelijk gehad toen ze haar beschuldigde van het najagen van een politieke carrière. De ambitie bleef, ook al sierde haar naam uiteindelijk geen enkele verkiezingslijst.

Maar zelfs het verliezen van de rechtszaak tegen Metzger zou in zekere zin succes hebben betekend. Het bestaan van de moordkamer van NIOS zou openbaar zijn geworden. Dat was misschien genoeg geweest om een eind te maken aan de moorden. De media – en al helemaal de congresleden – zouden zich gretig als een zwerm vliegen op NIOS hebben gestort.

Zij zou zijn opgeofferd, er zou een einde zijn gekomen aan haar carrière, maar ze zou er in ieder geval voor gezorgd hebben dat de waarheid over Metzgers misdaden boven tafel kwam.

Maar nu? Nu haar baas haar een halt had toegeroepen? Nee, daar kon niets goeds van komen.

Ze ging ervan uit dat de klokkenluider was verdwenen en dat niemand ooit zou vernemen wie er nog meer op de lijst met moordopdrachten stond. *Sorry, meneer Rashid.*

Hoe zag haar toekomst eruit? Laurel lachte om de vraag. Ze ging terug naar de keuken en zette deze keer echt een kop thee. Ze deed er twee suikerklontjes in omdat rozenbottels zuur waren. De toekomst, ja: een periode van werkeloosheid waarin ze de hele dag oude afleveringen van *Seinfeld* zou kijken, met een caloriearme kant-en-klaarmaaltijd op schoot. Of twee, wat maakte het uit. Een glas Kendall-Jackson te veel. Schaken op de computer. En dan sollicitatiegesprekken. En een baan bij een grote firma in Wall Street.

De moed zonk haar in de schoenen.

Ze dacht aan David, zoals ze vaak deed. Altijd, eigenlijk. 'Als je nu per se een antwoord wilt hebben, Nance, goed, dan zal ik het je geven. Weet je wat het is, je bent een beetje een schooljuffrouw. Snap je wat ik bedoel? Daar kan ik niet tegenop. Je wilt dat alles volmaakt is. Je corrigeert me, je hebt altijd iets aan te merken. Het is eruit. Sorry. Ik wilde het niet zeggen. Je hebt me ertoe gedwongen.'

Vergeet hem.

Je hebt je carrière.

Alleen heb je die niet.

Op de boekenplank, half gevuld met juridische boeken en half met romans, met één kookboek ertussen, stond een foto van haar en David. Allebei lachend.

Het is gewoon… Sorry. Ik weet niet hoe ik het moet zeggen…

Eronder stond een doos met schaakstukken – van hout, niet van plastic.

Gooi ze weg.

Dat zal ik doen.

Nog niet.

Goed. Genoeg. Zelfmedelijden, dat zag ze bij de meest perverse seksdelinquenten en moordenaars en ze zou niet toestaan dat het bezit nam van haar ziel.

Je hebt nog steeds je zaken. Ga aan het werk. Ze…

Een geluid in de gang.

Een tik, een klik, een vage bons.

Toen niets meer.

Mevrouw Parsons die haar boodschappentas liet vallen. Meneer Lefkowitz die worstelde met zijn poedeltje en zijn stok.

Ze keek naar de tv, naar de magnetron, naar de slaapkamer.

Pak de papieren van De staat versus Gonzalez *en werk ze bij.*

Laurel schrok toen de deurbel ging.

Ze liep naar de deur. 'Wie is daar?'

'Inspecteur Flaherty, politie New York.'

Ze had nog nooit van hem gehoord, maar er waren duizenden politiemensen in Manhattan. Laurel tuurde door het kijkgaatje. Een blanke man, donker haar, slank, een pak. Hij hield zijn identiteitsbewijs open, hoewel ze alleen maar de glimp van een penning kon zien.

'Hoe bent u binnengekomen?' riep ze.

'Er ging net iemand weg. Ik heb aangebeld, maar er kwam geen reactie. Ik wilde een briefje achterlaten, maar ik dacht dat ik toch nog maar even hier zou aanbellen.'

Dus de bel van de voordeur deed het weer niet.

'Oké, momentje graag.' Ze maakte de ketting los en het slot open en trok de deur open.

Pas toen de man een stap naar voren deed dacht Nance Laurel eraan dat ze hem had moeten vragen zijn identiteitsbewijs onder de deur door te schuiven, zodat ze het beter kon bekijken.

Maar waar zou ze zich druk om maken? *De zaak is afgelast. Ik ben voor niemand een bedreiging.*

75

Barry Shales had geen fors postuur.

'Compact' was de term waarmee hij vaak omschreven werd.

Hij had zittend werk, achter flatscreenmonitoren, zijn handen op de joysticks om de UAV's te bedienen, het toetsenbord van de computer voor zich.

Maar hij deed aan gewichtheffen – omdat hij het lekker vond om aan zijn conditie te werken.

Hij jogde – omdat hij het lekker vond om te joggen.

En de voormalige luchtmachtkapitein was van mening, zonder dat dat wetenschappelijk was aangetoond, dat hoe leuker je het vond om te sporten, hoe beter je spieren erop reageerden.

Dus toen hij Ruth opzijduwde, die waakhond van een persoonlijke assistente, het kantoor van Shreve Metzger binnenstormde en zijn chef een dreun verkocht, ging de magere man hard onderuit.

De directeur van NIOS knalde met een knie op de grond en maaide met zijn armen door de lucht. Dossiermappen gleden op de grond doordat hij probeerde zich daaraan vast te houden.

Shales deed een stap naar voren en haalde weer uit, maar aarzelde voordat hij toesloeg. Door die ene klap was de woede afgezakt die bij hem was opgekomen toen hij getuige was geweest van het partijtje voetbal tussen de taak die hij aan gort had moeten schieten en een jonge jongen, bij het safehouse in een Mexicaanse achterbuurt.

Hij liet zijn vuist zakken en deed een stap achteruit, maar voelde geen enkele aandrang om Metzger te helpen. Met over elkaar geslagen armen keek hij onaangedaan toe hoe de onthutste man een hand naar zijn wang bracht, wankel overeind kwam en de dossiers opraapte die op de grond waren gevallen. Shales zag dat er op verschillende mappen een voor hem onbekend stempel stond, dat aangaf dat ze strikt vertrouwelijk waren; het stempel kwam hem niet bekend voor, ondanks het feit dat hij tal van geheime stukken onder ogen kreeg.

Ook viel het hem op dat Metzger zich in eerste instantie niet zozeer om de klap maar meer om de geheime dossiers bekommerde.

'Barry… Barry.' Hij keek langs Shales en schudde zijn hoofd. Ruth was binnengekomen en leek geschrokken te zijn. Metzger wees haar glimlachend de deur. Ze aarzelde even, liep toen het vertrek uit en deed de deur achter zich dicht.

De glimlach verdween van zijn gezicht.

Shales liep naar het raam, diep ademhalend. Hij keek naar buiten en zag de trailer op de parkeerplaats staan. Nu hij het Ground Control Station zag, de plek van waaruit hij bijna drie onschuldige burgers had vermoord, laaide zijn woede weer op.

Hij draaide zich om naar Metzger. Maar de man leek totaal niet bang. Hij reageerde helemaal niet, fysiek noch verbaal, bracht alleen zijn hand weer naar zijn wang en keek verbijsterd naar de rode vlekken op zijn duim en wijsvinger.

'Wist je ervan?' vroeg Shales.

'Van de collateral damage in Reynosa? Nee.' Als hoofd van NIOS zou hij de aanval ontwijfeld via monitoren hebben gevolgd. 'Natuurlijk niet.'

'Ik had al een raket afgevuurd, Shreve. De Hellfire was al gelanceerd! Wat heb je daarop te zeggen? Nog tien seconden en een jongetje, een meisje en een vrouw, waarschijnlijk hun moeder, zouden om het leven zijn gekomen. En wie weet hoeveel anderen er nog binnen waren?'

'Je hebt zelf de documentatie van de STO gezien. Het surveillance-programma dat we op Rashid hadden gezet, was heel breed. Hij werd dag en nacht in de gaten gehouden door de DEA en Mexicaanse federale organisaties. Een week lang was niemand dat huis binnengegaan of naar buiten gekomen. Wie houdt zich nou zeven dagen lang verscholen, Barry? Heb je ooit zoiets gehoord? Ik niet.' Metzger ging zitten. 'Verdomme, Barry, we zijn God niet. We doen wat we kunnen. Mijn positie stond ook op het spel, hoor. Als er onschuldigen om het leven waren gekomen, zou dat het eind van mijn carrière hebben betekend. En waarschijnlijk dat van NIOS ook.'

De piloot had lichte hangwangen rond zijn samengeperste lippen; toen hij een kille lach voortbracht, werden de plooien iets dieper. 'Je wordt er gek van, hè, Shreve?'

Wat hij had bedoeld, was dat de man van woede zichzelf niet meer was, maar uit de manier waarop Metzger reageerde – hij keek Shales met half toegeknepen ogen aan – viel op te maken dat de directeur het opvatte als een constatering dat hij psychotisch was.

'Gek?'

'Je bent kwaad omdat ik Rashids auto niet heb gevolgd. Omdat ik me op de raket heb geconcentreerd en het ding naar de grond heb geleid.'

Een stilte. 'We hadden geen toestemming om de auto van Rashid weg te knallen.'

'"Geen toestemming"? Schei nou toch uit. Jij vindt dat ik de Hellfire had moeten laten neerkomen op dat huis, en dat ik met een tweede raket die auto had moeten wegvagen.'

Uit zijn blik viel op te maken dat dat inderdaad was wat Metzger het liefst gewild had.

'Barry, in het werk dat we doen, maken we vuile handen. Er vallen slachtoffers door collateral damage, er vallen slachtoffers door eigen vuur, mensen plegen zelfmoord en er worden gewoon domme fouten gemaakt. Mensen leggen het loodje doordat we "Honderd West Main Street" intoetsen terwijl de taak zich op Honderd Oost bevindt.'

'Interessante woordkeus om een mens te beschrijven, vind je ook niet? "De taak".'

'O, hou toch op. Het is zo makkelijk om het overheidsjargon bespottelijk te maken. Maar het is wel diezelfde overheid die ons beschermt tegen lieden als Rashid.'

'Dat zullen ze tijdens de hoorzittingen van het Congres dolgraag willen horen, Shreve!' riep Shales woedend uit. 'Je hebt met het bewijsmateriaal voor de Moreno-STO zitten kloten om een zakkenwasser om te leggen die je niet aanstond. Die in jouw ogen niet vaderlandslievend genoeg was.'

'Zo was het helemaal niet!' zei Metzger met stemverheffing. Spuug vloog in het rond.

Shales schrok van deze plotselinge uitbarsting en keek zijn chef een ogenblik vertwijfeld aan. Hij stak zijn hand in zijn broekzak en smeet zijn sleutelkoord met identiteitspasje op het bureau. 'Kinderen, Shreve. Ik heb vandaag bijna twee kinderen van de aardbodem geblazen. Ik heb het helemaal gehad. Ik kap ermee.'

'Nee.' Metzger leunde naar voren. 'Je kunt er niet zomaar mee ophouden.'

'Waarom niet?'

Shales verwachtte dat zijn chef met contractuele verplichtingen zou aankomen, met de nationale veiligheid.

Maar Metzger zei: 'Omdat je de allerbeste bent, Barry. Niemand kan zo goed met zo'n kist overweg als jij. Niemand kan schieten zoals jij. Vanaf het moment dat ik het STO-programma heb opgezet, wist ik dat jij er dé man voor was, Barry.'

Shales moest denken aan een grijnzende autoverkoper die hem ook herhaaldelijk met zijn voornaam had aangesproken, hoogstwaarschijnlijk omdat hij op de grijnzende-autoverkoper-opleiding geleerd had dat de potentiële klant daardoor vermurwd werd en zijn reserves sneller liet varen.

Shales had de zaak verlaten zonder de auto te kopen die hij eigenlijk dolgraag wilde hebben.

Nu schreeuwde hij: 'Maar het ging in het project juist om het elimineren van collateral damage!'

'We hebben geen scenario voor het schieten door grote ramen! Dat hadden we wel moeten hebben. Niemand had erbij stilgestaan. Jij wel? We hebben een fout gemaakt. Wat wil je nog meer dat ik zeg? Mijn excuses.'

'Je biedt mij je excuses aan? Misschien moet je je excuses aanbieden aan de vrouw van Robert Moreno, en aan zijn kinderen, of aan het gezin van De la Rua, die journalist, of van die bodyguard. Die hebben je excuses meer nodig dan ik, denk je ook niet, Shreve?'

Metzger schoof het identiteitspasje terug naar Shales. 'Dit is zwaar voor je geweest. Neem een tijdje vrij.'

Shales maakte geen aanstalten om het pasje te pakken. Hij draaide zich om, deed de deur open en liep het kantoor uit. 'Sorry als ik je heb laten schrikken, Ruth.'

Ze kon hem alleen maar verbijsterd aankijken.

Binnen vijf minuten stond hij buiten de poort van NIOS en liep hij door een steegje naar de dichtstbijzijnde straat.

Toen liep hij over het trottoir, met lichte tred, gloeiend van een vreemd gevoel van genoegdoening.

Hij zou de oppas bellen en Margaret mee uit eten nemen. Hij zou haar vertellen dat hij geen baan meer had. Hij zou...

Naast hem kwam een donkergekleurde sedan met piepende remmen tot stilstand. Portieren gingen open, twee mannen stapten vliegensvlug uit en kwamen op hem af.

Even vroeg Shales zich af of Metzger specialisten had ingeschakeld en een STO had opgesteld met Barry Shales als de taak, om hem te elimineren omdat hij een gevaar vormde voor zijn geliefde moordprogramma.

Maar de twee mannen die op hem af kwamen, trokken geen Beretta's of SIGs. In hun handen glinsterde iets metaligs, dat zeker, maar het was enkel goud wat er blonk. Badges van de New York Police Department.

'Barry Shales?' vroeg de oudste van de twee.

'Ik... ja, ik ben Shales.'

'Ik ben inspecteur Brickard van de recherche. Dit is mijn collega Samuels.' De badges en identiteitsbewijzen werden opgeborgen. 'U staat onder arrest, meneer.'

Shales schoot verrast in de lach. Een misverstand. Waarschijnlijk hadden ze nog niet gehoord dat het onderzoek was afgeblazen.

'Nee, er moet een misverstand in het spel zijn.'

'Draait u zich om, alstublieft, en doet u uw handen op uw rug.'

'Maar wat is de aanklacht?'

'Moord.'

'Nee, nee, de zaak-Moreno... die is stopgezet.'

De twee rechercheurs keken elkaar aan. Brickard zei: 'Ik weet niets van ene Moreno, meneer. Uw handen graag. Nu.'

76

'Het zal misschien moeilijk worden dit aan de jury te verkopen,' zei Lincoln Rhyme over de theorie achter een nieuwe zaak tegen Metzger en Shales.

De theorie van Amelia Sachs, niet die van hem. En een theorie waar hij helemaal verliefd op was – hij was trots op haar omdat zij hem had bedacht. Heimelijk genoot Rhyme ervan als mensen – sommige mensen, tenminste – slimmer bleken dan hij.

Sachs keek naar haar zoemende telefoon. 'Een sms.'

'Van Nance?'

'Nee.' Ze keek van de vragende ogen van Mel Cooper naar die van Ron Pulaski en ten slotte ook naar die van Rhyme. 'Barry Shales is opgepakt. Heeft geen verzet geboden.'

Ze gingen nu verder met Sachs' theorie, die bij haar was opgekomen door een eenvoudige aantekening in het schema.

– Slachtoffer 2: Eduardo de la Rua.
  – Oorzaak van overlijden: bloedverlies. Verwondingen van rondvliegend glas na geweerschot, 3-4 mm breed, 2-3 cm lang.
  – Aanvullende informatie: journalist, was bezig Moreno te interviewen. Geboren in Puerto Rico, woont in Argentinië.
  – Camera, cassetterecorder, gouden pen, aantekenboeken weg.
  – Schoenen bevatten vezels die overeenkomen met vloerbedekking in hotelgang, modder van ingang hotel.
  – Kleding bevat sporen van ontbijt: piment en pepersaus.

De gedachte was briljant in al haar eenvoud: mensen die in Puerto Rico zijn geboren, zijn Amerikaans staatsburger.

Dus had Barry Shales wel degelijk een Amerikaan vermoord bij de aanval van 9 mei in de South Cove Inn.

De baas van Nance, de officier van justitie, had besloten de zaak te laten vallen omdat Moreno geen Amerikaan was. Maar De la Rua was dat wel. Zelfs als er geen voorbedachte rade in het spel is, kan de dader onder sommige omstandigheden worden aangeklaagd voor moord.

Sachs vervolgde: 'Ik denk dat we op zijn minst doodslag kunnen krijgen. Shales heeft De la Rua onopzettelijk gedood terwijl hij met opzet Moreno vermoordde. Hij had kunnen weten dat andere mensen in de kamer fatale verwondingen konden oplopen toen hij het schot loste.'

Er klonk een vrouwenstem in de kamer. 'Goede analyse, Amelia. Heb je ooit overwogen rechten te gaan studeren?'

Rhyme draaide zich om en zag Nance Laurel binnenkomen, ook dit keer sjouwend met haar koffertje en tas. Achter haar stond de rechercheur die hij had gevraagd haar op te halen, Bill Flaherty, een vriend van Sachs. Rhyme had het veiliger gevonden om haar te laten begeleiden. Hij voelde zich er nog steeds ongemakkelijk bij dat dader 516 nog op vrije voeten was, vooral nu er een kans was de zaak-Moreno nieuw leven in te blazen.

Laurel bedankte de rechercheur, die knikte, Sachs en Rhyme een glimlach schonk en het huis verliet.

Rhyme vroeg de hulpofficier: 'En? Onze zaak? Wat denk je? Juridisch gezien?'

'Nou.' Ze ging aan haar bureau zitten, haalde haar dossiers weer voor de dag en legde ze op de juiste plek. 'We kunnen Barry Shales waarschijnlijk wel pakken op grond van dood door schuld. Daarin worden we door de wet ondersteund.' Ze parafraseerde: 'Er is sprake van dood door schuld als iemand met opzet iemand anders wil ombrengen en daarbij de dood veroorzaakt van een derde persoon. Maar Amelia heeft gelijk, doodslag is ook zeker een mogelijkheid. We zullen het bij de mindere aanklacht houden, hoewel ik denk dat moord me ook wel zou lukken.'

'Bedankt dat je bent teruggekomen,' zei Sachs.

'Nee, jullie bedankt voor het redden van onze zaak.' Ze keek de kamer rond.

Onze zaak...

'Amelia kwam met het idee,' zei Lon Sellitto.

Rhyme voegde eraan toe: 'Ik had de mogelijkheid totaal over het hoofd gezien.'

Sellitto vertelde dat hij contact had gehad met Myers en dat de man er met enige tegenzin mee had ingestemd om verder te gaan met de nieuwe aanklacht. De officier van justitie had eveneens aarzelend toestemming gegeven.

'We moeten erover nadenken hoe we nu verder gaan,' zei Laurel, en ze verraste Rhyme door haar jasje niet alleen open te doen, maar ook nog uit te trekken. Ze kon glimlachen, ze dronk whisky, ze kon zich ontspannen. 'Eerst wil ik wat achtergrondinformatie. Wie was hij, die verslaggever?'

Ron Pulaski had onderzoek gedaan. Hij zei: 'Eduardo de la Rua, zesenvijftig. Getrouwd. Freelance journalist en blogger. Geboren in Puerto Rico, Amerikaans paspoort. Maar hij woont al tien jaar in Buenos Aires. Vorig jaar heeft hij de Premio a la Excelencia en el Periodismo gewonnen. Dat is een prijs voor uitstekende journalistiek.'

'Spreek je nu ook al Spaans, groentje?' viel Rhyme hem in de rede. 'Ik blijf me over je verbazen. Mooi accent ook.'

'*Nada.*'

'Ha,' deed Sellitto een duit in het zakje.

'De la Rua schrijft de laatste tijd voor het *Diario Seminal Negocio de Argentina*,' zei de jonge agent.

'Het weekblad van Argentinië,' probeerde Rhyme.

'Bijna. Het handelsweekblad van Argentinië.'

'Natuurlijk.'

'Hij deed een serie over Amerikaanse bedrijven en banken die filialen openen in Latijns-Amerika. Hij zat al maanden achter Moreno aan voor een interview over de andere kant van het verhaal, waarom Amerikaanse bedrijven niet aangemoedigd zouden moeten worden om daar zaken te gaan doen. Moreno had eindelijk toegestemd en dus was De la Rua naar Nassau gevlogen. En we weten wat er toen is gebeurd.'

Sachs zei tegen Laurel: 'Shales is gearresteerd.'

'Mooi,' zei de aanklager. 'Waar staan we met de bewijslast?'

'Tja, de bewijslast,' zei Rhyme peinzend. 'De bewijslast. We hoeven alleen maar te bewijzen dat de kogel voor het rondvliegende glas heeft gezorgd en dat het glas de dood van de verslaggever heeft veroorzaakt. We zijn er bijna. We hebben sporen van glassplinters op de kogel en op de kleren van De la Rua. Ik zou alleen een paar van de scherven willen hebben waardoor de wonden en de bloedingen zijn veroorzaakt.' Hij keek naar Laurel. 'Jury's houden van wapens, toch?'

'Daar zijn ze dol op, Lincoln.'

'Het mortuarium op de Bahama's?' vroeg Sachs. 'De lijkschouwer zal het glas nog wel hebben, denk je ook niet?'

'Laten we het hopen. Er worden daar misschien Rolexen en Oakleys gestolen, maar ik denk dat een stuk glas wel veilig is voor inhalige vingers. Ik zal Mychal bellen en zien wat hij kan achterhalen. Hij kan een paar stukken hierheen sturen met een verklaring dat de scherven uit het lichaam zijn gehaald en de doodsoorzaak waren. Of hij kan zelf komen getuigen.'

'Dat is een prima idee,' zei Thom. 'Hij zou een tijdje bij ons kunnen blijven hangen.'

Rhyme zuchtte geërgerd. 'Ja, natuurlijk. We hebben ook zoveel tijd voor gezelligheid. Ik kan hem een rondleiding geven door de Big Apple. Weet je, ik ben nog nooit naar het Vrijheidsbeeld geweest, echt nog nooit. En dat wil ik graag zo houden.'

Thom lachte, wat Rhyme nog meer irriteerde.

De criminalist bracht de foto's van de sectie op het beeldscherm en bekeek ze. 'Een scherf uit een slagader, de halsslagader of die in het dijbeen, zou het beste zijn,' zei hij bedachtzaam. 'Dat zijn de fatale scherven.' Maar zo op het oog staken er geen glasscherven uit het bleke lijk van Eduardo de la Rua.

'We bellen Mychal morgenochtend. Het is nu te laat. We willen hem niet lastigvallen bij zijn bijbaan.'

Rhyme had meteen kunnen bellen, maar hij wilde de rechercheur onder vier ogen spreken. Het feit dat hij er inderdaad over had gedacht Poitier in de nabije toekomst uit te nodigen naar New York te komen was een goed excuus.

En, bedacht hij met enige ironie, hij was inderdaad van plan Poitier de stad te laten zien. Maar het Vrijheidsbeeld was niet bij de rondleiding inbegrepen.

77

Jacob Swann vroeg zich af wat er gebeurd was.

Zijn plannen voor Nance Laurel waren verstoord door de komst van een ongemarkeerde politiewagen die voor haar flat in Brooklyn stopte, net toen Swann op het punt stond in actie te komen en de hulpofficier met een bezoekje te vereren om zijn wraakscenario uit te voeren.

De rechercheur in burger had haar snel naar buiten gebracht, zo snel dat duidelijk was dat er iets aan de hand was. Hield het verband met de zaak-Moreno, een zaak die eigenlijk gesloten was? Of met iets anders?

Hij zat nu in zijn Nissan en was op weg naar huis. Het antwoord op dit mysterie kwam in de vorm van een sms'je van het hoofdkantoor. Shit. Shreve Metzger had gemeld dat de zaak weer geopend was, met een merkwaardige draai: Barry Shales was opgepakt op beschuldiging van moord, niet op Robert Moreno, maar op Eduardo de la Rua, de journalist die hem interviewde op het moment dat de glaswand van de hotelsuite door de kogel in miljoenen stukjes versplinterde.

Omdat De la Rua wél de Amerikaanse nationaliteit bezat – ¡Hola, Puerto Rico! – was Nance Laurel weer op de zaak gezet.

Metzger was niet in staat van beschuldiging gesteld, maar het was mogelijk dat dat nog zou gebeuren, natuurlijk op grond van een of twee zware misdrijven. Dat Shales was gearresteerd, was natuurlijk om hem onder druk te zetten, zodat hij zijn baas zou verraden.

Hoe makkelijk was het om iemand te vermoorden die in bewaring was gesteld? Niet zo makkelijk, vermoedde Swann, althans niet zonder hulp van binnen, en dat zou een kostbare aangelegenheid worden.

Swann had te horen gekregen dat er aanvullende diensten nodig waren. Hij moest op nadere instructies wachten. Morgen beloofde een drukke dag te worden, maar omdat het nu al laat was, leek het hem niet waarschijnlijk dat die instructies vanavond nog zouden volgen.

Dat was mooi.

Het slagertje had honger, en hij had wel trek in een wijntje. De fles Spaanse Albario stond al klaar, en er was nog wat Véronique van gisteren over, netjes in folie verpakt en bewaard in de koelkast. Er was geen chef ter wereld – ook geen chef die drie Michelinsterren bij elkaar had gekookt – die restjes niet wist te waarderen, hoezeer ze er in de media ook op afgaven.

Vrijdag 19 mei

VI
Rook

78

'Kapitein Shales...'

'Ik zit niet meer in het leger. Ik ben nu een gewone burger.'

Het was vroeg op de vrijdagmorgen. Nance Laurel en de dronepiloot zaten in een spreekkamer van de gevangenis, op dezelfde verdieping zelfs als waar ze had staan praten met Amelia Sachs toen de boodschappen-jongen van het ministerie van Buitenlandse Zaken zo doeltreffend de zaak-Moreno op een zijspoor had gezet.

'Goed, meneer Shales, u bent op uw rechten gewezen, is het niet?' Laurel zette een cassetterecorder voor hen op tafel. Ze vroeg zich af hoe-veel scheldwoorden, leugens, smoesjes en smeekbeden dit gehavende stukje elektronica al had aangehoord. Te veel om op te noemen.

Hij keek zonder enige emotie naar het apparaat. 'Jawel.'

Ze wist hem niet goed in te schatten, en het inschatten van beklaag-den was een heel belangrijk deel van haar werk. Gingen ze bezwijken, gingen ze dwarsliggen, gingen ze dingen zeggen waar ze ook maar in de verste verte iets aan had of wachtten ze op het juiste moment om op te springen van hun stoel en haar te wurgen?

Dat was haar allemaal al eens gebeurd.

'En u begrijpt dat u dit gesprek op ieder gewenst moment kunt af-breken?'

'Ja.'

Maar hij brak het niet af en hij vroeg ook niet om zijn advocaat. Ze voelde dat hij haar diep vanbinnen alles wilde vertellen, wilde beken-nen, maar dat er nog heel dikke muren om dat deel van zijn hart ston-den.

Ze merkte nog iets anders op. Ja, Shales was een goed opgeleide moordenaar. In theorie verschilde hij niet van Jimmy Bonittollo, die Frank Carson een kogel door het hoofd had gejaagd omdat Carson zich op het terrein had begeven waar Bonitollo drank distribueerde. Maar toch leek er verschil te zijn. Anders dan bij Bonittollo lag er in Shales blauwe ogen iets van spijt – geen spijt omdat hij gepakt was, zoals je bij iedereen wel zag, maar spijt omdat hij begreep dat Robert Moreno ten onrechte was gestorven.

'Ik wil uitleggen wat ik hier kom doen,' zei Laurel rustig.

'Ik dacht… dat de zaak was geseponeerd.'

'De zaak-Robert Moreno hebben we inderdaad laten vallen. We klagen u aan voor de dood van Eduardo de la Rua.'

'De verslaggever.'

'Dat klopt.'

Zijn hoofd ging langzaam op en neer. Hij zei niets.

'U hebt van Shreve Metzger opdracht gekregen Robert Moreno te doden via een Special Task Order die was uitgevaardigd door de National Intelligence and Operations Service.'

'Die vraag wens ik niet te beantwoorden.'

Het was geen vraag, bedacht ze. Toen vervolgde ze: 'Omdat u het vooropgezette plan had Moreno te doden, en dat ook hebt gedaan, worden alle andere slachtoffers die daarbij zijn gevallen u aangerekend, zelfs als u hoopte dat te vermijden.'

Hij draaide zijn hoofd om en leek een slijtplek op de muur te bestuderen. Voor Laurel zag hij eruit als een bliksemflits.

En toen besefte ze: god, hij lijkt op David. Diezelfde gedachte had ze gehad toen ze Thom, de assistent van Lincoln Rhyme, voor het eerst zag. Maar Shales blik had haar een heftige schok bezorgd; de piloot leek in uiterlijk en gezichtsuitdrukking veel meer op hem.

Schooljuffrouw…

Gezegd in het heetst van de strijd.

Maar toch…

David, haar enige echte vriend. In haar hele leven.

Een diepe zucht en Laurel vermande zich en ging verder: 'Bent u zich ervan bewust dat Robert Moreno in werkelijkheid helemaal geen plannen beraamde voor een aanslag op het gebouw van American Petroleum in Miami? En dat de chemicaliën die hij geïmporteerd heeft bedoeld waren voor de landbouw en commerciële doeleinden ter ondersteuning van zijn Local Empowerment Movement?'

'Op die vraag wens ik ook geen antwoord te geven.'

'We zijn uw telefoongegevens nagegaan, we hebben vastgesteld waar u zich bevond en we hebben informatie van de luchtverkeersleiding over de drone en foto's van het Ground Control Station op de parkeerplaats van NIOS…'

'Daar wens ik geen…' Zijn stem haperde even. '… commentaar op te geven.' Hij kon het niet opbrengen haar aan te kijken.

Net als David.

Het is eruit. Sorry. Ik wilde het niet zeggen. Je hebt me gedwongen…

Ze voelde instinctief aan dat ze gas terug moest nemen. Meteen. Een zachtere stem. 'Ik sta aan uw kant, meneer Shales. Mag ik u Barry noemen?'

'U doet maar.'

'Ik heet Nance. Ik wil met je tot een overeenkomst komen. Wij geloven dat jij hierin ook een slachtoffer bent. Dat je met de STO niet alle informatie hebt gekregen over Robert Moreno die je waarschijnlijk had moeten hebben.'

Nu flikkerde er iets in zijn ogen.

Die net zo blauw waren als die van David, verdomme.

'Het is zelfs mogelijk,' vervolgde ze, 'dat een deel van de informatie gemanipuleerd is om de moord op Moreno te kunnen rechtvaardigen. Wat denk je daarvan?'

'Het is moeilijk om informatie te analyseren. Het is een lastige klus.'

Aha, nu begon hij te praten. Shales wist dat Metzger met de informatie geknoeid had en dat zat hem hoog, dat stond vast.

'Daar ben ik van overtuigd. Informatie is waarschijnlijk ook gemakkelijk te manipuleren. Is dat niet zo?'

'Ik neem aan van wel.' Shales gezicht was rood. Ze meende dat de aderen bij zijn kaken en zijn slapen duidelijker te zien waren dan even eerder.

Uitstekend.

Angst was een goed pressiemiddel.

Maar hoop was nog beter.

'Laten we kijken of we kunnen samenwerken.'

Maar zijn schouders gingen iets omhoog en ze schatte hoeveel weerstand er nog in hem zat. Nog aardig wat.

Laurel had regelmatig geschaakt met David. Het was een van de dingen die ze op zondagmorgen deden, na het ontbijt en na, nou ja, na wat vaak op het ontbijt volgde.

Ze had genoten van die partijtjes. Hij was iets beter dan zij. Dat maakte het opwindender.

Nu, dacht ze. Dit is het moment.

'Barry, de inzet is heel hoog. De dood van Moreno en de anderen op de Bahama's, dat is één ding. Maar de bom in de Java Hut en de moord op Lydia Foster, dat zijn...'

'Wat?'

'De bom en de moord op getuigen.' Laurel keek verbijsterd.

'Wacht. Waar heb je het over?'

Ze zweeg even. Toen zei ze, terwijl ze hem nauwlettend aankeek: 'Degene die probeert ons onderzoek te bemoeilijken, de specialist, zo noemen ze zo iemand toch? Die heeft een getuige vermoord op de Bahama's en ook een hier in New York. Hij heeft een bom laten afgaan om een computer te vernietigen waarop bewijsmateriaal stond, en daar waren bijna vijf mensen bij om het leven gekomen, onder wie een inspecteur van de politie. Is je dat allemaal niet bekend?'

'Nee…'

Loper naar b6. Schaak.

Ze fluisterde: 'Ja. O, ja.'

Hij wendde zijn blik af en fluisterde: 'Minimale stappen…'

Ze wist niet wat hij daarmee bedoelde.

Maar Laurel wist wel dat dit geen toneelspel was. Shales, met zijn roze gezicht en onmogelijk oude en pijnlijk blauwe ogen, had niets geweten van dader 516. Helemaal niets. Shreve Metzger had hem in elk opzicht belazerd.

Doe er iets mee…

'Nou, Barry, we hebben onomstotelijk bewijs dat die man rond de tijd van de droneaanval op de Bahama's was. We dachten dat hij je partner was.'

'Nee, ik werk alleen. NIOS heeft soms mensen ter plekke voor infor…' Zijn stem stierf weg.

'En die worden gestuurd door Shreve Metzger.'

Het was geen vraag.

'Soms.'

'Dus is hij degene die onjuiste informatie heeft doorgegeven. En hij heeft geprobeerd een eind te maken aan het onderzoek.'

'Hebben jullie een naam?' vroeg Shales.

'Nee, we spreken op dit moment van een onbekende dader.'

Shales fluisterde: 'Vertel me wie die Lydia Foster is over wie je het had.'

'Moreno's tolk hier in New York. De onbekende dader heeft haar vermoord. Hij ruimde de getuigen uit de weg.'

'En die bom, was dat die gasexplosie die laatst in het nieuws was?'

'Inderdaad, dat hebben we zo naar buiten gebracht. Maar in werkelijkheid was het een bomaanslag. Het doel was om rechercheurs te vermoorden en bewijsmateriaal te vernietigen.'

De piloot wendde zijn blik af.

'En er zijn twee mensen omgekomen?'

'Doodgestoken. Ze zijn allebei eerst gemarteld.'

Hij zei niets. Zijn blik bleef gericht op een deukje in de tafel.

'Barry, twee dagen voor de aanslag op Moreno heb je de South Cove

Inn gebeld. Daarbij gebruikte je je werktelefoon, die op naam staat van Don Bruns.'

Hij liet niet merken of ze hem hiermee overviel.

'Ik weet waarvoor je belde,' zei Laurel zachtjes. 'Niet om te horen of Moreno inderdaad gereserveerd had. De informanten van de CIA of NIOS hadden kunnen verifiëren dat hij er was. Je wilde zeker weten dat hij alleen zou zijn. Dat zijn vrouw en kinderen niet meekwamen. Daar wilde je absoluut zeker van zijn. Zodat er geen onschuldige slachtoffers zouden vallen.'

De lippen van de piloot trilden even. Toen keek hij weer weg.

'Dat zegt mij dat je van het begin af aan je twijfels had over de opdracht,' fluisterde Laurel. 'Je wilde niet dat het hierop zou uitlopen.' Ze ving zijn blik en ging verder: 'Werk met ons mee, Barry.'

In het schaakspel is er altijd een moment van schrikwekkende helderheid, had David haar verteld. Je begrijpt dat de strategie waaraan je vol zelfvertrouwen hebt vastgehouden volkomen verkeerd is en dat je tegenstander een heel ander spel speelt, een spel van briljant inzicht, veel beter dan dat van jou. Je zult misschien niet meteen door de volgende zet het spel verliezen, maar dat je verliest, is onvermijdelijk.

'Hij zal het zien in je ogen,' had David uitgelegd. 'Daar verandert iets in. Je weet dat je verloren hebt en je ogen verraden dat je het weet.'

Dit zag ze nu bij Barry Shales.

Hij gaat bezwijken. Hij gaat me Shreve Metzger geven! De moordenaar die de nationale inlichtingendiensten gebruikt om te doden wie hij verdomme maar wil.

Schaakmat...

Zijn ademhaling was snel en oppervlakkig. 'Oké dan. Vertel maar... Vertel maar hoe je dit zou aanpakken.'

'Wat we kunnen doen...'

Er werd op de deur gebonsd.

Laurel schrok.

Voor het raampje stond een man in een strakgesneden grijs pak, wiens nuchtere blik heen en weer ging tussen haar en Shales.

Nee, nee, nee...

Laurel kende hem. Hij was een van de meest vasthoudende – en meedogenloze – advocaten in de stad. Dat wil zeggen, een van de beste. Maar hij verscheen voornamelijk voor het federale hof in New York op verzoek van grote bedrijven in de stad Washington. Vreemd dat hij was gekomen in plaats van een advocaat die de weg kende in het ruwe en ordeloze gerechtshof dat in New York de Supreme Court heette.

De bewaker deed de deur open.

'Dag, mevrouw Laurel,' zei de advocaat vriendelijk.

Ze kende hem van naam. Hoe kende hij haar?

Hier klopte iets niet.

'Wie...' begon Shales.

'Ik ben Artie Rothstein. Ik ben ingehuurd om je te verdedigen.'

'Door Shreve?'

'Zeg niets meer, Barry. Ben je ervan op de hoogte gesteld dat je recht hebt op een advocaat en dat je niet verplicht bent iets te zeggen?'

'Ik... Ja. Maar ik wil...'

'Helemaal niet, Barry. Op dit moment wil je helemaal niets.'

'Maar hoor nou eens, ik kom er net achter dat Shreve...'

'Barry,' zei Rothstein zachtjes. 'Ik wil je dringend adviseren te zwijgen. Dat is heel belangrijk.' Hij wachtte even en voegde er toen aan toe: 'We willen zeker weten dat jij en je gezin de beste verdediging krijgen die er te vinden is.'

'Mijn gezin?'

Verdomme. Daar gooit hij het op. Laurel zei kordaat: 'Het OM heeft helemaal niets tegen je gezin, Barry. Daar hebben we absoluut geen belangstelling voor.'

Rothstein keek naar haar met een trek van verbijstering op zijn ronde, gerimpelde gezicht. 'We zijn nog maar amper begonnen met deze zaak, Nance.' Hij keek naar Shales. 'Je weet nooit welke richting het OM zal inslaan. Ik ben van mening dat we in elke eventualiteit moeten voorzien. En ik zal ervoor zorgen dat jij en iedere ander die betrokken raakt bij deze rechtszaak...' Er klonk verontwaardiging door in zijn stem. '... deze misleide rechtszaak, alle mogelijke hulp krijgen. En, Barry?'

De kaken van de piloot trilden. Hij keek snel naar Nance, sloeg zijn ogen neer en knikte.

Rothstein zei: 'Dit verhoor is afgelopen.'

79

Rhymes herenhuis werd door het ochtendzonnetje beschenen.

Het huis stond op het oosten en het door het bladerdek gefilterde zonlicht viel in fonkelende stralen naar binnen.

Het hele team was bijeengekomen: Cooper, Sellitto, Pulaski en Sachs. En ook Nance Laurel, die net op het politiebureau was geweest en met het teleurstellende bericht kwam dat Shales op het punt had gestaan een belastende verklaring tegen Metzger af te leggen toen er een advocaat ten tonele was verschenen, iemand die door NIOS of Washington was ingehuurd en die hem gemaand had zijn mond te houden.

Desondanks zei ze: 'Toch kan ik deze zaak tot een goed einde brengen. Deze keer laat ik me door niets of niemand meer tegenhouden.'

Rhyme keek toevallig naar zijn mobieltje toen het overging en nam blij op. 'Inspecteur, hoe gaat het met u?'

Poitier antwoordde met zijn zangerige stem: 'Prima, meneer Rhyme. Prima. Tot mijn genoegen zag ik vanmorgen dat u me een bericht had gestuurd. We missen de chaos die u met u meebracht. U moet zeker nog een keer terugkomen. Voor een vakantie, bedoel ik. En ik waardeer uw uitnodiging zeer. Ik zal zeker een keer naar New York komen, maar dat zal dan ook voor een vakantie moeten zijn. Ik ben bang dat ik geen bewijsmateriaal voor u heb. Het zat ons niet mee in het mortuarium. Ik kan u helaas niets overhandigen.'

'Zijn er geen glasscherven op het lichaam van De la Rua aangetroffen?'

'Jammer genoeg niet. Ik heb met de arts gesproken die de sectie heeft uitgevoerd, en op het stoffelijk overschot van De la Rua noch op dat van de bodyguard was glas te vinden toen ze werden binnengebracht. Blijkbaar waren de scherven uit de lichamen gehaald door het ambulancepersoneel dat geprobeerd heeft het leven van de mannen te redden.'

Maar Rhyme kon zich de foto's van de plaats delict nog goed voor de geest halen. De slachtoffers zaten onder de snijwonden en hadden ontzettend veel bloed verloren. Het was onmogelijk dat alle glasscherven waren verwijderd. Hij rolde zijn stoel dichter naar de whiteboards toe en bekeek de foto's die bij de sectie gemaakt waren, de grote inkepingen, het schedeldak dat was teruggezet nadat het hoofd was opengezaagd, de Y-vormige incisie in de borst.

Er klopte iets niet.

Rhyme draaide zich om en riep, tegen niemand in het bijzonder: 'Het sectierapport. Ik wil het sectierapport van De la Rua, nu!' Hij kon niet telefoneren en tegelijkertijd de computer bedienen.

Mel Cooper hielp hem, en bijna onmiddellijk stond het ingescande document op een flatscreenscherm.

Het slachtoffer vertoonde ongeveer vijfendertig snijwonden op de borst, buik, armen, gezicht en bovenbenen, vooral aan de voorkant van het lichaam, waarschijnlijk als gevolg van glasscherven van het raam dat op de plaats delict was kapotgeschoten. Deze wonden varieerden in grootte, maar de meeste waren ongeveer 3-4 mm breed en 2 tot 3 cm lang. Zes van deze verwondingen hebben de halsslagader en de aderen in de keel en de dijbenen van het slachtoffer geraakt, met ernstige bloedingen tot gevolg.

Aan de andere kant van de lijn hoorde Rhyme Poitier ademhalen. Dan: 'Meneer Rhyme, is alles goed?'

'Ik moet ophangen.'

'Kan ik verder nog iets voor u doen?'

Rhyme keek naar Nance Laurel, die niet-begrijpend van het sectierapport naar de foto's en naar Rhyme zelf keek. Hij zei tegen Poitier: 'Nee, dank u wel, inspecteur. Ik neem later nog wel contact met u op.' Hij verbrak de verbinding en rolde zijn stoel dichter bij het computerscherm om het sectierapport beter te kunnen bekijken. Vervolgens richtte hij zijn blik op de whiteboards.

'Wat is er, Rhyme?' vroeg Sachs.

Hij zuchtte. Toen hij zich omdraaide, keek hij Laurel aan. 'Het spijt me. Ik had het mis.'

'Hoe bedoel je, Linc?' vroeg Sellitto.

'De la Rua was geen collateral damage. Hij was het doelwit.'

Laurel zei: 'Maar we weten toch dat Shales het op Moreno gemunt had, Lincoln? De la Rua is omgekomen door rondvliegende glasscherven.'

'Dat is het nu juist,' zei Rhyme zachtjes. 'We zaten er al die tijd naast.'

80

'*UAV acht negen twee voor Florida Center. Doelwit geïdentificeerd en onder schot. Infrarood en SAR.*'

'*Roger, acht negen twee... Gebruik van LRR toegestaan.*'

'*Begrepen. Acht negen twee.*'

En zes seconden later was Robert Moreno er niet meer.

Barry Shales zat in de arrestantencel, alleen, voorovergebogen en met zijn handen tegen elkaar. Het bankje was hard, het was er benauwd en er hing een zure mensengeur.

Hij dacht terug aan de dood van Moreno en in het bijzonder aan de onstoffelijke stemmen uit het centrum in Florida. Stemmen van mensen die hij nooit had ontmoet.

Net zoals hij nooit de UAV had gezien waarmee hij bij die missie had gevlogen. Hij had nooit zijn hand over de romp laten gaan, zoals bij zijn F-16. Hij had nog nooit een UAV gezien.

Op afstand.

Militair en wapen.

Militair en doelwit.

Op afstand.

Op afstand.

'*Er lijken zich twee, nee, drie mensen in de kamer te bevinden.*'

'*Kun je Moreno er met zekerheid uitpikken?*'

'*Het is... Er is wat schittering. Oké, dat is beter. Ja, ik kan het doelwit identificeren. Ik kan hem zien.*'

De gedachten tolden door Shales hoofd. Als een vliegtuig dat in een spin was geraakt. De ontzetting toen hij hoorde dat hij drie onschuldige mannen had vermoord, en daarna zijn arrestatie voor de moord op een van hen. De ontdekking dat Shreve Metzger een specialist had gestuurd om opruimwerkzaamheden uit te voeren na de operatie, iemand die getuigen vermoord had en een bomaanslag had gepleegd.

Dat alles doordrong hem van het inzicht dat wat hij voor NIOS deed fundamenteel verkeerd was.

Barry Shales had gevechtsmissies gevlogen in Irak. Hij had bommen gegooid en raketten afgeschoten en daadwerkelijk mensen gedood om de grondtroepen te steunen. Als je in levenden lijve bij de strijd betrokken was, zelfs al was je in het voordeel, zoals bij de meeste Amerikaanse militaire operaties, liep je nog steeds de kans dat iemand je neerschoot met een Stinger of een AK-47. Zelfs een enkele kogel van een Koerdische voorlader kon fataal zijn.

Dat was de echte strijd. Zo ging het in een oorlog.

En het was eerlijk. Omdat je de vijand kende. Hij was gemakkelijk te identificeren: het was degene die zo verdomde graag jou wilde doden.

Maar een moordkamer op duizenden kilometers afstand, afgeschermd door lagen informatie die wel of niet accuraat kon zijn (of gemanipuleerd), dat was iets anders. Hoe wist je of de zogenaamde vijand inderdaad een vijand was? Hoe kon je dat ooit weten?

En naderhand ging je terug naar huis, veertig minuten verderop, en werd je omringd door mensen die misschien net zo onschuldig waren als degene die je in een fractie van een seconde had vermoord.

O schat, haal wat Nyquil voor de kinderen. Sammy is verkouden en ik ben het vergeten.

Shales sloot zijn ogen en wiegde heen en weer op het bankje.

Hij wist dat er iets mis was met Shreve Metzger; zijn driftbuien, de momenten waarop hij zijn zelfbeheersing kwijtraakte, de inlichtingenrapporten die niet helemaal juist leken, zijn preken over het heilige Amerika. Verdomme, als hij een van zijn pro-Amerikaanse tirades afstak, leek hij net de tegenhanger van Robert Moreno.

Alleen schoot niemand een .420 spitzer in de directeur van NIOS.

En om dan ook nog een specialist te sturen om de troep op te ruimen, om bommen te leggen en getuigen te vermoorden.

En te martelen…

Toen hij daar in die kale cel zat, die stonk naar urine en desinfecteermiddel, besefte Barry Shales opeens dat het hem te veel werd. Hij werd overspoeld door jaren van heimelijke schuldgevoelens, zo erg dat hij bang werd erin te verdrinken, en de geesten van de mannen en vrouwen op de beruchte lijst, de mensen die hij had vermoord, zwommen op hem af en trokken hem onder het oppervlak van het inktzwarte bloedtij. Jaren waarin hij iemand anders was geweest: Don Bruns, Samuel McCoy, Billy Dodd… Af en toe aarzelde hij als Marg in een winkel of de hal van een bioscoop zijn echte naam riep, niet helemaal zeker tegen wie ze het had.

Geef ze Metzger, hield hij zichzelf voor. Er stond informatie genoeg op de telefoon van Don Bruns om het hoofd van NIOS voor lange tijd achter de tralies te doen belanden – als bleek dat hij had gerommeld met het bewijsmateriaal en een specialist had ingehuurd om getuigen te vermoorden. Hij zou Laurel de code geven en de back-up van het keyfile, de andere telefoons en de documenten die hij had bewaard.

Hij dacht aan de advocaat. Die vent stond hem helemaal niet aan. Rothstein was ingehuurd door een firma in Washington, zo was gebleken. Maar hij wilde niet zeggen welke firma. Toen ze elkaar na het vertrek van Laurel hadden gesproken, was de advocaat opeens afgeleid geraakt en had hij verscheidene sms-jes ontvangen en verstuurd terwijl hij Shales uitlegde hoe het verder zou gaan. Het leek alsof zijn hele houding was veranderd; alsof Shales de sigaar was, wat hij ook zei of deed.

Het was vreemd dat de man niet veel had geweten over Shreve Metzger, hoewel hij wel goed bekend was met NIOS. Rothstein leek vaker in Washington te zijn dan hier. Zijn advies was tot op dat punt eenvoudig geweest: zeg geen woord, nergens over, tegen niemand. Ze zouden proberen hem te laten doorslaan, Nance Laurel was een leugenachtige teef, leugenachtig, weet je wel, je begrijpt wat ik bedoel, Barry. Vertrouw haar niet, wat ze ook zegt.

Shales had uitgelegd dat Metzger wellicht behoorlijk slechte dingen had gedaan om hun sporen te wissen. 'Ik bedoel, ik denk dat hij misschien iemand vermoord heeft.'

'Dat is het punt niet.'

'Dat is het wel,' zei Shales. 'Dat is juist wel het punt.'

De advocaat had nog een sms ontvangen. Hij had een hele tijd naar het schermpje zitten turen. Toen had hij gezegd dat hij moest gaan. Hij zou snel weer contact opnemen.

Rothstein was vertrokken.

En Barry Shales was hiernaartoe gebracht en in zijn eentje in de stille, onwelriekende kamer gezet.

De seconden gingen voorbij, duizend hartslagen, een eeuwigheid, en toen hoorde hij de deur aan de andere kant van de gang zoemend opengaan. Voetstappen naderden.

Misschien was het de bewaker, die hem kwam halen voor een volgend gesprek. Met wie? Rothstein? Of Nance Laurel, die hem een solide deal zou voorstellen.

Als hij haar Shreve Metzger gaf.

Alles in hem zei dat hij het moest doen. Zijn hoofd, zijn hart, zijn geweten. En denk eraan wat een marteling het zou zijn om zo te leven, om Marg en de jongens alleen nog door een smerige ruit te zien. Hij zou nooit meemaken hoe de kinderen een sport leerden, zou ze nooit zien op feest- en vakantiedagen. En zij zouden gepest en getreiterd worden omdat hun vader in de gevangenis zat.

De hopeloosheid van de situatie overviel hem, omringde hem en verstikte hem. Hij had het liefst willen gillen. Maar hij had alles aan zichzelf te wijten. Hij had zelf het besluit genomen om bij NIOS te gaan werken, om mensen aan de andere kant van de wereld te vermoorden door op een knop te drukken.

Maar uiteindelijk kwam het hierop neer: je verried je medesoldaten niet, of ze nu goed of verkeerd zaten. Barry Shales zuchtte. Metzger had niets te vrezen, in ieder geval niet van hem. De komende twintig of dertig jaar zou hij in cellen als deze verblijven.

Hij was bereid Nance Laurel iets te vertellen wat ze niet wilde horen toen de voetstappen ophielden en de deur met een zwaai openging.

Hij lachte, kort en zonder enige vreugde. Zo te zien was het bezoek helemaal niet voor hem bedoeld. Een stevig gebouwde Afro-Amerikaanse bewaker kwam een andere gevangene brengen die nog groter was dan hij, een enorme man, niet al te schoon, met achterover gekamd haar. Zelfs vanaf de andere kant van de kamer verspreidde de lichaamsgeur van de man zich als rimpels op een stille vijver.

De man bekeek Shales met half dichtgeknepen ogen en draaide zich toen om naar de bewaker, die hen allebei even bekeek, de celdeur weer afsloot en de gang uit liep. De nieuwe gevangene schraapte zijn keel en spuwde op de vloer.

De piloot stond op en trok zich terug in een hoek van de cel.

De andere gevangene bleef waar hij was, met afgewend hoofd. Maar de piloot had het gevoel dat hij zich bewust was van elke beweging van Shales' handen en voeten, van elke ademhaling.

Mijn nieuwe thuis...

81

'Weet je het zeker?' vroeg Laurel.

'Ja,' zei Rhyme. 'Barry Shales is onschuldig. Hij en Metzger waren niet verantwoordelijk voor de dood van De la Rua.'

Laurel keek hem fronsend aan.

'Ik... er was iets wat ik over het hoofd had gezien,' zei de criminalist.

'Rhyme... wat?' vroeg Sachs.

Hij zag dat Nance Laurels gezicht verstrakte; dat was hoe ze reageerde als ze gekwetst was. Haar topzaak leek weer voor haar ogen in het niets op te lossen.

Deze keer laat ik me door niets of niemand meer tegenhouden...

'Vertel, Linc,' zei Sellitto. 'Wat is er verdomme aan de hand?'

Mel Cooper zweeg en keek nieuwsgierig toe.

'Kijk eens naar die verwondingen,' zei Rhyme. Hij vergrootte de sectiefoto en zoomde in op de verwondingen die de journalist in zijn gezicht en hals had opgelopen.

Vervolgens zette hij er een andere foto naast: die van de plaats delict zelf. De la Rua lag op zijn rug en bloedde als een rund uit diezelfde verwondingen. Zijn hele lijf was bezaaid met glas. Maar geen van de scherven stak werkelijk in een wond.

'Waarom heb ik dat niet eerder gezien?' mompelde Rhyme. 'Kijk eens naar de afmetingen van de wonden die in het sectierapport genoemd worden. Die zijn maar een paar millimeter breed. Een glasscherf zou een veel grotere wond hebben veroorzaakt. En hoe kan het dat ze allemaal zo gelijkvormig zijn? Ik zag ze wel, maar ik zág ze niet.'

'Hij is doodgestoken,' concludeerde Sellitto knikkend.

'Dat moet wel,' zei Rhyme. 'Een mes is maar één tot drie millimeter dik, en twee tot drie centimeter breed.'

'En de moordenaar heeft wat glasscherven op De la Rua gegooid, zodat het net leek of hij door het rondvliegende glas om het leven was gekomen, als collateral damage,' voegde Sachs toe.

Sellitto nam een slokje van zijn zoete koffie en mompelde: 'Verdomd slim aangepakt allemaal. En op dezelfde manier heeft hij die bodyguard ook vermoord, want die had het natuurlijk allemaal zien gebeuren. Maar wie zit daarachter?'

'Lijkt me duidelijk,' zei Rhyme. '516. We weten dat hij in de buurt van suite 1200 was toen de drone toesloeg. En vergeet niet dat hij het liefst met messen werkt.'

'Nou,' zei Sachs, 'we weten nog meer: 516 is een specialist. Hij deed dit niet zomaar voor de lol. Hij werkt voor iemand – iemand die wilde dat de journalist zou worden vermoord.'

'Precies, die opdrachtgever, dat is degene die we moeten hebben.' Rhyme keek weer naar de whiteboards. 'Maar wie is het, verdomme?'

'Metzger,' opperde Pulaski.

'Zou kunnen,' zei Rhyme langzaam.

'Wie het ook was, hij wist dat Moreno naar de Bahama's zou komen en dat er een STO zou worden uitgevoerd. En wanneer,' zei Laurel.

'Groentje, neem jij het motief voor je rekening. Jij bent onze Argentijnse journalistenexpert. Wie had er baat bij zijn dood?'

'Misschien natrekken met wat voor artikelen hij bezig was, controversiële stukken?' bedacht Pulaski.

'Ja, natuurlijk. En wie hij allemaal tegen de haren in heeft gestreken. Maar ik wil ook dat je hem privé natrekt – wie kenden hem, waar belegde hij zijn geld in, familie, vakantiebestemmingen, huizenbezit.'

'Alles, bedoel je? Dus ook waar hij zoal het bed mee deelde?'

'Je plaatsing van het voorzetsel is je vergeven,' mompelde Rhyme, 'maar het onjuiste gebruik van "waar" als betrekkelijk voornaamwoord kan ik niet tolereren.'

'Sorry. Ik had uiteraard moeten zeggen: "met wie hem zoal het bed deelde",' kaatste de jonge agent terug.

Iedereen schoot in de lach.

'Oké, Ron, daar vroeg ik om, denk ik. Ja, alles wat je over hem kunt vinden.'

Geholpen door Sachs dook Pulaski een uur lang, en daarna nog twee, in het privéleven en de carrière van de journalist. Hij downloadde alle artikelen en blogs die hij van zijn hand kon vinden.

Ze printten alles uit en legden het op de tafel voor Rhyme neer.

De jonge agent spreidde de artikelen uit, waarna de criminalist de teksten begon te lezen die in het Engels waren geschreven. Toen riep hij Pulaski. 'Ron, jij moet even Berlitz voor me spelen.'

'Wie?'

'Vertaal deze koppen eens.' Hij wees naar de artikelen die De la Rua in het Spaans had geschreven.

Het daaropvolgende uur namen ze de teksten door. Rhyme stelde vragen, die Pulaski snel en nauwkeurig beantwoordde. Uiteindelijk keek Rhyme naar de whiteboards.

De moord op Robert Moreno

Vetgedrukt: nieuwe informatie

Plaats delict 1
- Suite 1200, South Cove Inn, New Providence, Bahama's.
- 9 mei.
- Slachtoffer 1: Robert Moreno.
  - Oorzaak van overlijden: enkele schotwond in de borst.
  - Aanvullende informatie: Moreno, 38, Amerikaans staatsburger, expat, woont in Venezuela. Extreem anti-Amerikaans. Bijnaam: 'de Boodschapper van de Waarheid'. Vastgesteld is dat 'de lucht in gaan' en 'de boel opblazen' GEEN verwijzingen zijn naar terroristische acties.
  - Schoenen bevatten vezels die overeenkomen met vloerbedekking in hotelgang, modder van ingang hotel en ruwe olie.
  - Kleding bevat sporen van ontbijt: vlokken bladerdeeg, jam en bacon, ook ruwe olie.
  - Is drie dagen in New York geweest, van 30 april tot 2 mei.
    - Heeft op 1 mei gebruikgemaakt van Elite Limousines.
    - Chauffeur Atash Farada. (Vaste chauffeur Vlad Nikolov was ziek. Proberen hem te vinden. **Waarschijnlijk vermoord.**)
    - Hief rekeningen op bij American Independent Bank and Trust, waarschijnlijk ook bij andere banken.
    - Reed in New York rond met tolk Lydia Foster (vermoord door dader 516).
    - Reden voor anti-Amerikaanse gevoelens: beste vriend gedood door Amerikaanse troepen bij invasie van Panama, 1989.
    - Moreno's laatste reis naar V.S. Zou nooit meer terugkeren.
    - Afspraak in Wall Street.
    - Niets bekend van onderzoek naar terroristische acties in die buurt.
    - Had besprekingen met onbekende personen van hulporganisaties uit Rusland, de VAE (Dubai) en het Braziliaanse consulaat.
    - Had bespreking met Henry Cross, directeur van Classrooms for the Americas. Die meldde dat Moreno met andere hulporganisaties sprak, maar weet niet welke. Moreno werd gevolgd door blanke en

'stoer ogende' man. En door privéjet? Blauw. Proberen te identificeren. – **Geen aanwijzingen**.

– Slachtoffer 2: Eduardo de la Rua.
  – Oorzaak van overlijden: bloedverlies. **Verwondingen als gevolg van messteken.**
  – Aanvullende informatie: journalist, was bezig Moreno te interviewen. Geboren in Puerto Rico, woont in Argentinië.
  – Camera, taperecorder, gouden pen, aantekenboeken weg.
  – Schoenen bevatten vezels die overeenkomen met vloerbedekking in hotelgang, modder van ingang hotel.
  – Kleding bevat sporen van ontbijt: piment en pepersaus.

– Slachtoffer 3: Simon Flores.
  – Oorzaak van overlijden: bloedverlies. **Verwondingen als gevolg van messteken.**
  – Aanvullende informatie: bodyguard van Moreno. Braziliaanse nationaliteit, woont in Venezuela.
  – Rolex-horloge, Oakley-zonnebril weg.
  – Schoenen bevatten vezels die overeenkomen met vloerbedekking in hotelgang, modder van ingang hotel en ruwe olie.
  – Kleding bevat sporen van ontbijt: vlokken bladerdeeg, jam en bacon, ook ruwe olie en sigarettenas.

– Chronologisch overzicht van Moreno's verblijf op de Bahama's.
  – 7 mei. Aankomst in Nassau met Flores (bodyguard).
  – 8 mei. De hele dag buiten het hotel afspraken.
  – 9 mei. 9.00 uur. Afspraak met twee mannen over het opzetten van een vestiging van Local Empowerment Movement op de Bahama's. 10.30 uur aankomst De la Rua. 11.15 uur Moreno neergeschoten.

– Verdachte 1: Shreve Metzger.
  – Directeur van National Intelligence and Operations Service.
  – Geestelijk labiel? Woede-uitbarstingen.
  – Heeft bewijsmateriaal gemanipuleerd om illegaal Special Task Order goedgekeurd te krijgen?
  – Gescheiden. Rechten gestudeerd, Yale.

– Verdachte 2: dader 516.
  – Niet de sluipschutter, dat staat vast.

382

- Mogelijk man bij South Cove Inn op 8 mei. Blank, in de 30, kort licht-bruin haar, Amerikaans accent, mager maar gespierd. 'Militair' voor-komen. Informeerde naar Moreno.
- Zou de partner van de sluipschutter kunnen zijn of apart door Metzger kunnen zijn ingehuurd om sporen uit te wissen en onderzoek te be-moeilijken.
- Moordenaar van Lydia Foster en Annette Bodel, dader van bomaanslag op Java Hut.
- Amateur of professionele kok, in elk geval behoorlijke vaardigheid als kok.

- Dader 3: Barry Shales.
  - Sluipschutter, codenaam Don Bruns.
  - 39, voormalig lid van de luchtmacht, onderscheiden.
  - Inlichtingenspecialist NIOS. Vrouw lerares. Twee zoons.
  - Man die op 7 mei de South Cove Inn belde om aankomst van Moreno te bevestigen. Belde met telefoon die op naam staat van Don Bruns, via dekmantel NIOS.
  - Informatiedienst doet onderzoek naar Shales.
  - Stemafdruk bemachtigd.
  - **Dronepiloot die het schot loste dat Moreno fataal werd.**
  - **FAA en verkeersleiding Bahama's: bewijsmateriaal van route drone en aanwezigheid in luchtruim Bahama's.**

- Verslag plaats delict, sectieverslag, andere bijzonderheden.
  - Plaats delict schoongemaakt en verontreinigd door dader 516 en gro-tendeels onbruikbaar.
  - Algemene details: kogel heeft glaswand verbrijzeld, daarvoor tuin, bla-deren gifhoutboom gesnoeid tot hoogte van 6 meter. Zicht naar sluip-schutterspositie wazig door nevel en vervuilde lucht.
  - 47 vingerafdrukken aangetroffen; helft geanalyseerd, geen resultaat. Andere zoekgeraakt.
  - Snoeppapiertjes veiliggesteld.
  - Sigarettenas veiliggesteld.
  - Kogel achter bank waarop Moreno's lichaam is aangetroffen, **is vanuit drone afgevuurd.**
    - Fatale kogel.
    - Kaliber .420, gemaakt door Walker Defense systems, NJ.
    - Taps toelopende spitzer.
    - Extreem goede kwaliteit.
    - Extreem hoge snelheid en kracht.

- Zeldzaam.
- Wapen: op bestelling gemaakt.
- Sporen op kogel: vezels van Moreno's overhemd en blad gifhoutboom.

- Plaats delict 2.
  - **Geen sprake van plek van waaruit scherpschutter heeft toegeslagen; kogels zijn vanuit drone afgevuurd. 'Moordkamer' is besturingsruimte voor drone.**

- Plaats delict 2A.
  - Appartement 3C, Augusta Street 182, Nassau, Bahama's.
  - 15 mei.
  - Slachtoffer, Annette Bodel.
  - Doodsoorzaak: nog onzeker, mogelijk verwurging, verstikking.
  - Verdachte: dader 516.
  - Slachtoffer is waarschijnlijk gemarteld.
  - Sporen.
    - Zand gelijkend op zand gevonden in Java Hut
    - Docosahexaeenzuur – visolie. Waarschijnlijk kaviaar of kuit. Ingrediënt in gerecht van restaurant in New York.
    - Tweetaktbrandstof.
    - $C_8H_8O_3$, vanilline. Ingrediënt in gerecht van restaurant in New York.

- Plaats delict 3.
  - Java Hut, kruising Mott Street en Hester Street.
  - 16 mei.
  - Explosie door geïmproviseerde bom teneinde filmbeelden van klokkenluider te vernietigen.
  - Slachtoffers: geen doden, lichte verwondingen.
  - Verdachte: dader 516.
  - Bom in militaire stijl, brisant, granaatscherven. Explosief: semtex. Verkrijgbaar in de wapenmarkt.
  - Klanten in winkel waargenomen toen klokkenluider aanwezig was, worden ondervraagd voor informatie, foto's.
  - Spoor:
    - Zand uit tropisch gebied.

- Plaats delict 4.
  - Appartement 230, Third Avenue 1187.
  - 16 mei.

- Slachtoffer: Lydia Foster.
- Doodsoorzaak: Bloedverlies, shock na bewerkt te zijn met mes.
- Verdachte: dader 516.
- Haar, bruin en kort (van dader 516, naar CODIS gestuurd voor analyse.
- Sporen:
  - Glycyrrhiza glabra – zoethout. Ingrediënt in gerecht van restaurant in New York.
  - Cynarine, chemisch component van artisjokken. Ingrediënt in gerecht van restaurant in New York.
- Sporen van marteling.
- Alle verslagen van tolkopdracht voor Robert Moreno op 1 mei gestolen.
- Geen mobiele telefoon of computer.
- Bonnetje van Starbucks, waar Lydia op 1 mei wachtte terwijl Moreno privégesprek had.
- Geruchten dat drugskartels achter de moorden zitten. Wordt niet waarschijnlijk geacht.

- Aanvullende informatie.
  - Vaststellen identiteit klokkenluider.
    - Onbekende die de Special Task Order naar buiten heeft gebracht.
    - Verzonden vanaf anoniem e-mailadres.
    - Getraceerd via Taiwan naar Roemenië en Zweden. Verstuurd vanuit New York via gratis wifi-verbinding, geen overheidsservers gebruikt.
    - Er is gebruikgemaakt van een oude computer, waarschijnlijk tien jaar oud, iBook, fruitschaalmodel in twee kleuren, waarvan één fel (bijv. groen of oranje). Of traditioneel model in donkergrijs, maar veel dikker dan moderne laptops.
    - **Profiel:**
      - **Waarschijnlijk middelbare leeftijd.**
      - **Gebruikt Splenda-zoetjes.**
      - **Militaire achtergrond?**
      - **Draagt goedkoop pak, ongebruikelijke blauwe tint.**
      - **Gebruikt iBook.**
      - **Heeft mogelijk maagklachten, gebruikt Zantac.**
  - Rechercheur A. Sachs gevolgd door iemand in lichtgekleurde sedan.
    - Onbekend merk en model.

Natuurlijk, natuurlijk...

'Ik denk dat ik het weet. Ik wil nog een keer met Mychal Poitier spreken. En Thom, haal het busje op.'

'Het…'

'Het busje! We gaan een eindje rijden. Sachs, jij gaat ook mee. En je draagt toch wel een wapen? O, en iemand moet de gevangenis bellen. Ze moeten Barry Shales vrijlaten. Die vent heeft inmiddels al genoeg ellende meegemaakt.'

82

De schriele vijftigjarige zat al tientallen jaren in de gevangenis.

Hij was echter geen gedetineerde, maar een bewaarder, en dat was hij zijn hele werkende leven al geweest. Hij hield echt van het werk, om mensen door de Tomben te loodsen.

Die bijnaam van de gevangenis in Manhattan suggereerde een akeliger plek dan het in werkelijkheid was. De naam dateerde uit 1800 en paste bij een gevangenis die was gebouwd naar het voorbeeld van een Egyptisch mausoleum op een onvoldoende gedempt moeras (dat bijdroeg aan de stank en de ziekten die er heersten) en die gelegen was in de beruchte wijk Five Points, in die tijd beschreven als 'de gevaarlijkste plek ter wereld'.

Tegenwoordig waren de Tomben gewoon een gevangenis, ook al was het een verdomd grote.

De bewaker riep het codewoord van de dag door intercoms om deuren te openen en liep door de gangen naar een afgezonderd stel cellen voor bijzondere gedetineerden.

Zoals de man naar wie hij nu toe ging: Barry Shales.

In de twintig jaar dat hij hier als bewaarder werkte, had hij zichzelf aangeleerd geen enkele mening te hebben over de aan hem toevertrouwde mensen. Kindermoordenaars of witteboordencriminelen die gestolen hadden van mensen die waarschijnlijk niet beter verdienden – het was voor hem allemaal één pot nat. Hij moest ervoor zorgen dat de orde bewaard werd en het systeem soepel liep. En om deze mensen te helpen de moeilijke tijd die ze moesten doormaken te doorstaan.

Dit was tenslotte geen penitentiaire inrichting, maar een huis van bewaring, waar mensen verbleven tot ze een borgsom hadden betaald, naar Rikers werden overgeplaatst of – en dat gebeurde meer dan eens – gewoon in vrijheid werden gesteld. Iedereen hier was onschuldig tot zijn schuld was bewezen. Zo werkte het in dit land.

Maar de man naar wiens cel hij nu op weg was, was anders en over hem had de bewaarder wel een mening. Het was gewoon tragisch dat hij hier gevangen zat.

De bewaarder had weinig informatie over Barry Shales. Maar hij wist wel dat hij piloot was geweest bij de luchtmacht en in Irak had gevochten. En dat hij nu voor de overheid werkte, de federale overheid.

En toch was hij gearresteerd voor moord. Niet voor de moord op zijn vrouw of de minnaar van zijn vrouw of zo. Hij had een of andere terroristische klootzak vermoord.

Hij was gewoon in hechtenis genomen, ook al was hij een militair, ook al was hij een held.

En de bewaarder wist waarom dat was: politiek. Hij was gearresteerd omdat de partij die niet aan de macht was de partij die wel aan de macht was moest dwarszitten door die arme kerel ten voorbeeld te stellen.

De bewaarder liep naar de cel en keek door het raampje.

Raar.

Er zat nog een arrestant in de cel, waar de bewaarder niets van wist. Het was helemaal niet logisch dat die vent daar zat. Er was nog een tweede, lege cel en daar had de man in gezet moeten worden. De nieuwe gevangene zat enigszins wezenloos voor zich uit te staren. Die blik gaf de bewaarder een ongemakkelijk gevoel. De ogen vertelden je alles over de mensen hier, veel meer dan de onzin die ze uitkraamden.

En wat was er met Shales? Hij lag op zijn zij op het bankje, met zijn rug naar de deur. Hij bewoog niet.

De bewaarder toetste de code in en de deur ging met een licht gezoem open.

'Hé, Shales.'

Geen beweging.

De tweede gevangene bleef naar de muur zitten staren. Enge kerel, dacht de bewaarder, en hij was geen man die snel zulke dingen dacht.

'Shales?' De bewaarder deed een stap naar hem toe.

Opeens kwam de piloot in beweging en ging rechtop zitten. Hij draaide zich langzaam om. De bewaarder zag dat Shales zijn handen voor zijn ogen hield. Hij had gehuild.

Daar hoefde hij zich niet voor te schamen. Het gebeurde hier voortdurend.

Shales veegde zijn gezicht af.

'Overeind, Shales. Ik heb nieuws voor je dat je wel zal aanstaan.'

83

Gezeten achter zijn bureau hoorde Shreve Metzger de sirene loeien, maar hij stond er verder niet bij stil.

Per slot van rekening was dit Manhattan. Hier hoorde je voortdurend sirenes. Zoals er ook mensen riepen en auto's toeterden. Zo nu en dan schreeuwde er iemand of hoorde je zeemeeuwen krijsen. Een auto die niet wilde starten... Of althans knallende geluiden die er waarschijnlijk op wezen dat ergens een auto niet wilde starten.

Het waren de achtergrondgeluiden van de stad, meer niet.

Hij lette er eigenlijk niet op, vooral nu niet, nu hij probeerde de bosbrand te blussen die was opgelaaid na de STO voor Robert Moreno.

De chaos tolde om hem heen, de tornado van vlammen: Barry Shales en die verdomde klokkenluider en die tang van een hulpofficier van justitie en de mensen binnen en buiten de regering die het Special Task Order-programma hadden opgezet.

Het zou niet lang meer duren voordat er nieuwe olie op het vuur werd gegooid: de pers.

En boven dit alles verheven keek de Tovenaar natuurlijk toe.

Hij vroeg zich af hoe de 'budgetvergadering' op dit moment verliep.

Vreemd genoeg zat het ontslag van Barry Shales hem nog het meest dwars. Omdat die vent zo verrekte goed was. Er was niemand die zo goed was in het besturen van een UAV als hij. Hij was echt de hoeksteen van het STO-programma. Die vent kon vanuit zijn vliegtuig nog een naald door een draad rijgen. Hij...

Metzger kreeg nu door dat de sirenes niet meer loeiden.

En dat ze daar vlak voor zijn kantoor mee waren opgehouden.

Hij kwam overeind en keek naar buiten. Naar het omheinde parkeerterrein, waar de Ground Control Station stond.

Alles voorbij...

Dat leek er wel op.

Een ongemarkeerde auto met blauw zwaailicht, een patrouillewagen van de politie, een busje, mogelijk SWAT. De portieren stonden open. De politie was nergens te bekennen.

Shreve Metzger wist waar ze waren. Natuurlijk, geen twijfel mogelijk.

Dat werd even later bevestigd toen de bewaker van beneden hem op de beveiligde lijn belde en met onzekere stem vroeg: 'Meneer de directeur?' Hij schraapte zijn keel en zei: 'Er staan een paar agenten bij de balie die u graag willen spreken.'

84

Lincoln Rhyme merkte dat Shreve Metzger, die de criminalist van top tot teen bekeek, verbaasd was hem te zien.

Misschien was hij verrast door het feit dat Rhyme in een rolstoel zat. Maar dat zou de man wel geweten hebben. Deze meester in het vergaren van inlichtingen zou zeker dossiers hebben samengesteld over iedereen die zich met de zaak-Moreno bezighield.

Wellicht was zijn verrassing te wijten aan het ironische feit dat Rhyme een betere lichamelijke conditie had dan het hoofd van NIOS. Rhyme zag hoe vriendelijk Metzger eruitzag met zijn dunne haar, magere lijf en dikke beige bril met vlekkerige glazen. Rhyme had gedacht dat een man die voor de kost af en toe mensen doodde er weerzinwekkender en sinisterder zou uitzien. Metzger had Rhymes gespierde lichaam, dikke haar en hoekige gezicht in zich opgenomen. Hij had met zijn ogen geknipperd, maar zijn gezicht verried niets en deed wat dat betrof niet onder voor dat van Nance Laurel.

De man ging achter zijn bureau zitten en richtte zijn blik – dit keer zonder enige verbazing – op Sachs en Sellitto. Alleen zij waren erbij, Laurel niet. Rhyme had uitgelegd dat dit een zaak voor de politie was, niet voor het openbaar ministerie. En er was een heel kleine kans dat het gevaarlijk kon worden.

Hij keek om zich heen. Het kantoor was tamelijk nietszeggend. Weinig opsmuk, een paar boeken die er ongelezen uitzagen – zonder knik in de rug – en slordig op planken stonden. Dossierkasten met grote combinatiesloten en irisscanners. Functioneel, niet bij elkaar passend meubilair. Aan het plafond flitste een rode lamp, het teken dat er bezoekers waren die niet bevoegd waren geheime stukken in te zien, zodat die dus allemaal moesten worden weggeborgen of omgedraaid, wist Rhyme.

Wat Metzger ook plichtsgetrouw gedaan had.

Met een zachte, beheerste stem zei de directeur van NIOS: 'U begrijpt dat ik niets tegen u hoef te zeggen.'

Lon Sellitto, die hier de hoogste in rang was, wilde antwoorden, maar Rhyme was hem voor en zei droog: 'U beroept zich erop dat federale wetten boven staatswetten gaan?'

'Ik hoef u geen antwoord te geven.'

Waarmee hij zijn voornemen om niets te zeggen verbrak.

Opeens begonnen Metzgers handen te trillen. Zijn ogen werden spleetjes en hij leek sneller te ademen. Het gebeurde in een fractie van een seconde. De overgang was angstaanjagend. Snel en zeker, als een slang die uit zijn schuilplaats tevoorschijn schoot om een muis te grijpen.

'Jullie denken verdomme dat je hier maar binnen kunt lopen...' Hij kon niet verder spreken. Zijn kaken klemden te strak op elkaar.

Hij heeft emotionele problemen gehad. Woede-uitbarstingen vooral...

'Hé, rustig aan een beetje, ja?' zei Sellitto. 'Als we je wilden arresteren, Metzger, dan hadden we dat wel gedaan. Luister wat de man te zeggen heeft. Jezus.'

Rhyme dacht met genegenheid aan de dagen dat ze gepartnerd waren geweest – dat was een woord dat Sellitto had verzonnen. Ze hadden nooit de vriendelijke agent versus de harde agent gespeeld, maar eerder de beleefde agent versus de botte agent.

Metzger kalmeerde. 'Maar wat...' Hij stak zijn hand in een la.

Rhyme merkte dat Sachs verstijfde en dat haar hand naar haar wapen ging. Maar het hoofd van NIOS haalde alleen een nagelknippertje tevoorschijn, die hij neerlegde zonder ermee aan de slag te gaan.

Met een knikje gaf Sellitto Rhyme het woord.

'Nou, we hebben een probleem dat... opheldering vereist. Uw organisatie heeft een Special Task Order uitgevaardigd.'

'Ik weet niet waar u het over hebt.'

'Alstublieft.' Rhyme bracht ongeduldig een hand omhoog. 'Een STO voor een man die kennelijk onschuldig was. Maar dat is iets tussen u en uw geweten, en waarschijnlijk het onderwerp van een paar lastige hoorzittingen in het Congres. Daar hebben wij niets mee te maken. Wij zijn hier omdat we iemand moeten opsporen die getuigen heeft vermoord in de zaak-Moreno. En...'

'Als u wilt suggereren dat NIOS...'

'... een specialist heeft ingeschakeld?' zei Sachs.

Metzger knipperde weer met zijn ogen. Hij zou zich wel afvragen hoe ze die term kenden. Hoe wisten ze dit allemaal? Hij sputterde: 'Dat heb ik niet gedaan en ik heb daar ook geen bevel toe gegeven.'

Het ontwijkende antwoord van een bureaucraat.

Geen bevel toe gegeven...

'Kijk naar je polsen, Metzger,' blafte Selitto. 'Kijk. Heb je handboeien om? Ik zie geen handboeien. Zie jij handboeien?'

Rhyme vervolgde: 'We weten dat iemand anders dat gedaan heeft. En daarom zijn we hier. U moet ons helpen hem te vinden.'

'Ik moet u helpen?' antwoordde Metzger met een vluchtige glimlach. 'Waarom zou ik in hemelsnaam mensen helpen die een belangrijke overheidsinstelling in diskrediet willen brengen? Een instelling die cruciaal werk doet en ervoor zorgt dat onze burgers veilig zijn voor onze vijanden?'

Rhyme keek hem met een sardonische blik aan en zelfs de NIOS-directeur leek te beseffen dat zijn retoriek wat te veel van het goede was.

'Waarom zou u helpen?' herhaalde Rhyme. 'Ik kan meteen al twee redenen bedenken. Ten eerste om niet aangeklaagd te worden op grond van belemmering van de rechtsgang. U hebt stappen ondernomen om een einde te maken aan het onderzoek. U hebt boven water weten te krijgen dat Moreno niet langer Amerikaans staatsburger was en waarschijnlijk hebt u bij het ministerie van Buitenlandse Zaken aan de touwtjes getrokken. Het kan interessant zijn om te kijken of u daar wel de juiste procedures voor gevolgd hebt. We weten zeker dat u Barry Shales, personeelsleden van NIOS en mensen met wie u zaken doet bewijzen van het STO-programma hebt laten vernietigen en modder hebt laten gooien naar de rechercheurs. U hebt telefoons afgetapt, e-mails onderschept en informatie geleend van uw vrienden in Langley en Fort Meade.'

'U hebt persoonlijke medische dossiers gestolen,' zei Sachs afgemeten.

Zij en Rhyme hadden besproken hoe Bill Myers de dossiers over haar lichamelijke toestand van haar orthopeed had losgekregen. Ze hadden geconcludeerd dat iemand van NIOS de computer van de medicus had gehackt en het dossier naar Sachs' meerderen had gestuurd.

Metzger sloeg zijn ogen neer. Een stille bevestiging.

'En de tweede reden om ons te helpen? U en NIOS zijn gebruikt – om iemand te vermoorden. En wij zijn de enigen die u kunnen helpen de dader te pakken te krijgen.'

Nu had Rhyme Metzgers volle aandacht.

'Wat is er volgens u dan gebeurd?'

'Ik heb horen zeggen,' zei Rhyme, 'dat u misbruik maakt van uw positie om mensen te vermoorden die u onvaderlandslievend of anti-Amerikaans vindt. Daar geloof ik niet in. Ik denk dat u echt dacht dat Moreno een bedreiging vormde – omdat iemand wilde dat u dat dacht en valse informatie naar u had doorgelekt. Zodat u een STO zou uitvaardigen om hem te doden. En dat zou de echte dader de kans geven het slachtoffer te vermoorden dat hij werkelijk op het oog had.'

Metzgers blik werd even wazig. 'Natuurlijk! Moreno wordt doodgeschoten en de anderen in de kamer zijn versuft en bang. De dader glipt naar binnen en vermoordt de man die hij moet hebben. De la Rua, de verslaggever. Hij schreef een artikel over corruptie of zoiets en iemand wilde hem dood hebben.'

'Nee, nee, nee,' zei Rhyme, maar toen gaf hij toe: 'Oké, ik dacht aanvankelijk hetzelfde. Maar toen besefte ik dat ik het mis had.' Dit kwam eruit als een bekentenis. Het ergerde hem nog steeds dat hij te snel conclusies had getrokken over de verslaggever, zonder alle feiten zorgvuldig te overwegen.

'Wie dan?' Metzger hief verbaasd zijn handen.

Amelia Sachs kwam met het antwoord. 'Simon Flores, Moreno's lijfwacht. Hij was het echte doelwit.'

85

'De la Rua schreef artikelen voor een zakelijk blad,' legde Rhyme uit. 'We hebben zijn meest recente stukken gelezen en hebben een indruk gekregen van waar hij zich zoal mee bezighield. Human interest, analyses van de zakenwereld, economie, beleggingen. Hij was geen onderzoeksjournalist, kwam niet met opzienbarende onthullingen. Het was totaal geen controversiële figuur.'

Wat zijn privéleven betreft, had Pulaski niets boven tafel weten te brengen dat een motief kon zijn om hem om het leven te brengen. Hij had zich niet ingelaten met obscure zakendeals of criminele activiteiten, had geen vijanden en had zich niet bezondigd aan slippertjes – er bestond geen twijfel over met wie hij het bed deelde (namelijk met zijn vrouw, al drieëntwintig jaar).

'Dus toen ik geen motief kon vinden,' ging Rhyme verder, 'vroeg ik me af of er misschien andere vreemde dingen waren. Ik bekeek het bewijsmateriaal nog eens. En op een gegeven moment viel me iets op. Of misschien moet ik zeggen: viel me op dat er iets ontbrák. Het horloge van de bodyguard, dat na de aanslag was ontvreemd. Het was een Rolex. Dat het ding gestolen was, was op zich niet zo verwonderlijk. Maar waarom zou een bodyguard een horloge van vijfduizend dollar dragen?'

Metzger leek het niet te weten.

'Zijn werkgever, Robert Moreno, was niet rijk; hij was een activist en een journalist. Waarschijnlijk betaalde hij zijn werknemers zeker niet te weinig, maar zou hij ze zoveel geld geven dat ze zich een Rolex konden veroorloven? Dat leek me sterk. Een halfuur geleden heeft onze contactpersoon bij de FBI de bodyguard nagetrokken. Flores had allerlei bankrekeningen binnen het Caraïbisch gebied met een saldo van in totaal zes miljoen dollar. Elke maand kreeg hij vijfduizend dollar op zijn rekening gestort vanaf een geheim rekeningnummer op de Kaaimaneilanden.'

Metzgers ogen lichtten op. 'De bodyguard chanteerde iemand.'

Je schopte het niet tot hoofd van NIOS als je niet snel van begrip was, maar deze deductie was opmerkelijk scherp.

Rhyme knikte glimlachend. 'Dat denk ik wel, ja. Ik herinnerde me dat er op de dag van de aanslag op de South Cove Inn nog iemand in Nassau was vermoord. Een notaris. Mijn contactpersoon bij de politie van de Bahama's heeft me de cliëntenlijst van die man gegeven.'

Metzger zei: 'De bodyguard stond natuurlijk op die lijst. Die man – Flores – had de belastende informatie bij de notaris in bewaring gegeven. Maar degene die werd gechanteerd, kreeg er schoon genoeg van om elke maand te moeten dokken of had misschien geen geld meer, en die heeft toen een huurmoordenaar in de arm genomen – die specialist – om de bodyguard en de notaris te vermoorden en de informatie te ontvreemden en te vernietigen.'

'Precies. Het notariskantoor is na de moord kort en klein geslagen en geplunderd.'

Sellitto wierp een laconieke blik op Metzger. 'Hij is slim, Linc. Hij had spion moeten worden.'

De directeur keek de rechercheur koeltjes aan en ging toen verder: 'Al enig idee hoe u kunt achterhalen wie er gechanteerd werd?'

'Van wie hebt u die valse informatie over Moreno gekregen, waarin stond dat hij van plan was een aanslag op American Petroleum te plegen?' vroeg Sachs.

Metzger leunde achterover en keek omhoog naar het plafond. 'Dat kan ik u niet met naam en toenaam vertellen. Dat is geheim. Wat ik wel kan vertellen, is dat de informatie uit Latijns-Amerika kwam, van onze eigen mensen en van een andere Amerikaanse veiligheidsorganisatie. Vertrouwde contacten.'

'Kan het zijn,' opperde Rhyme, 'dat iemand hén valse informatie heeft gegeven, waarna ze die aan u hebben doorgespeeld?'

De twijfelende blik verdween. 'Ja, iemand die wist hoe de inlichtingendiensten werken, iemand met contacten.' Metzgers kaak begon weer angstwekkend te trillen. Wat schakelde die man snel over van rustig naar woedend. Het was gewoon eng om te zien. 'Maar hoe sporen we die vent op?'

'Dat heb ik me ook al afgevraagd,' zei Rhyme. 'Ik denk dat de klokkenluider hier een centrale rol in speelt, degene die de STO heeft gelekt.'

Metzger grijnsde. 'De verrader.'

'Wat hebt u gedaan om hem op te sporen?'

'We zijn dag en nacht naar hem op zoek geweest,' zei de man grimmig. 'Maar we hadden geen geluk. We hebben iedereen binnen de organisatie nagetrokken die van de STO wist. Mijn persoonlijke assistente was de laatste die aan de leugendetector ging. Ze heeft...' Hij aarzelde. '... redenen om de overheid verwijten te maken. Maar ze is door de test gekomen. Er zijn een paar mensen in Washington die we nog moeten natrekken. We denken dat we het in die hoek moeten zoeken. Misschien een militaire basis.'

'Homestead?'

Een moment stilte. 'Zou ik niet kunnen zeggen.'

'Wie leidde het interne onderzoek?' wilde Rhyme weten.

'Mijn administratieve directeur, Spencer Boston.' Weer een stilte, waarin hij Rhyme recht in diens priemende ogen keek. Daarna sloeg hij zijn ogen kortstondig neer. 'Hij staat boven elke verdenking. Waarom zou hij zoiets doen? Wat heeft hij erbij te winnen? Bovendien is hij door de test gekomen.'

'Wat is het voor man? Wat voor achtergrond heeft hij?' vroeg Sachs.

'Spencer heeft in het leger gezeten, is onderscheiden, heeft voor de CIA gewerkt, meestal in actieve dienst in Midden-Amerika. Hij werd de "coupexpert" genoemd.'

Sellitto keek naar Rhyme. 'Weet je nog waarom Robert Moreno zo anti-Amerikaans is geworden? De Amerikaanse invasie van Panama, toen zijn beste vriend is omgekomen.'

Rhyme reageerde hier niet op, maar toen hij aan het bewijsmateriaal dacht, vroeg hij aan de directeur van NIOS: 'Dus Boston zal wel weten hoe hij een leugendetector om de tuin moet leiden.'

'Technisch gezien wel, denk ik. Maar...'

'Drinkt hij veel thee? En gebruikt hij Splenda? O, en draagt hij een pak met een net iets te goedkope lichtblauwe kleur?'

Metzger keek hem verbijsterd aan. Dan: 'Hij drinkt kruidenthee vanwege zijn maagzweer...'

'Ah, maagklachten.' Rhyme wierp Sachs een blik toe. Ze knikte.

'Met een zoetje, nooit suiker.'

'En zijn kleding?'

Metzger zuchtte. 'Hij koopt zijn pakken bij Sears. En inderdaad, om de een of andere reden is hij dol op die rare kleur blauw. Dat heb ik nooit begrepen.'

86

'Mooi huis,' zei Ron Pulaski.

'Inderdaad.' Sachs keek een beetje afwezig om zich heen.

'Waar zijn we hier? Glen Cove?'

'Of Oyster Bay. Die lopen zo'n beetje in elkaar over.'

De noordelijke kust van Long Island was een lappendeken van kleine stadjes, heuvelachtiger en meer bebost dan de zuidkant. Sachs kende dit gebied niet goed. Ze was er een paar jaar eerder eens geweest in verband met een Chinese mensensmokkelaar. En ze herinnerde zich een politie-achtervolging over de bochtige wegen in deze streek. De achtervolging had niet lang geduurd: de zestienjarige Amelia had de politie van Nassau County gemakkelijk kunnen afschudden nadat die een eind had gemaakt aan een illegale straatrace bij Garden City (ze had gewonnen en met gemak een Dodge verslagen).

'Zenuwachtig?' vroeg Pulaski.

'Ja. Altijd bij een arrestatie. Altijd.'

Amelia Sachs vond dat er iets mis was als je op zo'n moment niet gespannen was.

Aan de andere kant had Sachs niet één keer haar nagels in haar huid gezet, een nagelriem stukgetrokken of – en dat was vreemd – ook maar enige pijn in haar heup of knie gevoeld sinds de aanhouding was goedgekeurd door Lon Sellitto en Bill Myers.

Ze hadden niet voor de volledige uitrusting gekozen; ze droegen wel kogelvrije vesten en zwarte petten, maar waren slechts bewapend met hun pistool.

Op dat moment naderden ze het huis van Spencer Boston.

Een uur geleden hadden Metzger en Rhyme een plan opgesteld voor de aanhouding. Metzger had Boston, zijn administratieve directeur, verteld dat er hoorzittingen gehouden zouden worden over het fiasco met de STO van Moreno. Hij wilde de advocaten van NIOS liever spreken bij iemand thuis; konden ze het huis van Boston gebruiken en kon hij zijn gezin die dag wegsturen?

Boston had ingestemd en was onmiddellijk naar huis gegaan.

Toen Sachs en Pulaski bij het grote, koloniale huis kwamen, bleven ze even staan om de gladgeschoren gazons, het omringende bos, de gesnoeide struiken en de rest van de liefdevol en bijna obsessief bijgehouden tuin te bekijken.

De jonge agent ademde nu nog sneller.

Zenuwachtig?

Sachs zag dat hij afwezig over een litteken op zijn voorhoofd wreef. Het was een aandenken aan een klap die hij van een dader had gekregen bij de eerste zaak die ze samen hadden behandeld, een paar jaar geleden. Hij had er een ernstige hoofdwond bij opgelopen en had het politiewerk na dit incident bijna opgegeven, maar dat zou letterlijk en figuurlijk een enorme klap voor hem zijn geweest, want het hoorde bij hem en verbond hem met zijn tweelingbroer, die ook bij de politie zat. Door de ondersteuning en het voorbeeld van Lincoln Rhyme had hij het zware verwerkingsproces doorlopen en besloten zijn werk te hervatten.

Het was echter een zware verwonding geweest en Sachs wist dat hij nog steeds overvallen kon worden door posttraumatische stress.

Kan ik ermee omgaan? Bezwijk ik onder druk?

Ze wisten dat de antwoorden op die respectievelijke vragen heel kort ja en nee luidden. Ze glimlachte. 'Kom, we gaan een schurk inrekenen.'

'Doen we.'

Ze gingen snel aan weerszijden van de voordeur staan, hun handen dicht bij maar niet óp de wapens.

Ze knikte.

Pulaski klopte. 'Politie. Opendoen!'

Binnen klonken geluiden.

'Wat?' sprak een stem. 'Wie is daar?'

'Politie!' herhaalde de jonge agent. 'Opendoen, anders breken we de deur open.'

Binnen werd gezegd: 'Jezus.'

Er gingen een paar tellen voorbij, lang genoeg om Boston in staat te stellen een pistool te pakken. Hoewel ze erop rekenden dat hij dat niet zou doen.

De rode houten deur ging open en de voornaam ogende, witharige man keek door de hordeur naar buiten. Hij wreef afwezig over een vouw in zijn droge, gerimpelde gezicht.

'Laat me uw handen zien, meneer Boston.'

Hij stak ze met een zucht omhoog. 'Daarom heeft Shreve me gebeld. Er is geen vergadering, zeker?'

Sachs en Pulaski drongen naar binnen; Sachs deed de deur dicht.

De man ging met een hand door zijn dikke bos haar en dacht er toen aan dat hij zijn handen in het zicht moest houden. Hij deed een stap achteruit om duidelijk te maken dat hij niets kwaads in de zin had.

'Bent u alleen?' vroeg Sachs. 'Is uw gezin thuis?'

'Ik ben alleen.'

Snel doorzocht Sachs het huis terwijl Pulaski bij de klokkenluider bleef.

Toen ze terugkwam, zei Boston: 'Wat is dit allemaal?' Hij probeerde verontwaardigd te klinken, maar het lukte niet. Hij wist waarvoor ze kwamen.

'U hebt de STO naar het openbaar ministerie gestuurd. We hebben vluchtgegevens gecontroleerd. U was op 11 mei op vakantie in Maine, maar u bent die ochtend teruggevlogen naar New York. Daar bent u met uw iBook naar de Java Hut gegaan en hebt u een scan van de moordopdracht naar het OM gestuurd. Die middag bent u teruggevlogen.' Ze voegde er details aan toe over de weg die de e-mail had afgelegd, de thee en de zoetstof en het blauwe pak. Toen vroeg ze: 'Waarom? Waarom hebt u de opdracht gelekt?'

De man ging op de bank zitten. Hij stak langzaam zijn hand in zijn zak, haalde er een pakje maagzuurremmers uit en scheurde het onhandig open. Hij kauwde een paar tabletten weg.

Het deed haar denken aan haar Advil.

Sachs ging tegenover hem zitten. Pulaski liep naar het raam en keek uit over het gemanicuurde grasveld.

Boston fronste. 'Als ik word vervolgd, gebeurt dat onder de spionagewet. Dat is een federale zaak. Jullie zijn van de staatspolitie. Wat doen jullie hier dus?'

'Er zijn ook facetten die onder het staatsrecht vallen,' antwoordde ze opzettelijk vaag. 'Vertel eens, waarom hebt u de moordopdracht gelekt? Omdat u vond dat het uw morele plicht was de wereld te vertellen dat uw organisatie Amerikaanse staatsburgers vermoordt?'

Hij stootte een ruw, verbitterd lachje uit. 'Denkt u echt dat dat iemand iets kan schelen? Dat Obama er slechter van geworden is dat hij al-Awlaki heeft laten doodschieten? Iedereen vindt dat we niet anders kunnen, behalve jullie officier van justitie.'

'En?' vroeg ze.

Hij liet zijn hoofd even in zijn handen zakken. 'Jullie zijn jong. Jullie allebei. Jullie begrijpen het niet.'

'Leg het ons dan uit,' hield Sachs vol.

Boston keek met brandende ogen op. 'Ik ben vanaf het begin bij NIOS geweest, vanaf de dag van oprichting. Ik heb bij de inlichtingendienst van het leger gezeten en bij de CIA. Ik hield me actief met informanten bezig, terwijl Shreve Metzger bierfeesten bezocht in Cambridge en New Haven. Ik speelde een sleutelrol bij het tegengaan van de Draai naar Links, de opkomst van de Latijns-Amerikaanse socialisten in de jaren negentig en tweeduizend. Hugo Chávez in Venezuela, Lula in Brazilië, Néstor Kirchner in Argentinië, Vázquez in Uruguay, Evo Morales in Bolivia.' Hij keek Sachs kil aan. 'Weet jij eigenlijk wel wie die mensen zijn?'

Hij leek geen antwoord te verwachten. 'Ik heb twee machtswisselingen georkestreerd in Midden-Amerika en één in Zuid-Amerika. Ik heb zitten drinken in akelige kroegjes, journalisten omgekocht, ambtenaren uit het middenkader achter de broek aan gezeten in Caracas en Buenos Aires. Ik ben naar begrafenissen geweest als mijn informanten per ongeluk expres werden overreden en niemand ooit te weten kwam wat voor helden ze waren geweest. Ik heb Washington moeten smeken om geld en deals moeten sluiten met de jongens uit Londen, Madrid en Tokio... En toen het tijd werd voor een nieuwe directeur bij NIOS, wie kozen ze toen? Shreve Metzger, een snotneus met een slecht humeur, verdomme. Dat had ík moeten zijn. Ik heb ervoor gewerkt! Ik had die baan verdiend!'

'Dus toen u besefte dat Shreve de fout in was gegaan met Moreno, besloot u daar gebruik van te maken om hem ten val te brengen. U lekte de moordopdracht en de informatie. U dacht dat u dan zijn functie zou krijgen.'

'Ik kan die tent honderd keer beter runnen dan hij,' mompelde hij boos.

'Hoe bent u door die leugentest gekomen?' vroeg Pulaski.

'O, dat is het eerste wat je leert in dit vak. Zie je nou! Dat is precies mijn punt. In dit werk draait het niet om knoppen indrukken en computerspelletjes spelen.' Hij leunde achterover. 'O, verdomme, arresteer me nou maar, dan hebben we het maar gehad.'

87

'Scanning,' klonk een sissende stem uit het oortje. 'Geen zendertjes, geen signalen.'

Waarschijnlijk was het niet nodig om te fluisteren; ze zaten tussen de bomen en waren vanuit het huis van Spencer Boston niet te horen.

'Roger,' zei Jacob Swann. Hij vond het eigenlijk een vreemd woord om te gebruiken.

Geen zendertjes, geen signalen. Dat was goed nieuws. Als er nog meer agenten waren om Boston op te pakken, zouden hun portofoon-gesprekken op Bartletts scanner te zien zijn geweest. Bartlett, een huur-ling, was een ontzettend saaie piet, maar hij kende de spullen die hij gebruikte door en door en was in staat om zelfs dwars door een loden kist heen een magnetron of portofoonsignaal waar te nemen.

'Iets te zien?'

'Nee, ze zijn alleen gekomen. Die vrouwelijke rechercheur – Sachs – en die agent die bij haar is.'

Klonk logisch, vond Swann, alleen die twee zonder versterking. Boston was een klokkenluider en waarschijnlijk een verrader, maar als het op een arrestatie aankwam, zou hij zich hoogstwaarschijnlijk niet verzetten. Hij zou je in Jemen met een Hellfire van de aardbodem vegen of je politieke carrière in een streng katholiek Zuid-Amerikaans land verwoesten door een geruchtenstroom op gang te brengen dat je homo was. Maar de kans was klein dat hij een wapen bezat. Twee agenten van de NYPD zouden hem met gemak moeten kunnen inreke-nen.

Swann sloop dichterbij, tussen de bomen door, aan de zijkant van Bostons huis. Hij zorgde ervoor bij de ramen weg te blijven.

Hij controleerde zijn Glock, die met een geluiddemper was uitgerust, en de extra magazijnen, omgekeerd in de linkerzak van zijn cargobroek. Aan zijn riem hing natuurlijk het Kai Shun-keukenmes. Hij trok zijn zwarte Nomex-bivakmuts over zijn hoofd.

Vlakbij waren houthakkers bezig een boom te versnipperen die net was omgehakt. Het was een hels kabaal. Jacob Swann was dankbaar voor het geraas. Het zou het geluid van de aanval overstemmen. Hij en zijn teamleden hadden geluiddempers, maar het was niet ondenkbaar

dat de twee agenten binnen een schot losten voordat ze overhoop werden geknald. Hij zei in het microfoontje: 'Gereed?'

'In positie,' zei Bartlett. Hetzelfde bericht werd even later verstuurd
door het andere teamlid, een breedgeschouderde Aziatische Amerikaan
die Xu heette. Sinds ze bij elkaar waren gekomen, was diens enige wezen-
lijke bijdrage aan de conversatie geweest dat hij Swanns uitspraak van
zijn naam had gecorrigeerd.

Xu.

'Zoals in "shoe".'

Ik zou allang een andere naam hebben gekozen, dacht Swann.

'Scan, binnen,' zei Swann tegen Bartlett.

Even later: 'Drie personen, allemaal beneden. Rechts bij de voordeur,
op ongeveer twee meter, zittend. Rechts bij de voordeur, op anderhalve
meter, zittend. Links bij de voordeur, anderhalve meter, staand.' Hun
elektronica-expert scande het huis met een infrarode sensor en met SAR-
apparatuur.

'Iets te zien in de buurt?' vroeg Swann.

'Nee,' verklaarde Shoe. De huizen aan weerszijden van dat van Boston
stonden te ver weg om de infrarood-apparatuur te kunnen gebruiken,
maar er brandde geen licht en de garages waren dicht. Dit was een ty-
pische middag in een buitenwijk. Kinderen naar school, vaders en moe-
ders aan het werk of aan het boodschappen doen.

Weer brulde de versnipperaar. Dat kwam goed uit.

'Naar binnen,' commandeerde Swann.

De anderen gaven door dat ze het begrepen hadden.

Bartlett en Swann zouden de voordeur nemen, Shoe ging achterom.
Ze hadden gekozen voor een dynamische entree: meteen schieten als je
iets zag. Deze keer zou Amelia Sachs eraan gaan; hij zou ervoor zorgen
dat ze niet net als Rhyme verlamd raakte. Als ze eerder wat meer had
meegewerkt, zou ze het er in elk geval levend vanaf hebben gebracht.

Jacob Swann liet zijn rugzak tussen de struiken staan en sloop ineen-
gedoken het gazon op. Bartlett was zes meter verderop, al dichter bij
het huis. Ook hij had zijn bivakmuts over zijn hoofd getrokken. Een
knikje.

Vijftien meter van het huis af, daarna twaalf.

Hij hield de ramen in de gaten. Maar ze naderden het huis vanaf de
zijkant en konden niet worden gezien vanaf de plek waar Bartlett had
gezegd dat de tegenpartij zich bevond.

Tien meter.

Een blik over het gazon, de naburige huizen.

Niemand.

Mooi zo, mooi zo.

Zeven meter.

Hij zou…

En toen sloeg de tornado toe.

Een gigantische luchtstroom kreeg hem te pakken.

Wat, wat, wát?

De politiehelicopter kwam vliegensvlug naar beneden, verticaal, en bleef vlak boven het gazon in de lucht hangen.

Swann en Bartlett verstijfden toen het lichte luchtvaartuig een draai maakte en twee agenten van Emergency Service hun H&K automatische wapens op de mannen richtten.

De versnipperaar. O, verdomme. Die was daar speciaal door de politie neergezet – om het geluid van de helikopter te overstemmen.

Godverdomme.

Een valstrik. Ze wisten allang dat we zouden komen.

88

'Laat je wapens vallen! Ga plat op de grond liggen. Anders schieten we.'

De stem kwam kletterend uit een luidspreker in de helikopter. Of misschien van ergens op de grond. Moeilijk te zeggen.

Hard. En zakelijk. Die man meende het.

Swann zag dat Bartlett meteen gehoorzaamde; hij smeet zijn H&K weg, stak zijn handen omhoog en liet zich praktisch op de grond vallen. Jacob Swann keek verderop en zag dat het bovenraam van het huis achter dat van Boston openstond en dat een sluipschutter zijn wapen op de achtertuin had gericht. Die hield Xu waarschijnlijk onder schot.

De stem van boven: 'Jij daar, degene die nog staat. Laat je wapen vallen en ga plat op de grond liggen! Nu meteen!'

Twijfel.

Swann keek naar het huis.

Toen gooide hij zijn wapen op de grond en ging liggen. Hij rook de onmiskenbare geur van gras. Die deed hem denken aan Chartreuse, de kruidenlikeur die hij soms gebruikte in een dessert: perziken in Chartreusegelei, onderdeel van de tiende en laatste gang van het menu in de eerste klasse van de Titanic. Toen de helikopter daalde, greep hij de sleutelhanger die hij in zijn hand had steviger vast. Hij drukte een keer op de linkerknop en toen drie seconden lang op de rechter. En deed zijn ogen dicht.

De bom in de rugzak ontplofte met meer kracht dan hij had verwacht. Die was alleen bedoeld ter afleiding, voor eventualiteiten als deze, om ervoor te zorgen dat de vijand even de andere kant uit keek. Maar de ontploffing aan de rand van het bos veroorzaakte een enorme vuurbal, die de helikopter een halve meter opzij drukte. Het toestel raakte niet beschadigd en de piloot had het meteen weer onder controle, maar de heftige beweging had ervoor gezorgd dat de schutters hun wapen niet op de mannen gericht konden houden.

Jacob Swann stond meteen overeind. Hij sprong over de languit op de grond liggende Bartlett en rende naar het huis met een rookgranaat in zijn hand. Hij gooide de compacte cilinder door het raam, dat door de rugzakbom kapot was gesprongen, en dook erachteraan.

Swann kwam op een salontafel terecht, zodat de kommen met snoepjes, de beeldjes en ingelijste foto's in het rond vlogen, en rolde door op de grond.

Boston, Sachs en de andere agent waren geschrokken van de explosie, en toen de rookgranaat naar binnen werd gegooid, hadden ze snel dekking gezocht omdat ze kennelijk niet alleen rook verwachtten, maar nog een explosie.

Gijzelaars. Iets anders kon Swann niet bedenken om tijd te winnen en een onderhandelingspositie te verwerven. De heftig hoestende Boston was de eerste die hem zag. De man deed een halfslachtige poging hem aan te vallen, maar Jacob Swann sloeg met een vuist tegen de zachte keel van de man, zodat die dubbelsloeg.

'Amelia,' klonk een stem aan de andere kant van de rookspuwende granaat. Die van de jonge agent. 'Waar is hij?'

Toen zag Swann de vrouwelijke rechercheur, die op haar zij lag en hoestend met half dichtgeknepen ogen om zich heen tuurde. Ze had een Glock in haar hand. Swann dook eropaf – hij had buiten geen tijd gehad om zijn pistool op te rapen. Hij herinnerde zich dat de vrouw af en toe hinkte en een pijnlijk gezicht trok, en ze had het over fysieke klachten gehad toen hij haar telefoon had afgeluisterd. Ook nu zag hij een pijnlijke frons op haar mooie gezicht verschijnen toen ze probeerde omhoog te komen om hem onder schot te krijgen. Het leverde hem net genoeg tijd op om naar voren te springen en zich op haar te werpen voor ze de trekker kon overhalen.

'Amelia!' klonk de stem weer.

Terwijl ze in een heftige worsteling verwikkeld raakten – ze was sterker dan ze eruitzag – riep ze: 'Hou je kop, Ron! Zeg niets meer!'

Ze beschermde hem. Als Jacob Swann erin slaagde haar wapen te pakken te krijgen, zou hij in de richting van die stem vuren.

Ze sloeg verrassend hard met een vuist tegen zijn oor, spuwde de chemische rookdeeltjes uit haar mond en wierp zich met kracht op hem. Swann raakte haar in haar zij en probeerde haar bij de keel te grijpen, maar ze duwde zijn arm weg en gaf hem nog een klap tegen de zijkant van zijn hoofd. 'Ga weg, Ron. Ga hulp halen. Je kunt hier niets doen!'

'Ik haal versterking.' Rennende voetstappen, die zich verwijderden. Achter in het huis werd een deur opengegooid.

Swann wilde zijn elleboog in haar buik stoten, maar ze draaide net op tijd weg om een verlammende klap in haar maag te vermijden en beukte hem in zijn zij, vlak bij zijn nier. Hij voelde de pijnscheut tot in zijn tanden. Intussen hield hij nog steeds de pols vast van de hand waarin ze het wapen had. Hij sloeg haar hard met zijn linkervuist in het gezicht. Ze gromde van de pijn.

Hij dacht weer aan haar blessure en ramde met zijn knie tegen die van haar. Er klonk een hijgende kreet. De pijn leek intens te zijn. Even verslapte ze en hij klauwde verder naar het wapen in haar hand. Hij was er bijna. Nog een paar centimeter.

Hij beukte nog eens tegen haar knie. Dit keer gilde ze het uit en haar greep op het pistool verslapte nog meer. Jacob Swann deed een uitval naar het wapen.

Hij raakte de greep van haar Glock aan, maar net op dat moment schoot haar hand naar achteren en liet ze het wapen los. Het pistool wervelde weg, onzichtbaar in de rook.

Verdomme...

Ze trokken aan elkaars kleren, wisselden klappen uit waarvan sommige nauwelijks doel troffen en andere goed raak waren en rolden wanhopig vechtend over de vloer. Een geur van zweet en rook, en een lichte parfumlucht. Hij probeerde overeind te komen, want vanwege haar geblesseerde knie zou hij in het voordeel zijn. Maar zij wist dat het dan helemaal voorbij zou zijn. Met veel duwen en trekken hield ze het gevecht laag bij de grond.

Hij hoorde stemmen die riepen dat hij naar buiten moest komen. Het arrestatieteam kon niet binnenkomen nu hun beste rechercheur zich daar bevond, maar door de rook niet zichtbaar was. En misschien had hij wel een Uzi of een MAC-10 bij zich en zou hij de eerste tien agenten die binnenkwamen met één automatisch salvo neerknallen.

Swann en Sachs worstelden verder, zwetend, uitgeput, hoestend.

Hij boog zich naar haar toe alsof hij haar wilde bijten. Toen ze snel achteruit deinsde, ging ook hij ineens naar achteren en verbrak haar greep. Hij rolde weg en ging met zijn gezicht naar haar toe op zijn hurken zitten. Sachs had meer pijn en minder lucht. Ze knielde op de grond en hield haar knie vast. Er stonden tranen in haar ogen door de pijn en de rook. Haar gestalte leek spookachtig.

Maar hij moest het wapen te pakken zien te krijgen. Nu meteen. Waar was het? Het kon niet ver weg zijn. Toen hij naar voren kwam, keek ze hem aan als een wild beest; haar handen veranderden van vuisten in klauwen en weer in vuisten. Ze kwam overeind.

Ze verstijfde en bracht haar hand naar haar heup, die net als haar knie enorm veel pijn leek te doen.

Nu! Ze heeft pijn, ze is afgeleid. Nu, haar keel!

Swann sprong naar voren en zijn open linkerhand zwaaide naar de zachte, lichte huid van haar hals.

En toen ging er een pijnscheut door zijn arm, van hand tot schouder, een pijn zoals hij in geen jaren had gevoeld.

Hij trok snel zijn arm terug en staarde naar de strepen bloed die tussen zijn vingers door liepen, naar het glanzende staal in haar hand en naar haar rustige ogen.

Wat... Wat?

Vastberaden hield ze een stiletto voor zich uit. Hij besefte dat ze niet naar haar heup had gegrepen omdat ze pijn had, maar om het wapen te pakken en open te klikken. Ze had hem niet gestoken. Met de felle uitval naar haar keel had hij zelf zijn open hand in het scherpe lemmet gedreven.

Mijn slagertje...

Sachs deed een stap naar achteren en zakte iets door haar knieën, de houding van een messenvechter.

Swann bekeek hoe erg hij bloedde. Het mes was tussen zijn duim en wijsvinger tot op het bot gekomen. Het deed verdomd veel pijn, maar het was een oppervlakkige wond. De pezen waren nog intact.

Snel trok hij de Kai Shun en nam dezelfde houding aan als zij. Van een echt gevecht kon geen sprake zijn. Hij had twintig mensen vermoord met een mes. Zij zou een prima schutter kunnen zijn, maar dit mes was niet haar lievelingswapen. Swann kwam langzaam naar voren en hield het mes schuin omhoog alsof hij een hangend hertenkarkas ging ontweien.

Hij putte moed uit de greep van de Kai Shun, het gewicht, de doffe glans, het gehamerde lemmet.

Toen schoot hij op haar af, het mes laag, en hij zag de snee al voor zich, van buik naar borstbeen...

Maar ze sprong niet achteruit en draaide zich ook niet om om te vluchten, zoals hij had verwacht. Ze bleef staan. Ook haar wapen – Italiaans, dacht hij – stak schuin omhoog. Haar ogen gingen vol zelfvertrouwen heen en weer tussen het lemmet, zijn ogen en verschillende delen van zijn lichaam.

Hij bleef staan, ging iets achteruit, herstelde zich en schudde het warme bloed van zijn linkerhand. Toen deed hij een tweede uitval, maar ze was erop bedacht en ontweek de Kai Shun met gemak, terwijl ze met een snelle haal van de stiletto een stuk huid van zijn wang sneed. Ze wist wat ze deed, en wat nog verontrustender was: in haar ogen viel geen enkele onzekerheid te bespeuren, hoewel de pijn er duidelijk uit af te lezen was.

Laat haar haar been gebruiken. Dat is haar zwakke punt.

Hij deed uitval na uitval en slaagde er niet in om haar te steken of te snijden, maar hij dreef haar achteruit en dwong haar in beweging te komen en haar gewrichten te gebruiken.

En toen maakte ze een fout.

Sachs stapte een paar meter achteruit, draaide het mes om en pakte het bij het lemmet. Ze bracht haar arm naar achteren, klaar om te gooien.

'Laat vallen,' riep ze hevig hoestend, terwijl ze met de andere hand tranen wegveegde. 'Ga op de vloer liggen.'

Swann tuurde door de rook naar haar en hield het wapen in de gaten. Het is heel moeilijk om behoorlijk te gooien met een mes en het werkt alleen als er goed zicht is en je een goed uitgebalanceerd wapen bezit – en honderden uren hebt geoefend. Zelfs als je het doelwit raakt, levert dat meestal slechts een lichte verwonding op. Ondanks wat je in films ziet, betwijfelde Jacob Swann of er ooit iemand was doodgegaan nadat hij was geraakt door een werpmes. Je kunt iemand alleen met een mes vermoorden door vitale aderen door te snijden, en zelfs dan duurt het even voor de dood intreedt.

'Nu meteen!' riep ze. 'Op de grond.'

Maar een rondvliegend mes leidt af en een toevalstreffer kan enorm pijn doen en je mogelijk een oog kosten. Terwijl zij op de juiste afstand probeerde te komen, bleef Jacob Swann in beweging. Hij maakte zich klein om het haar zo moeilijk mogelijk te maken.

'Ik zeg het niet nog eens.'

Een stilte. Geen flikkering in haar ogen.

Ze gooide het mes.

Hij kneep zijn ogen halfdicht en dook weg.

Maar ze gooide mis. Het mes raakte een kastje met porselein, een meter bij Swann vandaan, en verbrijzelde een ruitje. Een bord dat in het kastje op een rekje stond, viel eraf en brak in stukken. Hij nam meteen zijn positie weer in, maar ze zette de aanval niet door – nog een fout.

Hij ontspande zich en keek naar haar, terwijl zij zich hijgend en hoestend vooroverboog met haar armen langs haar lichaam.

Nu was ze van hem. Hij zou de Glock zoeken en over zijn aftocht onderhandelen. Ze konden de helikopter gebruiken om weg te komen.

'Goed, wat je nu gaat doen…'

Hij voelde de loop van een pistool tegen zijn slaap. Zijn ogen gingen naar die kant.

De jonge agent, de man die kennelijk Ron heette, was terug. Nee,

nee... Nu begreep Swann het. Hij was nooit weggegaan. Hij was voorzichtig door de rook geslopen en had zijn doelwit gezocht.

Ze was nooit van plan geweest hem aan die stiletto te rijgen. Ze wilde alleen tijd rekken en blijven praten om de agent door de rook te leiden. Het was nooit haar bedoeling geweest dat Ron weg zou gaan. Haar eerdere woorden hadden precies het tegenovergestelde betekend en dat had de agent perfect begrepen.

'Nú,' zei de jongeman dreigend. 'Laat vallen.'

Swann wist dat Ron volkomen bereid was hem een kogel door het hoofd te jagen. Hij liet zijn blik door de kamer gaan om een plek te zoeken waar de Kai Shun geen deuken of bramen zou oplopen. Hij gooide hem voorzichtig op de bank.

Sachs kwam naar voren, nog steeds met een pijnlijk gezicht, en pakte het mes. Ze keek er met enige bewondering naar. De jonge agent deed Swann handboeien om. Sachs liep op hem af, greep de bivakmuts en rukte die van zijn hoofd.

89

Het rolstoelbusje reed tussen de geparkeerde politiewagens door en stopte voor het huis van Spencer Boston. Lincoln Rhyme was tijdens de overval op de verzamelplaats gebleven, een paar straten verderop. Omdat hij toch geen wapen kon hanteren, zoals wel was gebleken op de Bahama's, leek het hem verstandig zich niet te dicht bij het potentiële slagveld te wagen.

En anders zou Thom hem daar wel weg hebben gehouden.

Oude moederkloek.

Binnen een paar minuten was hij uit het busje gehesen, en nu reed hij in zijn nieuwe stoel, waar hij al aan gehecht was geraakt, naar Amelia Sachs toe.

Rhyme bekeek haar eens goed. Ze had pijn, al probeerde ze dat niet te laten merken. Maar hij kon het zien.

'Waar is Ron?'

'Binnen, de boel aan het onderzoeken.'

Rhyme keek met een grimas naar de smeulende bomen en struiken en naar de rook die uit het dure koloniale pand kwam. Met ventilatoren had de brandweer de ergste rook uit het huis verdreven. 'Ik had geen afleidingsmanoeuvre verwacht, Sachs. Sorry.'

Hij nam het zichzelf ontzettend kwalijk dat hij daar geen rekening mee gehouden had. Hij had kunnen weten dat dader 516 zoiets zou proberen.

Sachs zei alleen maar: 'Toch was je plan heel goed, Rhyme.'

'Nou, het had wel het gewenste resultaat,' gaf hij niet al te bescheiden toe.

De criminalist wist dat Spencer Boston de STO had gelekt, maar hij had de man niet tot meer misdaden in staat geacht. Het was waar wat Sachs had gezegd: zowel Boston als Moreno hadden iets met Panama. Maar ook als Boston een rol in de invasie had gespeeld, dan nog was Moreno toen maar een jongetje geweest. Daar hadden ze elkaar niet van kunnen kennen. Nee, Panama was puur toeval.

Rhyme had besloten de administratieve directeur van NIOS als lokaas in te zetten, want de persoon die de hele zaak had uitgedacht – de baas van dader 516 – zou de klokkenluider uit de weg willen ruimen.

Hij had de hulp van Shreve Metzger ingeroepen. Nadat Metzger in het weekend op de hoogte was gesteld van het onderzoek, had hij met iedereen contact opgenomen die bij het droneproject betrokken was en hun verteld dat ze alle sporen moesten uitwissen; ze mochten verder met niemand praten. Deze versleutelde sms'jes, mailtjes en telefoontjes waren niet alleen gericht aan mensen binnen NIOS, maar ook aan medewerkers daarbuiten, legerpersoneel en functionarissen in Washington. Via deze kanalen was de baas van dader 516 zoveel over de zaak te weten gekomen. Metzger had iedereen onmiddellijk van recente ontwikkelingen op de hoogte gehouden, zo gedreven was hij om het STO-programma te laten slagen. Indirect had hij 516 dus steeds instructies gegeven.

Maar wie was die persoon eigenlijk?

Op Rhymes aandringen had Metzger dezelfde mensen een uur geleden opgebeld met de mededeling dat Spencer Boston was geïdentificeerd als de klokkenluider, en dat ze alle sporen moesten uitwissen die naar die man toe leidden.

Rhyme had vermoed dat het brein achter het geheel, degene die de bodyguard van Moreno had laten vermoorden, aan dader 516 de opdracht zou geven naar Glen Cove te gaan om Boston uit de weg te ruimen.

De administratief directeur bleef binnen, samen met Sachs en Pulaski. Teams van Nassau County en de NYPD namen hun stellingen in, en er werd een helikopter van Emergency Service ingezet. De houtversnipperaar, die bedoeld was om het geluid van de helikopter te overstemmen, was een idee van Ron Pulaski geweest.

Die jongen zou het nog ver schoppen.

Rhyme keek nu naar dader 516, die geboeid aan handen en voeten op het gazon voor Bostons huis zat, zo'n tien meter verderop. Zijn hand was verbonden, en de wond leek nogal mee te vallen. De gedrongen man keek rustig naar de agenten die in en uit liepen en richtte zijn aandacht vervolgens op een kruidentuintje.

Rhyme richtte zich tot Sachs: 'Ik vraag me af hoe snel we erachter kunnen komen voor wie hij werkt. Ik denk niet dat hij ons zomaar zal vertellen wie het brein achter deze zaak is.'

'Dat hoeft ook niet,' zei Sachs. 'Ik weet al voor wie hij werkt.'

'Meen je dat?' vroeg Rhyme.

'Harry Walker. Van Walker Defense Systems.'

De criminalist schoot in de lach. 'Hoe ben je daarachter gekomen?'

Ze knikte in de richting van de geboeide man. 'Van toen ik naar dat bedrijf ben toe gegaan om te kijken of er een landingsbaan was. Hij kwam toen in de wachtkamer naar me toe en heeft me naar Walker gebracht. Hij was trouwens een gigantische flirt.'

90

Zijn naam was Jacob Swann en hij was hoofd beveiliging bij Walker Defense Systems.

Swann had in het leger gezeten, maar was oneervol ontslagen – als ze dat nog steeds zo noemden – wegens de buitensporig harde ondervraging van verdachten in Irak. Geen waterboarding, maar het verwijderen van verscheidene vierkante centimeters huid van verschillende opstandelingen had hen tot het afleggen van bekentenissen moeten brengen. Er waren ook andere lichaamsdelen verwijderd. 'Deskundig en langzaam,' volgens het rapport.

Verder onderzoek onthulde dat hij alleenstaand was, in Brooklyn woonde, dure keukenspullen kocht en naar toprestaurants ging. In het afgelopen jaar was hij tweemaal op de spoedeisende hulp beland: eenmaal voor een schotwond, volgens zijn zeggen toegebracht door een onzichtbare jager toen hij wat wild had willen schieten; de tweede keer voor een diepe snee in zijn vinger, die hij had opgelopen doordat zijn mes van een zoete ui was geschoten toen hij aan het koken was.

Het eerste was bijna zeker gelogen, het tweede waarschijnlijk waar, oordeelde Rhyme in het licht van wat ze nu wisten over Swanns hobby.

Als je die ingrediënten combineert met kaviaar en vanille, dan krijg je een buitengewoon duur gerecht dat wordt geserveerd in de Patchwork Goose...

Er stopte een auto voor het politielint, een oude Honda waarvan de carrosserie wel wat aandacht kon gebruiken.

Nance Laurel stapte uit in haar witte blouse en marineblauwe pakje, dat precies leek op het grijze. Ze wreef over haar wang en Rhyme vroeg zich af of ze er net nog meer make-up op had gesmeerd. Ze liep op hen af en vroeg of alles goed was met Sachs.

'Prima. Een kleine schermutseling. Maar híj is er het slechtst van afgekomen.' Een knikje naar Swann. 'Hij is op zijn rechten gewezen. Hij heeft niet om een advocaat gevraagd, maar werkt ook niet erg mee.'

'Dat zullen we nog wel eens zien,' zei Laurel. 'We gaan met hem praten. Ik zou je hulp nodig kunnen hebben, Lincoln. We brengen hem hierheen.'

'Niet nodig.' Hij keek naar de Merits-rolstoel. 'Ze zeggen dat deze bijzonder goed is op ruw terrein. We gaan het uitproberen.'

De rolstoel zoefde zonder enige hapering over het grasveld, recht op de verdachte af.

Nance Laurel en Sachs kwamen erbij staan. De hulpofficier keek neer op Swann. 'Mijn naam is…'

'Ik weet wie u bent.'

Een van haar kenmerkende stiltes. 'Nou, Jacob, we weten dat Harry Walker hierachter zit. Hij heeft je valse informatie laten doorsturen om NIOS zover te krijgen een moordaanslag op Robert Moreno uit te voeren, zodat jij dekking had voor de moord op zijn lijfwacht, Simon Flores, die Walker chanteerde. Je bevond je in de South Cove Inn ten tijde van de aanslag, wachtend tot die zou plaatsvinden. Meteen daarna, en voordat de hulpdiensten er waren, verschafte je jezelf toegang tot suite 1200 en stak Flores en Eduardo de la Rua dood. Daarna ging je naar het kantoor van Flores' notaris in Nassau, en nadat je hem gemarteld en vermoord had, stal je documenten die Flores daar in bewaring had gegeven, documenten die Walker niet openbaar gemaakt wilde zien worden.

Toen mijn onderzoek op gang kwam, hield Metzger Walker daarvan op de hoogte. Hij gaf namen door, zodat hij bewijzen kon laten vernietigen en was gewaarschuwd voor de politiemensen die de zaak onderzochten. Maar Walker zei jou meer dan dat te doen, om getuigen en politiemensen te elimineren. Je vermoordde Annette Bodel, Lydia Foster en Moreno's chauffeur, Vlad Nikolov…' Laurel keek even naar Sachs. 'De politie van Queens heeft zijn lichaam gevonden in de kelder van zijn huis.'

Swann keek naar zijn verbonden hand en zei niets.

De hulpofficier vervolgde: 'Je hebt ook een paar trawanten van je in Nassau opdracht gegeven Rhyme en de mensen die daar met hem samenwerkten te vermoorden… En dan hebben we dit nog.' Met een knikje gaf ze de gehavende omgeving aan, waardoor de buitenwijk wel oorlogsgebied leek.

De gedetailleerdheid van deze informatie, die zo nuchter door Nance Laurel aan hem werd voorgelegd, moest Swann hebben overvallen, maar hij aarzelde maar heel even voor hij rustig zei: 'Ten eerste, wat dit betreft…' Een knikje naar Bostons huis. 'Als het over de wapens gaat, we hebben alle drie een derde klas federale wapenvergunning en we mogen in New York wapens verborgen bij ons dragen. En door mijn baan bij Walker Defense ben ik betrokken bij de nationale veiligheid. We zijn hiernaartoe gekomen na een tip dat Spencer Boston gevoelige informatie had gelekt en een gevaar vormde. Mijn partners en ik wilden dat gewoon controleren en de zaak met hem bespreken. Voordat ik het wist, werden we bedreigd door een arrestatieteam. Er werd beweerd dat ze van de politie waren, maar hoe moest ik weten of dat waar was? Niemand heeft me zijn identificatie laten zien.'

Amelia Sachs moest er zowaar om lachen.

'Verwacht je dat ik dat geloof?' vroeg Laurel.

'Ach, de belangrijke vraag is of een jury het zal geloven, mevrouw Laurel. En ik heb zo het idee dat dat best eens zou kunnen. En dan al die andere misdaden waarover u het had. Allemaal speculatie. Ik weet zeker dat u geen greintje bewijs hebt.'

De hulpofficier keek naar Rhyme, die wat dichterbij kwam. Het ontging hem niet dat Swann zijn gevoelloze benen en linkerarm nauwkeurig bestudeerde. Hij was echt nieuwsgierig, maar Rhyme had geen idee wat de man dacht of welk doel er achter zijn vorsende blik school.

De criminalist bekeek op zijn beurt de verdachte en glimlachte, zoals hij vaak deed om de arrogantie van misdadigers. 'Geen greintje bewijs, geen greintje bewijs,' zei hij peinzend. 'O, ik denk dat we toch wel wat hebben, Jacob. Ik geef niet veel om motieven, maar we hebben een paar heel goede, moet ik je zeggen. Jij hebt Lydia Foster vermoord en je wilde Moreno's chauffeur ook vermoorden omdat je dacht dat ze anders zouden verklappen dat Simon Flores Moreno niet vergezelde op die reis. En dan zouden wij ons gaan afvragen waarom niet. En het motief voor de moord op Annette Bodel was dat zij kon getuigen dat je je op de Bahama's bevond op het tijdstip van de schietpartij.'

Swann knipperde even met zijn ogen, maar herstelde zich snel en hield nieuwsgierig zijn hoofd schuin.

Rhyme lette niet op hem. Hij deed alsof hij het tegen de hemel had. 'En dan de meer objectieve bewijzen. We hebben een korte bruine haar van de plaats delict van Lydia Foster.' Hij keek even naar Swanns hoofd. 'We kunnen je dwingen DNA af te staan en ik weet zeker dat het overeen zal komen. O, en we proberen nog steeds te achterhalen waar die zilveren ketting vandaan komt die je voor Annette Bodel hebt gekocht om de barracuda's te lokken, die zodoende het feit konden verhullen dat je haar gemarteld en vermoord hebt. Ik ben ervan overtuigd dat iemand heeft gezien dat je hem kocht.'

Hierbij ging Swanns mond een klein stukje open. Een tong raakte even zijn mondhoeken aan.

'En we hebben wat piment en pikante saus aangetroffen op de kleren van Eduardo de la Rua. Ik dacht dat die stoffen afkomstig waren van zijn ontbijt op de ochtend van 9 mei. Maar gezien jouw affiniteit met de culinaire kunsten vraag ik me af wat je de avond voordat je hem vermoordde hebt gekookt. Misschien heb je het diner klaargemaakt voor jou en Annette. Het zal interessant zijn om je koffer en je kleren te onderzoeken om te zien of er gelijksoortige sporen op te vinden zijn.

En over eten gesproken. We hebben ook sporen gevonden op twee locaties in New York. Als je die combineert, krijg je blijkbaar een heel interessant gerecht met artisjok, zoethout, viskuit en vanille. Heb je onlangs toevallig dat recept gezien in de *New York Times*? Ik heb begrepen dat de Patchwork Goose een subliem restaurant is. En je moet weten dat ik een getuige-deskundige heb die het een en ander weet over eten.'

Rhyme wist dat Thom het prachtig zou vinden om zo beschreven te worden.

Swann was nu helemaal stilgevallen. Hij leek zelfs een beetje aangeslagen.

'We zijn ook nog aan het onderzoeken of je aan een bepaald type militair explosief kon komen dat gebruikt is in de Java Hut. En zowel daar als in het appartement van Annette Bodel in Nassau is zand gevonden met sporen van zout water. We zullen je kleren en schoenen opeisen en kijken of daar ook nog iets op zit. En in je wasmachine. Hmm, hebben we nog meer?'

Sachs zei: 'De sporen van tweetaktbrandstof.'

'O ja, dank je, Sachs. Je hebt op een van de plaatsen delict sporen van tweetaktbrandstof achtergelaten, en ik weet zeker dat we diezelfde brandstof zullen aantreffen in je kantoor bij Walker Defense of op de Homestead Air Defense Base als je daar voor of na de aanslag op 9 mei geweest bent. Ik moet je trouwens in het bijzonder danken voor die vondst; daardoor zijn we erachter gekomen dat NIOS gebruikmaakte van drones in plaats van sluipschutters van vlees en bloed. Neem me niet kwalijk, UAV's.

Maar ik dwaal af. Nou, dat interessante mes van jou...' Rhyme had de plastic zak gezien met het Japanse koksmes erin. 'We zullen de afdrukken die het maakt vergelijken met de verwondingen van Lydia Foster, De la Rua, Flores en die notaris op de Bahama's. O, en die van de limousinechauffeur.

Nog meer? Goed dan. We zijn de gegevens van je creditcard, je geldopnames bij geldautomaten en je mobiele telefoon nagegaan.' Hij haalde diep adem. 'En we zullen de afdeling Technische Diensten en Ondersteuning van Walker Defense dagvaarden om te kijken over wie ze gegevens hebben opgevraagd en wie ze hebben bespioneerd. Nou, dat is wel zo'n beetje het eind van mijn formele presentatie. Hulpofficier Laurel?'

De kenmerkende stilte, die Rhyme inmiddels nogal charmant was gaan vinden. Toen zei ze op een toon alsof ze zijn volledige aandacht wilde vragen: 'Zie je waar dit heen gaat, Jacob? Je moet getuigen tegen Harry Walker. Als je dat doet, kunnen we misschien iets regelen.'

'Wat houdt dat in, "iets regelen"? Hoeveel jaar?'

'Ik kan het natuurlijk niet met zekerheid zeggen, maar we hebben het waarschijnlijk over dertig jaar.'

'Daar heb ik dan niet veel aan, hè?' Hij keek haar koeltjes aan.

Ze antwoordde: 'Het alternatief is dat ik me niet verzet tegen uitlevering aan de Bahama's. En dan zit je de rest van je leven daar in de gevangenis.'

Die opmerking leek aan te komen. Toch bleef Swann zwijgen.

Dat was formeel gezien niet het probleem van Rhyme. Toch had hij het gevoel dat hij ook iets moest aandragen. 'En wie weet, Jacob?' zei Rhyme met een geamuseerde klank in zijn stem. 'Misschien kan hulpofficier Laurel je wel een plekje bezorgen in de keuken van de gevangenis waar je naartoe wordt gestuurd.' Hij haalde zijn schouders op. 'Het is maar een idee.'

Laurel knikte. 'Ik zal kijken wat ik kan doen.'

Swann keek naar het rokende huis van Spencer Boston. Toen draaide hij zich weer naar hen toe. 'Wanneer willen jullie praten?'

Als reactie haalde Nance een gehavende cassetterecorder uit haar tas.

91

'De zaken lopen niet meer zo goed als vroeger. De zaken in de wapen-handel, bedoel ik,' zei Swann tegen hen. 'Walker Defense verkeerde in zwaar weer, toen de oorlogvoering werd teruggebracht.'

Sachs zei tegen Rhyme: 'Dat klopt. Veel van de gebouwen op het complex waren dichtgetimmerd toen ik er was.'

'Inderdaad, mevrouw. Onze inkomsten waren met zestig procent gedaald, en het bedrijf was in de rode cijfers beland. Meneer Walker was gewend aan een luxe leventje. En een paar van zijn exen ook. En dat gold ook voor zijn huidige vrouw, die dertig jaar jonger is dan hij. Zonder een goed inkomen zou ze misschien niet lang meer op zijn ge-zelschap gesteld zijn.'

'Was dat zijn Aston Martin op de parkeerplaats?' vroeg Sachs.

'Ja. Een ervan. Hij heeft er drie.'

'Ah. Tjonge. Drie.'

'Maar dat was niet het hele verhaal. Hij was er vast van overtuigd – en ik ook – dat het bedrijf goed werk deed, ook voor het land. Het geweersysteem voor de drone, bijvoorbeeld. En dat was maar een van de vele dingen die ontwikkeld werden. Het was belangrijk werk. We moesten het bedrijf zien te redden.'

Swann ging verder: 'Omdat de orders uit Amerika terugliepen, pro-beerde meneer Walker in andere landen voet aan de grond te krijgen. Maar er is een gigantisch wapenoverschot. De vraag naar wapens is niet zo groot. Daarom probeerde hij die vraag te vergroten.'

Nance Laurel vroeg: 'Door in Latijns-Amerika militaire kopstukken en ministers van Defensie om te kopen?'

'Precies. Ook in Afrika en de Balkan. In het Midden-Oosten ook wel, maar daar moet je erg voorzichtig zijn. Je wilt niet dat bekend wordt dat je wapens verkoopt aan landen die ze tegen Amerikaanse soldaten inzetten. Oké, Simon Flores, de bodyguard van Moreno, had in het Braziliaanse leger gezeten. Meneer Walker had een vestiging in São Paulo opgezet om vandaaruit de zaken voor Latijns-Amerika te behartigen, en daarom wist Flores van de omkooppraktijken af. Toen hij uit het leger ging, had hij voldoende bewijsmateriaal verzameld om meneer Walker voor de rest van zijn leven achter de tralies te zetten. Flores begon hem te chanteren.

Flores had Moreno ontmoet en vond het sympathiek wat hij deed. Moreno heeft hem toen als zijn bodyguard ingehuurd. Ik denk dat Flores het een goede dekmantel vond. Het gaf hem de gelegenheid om samen met Moreno door het Caraïbisch gebied te reizen, hier en daar wat vastgoed te kopen, geld te investeren, wat financiën naar het buitenland weg te sluizen – en tegelijkertijd kon hij als bodyguard nog de militair uithangen.' Een blik in de richting van Rhyme. 'En inderdaad, u had gelijk. Flores vond het niet slim om zich op 1 mei op ons terrein te begeven. En meneer Walker was bang dat het onderwerp ter sprake zou komen.'

'En de informatie over Moreno hebt u verzonnen?' vroeg Sachs.

'Nee, die informatie was niet verzonnen. Ik denk dat je eerder zou kunnen spreken van selectieve informatie. Ik heb benadrukt dat je met kunstmest bommen kon maken. Toen NIOS de STO uitvaardigde, die op 9 mei uitgevoerd zou worden, ben ik naar Nassau gegaan om het vuurwerk af te wachten. We waren ervan overtuigd dat de hele zaak wel zou overwaaien, maar toen hoorden we ineens dat jullie een onderzoek naar Metzger en Barry Shales waren gestart. Van meneer Walker moest ik ervoor zorgen dat het onderzoek zo snel mogelijk werd gestaakt. Metzger was trouwens niet van mijn rol in dit geheel op de hoogte. Hij wilde dat Walker en alle andere bondgenoten alle sporen en mailtjes uitwisten, maar meer ook niet.'

'Oké, daar kunnen we wel wat mee,' zei Laurel. Ze knikte naar Amelia Sachs. 'Hij kan in bewaring worden gesteld.'

Sachs had eerst nog een vraag. 'Waarom ben je me bij Walker komen ophalen? Dat was toch niet zonder risico? Ik had je gezien kunnen hebben toen je me achtervolgde.'

'Dat was zeker een risico.' Swann haalde zijn schouders op. 'Maar u was erg behendig. U hebt me een paar keer afgeschud. Ik wilde u wel eens van dichtbij zien. Om te kijken of u een zwakke plek had.' Hij knikte naar haar knie. 'En dat bleek inderdaad zo te zijn. Als u me in Bostons huis niet een stap voor was gebleven, was de zaak misschien heel anders gelopen.'

Sachs vroeg een paar agenten om te helpen Swann overeind te krijgen. Toen ze hem naar een blauwwit busje brachten, bleef hij even staan en draaide zich om. 'O, nog iets. Mijn huis? In de kelder?'

Sachs knikte.

'Daar zit iemand. Een vrouw. Ze heet Carol Fiori. Een Britse toeriste.'

'Hè?' Sachs knipperde met haar ogen. Laurel kon haar oren ook bijna niet geloven.

'Het is een lang verhaal, maar goed, ze zit dus in de kelder.'

'Ze zit in je kelder. Dood? Gewond?'

'Nee, nee, nee. Gezond en wel. Waarschijnlijk verveelt ze zich te pletter. Ze heeft handboeien om.'

'Wat heb je met haar gedaan? Heb je haar verkracht?' vroeg Laurel.

Swann keek haar verontwaardigd aan. 'Natuurlijk niet. Ik heb voor haar gekookt. Asperges, pommes Anna en mijn eigen variant op Véronique – scharrelkalfsvlees met druiven en beurre blanc. Ik laat het vlees speciaal overkomen van een boerderij in Montana. Het lekkerste vlees ter wereld. Ze heeft er niets van gegeten. Dat had ik ook niet verwacht. Maar ik heb het toch geprobeerd.' Hij haalde zijn schouders op.

'Wat wilde je met haar doen?' vroeg Sachs.

'Dat wist ik eigenlijk niet,' zei Swann. 'Ik had geen idee.'

92

De omgeving was veiliggesteld, had Shreve Metzger gehoord, en hij stuurde zijn dienstwagen vanaf de verzamelplek, een paar straten verderop, door de keurig verzorgde buurt naar het huis van zijn administratieve directeur.

Zijn vriend.

De judas.

Metzger zag tot zijn grote verbazing dat het mooie huis, waar hij twee weken geleden nog gedineerd had, eruitzag als een slagveld zoals hij zich uit Irak herinnerde, afgezien van het weelderige gras en de Lexussen en Mercedessen die in de straat geparkeerd stonden. Een paar bomen smeulden en uit de ramen van het huis dreven rookwolkjes naar de hemel. De stank zou nog jaren in de muren blijven zitten, zelfs nadat alles opnieuw geschilderd was. Meubels en kleding konden weggegooid worden.

Metzger werd vervuld van zijn eigen Rook. Hij dacht voor de honderdste keer die dag: hoe kon je dit doen, Spencer?

Net als altijd als iemand hem had beledigd – van een onbeleefde koffieverkoper tot iemand als deze verrader – had Metzger het gevoel dat er een muizenval dichtsloeg. Hij werd in bezit genomen door een overweldigende aandrang om die persoon vast te grijpen en te verpletteren, te gillen en bloed te laten vloeien; die persoon volledig te vernietigen.

Maar toen hij bedacht dat er een eind aan Bostons mooie leventje was gekomen, besloot Metzger dat de man genoeg gestraft was. De Rook vervaagde.

Is dat een goed teken, dokter Fischer?

Waarschijnlijk wel. Maar zou dat vreedzame gevoel standhouden? Misschien, misschien niet. Waarom moesten alle belangrijke gevechten ons hele leven duren? Tegen zwaarlijvigheid, woede, in de liefde…

Hij liet zijn identiteitskaart zien aan een paar agenten, dook onder het politielint door en liep naar Lincoln Rhyme en Amelia Sachs.

Ze begroetten hem en vertelden hem waarom zijn administratieve directeur de STO had gelekt. Hij had die zonde niet begaan omdat hij last had van zijn geweten, vanwege ideologische opvattingen of voor geld, maar eenvoudig omdat hij geen hoofd van NIOS was geworden.

Metzger was verbijsterd. Ten eerste was Boston er totaal ongeschikt voor. Ondanks zijn magere lijf en vriendelijke oogopslag was Metzger een roofdier. Je wordt gedefinieerd door wat je persoonlijke Rook laat verdwijnen.

Spencer Boston was een ijverige en nauwgezette beveiliger, een organisator, iemand die spelletjes speelde, overeenkomsten sloot, die dingen gedaan kreeg in de schimmige straatjes van Managua of Rio. Iemand die geen vuurwapen had en er niet mee om kon gaan – en daar ook niet het lef voor had.

Wat moest hij in godsnaam met een organisatie als NIOS, waarvoor moorden het enige bestaansrecht was?

Tja, ambitie heeft niets te maken met logica, en Metzger wist dat.

Hij knikte slapjes tegen Rhyme en Sachs om hen gedag te zeggen. Hij had gehoopt Spencer Boston eens goed de waarheid te kunnen zeggen, maar Sachs had uitgelegd dat de man naar zijn vrouw en kinderen in Larchmont was gegaan. Hij was nog niet officieel aangehouden. Er was interne verdeeldheid over de vraag of hij een misdaad had gepleegd, en zo ja, welke. Maar een eventuele aanklacht zou op federaal niveau worden behandeld, niet op staatsniveau, dus had de plaatselijke politie er niet zoveel mee te maken.

Er was hier niets meer te doen.

Spencer, hoe kón je...

Hij draaide zich abrupt om naar zijn auto.

En liep bijna tegen de stevig gebouwde hulpofficier van justitie Nance Laurel aan.

Ze verstijfden allebei, op centimeters afstand van elkaar.

Hij zweeg. Zij zei: 'Dit keer hebt u geluk gehad.'

'Wat wilt u daarmee zeggen?'

'Het feit dat Moreno zijn staatsburgerschap had opgegeven. Daarom is de zaak terzijde geschoven. Alleen daarom.'

Shreve Metzger vroeg zich af of ze iedereen altijd zo strak aankeek. Iedereen behalve minnaars, vermoedde hij. In dat opzicht waren ze precies hetzelfde. En hij vroeg zich af waar die gedachte nu ineens vandaan kwam.

Ze vervolgde: 'Hoe hebt u dat voor elkaar gekregen?'

'Wat?'

'Heeft Moreno echt zijn staatsburgerschap opgegeven? Waren die documenten van de ambassade in Costa Rico echt?'

'Beschuldigt u me van obstructie?'

'U bent schuldig aan obstructie,' zei ze. 'Dat is een feit. Maar we wensen u daar niet voor aan te klagen. Ik vraag alleen naar die documenten.'

Dat betekende dat er vanuit Washington naar Albany gebeld was om de aanklacht wegens obstructie van tafel te krijgen. Metzger vroeg zich af of dat een afscheidspresentje was van de Tovenaar. Waarschijnlijk niet. Een dergelijke aanklacht was voor niemand gunstig.

'Ik geloof niet dat ik nog iets over dat onderwerp te zeggen heb, raadsvrouw. U moet bij het ministerie van Buitenlandse Zaken zijn.'

'Wie is al-Barani Rashid?'

Dus ze had in ieder geval de namen van de laatste twee mensen op de STO-lijst, die van Moreno en die van Rashid.

'Ik kan geen NIOS-operaties met u bespreken. U bent niet bevoegd.'

'Is hij dood?'

Metzger zei niets. Hij keek haar met zijn hazelnootbruine ogen strak aan.

Laurel zette door. 'Weet u zeker dat Rashid schuldig is?'

De Rook kolkte en veroorzaakte barsten in zijn huid alsof die een eierschaal was. Hij fluisterde ruw: 'Walker heeft me gebruikt, mij en NIOS.'

'Dat hebt u zelf laten gebeuren. U hebt gehoord wat u wilde horen over Moreno en hebt verder geen vragen gesteld.'

Rook, de ene wolk na de andere. 'Wat is er aan de hand, raadsvrouw? Bent u boos omdat u zich tevreden moet stellen met een doodgewone moord? Een directeur van een wapenhandel die opdracht geeft een paar mensen te vermoorden? Saai. Dat krijgt lang niet zoveel aandacht van CNN als een directeur van een federale veiligheidsinstantie die achter de tralies belandt.'

Ze ging er niet op in. 'En Rashid? Daar zijn geen fouten bij gemaakt, dat weet u zeker?'

Metzger dacht er onwillekeurig aan dat Barry Shales – en hij – bijna twee kinderen hadden opgeblazen in het Mexicaanse Reynosa.

Collateral damage: niet toegestaan…

Hij voelde een sterke aandrang om Laurel te slaan. Of haar te treffen met wrede woorden over haar beperkte lengte, haar brede heupen, haar veel te zware make-up, de gestokte carrière van haar ouders, haar mislukte liefdesleven – een deductie, maar zeker juist. Metzgers woede had in de loop der jaren maar een stuk of zes keer geleid tot blauwe plekken of striemen, maar zijn woorden hadden velen gekwetst. Dat deed de Rook met je. De Rook maakte een onmens van je.

Ga gewoon weg.

Hij draaide zich om.

Laurel zei op vlakke toon: 'En wat heeft Rashid precies misdaan? Heeft hij dingen over Amerika gezegd die u niet aanstaan? Heeft hij mensen ertoe gebracht vragen te stellen over de normen en waarden of over de integriteit van dit land? Maar draait het er in Amerika niet juist om dat het iedereen vrij staat dergelijke vragen te stellen?'

Metzger bleef abrupt staan, en draaide zich om. 'U klinkt als de eerste de beste simpele blogger met een hoofd vol clichés.' Hij ging weer voor haar staan. 'Wat is dat toch met u? Waarom vindt u wat wij doen zo vreselijk?'

'Omdat het verkeerd is. Amerika is een land van wetten, niet van mensen.'

'Het wordt geregéérd door wetten,' corrigeerde hij. 'John Adams. Het klinkt mooi, maar als het erop aankomt, ligt het niet zo eenvoudig. Geregeerd door wetten. Goed. Maar denk er eens over na: wetten vragen om interpretatie en om het delegeren van macht. Aan mensen zoals ik, die besluiten nemen over hoe we die wetten implementeren.'

Ze diende hem onmiddellijk van repliek: 'In geen enkele wet staat dat iemand een eerlijk proces ontzegd kan worden en burgers zomaar kunnen worden geëxecuteerd.'

'Ik doe nooit iets zomaar.'

'O, nee? U vermoordt mensen van wie u dénkt dat ze een misdaad zullen begaan.'

'Goed, raadsvrouw. En hoe zit het dan met de politieman op straat? Hij ziet een verdachte in een donkere steeg met iets in zijn hand dat een wapen zou kunnen zijn. Het lijkt erop dat hij iemand gaat neerschieten. Die agent heeft het recht hem uit te schakelen, nietwaar? Waar is dan uw eerlijke proces, waar zijn de doorzoeking en inbeslagneming op redelijke gronden, waar is uw recht op de confrontatie met de beschuldigende partij gebleven?'

'Ah, maar Moreno had geen wapen.'

'En soms heeft die man in de steeg alleen maar een telefoon in hand. Maar tóch wordt hij neergeschoten, omdat we de politieman het recht hebben gegeven op zijn eigen oordeel af te gaan.' Hij lachte, diep en kil. 'Zeg eens, maakt u zich niet schuldig aan precies hetzelfde?'

'Wat bedoelt u daarmee?' vroeg ze bits.

'Hoe zit het met mijn eerlijke proces? En dat van Barry Shales?'

Ze fronste.

Hij vervolgde: 'Toen u uw zaak tegen mij opbouwde, bent u toen mijn gangen nagegaan? En die van Barry? Hebt u geheime informatie gekregen van bijvoorbeeld de FBI? Hebt u "toevallig" afgeluisterde informatie van de NSA in handen gekregen?'

Een mond vol tanden. Bloosde ze nu onder dat witte masker? 'Elk stukje bewijs dat ik aan de rechtbank voorleg, blijft overeind onder het vierde amendement.'

Metzger glimlachte. 'Ik heb het niet over de rechtbank. Ik heb het over het ongeoorloofd vergaren van bewijs als onderdeel van een onderzoek. U begeeft zich in hetzelfde grijze gebied als ik.'

Laurel knipperde met haar ogen. Ze zei niets.

'Ziet u wel?' fluisterde hij. 'We interpreteren allebei, we oordelen, we nemen besluiten. We begeven ons in een grijs gebied.'

'Wil je nog een citaat, Shreve? Blackstone: "Het is beter dat tien schuldige mensen ontsnappen dan dat één onschuldige lijdt." Dat is wat mijn systeem doet, ervoor zorgen dat onschuldige mensen geen slachtoffers worden. Dat van u doet dat niet.' Ze viste haar sleutels uit haar oude tas. 'Ik blijf u in de gaten houden.'

'Dan verheug ik me erop u voor de rechter te zien, raadsvrouw.'

Hij draaide zich om en liep terug naar zijn auto. Daar bleef hij zonder achterom te kijken achter het stuur zitten terwijl hij in- en uitademde en langzaam kalmeerde.

Laat het los.

Vijf minuten later schrok hij op door het zoemen van zijn telefoon. Hij zag het nummer van Ruth op het schermpje staan.

'Hallo, Ruth.'

'Eh, Shreve. Ik heb het net gehoord. Is het waar, van Spencer?'

'Ik vrees van wel. Ik vertel je later meer. Ik wil niet praten via een open verbinding.'

'Oké. Maar daarvoor belde ik niet. We hebben bericht uit Washington.'

De Tovenaar. Die was ik helemaal vergeten.

'Hij wil je morgenmiddag bellen.'

Wordt het vuurpeloton niet altijd 's ochtends opgetrommeld?

'Prima,' zei hij. 'Stuur me de details.' Hij rekte zich uit. Een gewricht maakte een knappend geluid. 'Zeg, Ruth?'

'Ja?'

'Hoe klonk hij?'

Er viel een korte stilte. 'Hij… Niet zo goed, geloof ik, Shreve.'

'Oké, Ruth. Dank je.'

Hij verbrak de verbinding en keek naar de drukte in en rond het huis van Spencer Boston. De zure, chemische rook hing nog om het koloniale huis en de tuin.

Rook...

Dat was het dan. Het was niet relevant of Moreno schuldig was of niet; Washington had nu reden te over om NIOS te ontbinden. Metzger had een klokkenluider gekozen als administratief directeur en een corrupte man die mensen had laten martelen en vermoorden als wapenleverancier.

Dat was het dan.

Metzger zuchtte, zette de versnelling in 'Drive' en dacht: sorry, Amerika. Ik heb gedaan wat ik kon.

Zaterdag, 20 mei

VII

Berichten

93

Zaterdagmorgen om negen uur manoeuvreerde Lincoln Rhyme door het lab en dicteerde hij het forensisch rapport dat gebruikt zou worden voor het proces tegen Walker en voor de regeling die met Swann was overeengekomen.

Op een groot scherm zag hij zijn agenda.

Vrijdag 26 mei operatie. Om 9 uur 's morgens in het ziekenhuis zijn. Na middernacht GEEN drank meer. Geen druppel. Helemaal niks.

Hij glimlachte bij de tweede regel, een toevoeging van Thom.

Het was stil in huis. Zijn verzorger stond in de keuken en Sachs was naar haar flatje in Brooklyn. Ze had lekkage in de kelder en de aannemer zou langskomen. Later op de dag had ze met Nance Laurel afgesproken om samen wat te gaan drinken en dan uit eten te gaan.

Ook om over mannen te roddelen...

Rhyme was blij dat de vrouwen na een stroeve start toch nader tot elkaar gekomen waren. Sachs had niet zo veel vriendinnen.

De deurbel ging en Rhyme hoorde dat Thom naar de voordeur liep. Even later kwam hij terug in het gezelschap van een lange man in een bruin pak, een wit overhemd en een onmogelijk groene stropdas.

Bill Myers van de NYPD, afdeling Special Services. Wat dat ook maar inhield.

Begroetingen werden uitgewisseld, waarna Myers Rhyme de hemel in prees vanwege de uitkomst van de zaak.

'Nog in geen honderd jaar zou ik de zaak hebben opgelost,' zei Myers.

'Het verbaast me zelf ook hoe het is gelopen.'

'Zeg dat wel. Je hebt heel wat behoorlijke deducties gemaakt.'

Het woord 'behoorlijk' verwijst strikt genomen naar wat sociaal wenselijk of fatsoenlijk is en kan eventueel gebruikt worden in de betekenis van 'groot', maar als bijvoeglijk naamwoord betekent het niet 'slim' of 'goed'. Iemand die zich constant van zulke terminologie bedient, kun je echter toch niet veranderen, dus Rhyme hield zijn mond maar. Er viel een stilte. Myers bekeek de gaschromatograaf met meer interesse dan de omstandigheden – of het apparaat zelf – vereisten.

Toen keek de man om zich heen en zag dat er verder niemand was. En Rhyme snapte het.

'Dit gaat over Amelia, is het niet, Bill?'

Hij vond het jammer dat hij haar voornaam had gebruikt. Ze waren geen van beiden bijgelovig, behalve op dit punt. Als ze het over elkaar hadden, gebruikten ze nooit voornamen.

'Ja. Heb je Lon nog gesproken? Over mijn problemen met haar fysieke klachten?'

'Inderdaad.'

'Laat me even het plaatje schetsen,' zei Myers. 'Ik heb haar de tijd gegeven om eerst deze zaak af te maken zodat ze zich daarna medisch kon laten keuren. Maar dat is inmiddels een gepasseerd station. Ik heb het verslag over de inval in Glen Cove gelezen, waarbij Jacob Swann door haar en agent Pulaski is overmeesterd. In het rapport staat dat ze door haar knie ging nadat de verdachte ertegenaan had geschopt of geslagen. Als Pulaski niet had ingegrepen, zou ze het er niet levend van af hebben gebracht. En Spencer Boston ook niet. Mogelijk zouden er binnen de tactische eenheid die het huis bestormde ook slachtoffers zijn gevallen.'

'Ze heeft de dader uitgeschakeld, Bill,' zei Rhyme kortaf.

'Dat was puur geluk. In het rapport staat dat ze nauwelijks nog kon lopen.'

'Het gaat nu weer prima met haar.'

'O ja?'

Dat was niet zo. Rhyme zweeg.

'We hebben een lijk in de kast, Lincoln. Niemand durft erover te beginnen, maar het een problematische situatie. Ze brengt zichzelf en anderen in gevaar. Ik wilde je hier onder vier ogen over spreken. We hebben de koppen bij elkaar gestoken en hebben de volgende oplossing bedacht: ik ga haar wegpromoveren. Ze wordt coördinator van de afdeling Zware Delicten, een hogere functie dan ze nu heeft. Maar ik weet dat ze er zelf niet blij mee zal zijn.'

Rhyme was woedend. Dit was toevallig wel zíjn Sachs over wie Myers het had, met die goedkope clichés van hem.

Maar hij hield zijn mond.

'Ik wil graag dat jij eens met haar gaat praten, Lincoln,' zei Myers. 'We willen haar niet kwijt, daar is ze gewoon veel te goed voor. Maar ze kan niet blijven als ze veldwerk wil doen. Kantoorwerk is haar enige optie.'

En wat zou ze doen als ze bij de politie weg zou gaan? Zou ze dan freelance adviseur worden, net als hij? Dat was niets voor Sachs. Door haar natuurlijke empathie en doorzettingsvermogen was ze briljant in het forensische werk. Maar ze moest de straat op, niet vastzitten aan het laboratoriumwerk, zoals hij. Forensisch werk was niet het enige waar ze goed in was; als ze niet meer door de stad kon razen om de dader van een gijzeling of een overval te overmeesteren, zou ze verpieteren.

'Wil jij met haar praten, Lincoln?'

Uiteindelijk zei hij: 'Ik zal wel met haar praten.'

'Dank je. Het is voor haar eigen bestwil, hè? We willen allemaal het beste voor haar. Het is voor iedereen een win-winsituatie.'

Myers gaf hem een hand en vertrok.

Rhyme staarde naar de tafel waar Sachs aan had gezeten om aan de zaak-Moreno te werken. Hij dacht dat hij haar gardeniazeep nog kon ruiken, al zou het kunnen dat de herinnering eraan hem parten speelde.

Ik zal wel met haar praten...

Hij draaide zijn rolstoel en reed terug naar de whiteboards om ze nog eens te bestuderen. Zoals altijd was het elegante en intrigerende van bewijsmateriaal hem tot troost.

94

Het vierendertig meter lange vrachtschip met zijn ronkende dieselmotor ploegde door de Caraïbische Zee, een enorme blauwgroene watervlakte die eens bevaren werd door piratenboten en imposante oorlogsschepen, maar nu de vaarroute was van de toeristen en het speelterrein van de rijke elite.

Het schip voer onder de Dominicaanse vlag en was dertig jaar oud. Het werd met een respectabele snelheid van dertien knopen door een Detroit 16-149 voortgestuwd, via een enkele schroef. De diepgang was vierenhalve meter, maar het schip lag vandaag hoog in het water dankzij de lichte lading.

Op het voordek werd de bovenbouw gedomineerd door een hoge mast. De brug was ruim, maar stond vol tweedehands navigatieapparatuur, die was vastgeschroefd, vastgelijmd of vastgebonden. Het roer bestond uit een ouderwets houten rad met spaken.

Piraten…

Aan het roer stond de gedrongen, tweeënvijftigjarige Enrico Cruz. Dat was zijn echte naam, hoewel de meeste mensen hem kenden onder zijn pseudoniem Henry Cross, een New Yorker die verscheidene liefdadigheidsinstellingen leidde, waarvan Classrooms for the Americas de grootste en bekendste was.

Cruz stond vandaag alleen aan dek, omdat de man die hem had moeten vergezellen op de Bahama's in suite 1200 van de South Cove Inn was vermoord door de Amerikaanse regering. Een enkel schot in de borst had ervoor gezorgd dat Roberto Moreno deze reis niet met zijn vriend kon maken.

Cruz en Moreno kenden elkaar al tientallen jaren, sinds Moreno's beste vriend en de broer van Cruz, José, bij de invasie van Panama in 1989 vanuit een Amerikaanse helikopter was vermoord – ja, dat was het juiste woord.

Sinds die tijd hadden de twee mannen samen oorlog gevoerd tegen het land dat blijmoedig hun Panama was binnengevallen en had besloten dat de dictator die het al die jaren had gesteund toch niet deugde, sorry.

In hun campagne tegen de Verenigde Staten verschilden de twee mannen alleen op het punt van hun benaderingswijze. Moreno was openlijk anti-Amerikaans, terwijl Cruz anoniem bleef, wat hem in staat stelde de aanvallen te organiseren en de wapens en het geld in te zetten waar ze het meeste effect sorteerden. Maar samen waren Cruz en Moreno de ruggengraat van een naamloze beweging.

Ze waren verantwoordelijk voor de dood van bijna driehonderd Amerikaanse burgers en mensen uit andere landen die een knieval maakten voor de westerse normen en waarden: zakenlieden, professoren, politici, bestrijders van de drugshandel, diplomaten en hun gezinnen.

Het waren kleine en op zichzelf staande acties geweest, zodat de autoriteiten ze niet met elkaar verbonden. Wat ze vandaag van plan waren, was juist het tegenovergestelde: een grote aanval op het politieke, sociale en economische hart van Amerika. Moreno was al maandenlang bezig met de voorbereidingen: hij had zijn staatsburgerschap opgegeven, alle banden met de Verenigde Staten verbroken, zijn geld overgeheveld naar de Kaaimaneilanden en een huis gekocht in Venezuela, allemaal in afwachting van wat er ging gebeuren.

En het wapen waarmee de aanslag uitgevoerd ging worden? Dat was het schip dat nu door de golven sneed.

Cruz was als ingezetene van Panama al vroeg vertrouwd geraakt met schepen; hij wist hoe hij een vaartuig van deze afmetingen moest besturen. Bovendien hoefde je tegenwoordig niet te beschikken over grote vaardigheden aan het roer. Een goed team in de machinekamer plus GPS en een automatische piloot op de brug, meer had je niet nodig. Dat was het wel zo'n beetje. De computer deed het zware werk en bracht je naar je bestemming. Ze zwoegden in noordnoordwestelijke richting door de metershoge golven. De hemel was strakblauw en er stond een constante wind die een caleidoscoop aan waterspetters voortjoeg.

Het vaartuig had geen naam, niet meer tenminste, nadat het via een reeks bestaande maar onbetekenende bedrijfjes was opgekocht. Alleen het registratienummer was nog bekend. Er was een dossier van geweest in een computer in de Dominicaanse Republiek en in een registratieboek hadden de voornaamste gegevens vermeld gestaan, maar die waren digitaal gewist en manueel weggesneden.

Het schip was anoniem.

Cruz had overwogen het schip informeel te dopen voordat ze uit Nassau wegvoeren – Roberta, naar zijn vriend, maar dan de vrouwelijke vorm. Maar hij had besloten dat hij het beter gewoon 'het schip' kon blijven noemen. Het was vaalzwart en grijs en zat vol roestplekken. Maar in zijn ogen was het prachtig.

Hun bestemming was inmiddels te zien, een zwarte stip op een paar kilometer afstand. De GPS liet het navigatiesysteem bijsturen vanwege de wind; het roer reageerde automatisch op de nieuwe instructies. Hij voelde het schip gehoorzamen. Hij genoot ervan dat zo'n groot gevaarte bevelen opvolgde.

De deur ging open en er kwam een man binnen. Hij had een zwarte huidskleur, een kogelvormig hoofd dat glanzend kaal geschoren was, en een mager lichaam. Bobby Cheval droeg een spijkerbroek en een spijkershirt met afgeknipte mouwen, zodat het een vest leek. Hij was op blote voeten. Met een blik op de horizon zei hij: 'Jammer, vind je niet? Hij zal het niet zien gebeuren. Dat is triest.'

Cheval was Robert Moreno's voornaamste contactpersoon geweest op de Bahama's.

'Misschien toch,' zei Cruz. Hij zei het niet omdat hij er zelf in geloofde, maar ter geruststelling van Cheval, die een paardenharen kruis om zijn hals droeg. Cruz geloofde niet in het hiernamaals. Hij wist dat zijn dierbare vriend Robert Moreno net zo dood was als het hart van de overheid die hem had vermoord.

Cheval, die de Local Empowerment Movement op de Bahama's zou leiden als die eenmaal was opgericht, had een grote rol gespeeld in de plannen voor vandaag.

'Andere schepen? Enig teken van bewaking?' vroeg Cruz.

'Nee, nee. Niets.'

Cruz was ervan overtuigd dat niemand vermoedde wat er ging gebeuren. Ze waren zo voorzichtig geweest. Hij was alleen even bang geworden toen die sexy, roodharige politievrouw eerder die week in het kantoor van Classrooms for the Americas in Chambers Street was opgedoken om te vragen naar Roberto's bezoek van 1 mei. Haar bezoek had hem overvallen, maar doordat hij in het verleden te maken had gehad met echt verachtelijke mensen – lui van Al Qaida, bijvoorbeeld, en rebellen van het Lichtend Pad – liet hij zich niet snel van zijn stuk brengen. Hij had inspecteur Sachs afgeleid met het ware verhaal over de 'blanke man' die Roberto had achtervolgd, ongetwijfeld iemand van NIOS. En hij had er nog een schepje bovenop gedaan met een verzinsel over een mysterieuze privéjet.

Een blauw vliegtuig als rode draad, dacht hij met een glimlach bij zichzelf. Dat zou Roberto leuk hebben gevonden.

'Is de motorboot gereed?' vroeg Cruz aan Cheval.

'Ja. Hoe dicht gaan we ernaartoe? Voordat we het schip verlaten, bedoel ik.'

'Twee kilometer lijkt me prima.'

Op dat moment zouden de vijf bemanningsleden overstappen in een snelle speedboot en de andere kant uit varen. Ze zouden de koers van het schip via de computer in de gaten houden en konden het op afstand besturen als de GPS en de automatische piloot dienst weigerden; op de brug van het vaartuig was een webcam gemonteerd, zodat ze het schip de bestemming konden zien naderen.

En naar die bestemming keken ze nu.

De Miami Rover was het enige boorplatform van American Petroleum Drilling and Refining en lag een kilometer of vijftig van de kust van Miami. (*Rover* – oftewel 'zwerver' – was trouwens een vrij ironische naam; het ding zwierf helemaal nergens heen en was rechtstreeks vanuit Texas hiernaartoe gevaren, met een zwerfsnelheid van vier knopen.)

Moreno en Cruz hadden maanden geleden besloten dat de oliemaatschappij het doelwit werd voor wat tot op heden hun grootste 'boodschap' moest worden. American Petroleum had grote stukken land in Zuid-Amerika gestolen, duizenden mensen van huis en haard verdreven en hun een armzalige nederzetting aangeboden in ruil voor hun handtekening op overdrachtspapieren die de meesten niet eens konden lezen. Moreno had gedurende de laatste maand een reeks protestacties georganiseerd in de Verenigde Staten en elders. Die protesten hadden een tweeledig doel. Ten eerste zouden ze de misdaden van AmPet aan het licht brengen. Maar bovendien zouden ze het denkbeeld versterken dat het bij Moreno bij woorden bleef. Toen de autoriteiten inzagen dat hij alleen maar wilde protesteren, verloren ze hun belangstelling voor hem.

Dus deed niemand verder onderzoek naar zaken die duidelijk hadden kunnen maken wat er vandaag ging gebeuren: dat de Miami Rover geramd zou worden door een schip. Zodra dat gebeurde, zouden de tweehonderdlitervaten met een krachtig mengsel van dieselolie, kunstmest en nitromethaan ontploffen en het boorplatform verwoesten.

Maar hoewel hun boodschap met een mooi knaleffect in de publieke belangstelling zou komen, was dat niet genoeg, hadden Moreno en Cruz besloten. De dood van een stuk of zestig werknemers en de verwoesting van het grootste boorplatform in het Zuidoosten? Dat stond gelijk aan die zielige kerel die met zijn privévliegtuig het gebouw van de IRS in Austin in Texas in was gevlogen. Er kwamen wat mensen om. Er was enige schade, het verkeer kwam vast te staan.

En niet lang daarna ging alles weer gewoon zijn gangetje in de hoofdstad van de Lone Star State.

Wat vandaag zou gebeuren, was heel wat erger.

Nadat de eerste explosie het boorplatform had verwoest, zou het schip snel zinken. Achter in het ruim bevond zich een tweede bom die op de zeebodem terecht zou komen, vlak bij het boorgat. Een ontsteker die gekoppeld was aan een dieptemeter zou nog een explosie veroorzaken, waardoor zowel de plunjer als de blowout preventers vernietigd zouden worden. Zonder BOP's zou de olie ongehinderd met een hoeveelheid van 120.000 vaten per dag in de oceaan stromen, meer dan twee keer zoveel als bij de ramp met de Deepwater Horizon in de Golf van Mexico.

Door de stroming en de wind zou de olievlek een groot deel van de oostkust van Florida en Georgia aantasten. De olie zou zelfs tot aan de Carolina's kunnen komen. De havens zouden moeten sluiten, de scheepvaart en het toerisme zouden voor onbepaalde tijd worden lamgelegd en miljoenen mensen zouden het diep in hun portemonnee voelen.

Roberto had gezegd: 'De Amerikanen willen olie voor hun auto's en hun airconditioning en hun kapitalistische bedrijven. Nou, we zullen het ze geven. Ze kunnen verzuipen in al die olie die wij ze zullen geven!'

Veertig minuten later bevond het schip zich op drie kilometer van de Miami Rover.

Enrico Cruz controleerde nog één keer de GPS, waarna hij en Cheval de brug verlieten. 'Iedereen in de speedboot,' zei Cruz.

Hij ging snel naar het onwelriekende voorste ruim, waarin slijmerig water klotste, en controleerde de grote bom. Alles was prima in orde. Hij zette hem op scherp. En toen deed hij hetzelfde met de tweede bom, het explosief dat de BOP's zou vernielen.

Haastig ging hij terug naar het wiegende dek. Een blik over de boeg. Ja, ze ging recht op het boorplatform af. Hij tuurde naar het enorme dek van het gevaarte, dat zich meer dan dertig meter boven het wateroppervlak bevond. Geen arbeider te zien. Dat was normaal. Niemand op een boorplatform verdoet zijn tijd op het gloeiend hete bovendek om het uiterst saaie uitzicht te bewonderen. Ze waren hard aan het werk, binnen in de boortoren, of sliepen tot ze weer dienst hadden.

Cruz haastte zich naar de zijkant van het schip, klom de touwladder af en liet zich bij Cheval en de rest van de bemanning in de speedboot vallen.

De motor werd gestart.

Maar voordat ze wegvoeren, kuste Cruz zijn vingertoppen. Vervolgens legde hij ze tegen de roestige romp en fluisterde: 'Deze is voor jou, Roberto.'

95

Het groepje passagiers dat op het voorste dek van het cruiseschip stond, werd gefotografeerd door Jim uit New Jersey, niet te verwarren met Jim uit Cleveland of Jim uit Londen (oké, de Brit wilde liever James genoemd worden, maar omdat hij op vakantie was, deed hij niet moeilijk).

De cruisegangers vormden een clubje sinds de oceaanstomer vanaf de Bermuda-eilanden uit Hamilton was vertrokken. Het eerste cocktailuurtje was vergleden met gesprekken over het werk, over kinderen... en over voornamen.

Vier Jims, twee Sally's.

Jim uit Californië zat beneden. Een pleister had niet geholpen tegen de zeeziekte, en Dramamine ook niet. Hij kwam dus niet op de foto.

Jim uit New Jersey zette iedereen bij de dolboorden neer, al wist niemand eigenlijk wat dat woord inhield – hijzelf ook niet. Maar het klonk als iets uit de zeevaart en was leuk om te zeggen.

'Niemand mag het liedje uit *Titanic* zingen.'

Er werden voortdurend grappen over gemaakt, vooral omdat de bars tot 's avonds laat openbleven, maar het moest gezegd dat er maar weinig mannen of vrouwen waren die het mierzoete lied zo overtuigend konden zingen als Celine Dion.

'Is dat Florida?' vroeg iemand. Een van de Sally's, dacht Jim uit New Jersey.

Hij zag een dunne streep aan de horizon, maar dat was waarschijnlijk gewoon een wolkenpartij.

'Volgens mij niet.'

'Maar wat is dat? Het lijkt wel een gebouw.'

'O, dat is een boortoren. De eerste in dit deel van de Atlantische Oceaan. Heb je het niet op het journaal gezien? Een jaar of zo geleden. Ze hebben tussen Nassau en Florida olie gevonden.'

'"Ze"? Wie zijn dat? Iedereen zegt altijd "ze". Ga je nog een foto maken, of hoe zit dat? Mijn margarita smelt zo onderhand.'

'U.S. Petroleum. American Petroleum Drilling. Ik weet het niet meer.'

'Ik vind het vreselijke dingen,' verklaarde Sally uit Chicago stellig. 'Heb je die vogels in de Golf gezien? Helemaal onder de olie. Een afschuwelijk gezicht. Ik heb staan janken.'

'En maandenlang waren er geen goede garnalen te krijgen.'

De fotograaf zei dat zijn medereizigers naast elkaar bij de dolboorden moesten gaan staan en drukte vervolgens op de sluiter van zijn Canon.

Klik, klik, klik, klik, klik...

Zo was er altijd wel een foto bij waarop niemand met zijn ogen dicht stond.

Het bewijs dat ze op vakantie waren geweest werd in een chip vastgelegd, de toeristen draaiden zich om en lieten hun blik over zee gaan. De gespreksonderwerpen varieerden van eten en winkelen in Miami tot het Fontainebleau-hotel, en of het huis van Versace nog te bezichtigen was.

'Ik heb gehoord dat hij een douche had waar acht personen tegelijkertijd onder konden,' zei Jim uit Londen.

Claire waagde dat te betwijfelen.

'Jezus christus!' riep Jim uit New Jersey uit.

'Lieverd!' sprak zijn vrouw hem vermanend toe.

Maar de camera werd weer in stelling gebracht, en tegen de tijd dat het geluid van de explosie de boot bereikte, had iedereen op het schip zich omgedraaid om er getuige van te zijn dat een enorme wolk als een paddenstoel de lucht in schoot, misschien wel driehonderd meter hoog.

'O, jezus, het is die boortoren!'

'Nee, nee!'

'O mijn god. Iemand moet iemand bellen.'

Klik, klik, klik, klik...

96

'Wat is de schade?'

Shreve Metzger, gekleed in een spijkerbroek en een wit shirt dat maar gedeeltelijk in de broek was gestopt, boog zich naar een beeldscherm en staarde naar de rook en de nevel boven de Caraïbische Zee, vijftienhonderd kilometer bij hem vandaan.

'Helemaal weg,' zei een communicatiespecialist van NIOS achter een controlepaneel naast hem, een jonge vrouw wier haar pijnlijk strak in een knot was getrokken. Haar stem verried geen enkele emotie.

Het beeldscherm liet duidelijk zien dat er inderdaad niets over was dan een olievlek en wat afval.

En rook. Een heleboel rook.

Helemaal weg...

Lincoln Rhyme en Amelia Sachs bevonden zich samen met Metzger en de communicatiespecialist in het voorste kantoor van het Ground Control Station in Rector Street in Manhattan. In de container op de voormalige parkeerplaats.

Rhyme tuurde naar de stukjes hout en plastic en de golvende laag olie waar tot dertig seconden geleden het vierendertig meter lange Dominicaanse vrachtschip had gevaren dat de vriend van Robert Moreno, Henry Cross oftewel Enrico Cruz op de Miami Rover af had gestuurd, het boorplatform van American Petroleum Drilling and Refining voor de kust van Florida.

De communicatiespecialist raakte even haar koptelefoon aan. 'Melding van een tweede explosie onder water, meneer de directeur. Op tweehonderdvijftig tot tweehonderdvijfenzeventig meter diepte.'

Even later zagen ze dankzij de hoge resolutie van het beeldscherm een lichte borreling aan het wateroppervlak. Dat was alles. Zoveel water had een behoorlijk dempend effect, ongeacht hoe zwaar die tweede bom was geweest. Rhyme ging ervan uit dat die de boorput had moeten vernietigen.

Rhyme keek door de glazen wand die de container halveerde: de moordkamer van het GCS. In het zwakke licht zag hij de man die de verwoesting teweeggebracht had – en die het leven had gered van de mensen op het boorplatform en een groot deel van de oostkust van Florida voor een ramp had behoed.

Barry Shales zat achter het besturingspaneel van de drone en had geen oog voor de mensen die naar hem zaten te kijken. Voor Rhyme zag de moordkamer eruit als de cockpit van een vliegtuig. Shales zat iets voorover gebogen, maar zo te zien heel ontspannen in een comfortabele geelbruine leren stoel, met vijf flatscreens voor zich.

De handen van de NIOS-medewerker lagen om twee joysticks; af en toe beroerde hij een van de andere honderd knoppen, draaischijven, schakelaars en toetsen.

Rhyme zag dat er een gordel aan de stoel was vastgemaakt, die los op de vloer hing. Dat zou wel voor de grap zijn.

Shales zat alleen in het karig verlichte kamertje, dat kennelijk geluiddicht was gemaakt, waarschijnlijk om te voorkomen dat hij afgeleid werd door de geluiden die zijn collega's maakten – of bezoekers zoals Rhyme en Sachs. Voor het afleveren van dodelijke boodschappen uit de hemel was opperste concentratie nodig.

De communicatiespecialist, die rechtstreeks contact had met de beveiligingsmensen van American Petroleum aan boord van het boorplatform, drukte een paar toetsen in en stelde een paar vragen. Tegen Metzger, Rhyme en Sachs zei hij: 'Bevestiging: geen schade aan de Miami Rover of de BOP's. Geen verwondingen, behalve een beetje oorpijn.'

Dat laatste was niet verbazingwekkend, aangezien de enorme kunstmestbom op nog geen kilometer afstand was ontploft.

Toen hij een halfuur geleden alle bewijsmateriaal nog eens had zitten doornemen, had Rhyme opeens beseft dat sommige dingen niet klopten. Hij had een paar telefoontjes gepleegd en was tot het inzicht gekomen dat er een aanval zou kunnen volgen. Toen had hij contact opgenomen met Metzger. Er was koortsachtig overleg gepleegd met Washington en met NIOS. Voor de inzet van gevechtsvliegtuigen moest door te veel mensen toestemming worden verleend, van het Pentagon en daarboven; er zouden uren mee verloren gaan.

Metzger was uiteraard met een oplossing gekomen. Hij had een beroep gedaan op Barry Shales, die toch al op weg was naar het hoofdkantoor om zijn persoonlijke eigendommen op te halen. Metzger legde uit dat de piloot had besloten NIOS te verlaten.

Gezien de afschuwelijke gevolgen als de komende aanslag succes had en de beperkte tijd die ze nog hadden – een kwestie van minuten – had de voormalige luchtmachtofficier er aarzelend mee ingestemd te helpen. Hij had de drone van Homestead naar een plek net boven het vrachtschip gebracht en hem daar laten hangen. Het schip was kennelijk verlaten; ze hadden de bemanning in een speedboot zien vluchten. Toen er geen reactie kwam op de radio-oproep om te stoppen, had Shales een Hellfire afgeschoten, die het voorste ruim had geraakt, waar volgens Rhyme de kunstmestbom zou zijn geplaatst.

In de roos.

Shales stuurde de drone nu de andere kant uit en begon het bootje met de bemanning te volgen, die het vrachtschip twintig minuten eerder had verlaten. Op het beeldscherm kwam de zwarte speedboot met zijn lange neus in zicht, die over de golven stuiterde, weg van het boorplatform en het ontplofte schip.

Rhyme had de stem van Barry Shales gehoord via de luidspreker in het plafond. 'UAV vier acht een voor Florida. Tweede doelwit binnen bereik en onder schot. Afstand tot doelwit achttienhonderd meter.'

'Begrepen, vier acht een. Verklein afstand tot duizend meter.'

'Akkoord, Florida. Vier acht een.'

Op de monitor zag Rhyme Henry Cross en de vaargasten die het schip hadden verlaten en zich in veiligheid probeerden te brengen. Hun gezichtsuitdrukking was niet goed te onderscheiden, maar hun lichaamstaal wees op verwarring en bezorgdheid. Ze zouden de drone en de raket waarschijnlijk niet gezien hebben en gingen er ongetwijfeld van uit dat de bom door een of andere fout voortijdig was afgegaan. Misschien dachten ze wel: tjonge, dat had ook kunnen gebeuren terwijl wij nog aan boord waren.

'Vier acht een voor Florida. Afstand duizend meter. Tweede vaartuig onder schot. Met deze snelheid bevinden ze zich over tien minuten onder dekking van Harrogate Cay. Advies.'

'Begrepen. We proberen contact te leggen via algemene frequenties. Nog geen reactie.'

'Begrepen. Vier acht een,' antwoordde Shales op vlakke toon.

Rhyme keek even naar Sachs, van wier gezicht dezelfde bezorgdheid af te lezen was die hij ook voelde. Zouden ze straks getuige zijn van de executie van zes mannen?

Het groepje was op heterdaad betrapt bij een terroristische aanslag. Maar het risico was geneutraliseerd. Bovendien, vroeg Rhyme zich nu af, waren het echt allemaal terroristen? Stel dat er een of twee onschuldige zeelieden bij waren die geen idee hadden welke lading het schip vervoerde?

Opeens kwam het conflict tussen Shreve Metzger en Nance Laurel haarscherp in beeld.

'Vier acht een, dit is Florida. Geen reactie op oproepen. U mag de raket afschieten.'

Rhyme zag Barry Shales verstijven.

Hij bleef een paar tellen heel stil zitten, maar toen ging zijn hand naar voren en klapte hij het dekseltje van een knop op een paneel voor hem omhoog.

Shreve Metzger sprak in een microfoon die voor hen op het bureau stond. 'Barry. Geef een geweerschot voor de boeg.'

'UAV vier acht een voor Florida. Vuur geen raket af,' antwoordde Shales over de luidspreker. 'Schakel over op LRR.'

'Begrepen, vier acht een.'

In de moordkamer bewoog Barry Shales een joystick terwijl hij naar een videobeeld van de voortrazende speedboot tuurde. Hij raakte een zwart paneel voor hem aan. Een korte vertraging en toen zagen ze in een akelige stilte drie waterpluimen de lucht in schieten, nog geen meter voor de boot.

Het slanke vaartuig bleef op volle snelheid, hoewel iedereen aan boord om zich heen keek. Verscheidene zeelieden leken nog erg jong, niet meer dan tieners.

'Florida voor vier acht een. Geen verandering in snelheid doelwit. Gebruik raket nog steeds toegestaan.'

'Begrepen. Vier acht een.'

Even gebeurde er niets. Maar toen ging de speedboot met een schok langzamer varen, tot hij stil in het water lag. Twee van de zeelieden wezen naar de hemel, maar niet in de richting van de camera. Ze konden de drone niet zien, maar begrepen nu allemaal wie de vijand was.

Bijna tegelijkertijd gingen de handen omhoog.

Wat toen volgde, was komisch. Er stond een behoorlijke golfslag en het was maar een klein bootje. De mannen probeerden hun evenwicht te bewaren, maar waren bang dat de dood uit de hemel hen zou vinden zodra ze hun armen lieten zakken. Twee van hen vielen om, krabbelden snel overeind en staken hun handen weer bliksemsnel omhoog. Het leken wel dronkenmannen die probeerden te dansen.

'Florida voor UAV vier acht een. Ze geven zich over. Marine stuurt patrouilleschip uit de Cyclone-klasse, de Firebrand. Afstand anderhalve kilometer, snelheid dertig knopen. Houd tweede doelwit stil in het water tot patrouilleschip arriveert.'

'Begrepen. Vier acht een.'

97

Barry Shales deed de deur van de moordkamer dicht, negeerde Shreve Metzger en liep naar Rhyme en Sachs toe. Hij knikte.

Sachs complimenteerde hem met zijn goede werk met de drone. 'Sorry, ik bedoel de UAV.'

'Ja, mevrouw,' zei hij zonder enige emotie. Hij wendde zijn helderblauwe ogen af. Misschien deed hij zo gereserveerd omdat hij tegenover twee mensen stond die hem van moord hadden willen beschuldigen. Maar in tweede instantie wijzigde Rhyme zijn oordeel. Kennelijk was Shales van nature een zeer in zichzelf gekeerde man.

Als je kunt wat hij kan, ben je geestelijk en emotioneel misschien vaak ergens anders.

Shales richtte zich tot Rhyme. 'We moesten behoorlijk snel te werk gaan, meneer. Ik ben nooit in de gelegenheid geweest om u te vragen hoe u erachter bent gekomen – dat er een aanslag op een boortoren zou plaatsvinden, bedoel ik.'

'Er was bewijsmateriaal dat we niet konden plaatsen,' zei de criminalist

'Ach ja, dat is ook zo. U bent de tsaar van het bewijsmateriaal, heb ik iemand horen zeggen.'

Rhyme vond die kernachtige typering niet onplezierig. Die zou hij onthouden. 'Om specifiek te zijn: paraffine met vertakte moleculen, een aromatische verbinding, cycloalkaan... o, en ook nog een paar alkenen.'

Shales knipperde twee keer met zijn ogen.

'Of om het in gewone mensentaal te zeggen: ruwe olie.'

'Ruwe olie?'

'Precies. Er waren sporen van op de kleren en schoenen van Moreno en zijn bodyguard aangetroffen. Die moeten ze ergens hebben opgepikt toen ze buiten het hotel afspraken hadden. Ik had er aanvankelijk niet veel aandacht aan besteed, omdat er op de Bahama's heel wat raffinaderijen en olieopslagplaatsen te vinden zijn. Maar toen realiseerde ik me iets: de dag waarop Moreno om het leven kwam, had hij een afspraak met zakenlieden over het opzetten van transport- en landbouwprojecten in het kader van zijn Local Empowerment Movement. Maar we wisten ook dat er al weken geleden kunstmest, dieselolie en nitromethaan naar de LEM-vestigingen waren verzonden. Als die projecten nog niet waren opgezet, wat voor nut hadden die chemicaliën dan?'

'En u dacht aan een link tussen de ruwe olie en een mogelijke bom.'

'We wisten van de boortoren af door de oorspronkelijke informatie over Moreno's plannen voor 10 mei. Omdat Moreno zich zo fel had uitgesproken tegen American Petroleum Drilling kon dat bedrijf wel degelijk een doelwit zijn, niet alleen voor een protestdemonstratie, maar voor een echte aanslag. Volgens mij had hij zondag of maandag een afspraak met mensen die op de boortoren werkten – misschien om nog wat over de beveiliging te weten te komen. O, en er was nog iets wat we niet konden plaatsen. Iets wat Sachs heeft ontdekt.'

'Toen Moreno begin die maand naar New York ging, was er één afspraak waarbij hij zijn tolk niet meenam,' zei ze, 'en dat was de afspraak met Henry Cross van de stichting Classrooms for the Americas. Waarom mocht zij niet mee? De meeste afspraken die hij had, waren onschuldig – Moreno zou haar niet laten tolken als er iets illegaals werd besproken. Maar hoe zat dat met de afspraak die hij met Henry Cross had? Als die zo onschuldig was, waarom mocht Lydia Foster daar dan niet bij zijn, ook al hoefde ze niet te tolken? Dat bracht me op het idee dat die ontmoeting misschien toch niet zo onschuldig was. En Cross vertelde me dat Moreno steeds een mysterieus blauw vliegtuig zag. Nou, toen we het vliegschema van Moreno natrokken, konden we niets vinden over blauwe vliegtuigen. Dat was typisch iets wat iemand tegen de politie zou zeggen om ze op een dwaalspoor te brengen.'

Rhyme vervolgde: 'De stichting Classrooms for the Americas had vestigingen in Nicaragua – en daarvandaan zijn de diesel, de kunstmest en de nitromethaan verstuurd. We vonden te veel dingen om nog van toeval te kunnen spreken. We trokken Cross na en kwamen te weten dat hij eigenlijk Cruz heette en dat hij en Moreno een gemeenschappelijk verleden hadden. Het was Cruz' broer die de beste vriend van Moreno was en die bij de invasie van Panama om het leven is gekomen. Daarom had hij zo'n hekel aan de Verenigde Staten. We hebben Cruz' reisgegevens en creditcards nagetrokken en kwamen erachter dat hij gisteren vanuit New York naar Nassau was gegaan.

Mijn contactpersoon bij de politie op de Bahama's ontdekte dat hij en Moreno een maand geleden een vrachtschip hadden gecharterd. Dat schip is vanochtend uitgevaren. De politie deed een inval in een loods bij de dokken waar het schip afgemeerd had gelegen en vond sporen van de chemicaliën die voor explosieven gebruikt konden worden. Dat zei me voldoende. Toen heb ik Shreve gebeld. En hij heeft u gebeld.'

'Dus Moreno was achteraf gezien toch niet zo onschuldig,' fluisterde Shales. Hij keek naar Metzger.

'Absoluut niet onschuldig,' zei Sachs. 'U hebt een schurk uitgeschakeld, vliegenier.'

De man keek naar zijn chef. De blik in zijn blauwe ogen was complex, moeilijk te peilen. Je zou hem kunnen interpreteren als: *Je had toch gelijk, Shreve. Je had toch gelijk.*

'En dit was niet het enige project dat hij had verzonnen,' zei Rhyme. Hij vertelde beide mannen over het afgeluisterde telefoongesprek waarvan Nance Laurel de transcriptie had voorgelezen, op maandag, hun eerste werkdag samen.

Ik heb nog veel meer van dit soort boodschappen op mijn lijstje...

'Barry,' zei Metzger. 'Ik zal onze gasten uitlaten. Zou je daarna even bij me in mijn kantoor kunnen komen? Als je er tijd voor hebt?'

Er viel een stilte waar Nance Laurel jaloers op zou zijn geweest. Uiteindelijk knikte de vliegenier.

Metzger liep met hen mee naar de uitgang, het parkeerterrein over, en bedankte hen hartelijk.

Eenmaal buiten het hek reed Rhyme via de verlaagde stoeprand de weg op, naar waar het busje stond te wachten, met Thom achter het stuur. Sachs stapte het trottoir af. Rhyme zag dat ze huiverde, en heel even vertrok haar gezicht van de pijn.

Ze wierp een vluchtige blik in zijn richting, alsof ze wilde weten of hij het had gezien, en keek snel weer voor zich.

Dit sneed door zijn ziel. Het was alsof ze tegen hem had staan liegen.

En hij loog op zijn beurt tegen haar: hij deed net of hij niets had gezien.

Aan de overkant gingen ze verder in de richting van het busje. Op een gegeven moment zette Rhyme de Merits-rolstoel midden op het trottoir stil.

Ze draaide zich om.

'Wat is er, Rhyme?'

'Sachs, we moeten praten.'

98

Precies op het afgesproken tijdstip ging de telefoon.

Je kon van alles over de Tovenaar zeggen, maar hij was altijd stipt op tijd.

Shreve Metzger zat op zaterdagmiddag in het praktisch verlaten gebouw van NIOS achter zijn bureau, keek naar het knipperende lampje op zijn magische rode telefoon en luisterde aandacht naar het rinkeltoontje, dat volgens hem wel wat van een vogeltje had. Hij dacht erover niet op te nemen – om nooit meer een telefoontje van die man aan te nemen.

'Met Metzger.'

'Shreve! Hoe is het met je? Ik heb gehoord over die interessante ontwikkelingen bij jullie. Long Island. Dat hoorde vroeger bij Meadowbrook, wist je dat? Jij golft niet, geloof ik?'

'Nee.'

Hij onderdrukte fel een 'meneer'.

De stem werd weer die van de Tovenaar, zacht en een beetje schor.

'We hebben het erover gehad een aanklacht in te dienen tegen Spencer.'

Metzger antwoordde: 'We hebben een zaak… als we dat zouden willen.' Hij zette zijn bril af, poetste de glazen schoon en zette hem weer op zijn neus. In tegenstelling tot in het Verenigd Koninkrijk was het in dit land niet per definitie een misdaad om geheim materiaal openbaar te maken, tenzij je spioneerde voor een ander land.

'Ja, nou, we moeten natuurlijk wel onze prioriteiten in de gaten houden.'

De Tovenaar had het ongetwijfeld over problemen met de public relations. Het was misschien slimmer de zaak niet aanhangig te maken om te voorkomen dat de media er lucht van kregen.

Ja, nou…

'Goed werk trouwens met dat incident in Florida. Interessant dat die foutieve informatie toch goed bleek te zijn. Net een goocheltruc. David Copperfield. Houdini.'

'Ze zitten achter de tralies, allemaal.'

'Blij het te horen.' Op een toon alsof hij een roddeltje uit Hollywood wilde delen zei de Tovenaar: 'Ik moet je iets vertellen, Shreve. Ben je er nog?'

Hoe opgewekt spreekt hij mijn doodvonnis uit.
'Ja. Zeg het maar.'
'Ik ben gebeld door een vriend in Langley. Over iemand die onlangs in Mexico is geweest.'
Mee-hi-co.
'Iemand in Mexico,' herhaalde de Tovenaar. 'Weet je nog?'
'In Reynosa,' zei Metzger.
'Precies, dat is de plek. Nou, raad eens? Hij is vakantie aan het vieren even buiten Santa Rosa, bij Tijuana.'
'Is dat zo?'
'Jazeker. En kennelijk heeft hij nog steeds plannen om in de nabije toekomst wat van zijn specialiteiten af te leveren. In de zeer nabije toekomst.'
Dus al-Barani Rashid was naar de westkust getrokken om zich daar schuil te houden.
'Hij is gezien met een paar companen, maar die gaan morgenochtend weg. En dan is onze vriend morgen de hele dag helemaal alleen in een heel aardig huisje. En het goede nieuws is, dat de plaatselijke toeristenbond het helemaal prima vindt als we een bezoekje komen brengen. Dus ik vroeg me af of je ons wat herziene reisplannen kunt geven, zodat we die kunnen goedkeuren. De details zijn onderweg.'
Een nieuwe STO?
Maar word ik dan niet ontslagen?
'Natuurlijk, ik maak het meteen in orde. Maar...'
'Ja?' vroeg de Tovenaar.
'Die vergaderingen? Over budgettaire kwesties?'
Een korte stilte. 'O, de commissie is overgegaan op andere dingen.'
Een tel later zei de Tovenaar streng: 'Als er problemen waren, zou ik daar wel iets over gezegd hebben, denk je ook niet?'
'Dat zou u zeker gedaan hebben. Natuurlijk.'
'Natuurlijk.'
Klik.

Vrijdag 26 mei

VIII

Zolang je maar in beweging blijft…

99

De ochtend van de operatie.

Rhyme, met Sachs en Thom in zijn kielzog, reed snel door de ziekenhuisgangen naar de wachtkamer van de afdeling Chirurgie, waar patiënten met vrienden en familie zaten te wachten tot ze onder het mes moesten.

'Ik heb een hekel aan ziekenhuizen,' verklaarde Sachs.

'Meen je dat? Waarom?' Rhyme was in een prima stemming. 'Je wordt er vaak buitengewoon kundig geholpen, en het eten is uitstekend. Ze hebben de nieuwste tijdschriften. En dan de wonderen van de moderne geneeskunst,' verklaarde Rhyme. 'In één woord geweldig.'

Sachs moest even lachen.

Ze zaten nog maar vijf minuten te wachten toen de arts binnenkwam, die hun alle drie een hand gaf, waarbij het hem niet ontging dat Rhyme zijn rechterarm en -vingers goed kon gebruiken. 'Mooi,' zei hij. 'Dat is mooi.'

'Ik doe mijn best.'

De arts legde uit wat ze al wisten: dat de operatie drie uur zou duren, misschien iets langer. Daarna zou de patiënt naar de verkoeverkamer worden gebracht om een uurtje bij te komen. Meteen na de operatie zou de chirurg naar de wachtkamer komen om te vertellen hoe het was verlopen. De man straalde veel vertrouwen uit. Hij liep meteen door naar de OK om zich op de operatie voor te bereiden.

De operatiezuster, een knappe Afro-Amerikaanse vrouw in een operatiejas met hondjes erop, kwam naar hen toe en stelde zich voor, breed glimlachend. Het is best wel eng om onder zeil gebracht, opengesneden en dan weer dichtgenaaid te worden, vertelde ze. Er waren artsen die zich weinig aantrokken van de onzekerheden van patiënten, maar zij had er duidelijk oog voor en stelde iedereen gerust. Uiteindelijk vroeg ze: 'Klaar?'

Amelia Sachs boog zich naar Rhyme toe en zoende hem op de mond. Daarna kwam ze overeind en liep, trekkend met haar been, met de zuster mee.

'We zijn in de verkoeverkamer als je wakker wordt,' riep hij.

Ze draaide zich om. 'Doe niet zo belachelijk, Rhyme. Ga toch naar huis. Los een zaak op of zo.'

'We zijn in de verkoeverkamer,' zei hij nog eens. Toen zwaaide de dubbele deur achter haar dicht en was ze verdwenen.

Na een tijdje gezwegen te hebben, zei Rhyme tegen Thom: 'Je hebt toevallig niet zo'n miniflesje whisky bij je, zeker? Uit het vliegtuig naar Nassau?'

Hij had erop aangedrongen dat zijn verzorger wat whisky aan boord zou smokkelen, al kwam hij erachter dat je in de eerste klas net zo veel drank kon krijgen als je wilde – of beter gezegd: net zo veel als je verzorger toestond.

'Nee, en ik zou je ook niks geven als ik wel wat bij me had. Het is nota bene nog maar negen uur.'

Rhyme mompelde mokkend wat in zichzelf.

Weer keek hij naar de deuren waardoor Sachs was verdwenen.

We willen haar niet kwijt, want daar is ze gewoon veel te goed voor. Maar ze kan niet blijven als ze veldwerk wil blijven doen...

Ja, hij had gedaan wat Bill Myers hem met klem had gevraagd en hij had het er met haar over gehad. Alleen was het gesprek anders verlopen dan Myers voor ogen had gehad.

Bureauwerk bij de NYPD was niets voor Amelia Sachs, en ook een vervroegde uittreding om daarna beveiligingsadviseur te worden, was geen optie. Er was maar één mogelijkheid om die nachtmerrie te voorkomen. Rhyme had contact opgenomen met dr. Barrington en hem gevraagd om de naam van de beste chirurg van de stad die zich gespecialiseerd had in het behandelen van ernstige vormen van artrose.

De man had gezegd dat hij misschien wel iets kon doen; Rhyme had het zaterdag op de stoep voor het NIOS-hoofdkantoor met Sachs gehad over de mogelijkheid dat ze zich zou laten opereren om de situatie te verbeteren... zodat ze het werk kon blijven doen dat ze nu deed. Dan werd ze niet achter het bureau geschoven, om een van Myers' verwerpelijke termen te gebruiken.

Ze had geen artritis – een afwijking van het immuunsysteem waarbij alle gewrichten worden aangetast – maar artrose, en ze was zo jong dat ze nog minstens tien jaar plezier kon hebben van een operatie aan haar heup en knie voordat een van die gewrichten vervangen zou moeten worden.

De voors en tegens waren zorgvuldig afgewogen en uiteindelijk had ze toegestemd.

Rhyme keek om zich heen naar het gezelschap van ongeveer tien anderen die in de wachtkamer zaten: stellen, mannen en vrouwen die alleen waren gekomen, gezinnen. Sommigen vertoonden geen emotie, sommigen zaten fluisterend te praten, sommigen waren zenuwachtig, sommigen gaven zich over aan afleidende rituelen: in je koffie roeren, de verpakking van een snack halen, een tijdschrift lezen, sms'jes versturen of spelletjes op een mobieltje spelen.

Het viel Rhyme op dat niemand hier ook maar de minste aandacht aan hem schonk, dit in tegenstelling tot buiten op straat. Hij zat in een rolstoel; ze waren in een ziekenhuis. Hier was hij normaal.

'Heb je dr. Barrington verteld dat de operatie niet doorgaat?' vroeg Thom.

'Dat heb ik hem verteld.'

De verzorger zweeg een ogenblik. Hij liet de *Times* die hij aan het lezen was een klein stukje zakken, nauwelijks merkbaar. Ze waren door de omstandigheden tot elkaar veroordeeld en gingen intiem met elkaar om, maar ze vonden het moeilijk om persoonlijke dingen te bespreken. Lincoln Rhyme al helemaal. Tot zijn verbazing voelde hij zich niet eens opgelaten toen hij aan Thom bekende: 'Er is iets gebeurd toen ik op de Bahama's was.' Hij keek naar een man en vrouw van middelbare leeftijd, die elkaar weinig overtuigend zaten te troosten. Over wie ging het? Over de vader van een van hen beiden? Of over een klein kind? Dat maakte nogal wat uit.

Rhyme ging verder: 'Op dat strandje waar we dachten dat de sluipschutter gezeten had.'

'Toen je een eindje bent gaan zwemmen.'

De criminalist zweeg een ogenblik. Hij dacht niet terug aan het afschuwelijke moment waarop hij in het water viel, maar aan wat daarvoor gebeurde. 'Het lag zo voor de hand dat die goudkleurige Mercury eraan zou komen.'

'Hoezo?'

'Die vent in de pick-up? Die die zakken in een greppel dumpte?'

'Die uiteindelijk de baas van het spul bleek.'

'Precies. Waarom reed hij helemaal door tot het eind om die zakken weg te gooien? Een paar honderd meter terug lag een illegale vuilstort, langs SW Road. En wie gaat er nou bellen als hij tegelijkertijd een lading zware zakken moet verslepen? Hij was gewoon die twee kornuiten van hem in de Mercury aan het vertellen waar we waren. O, en hij droeg een grijs T-shirt – en jij had me al eerder verteld dat een van de mannen in de Mercury een grijs T-shirt aanhad. Maar dat heb ik allemaal over het hoofd gezien. Ik zag het wel, maar het drong niet tot me door. En weet je hoe dat kwam?'

De verzorger schudde zijn hoofd.

'Doordat ik dat pistool had. Dat had ik van Mychal gekregen. Ik dacht dat ik niet hoefde na te denken. Ik hoefde mijn hoofd niet te gebruiken... omdat ik me wel een weg uit de situatie zou kunnen knallen.'

'Alleen kon je dat niet.'

'Alleen kon ik dat niet.'

Een chirurg in een saaie, bevlekte operatiejas kwam de wachtkamer binnen. Alle blikken gingen gespannen in zijn richting, zoals de valk van Rhyme naar een duif zou kijken. De man herkende het gezin waarnaar hij op zoek was, liep ernaartoe en knoopte een gesprek aan. Zo te zien had hij goed nieuws.

Rhyme vervolgde zijn gesprek met Thom: 'Ik heb me vaak afgevraagd of ik sterker uit het ongeluk ben gekomen. Ik moest beter nadenken, helderder, moest scherpere deducties maken. Omdat dat dat wel moest. Andere opties waren er niet.'

'En nu denk je dat dat inderdaad het geval is.'

Een knik. 'Dat ik op de Bahama's niet goed nadacht, is jou, Mychal en mezelf bijna fataal geworden. Dat laat ik niet nog een keer gebeuren.'

'Zit je me nu te vertellen dat je verder geen operaties meer wilt?' vroeg Thom.

'Inderdaad. Hoe zeiden ze dat ook al weer in die film, een die ik van jou moest zien. Een zinnetje dat ik wel grappig vond. Al zou ik dat toen misschien niet onmiddellijk hebben toegegeven.'

'Welke film was dat?'

'Een of andere politiefilm. Een hele tijd geleden. De held zei iets als "Je moet weten waar je beperkingen liggen." *A man's got to know his limitations.*'

'Clint Eastwood.' Thom dacht even na. 'Dat is waar, maar je kunt net zo goed zeggen: "Je moet weten waar je kracht ligt."'

'Wat ben jij toch een onverbeterlijke optimist.' Rhyme tilde zijn hand op en keek naar zijn vingers, liet zijn hand toen weer zakken. 'Dit is voldoende.'

'Het is de enige keuze die je had kunnen maken, Lincoln.'

Rhyme trok vragend een wenkbrauw op.

'Anders zou ik zonder baan komen te zitten. En het zou nog een hele klus worden om iemand te vinden die zo lastig is als jij.'

'Ik ben blij dat ik de lat zo hoog heb gelegd,' bromde Rhyme.

En toen verdween het onderwerp en het bijbehorende ongemak als sneeuw op een hete motorkap. De mannen zwegen.

Twee uur later ging de dubbele deur naar de operatiekamer open en liep een chirurg naar de wachtkamer. Weer gingen alle blikken naar de man in de groene operatiejas, maar dit was Sachs' chirurg. Hij liep in een rechte lijn op Rhyme en Thom af.

Terwijl de anderen in de wachtkamer zich weer op hun koffie en tijdschriften en sms'jes richtten, keek de chirurg van Thom naar Rhyme. 'Het is goed gegaan,' zei hij. 'Ze maakt het goed. Ze is wakker. En ze heeft naar u gevraagd.'

De recepten van Jacob Swann

Lezers die zelf willen kennismaken met de vaardigheden van Jacob Swann – de culinaire vaardigheden, niet de moordzuchtige – kunnen gebruikmaken van de recepten voor de gerechten die in dit boek genoemd worden, vaak mijn eigen variaties op klassieke schotels. De link is te vinden op mijn website: www.jefferydeaver.com

J.D.

Dankwoord

Met dank aan Mitch Hoffman, Jamie Raab, Lindsey Rose en David Young – en aan de vaste groep mensen om me heen: Madelyn Warcholik, Deborah Schneider, Cathy Gleason, Julie Deaver, Jane Davis en Will en Tina Anderson.

De Oktoberlijst

Gabrielle zit in een appartement in Manhattan en kijkt op de klok. Haar dochter is ontvoerd. Ze heeft een schotwond. Ze heeft iemand vermoord. De politie zit haar op de hielen. En ze zit midden in zenuwslopende onderhandelingen met de meedogenloze ontvoerder van haar dochter. Zijn eisen: de Oktoberlijst en een grote som geld. Dan gaat de deurbel…

Dat is het einde van het verhaal van Gabrielle – en het ijzingwekkende begin van de nieuwe stand-alone van Jeffery Deaver. Scène voor scène onthult hij welke feiten Gabrielle hebben gevoerd naar de bloedstollende climax van haar verhaal, waarbij hij start bij het bittere einde en de lezer via talloze zinderende wendingen terugleidt naar het begin.

De Oktoberlijst is een originele, knap geconstrueerde en razend spannende thriller van de meester van de explosieve spanning.

Oktober 2013 in de boekhandel!

Lees nu ook het korte verhaal

Een zaak volgens het boekje

Lincoln Rhyme gelooft in keihard forensisch bewijs. Anders dan zijn partner Amelia Sachs ziet hij niets in het maken van daderprofielen en het natrekken van motieven. Wanneer zijn hulp wordt ingeroepen bij een brute moord op een jonge vrouw laat zijn kennis hem echter in de steek.

Deze moordenaar heeft namelijk niet geprobeerd zijn sporen uit te wissen; hij heeft het lichaam van zijn slachtoffer juist overspoeld met bewijsmateriaal. Zoveel bewijsmateriaal dat het maanden zal kosten om uit te vinden welke sporen bruikbaar zijn en welke doodlopen – en zoveel tijd is er niet als Rhyme en Sachs willen voorkomen dat de moordenaar opnieuw toeslaat.

Rhyme zal zijn theoretische kennis opzij moeten zetten om het sadistische spelletje van de moordenaar te doorgronden. Of misschien toch niet?

Download het gratis e-book via de volgende link:

www.unieboekspectrum.nl/eenzaakvolgenshetboekje